INITIATION A L'HISTOIRE

sous la direction de Michel BALARD

Jean-Paul BRUNET
Agrégé de l'Université
Professeur
à l'Université d'Orléans

Michel LAUNAY
Agrégé de l'Université
Docteur ès lettres
Maître-Assistant d'Histoire

HISTOIRE CONTEMPORAINE II

d'une guerre à l'autre

1914-1945

3e Édition revue et corrigée

COLLECTION

**HACHETTE
UNIVERSITÉ**

CLASSIQUES HACHETTE

ISBN 2-01-000958-4

PRÉFACE

Une équipe de jeunes universitaires.

Des ouvrages d'initiation.

Voilà définis en quelques mots les collaborateurs et l'esprit de cette nouvelle collection.

Depuis plusieurs années nous constatons les difficultés qu'éprouvent les jeunes étudiants, lorsqu'ils passent des lycées dans le premier cycle des études supérieures. Difficultés techniques : ils doivent pratiquer des exercices variés – exposés, comptes rendus de lectures, explications de documents, dissertations, constitution de dossiers — sans avoir une bonne connaissance des méthodes appropriées. Difficultés matérielles : l'encombrement des bibliothèques ne leur permet pas de faire l'indispensable recherche bibliographique, le dépouillement des livres et des revues qui devrait constituer une part essentielle du travail personnel. Difficultés de fond : l'étude de questions spécialisées d'histoire suppose une large base de connaissances, qui n'est pas toujours bien assurée.

Aussi les enseignements d'initiation se sont-ils multipliés dans nos universités. Les collaborateurs de cette collection y ont participé, avec le souci constant de faire acquérir des méthodes permettant aux étudiants d'ordonner leurs connaissances. Ils livrent ici le fruit de leur expérience pédagogique. Guides, ces ouvrages présentent les grandes collections, recueils de textes, revues, atlas dont la consultation est indispensable. Ils indiquent, à l'aide d'exemples, comment rédiger des fiches de travail, comment mener une explication de documents, un exposé, une dissertation ; ils fournissent, pour chaque question traitée, une bibliographie raisonnée et font le point de nos connaissances. Précis historiques, ces manuels montrent comment traiter en une brève synthèse les grands thèmes d'étude d'une période, et donnent un aperçu des principaux problèmes, mais non de tous.

Des cartes très maniables, de nombreuses annotations marginales, comportant des éléments de vocabulaire historique, de courtes biographies, des croquis, des repères chronologiques, font de ces manuels d'initiation de commodes instruments de travail. Ils ne prétendent point être autre chose.

Michel BALARD

INTRODUCTION

Cet ouvrage est un manuel d'initiation. C'est dire que, même s'il vise à présenter sur les grandes questions les connaissances indispensables, il ne saurait prétendre à l'exhaustivité. Compte tenu de ses dimensions, ses auteurs ont fait des choix. En règle générale, ils ont moins insisté sur les événements eux-mêmes que sur les principaux problèmes et les interprétations les plus récentes ; et ils ont tenté de mettre en valeur l'aspect méthodologique que doit revêtir l'approche de l'histoire du XXe siècle.

I LA BIBLIOGRAPHIE

1 Remarques générales

L'histoire contemporaine, peut-être surtout celle du XXe siècle, est sans doute le secteur de l'histoire où la multiplicité et l'inégale valeur des publications rendent le plus indispensable l'art d'opérer des choix et de dresser des bibliographies solides et parfaitement à jour. D'une façon générale, le premier réflexe à acquérir est de se référer immédiatement, dès que l'on aborde une question, aux grands manuels de l'enseignement supérieur : *Nouvelle Clio, Peuples et Civilisations, Histoire générale des Civilisations*, etc. ; leurs qualités complémentaires permettent d'opérer une sélection bibliographique sérieuse, de trouver sans peine un renseignement précis, d'obtenir rapidement une vue synthétique sur un problème particulier. Dans un deuxième temps, on se reportera aux revues générales (*Revue historique, Revue d'Histoire moderne et contemporaine*), puis aux revues spécialisées (par exemple *Revue d'Histoire économique et sociale, Revue d'Histoire de l'Église de France*), dont des articles et des comptes rendus pourraient concerner le sujet proposé. On recherchera d'abord si des tables rétrospectives n'ont pas été éditées à une date récente, le dépouillement de la revue en étant alors grandement facilité ; faute de quoi, l'on prospectera les quelques dernières années.

La courte bibliographie qui suit introduit aux ouvrages essentiels pour la connaissance du XXe siècle, qu'il importe de savoir pratiquer. Les titres mentionnés ici ne seront généralement pas repris à la fin des divers chapitres.

2 Les grandes collections historiques

a Trois sont fondamentales :

LA COLLECTION « NOUVELLE CLIO », dont chaque ouvrage comporte trois parties : instruments de travail, sources et bibliographie ; nos connaissances ; débats, directions de recherches.

Citons, entre autres :

J.-B. DUROSELLE, *L'Europe de 1815 à nos jours*, Paris, P. U. F., 1964, 398 p.

C. FOHLEN, *L'Amérique anglo-saxonne de 1815 à nos jours*, Paris, P. U. F., 1965, 374 p.

J. CHESNEAUX, *L'Asie orientale aux XIXe et XXe siècles*, Paris, P. U. F., 1966, 371 p.

LA COLLECTION « PEUPLES ET CIVILISATIONS », dite également HALPHEN ET SAGNAC, du nom de ses fondateurs ; on trouvera dans les volumes correspondant au XXe siècle, constamment remis à jour, le point des connaissances actuelles. Il s'agit des tomes :

XIX : P. RENOUVIN, *La Crise européenne et la première guerre mondiale* (1904-1918), 5e éd., 1969, 784 p.

XX : M. BAUMONT, *La Faillite de la Paix, 1918-1939* ; vol. I : *De Rethondes à Stresa, 1918-1935*, 5e éd., 1967, 544 p. ; vol. 2 : *De l'Affaire éthiopienne à la guerre, 1935-1939*, 5e éd., 1968, 424 p.

XXI : H. MICHEL, *La Seconde Guerre mondiale*, vol. I : *Les Succès de l'Axe, 1939-1943*, 1968, 516 p. ; vol. 2 : *La Victoire des Alliés, 1943-1945*, 1969, 552 p.

LA COLLECTION « HISTOIRE GÉNÉRALE DES CIVILISATIONS », qui, supposant connue la trame des événements, s'attache davantage aux phénomènes de la civilisation entendue au sens large : économie, société, grands traits de la vie politique, aspects de la vie intellectuelle et artistique. Traite du XXe siècle le tome VII : M. CROUZET, *L'Époque contemporaine*, Paris, P.U.F., 1969, 5e éd., 948 p.

b D'autres collections pourront rendre d'appréciables services :

LE MONDE ET SON HISTOIRE, parue chez Bordas-Laffont ; pour le XXe siècle, on consultera les tomes IX (1914-1939) et X (depuis 1939), intitulés *Nos Contemporains* et dus à la plume de M. RONCAYOLO ; cette collection de « vulgarisation noble » allie la valeur du texte à la somptuosité de l'iconographie.

L'HISTOIRE DU DÉVELOPPEMENT CULTUREL ET SCIENTIFIQUE DE L'HUMANITÉ, publiée par l'U. N. E. S. C. O., tome VI : *XXe siècle, Anatomie du monde où nous vivons*, Paris, R. Laffont, 1969, 2 vol., sous la direction de C. W. WARE, K. M. PANIKKAR, J. M. ROMEIN ; insiste surtout sur les progrès des sciences et des techniques, en eux-mêmes et comme facteurs premiers de l'évolution historique.

L'EUROPE DU XIXe ET DU XXe SIÈCLE, tomes V et VI : *De 1914 à nos jours*, de M. BELOFF P. RENOUVIN, F. SCHNABEL, F. VALSECCHI, aborde les problèmes dans une optique historiographique et méthodologique.

En anglais, la **NEW CAMBRIDGE MODERN HISTORY**, vol. XII, *1898-1945*, 1960, 602 p., est un très utile instrument de travail.

Les autres collections

Il existe de nombreuses autres collections de premier ordre, auxquelles il sera fait référence à la fin de nos différents chapitres :

a Collections « de poche », non spécialisées : « QUE SAIS-JE ? » (P. U. F.) fait le point des questions. « ARCHIVES » (Julliard) édite des dossiers d'une grande variété ; « KIOSQUE » (A. Colin), dont chaque volume étudie un problème d'après la presse ; « DOSSIERS CLIO » (P. U. F.), qui par la confrontation de documents originaux et de textes d'historiens, procède à la mise à jour des questions.

b Collections universitaires non spécialisées, par exemple les collections « U » ou « U2 » (A. Colin) ; rendront ici les plus grands services les ouvrages de J. A. LESOURD et C. GÉRARD, *Histoire économique, XIXe-XXe siècles*, 5e éd., 1970 et 1971, 2 vol. de chacun 368 p. ; de G. DUPEUX, *La Société française, 1789-1970*, 272 p., rééd. 1972 ; de G. CASTELLAN, *L'Allemagne de Weimar, 1918-1933*, 1969, 444 p.

c Collections spécialisées :

Dans un thème, par exemple l'*Histoire des relations internationales*, publiée sous la direction de P. RENOUVIN – ici tomes VII et VIII. Les crises du XXe siècle – 1 : *de 1914 à 1929*, 376 p ; 2 : *de 1929 à 1945*, 426 p. Paris, Hachette, 1969, rééd.

Dans l'étude d'un pays ; ainsi l'*Histoire du Peuple français*, dirigée par L. H. PARIAS, Paris, Nouvelle Librairie de France, tome V, *Cent ans d'esprit républicain*, 1964, 612 p. par J. M. MAYEUR, F. BÉDARIDA, A. PROST et J. L. MONNERON ; ou l'*Histoire de la France*, dirigée par G. DUBY, tome III, *Les Temps nouveaux. De 1852 à nos jours*, 1972, 448 p.

Les revues et les autres instruments de travail

a Les revues :

Il est indispensable de les connaître et de savoir les manier ; parce que, d'une part, elles contiennent des articles fondamentaux ; parce que, d'autre part, les nombreux comptes rendus d'ouvrages historiques que l'on peut y trouver dispensent parfois de lire les livres eux-mêmes, en particulier quand il s'agit d'une langue étrangère peu pratiquée.

La plus ancienne revue d'histoire est en France la *Revue historique* (fondée en 1876 par Gabriel Monod), elle traite de toutes les périodes de l'histoire.

Les *Annales. Économies. Sociétés. Civilisations* (créées en 1929 par Marc Bloch et Lucien Febvre sous le titre d'*Annales d'histoire économique et sociale*) s'attachent surtout aux structures, mais se tournent peu vers l'histoire contemporaine, surtout celle du XXe siècle.

La *Revue d'Histoire moderne et contemporaine* rendra davantage de services, tant par la valeur de ses articles que par les multiples comptes rendus qu'elle présente.

L'*Information historique* a un but plus pédagogique : courtes mises au point, documents et méthodes à l'usage de l'enseignement.

La *Revue d'Histoire économique et sociale* et *Le Mouvement social* seront enfin d'une grande utilité dans leur spécialité respective.

b Les dictionnaires

Leur consultation s'avère souvent indispensable, par exemple pour la définition de certains mots, pour des renseignements d'ordre biographique, etc. A cet égard les dictionnaires rédigés au XIXe siècle, tels la GRANDE ENCYCLOPÉDIE ou le GRAND DICTIONNAIRE UNIVERSEL DU XIXe SIÈCLE (Larousse) conservent un intérêt historiographique certain (ils constituent des « tableaux historiques » à un moment donné). Ils sont cependant largement dépassés sur la plupart des questions ; aussi consultera-t-on essentiellement et en premier lieu l'ENCYCLOPAEDIA BRITANNICA ou l'ENCYCLOPAEDIA UNIVERSALIS.

c Les atlas

L'ATLAS HISTORIQUE STOCK, publié en format de poche par les éditions Stock, peut rendre d'appréciables services. Mais il convient souvent de se référer à des atlas de dimension plus importante.

P. VIDAL DE LA BLACHE, *Atlas historique et géographique*, Paris, A. Colin, dernière édition 1960 ;

Westermanns Atlas zur Weltgeschichte, t. III : *Neuzeit*, Berlin-Hambourg, 1963.

Signalons aussi, pour la France, le très précieux *Atlas historique de la France contemporaine, 1800-1965*, publié dans la collection U, sous la direction de R. RÉMOND, Paris, A. Colin, 1966, 236 p.

d Les recueils de textes

Les principaux recueils de textes utilisés dans l'enseignement de l'histoire sont :

D. VOILLIARD, G. CABOURDIN, F. DREYFUS et R. MARX, *Documents d'Histoire*, tome 2, *1851-1963*, Paris, A. Colin, 1964, 348 p., coll. U.

M. CHAULANGES, A. G. MANRY, R. SEVE, *Textes historiques, 1914-1945*, Paris, Delagrave, 1970, 192 p.

C. FOHLEN et J. R. SURATTEAU, *Textes d'Histoire contemporaine*, Paris, S. E. D. E. S., 1967, 406 p.

M. LARAN et J. WILLEQUET, *L'Époque contemporaine (1871-1945)*, tome V des *Recueils de textes d'histoire pour l'Enseignement secondaire publiés sous la direction de L. GOTHIER et A. TROUX*, Paris-Liège, H. Dessain, 1960, 440 p.

II LE TRAVAIL DE L'ÉTUDIANT

1 L'explication de documents

L'explication de documents est à coup sûr l'exercice le plus délicat ; c'est aussi celui qui révèle le mieux les qualités de l'apprenti historien. Aussi convient-il d'en acquérir une solide technique dès le premier cycle. Sur ce point, nous renverrons le lecteur à J. P. BRUNET et A. PLESSIS, *Explications de Textes historiques (de la Révolution au XXe siècle)*, Paris, A. Colin, 1970, 494 p., coll. « U2 ». L'ouvrage comporte l'exposé de la méthode d'explication et la présentation de vingt-quatre textes de natures très diverses, totalement ou partiellement expliqués.

2 La dissertation [1]

La dissertation, pour être sans doute moins difficile, n'en présente pas moins certains impératifs propres. Sans prétendre faire ici œuvre exhaustive, nous conseillerons à l'étudiant de méditer les points suivants :

— Il convient d'abord de réfléchir longuement au libellé du sujet proposé ; le but de l'exercice étant d'exercer la réflexion autant et plus que de sonder le niveau des connaissances brutes, il y a toujours peu de chances qu'il puisse s'agir d'une simple « question de cours », et que le correcteur attende la reproduction telle quelle d'une partie de livre ou de cours ; chaque sujet, chaque formulation ont leur sens spécifique, qu'il importe de discerner avant toute étape ultérieure. Un jour d'examen, on ne se laissera donc pas prendre à l'illusion d'une trop rapide compréhension ; on ne se mettra surtout pas à écrire dès le début de

l'épreuve, mais on consacrera au moins un tiers de son temps à cette réflexion liminaire et à l'élaboration d'un plan détaillé.

— L'introduction et la conclusion sont à soigner tout particulièrement : elles fournissent la preuve que l'on a ou non compris le sujet proposé ; banalités, propos creux, répétitions sont à proscrire.

a) L'introduction, qu'on veillera à ne point faire trop générale, et qui doit avancer déjà des éléments utiles au développement central, a pour but de mettre en valeur le sujet, sur le libellé duquel elle doit déboucher — faute de quoi, il y a grand risque que les propos à venir ne soient guère adaptés à la question posée.

b) La conclusion ne peut se borner à résumer ce qui vient d'être dit, mais comme dans le cas de l'explication de texte, elle doit, sans s'en éloigner par trop, s'élever au-dessus des développements précédents, afin de bien souligner l'intérêt et la portée du sujet.

— Il y aurait beaucoup à dire sur le problème du plan ; nous insisterons surtout sur cette nécessité qu'il doit dégager une *progression* : pas de pure et simple juxtaposition, pas de « plan-tiroir », où les différentes parties seraient interchangeables ; il faut au contraire regrouper les développements en fonction des idées-forces et mettre en valeur une dynamique propre. C'est dire que les plans subdivisés en un trop grand nombre de parties (cinq par exemple) sont à éviter : ils prouvent simplement que les regroupements nécessaires n'ont pas été opérés ; de même, les articulations en deux parties tendent à figer la démarche ; ce n'est donc point par purisme désuet ou par souci d'un classicisme trop formel, que nous conseillerons le plan en trois, ou à la rigueur en quatre parties.

— Quant à la présentation et à la forme, on pourra se reporter à ce que nous en disons dans notre ouvrage cité supra, *Explications de Textes historiques (de la Révolution au XXe siècle)*, p. 21.

3 L'exposé

L'exposé n'est pas un exercice fondamentalement différent de la dissertation ; il requiert peut-être, dans une certaine mesure, moins de

---

(1). Ce paragraphe, ainsi que le suivant (« l'exposé ») sont tirés de J. P. BRUNET et A. PLESSIS, *Introduction à l'Histoire contemporaine*, Paris, A. Colin, 1972, 326 p., coll. « U2 ». Nous adressons tous nos remerciements à la Librairie Armand Colin qui nous a permis de faire cet emprunt. Pour tous renseignements sur la nature et les méthodes de l'histoire contemporaine, nous nous permettons de renvoyer le lecteur à cet ouvrage.

Introduction

rigueur ou d'approfondissement, mais il exige en retour des qualités supplémentaires de présentation :

– Il convient de ne jamais lire ses notes, faute de quoi l'auditoire se lasse d'autant plus rapidement que l'orateur se perd dans des phrases toutes faites.

– Il faut adapter exactement son propos au temps dont on dispose ; en histoire contemporaine, on peut parler pratiquement, sur n'importe quel sujet, cinq minutes ou deux heures : tout est fonction de l'ampleur de la recherche que l'on a entreprise et de la présentation à laquelle (consciemment ou non) on s'est résolu. Il est donc absolument nécessaire d'adapter cette recherche, puis sa préparation, en vue d'un type donné d'exposé. On lira et relira aussi plusieurs fois ses notes avant l'exercice : ainsi l'on dégagera mieux l'essentiel de l'accessoire, en même temps d'ailleurs que l'on s'évitera le moment venu un trop fréquent recours à ses fiches.

– On se gardera également de ce ton faussement dégagé ou de cette familiarité de propos, destinés le plus souvent à donner le change, mais qui font d'ordinaire mauvaise impression.

Un exemple de plan de dissertation

Nous avons retenu le sujet suivant : « *Les relations entre la France et les États-Unis de 1917 à 1932* ».

Trois parties peuvent être distinguées :
La première intéresse l'entrée en guerre des États-Unis et leur rôle dans la conclusion de l'armistice et l'élaboration de la paix.
La seconde tourne autour du règlement des dettes de guerre, véritable pomme de discorde entre les deux pays.
La troisième commence avec la crise de 1929 : à partir de ce moment-là les problèmes évoluent dans un contexte nouveau. Les relations franco-américaines ne s'en trouvent pas améliorées.

INTRODUCTION

Dans l'introduction, il convient de préciser le sujet, de montrer que l'on en a bien compris tous

les aspects ; il faut aussi annoncer le plan à l'intérieur duquel les éléments du développement vont trouver leur place.

Nous proposons quant à nous l'introduction suivante :

Entre 1917 et 1932, les États-Unis et la France ont entretenu des rapports qui n'avaient jamais été aussi étroits depuis la guerre d'Indépendance. Jusqu'en 1920, les relations sont bonnes, sauf la tension qui naît entre Wilson et Clemenceau à propos du règlement de la paix. Ensuite, le problème des dettes de guerre envenime les rapports. Une solution intervient en 1926 dans un sens favorable aux exigences de Washington.

Lorsque éclate la crise de 1929 chacun des deux pays songe à ses propres problèmes ; comme il reste un contentieux à régler, les États-Unis font pression sur la France pour qu'elle apure ses comptes. Rien n'y fait. La période s'achève sur un sentiment d'incompréhension entre les deux pays.

Assurément il y a eu bien d'autres domaines dans lesquels les relations franco-américaines ont été tout à fait satisfaisantes, les échanges culturels notamment (expansion de la culture française dans les universités d'outre-Atlantique). Il n'empêche que les relations étroites de 1917 se sont passablement distendues en 1932.

PREMIÈRE PARTIE

Un associé nécessaire et exigeant.

– Ce que représentent les États-Unis pour la France en 1917 : faiblesse militaire et prestige économique.

– Comment les Américains considèrent leur intervention : l'aspect moral domine.

– L'aide financière du gouvernement fédéral et l'importance de plus en plus grande des effectifs engagés sur le front, font des Américains les arbitres de la situation militaire et diplomatique.

– La personnalité de Wilson rend plus lourd le poids de l'associé. On le voit dans les négociations d'armistice et dans la conférence de Paris.

– L'opinion française et Wilson (l'homme et l'œuvre).

DEUXIÈME PARTIE

Un géant pacifiste doublé d'un financier sans entrailles.

— Les États-Unis retournent à l'isolationnisme.

— La France est devenue une puissance de second ordre.

— Le problème des dettes de guerre.
La position américaine : les dettes doivent être payées.
La position française : les dettes doivent être liées aux réparations allemandes. En outre, la France a payé la dette du sang.

— Négociation des accords : la France cède.

— France et États-Unis continuent cependant à avoir de bons rapports culturels et « affectifs » (Lindbergh, Coste et Bellonte, développement de la culture française).

— Le Pacte Briand-Kellogg est typique des relations franco-américaines : entente morale et idéologique ; rapports matériels médiocres.

TROISIÈME PARTIE

De l'association théorique au désaccord pratique

— Le grand tournant de la crise.

— Les États-Unis et leurs problèmes.

— La France, qui n'est pas touchée, apparaît aux yeux des Américains comme la responsable de la crise.

— Le moratoire Hoover et la conférence de Lausanne.

— L'effondrement définitif des accords. Le gouvernement Herriot tombe sur ce problème en 1932.

CONCLUSION

Causes de la dégradation des rapports :

— Inégalité de l'effort de guerre.
— L'administration républicaine.
— L'obsession française des dettes de guerre allemandes.
— En définitive on peut dire que les rapports franco-américains ne s'amélioreront pas sous Roosevelt et qu'en 1940 l'Amérique ne fera pas grand chose pour soutenir la France.

LIVRE PREMIER

LA PREMIÈRE GUERRE MONDIALE ET LE RÉTABLISSEMENT DE LA PAIX

CHAPITRE PREMIER

La Grande Guerre

origines et opérations militaires

Le conflit européen de 1914 aurait pu éclater plusieurs fois depuis 1904. S'il n'en a pas été ainsi, c'est que tous les belligérants éventuels n'étaient pas décidés à décréter la guerre « inévitable ». En juillet-août 1914, au contraire, tous acceptent le risque de la guerre.

I LES CAUSES IMMÉDIATES DU CONFLIT

Lorsque le 28 juin 1914 un étudiant d'origine serbe, Princip, (prononcer « Printsip ») assassine le prince héritier d'Autriche-Hongrie, neveu de l'empereur François-Joseph, l'archiduc François-Ferdinand ainsi que sa femme, la duchesse de Hohenberg (une Slave, née Sophie Chotek), à Serajevo, capitale de la Bosnie-Herzégovine, le gouvernement de Sa Majesté Apostolique détient le prétexte d'une intervention militaire contre la Serbie. « L'expédition punitive » que Vienne prépare depuis quelque temps peut être déclenchée.

LE DRAME DE SERAJEVO

Voir cartes 1 et 2

Vienne ne peut se permettre d'envahir la Serbie sans l'accord des Allemands. Le grand allié avait retenu son brillant second en 1913, lorsque ce dernier avait voulu intervenir dans le deuxième conflit balkanique, afin de secourir la Bulgarie menacée par les armées serbes. Le gouvernement de Berlin avait estimé alors avoir commis une faute, et s'était promis de ne plus retenir Vienne si jamais une occasion d'écraser la Serbie se représentait.

LE DÉCLENCHEMENT
DE LA CRISE

L'Entente

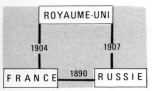

La Triplice

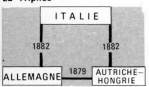

Les principaux responsables civils et militaires

AUTRICHE-HONGRIE

FRANÇOIS-JOSEPH, empereur - roi ; – comte BERCHTOLD, chancelier ; – comte TISZA, premier ministre hongrois ; – Conrad von HÖTZENDORF, chef d'État-major.

ALLEMAGNE

GUILLAUME II, empereur et roi ; – BETH-MANN-HOLLWEG, chancelier d'Empire; – von JAGOW, secrétaire d'État aux Affaires étrangères ; – von POURTLALÈS, ambassadeur d'Allemagne à Pétrograd ; – von SCHŒN, ambassadeur à Paris.

RUSSIE

NICOLAS II, tsar ; – GORÉMÉKINE, président du Conseil ; – SAZONOV, ministre des Affaires étrangères ; – ISVOLSKY, ambassadeur à Paris.

FRANCE

Raymond POINCARÉ, président de la République ; – René VIVIANI, président du Conseil ; – MESSIMY, ministre de la Guerre ; – JOFFRE, chef d'État-major ; – Paul CAMBON, ambassadeur à Londres ; – Jules CAMBON, ambassadeur à Berlin ; – PALÉOLOGUE, ambassadeur à Pétrograd.

ROYAUME-UNI

GEORGE V, roi ; – ASQUITH, premier ministre ; – Edward GREY, Foreign Office.

SERBIE

PIERRE Ier, roi ; – PASIĆ, premier ministre.

BELGIQUE

ALBERT Ier, roi ; – comte de BROQUEVILLE, premier ministre.

L'Autriche-Hongrie savait qu'une guerre contre la Serbie provoquerait l'intervention de la Russie, protectrice des Serbes, qui sont des Slaves. L'Allemagne ne l'ignorait pas non plus. Les encouragements que le chef de cabinet du chancelier autrichien reçut, le 5 juillet, à Berlin, où il était venu se concerter avec le gouvernement allemand, c'est-à-dire prendre des ordres, déterminèrent le cabinet de Vienne à agir rapidement.

Le 19 juillet est rédigé, à Vienne, un ultimatum à la Serbie. Le 21, l'empereur-roi en approuve les termes. Le 23 à 18 heures l'ultimatum est transmis à Belgrade. Les Serbes ont 48 heures pour répondre.

Le royaume de Serbie avait à sa tête Pierre Ier Karageorgevitch. Cet ancien saint-cyrien était tout acquis au camp franco-russe et son hostilité à l'égard des puissances germaniques était déterminée. Le Premier ministre, Pasić (prononcer Pachitch), n'était pour rien dans le complot qui avait coûté la vie à François-Ferdinand : l'affaire, en réalité, avait été montée par une société secrète serbe appelée « L'Unification ou la Mort » dont le chef, le colonel Dragutin Dimitrijević, était directeur des services de renseignements au ministère de la Guerre à Belgrade. C'était un panserbe qui voulait provoquer une guerre contre l'Autriche et qui était tenu en suspicion par Pasić, son ennemi politique, qui le fera fusiller à la fin de la guerre. Le gouvernement de Belgrade n'avait aucune raison de couvrir Dimitrijević, mais il ignorait qu'il fût l'âme du complot. Vienne l'ignorait tout autant. Berchtold portait ses soupçons sur l'organisation patriotique serbe « Narodna Odbrana », laquelle exprimait « sa haine contre l'Autriche » par sa propagande au grand jour en faveur d'une libération des Slaves du joug germanique. C'est précisément contre les organisations patriotiques du type « Narodna Odbrana » qu'entendait lutter l'Autriche-Hongrie et elle en manifestait la volonté dans l'ultimatum remis à Belgrade le 23 juillet. Le gouvernement serbe était sommé de mettre un terme à toute la propagande panserbe. Les auteurs du complot qui avaient armé le bras de Princip devaient être activement recherchés et châtiés. Pour aboutir, il était exigé des autorités de Belgrade qu'elles permettent à des policiers autrichiens d'enquêter sur le territoire serbe et de s'y livrer à tous les interrogatoires jugés par eux indispensables.

Cette dernière clause de l'ultimatum austro-hongrois était irrecevable, tant elle était contraire au principe de la souveraineté de l'État serbe. Le 25 juillet, au terme du délai imparti, Pasić fit répondre à Vienne qu'il acceptait neuf des dix points de l'ultimatum. Sur le dixième point qui demandait l'intervention de la police autrichienne en Serbie, Pasić, sans répondre non de manière catégorique, proposa de soumettre le litige à la Cour internationale de La Haye.

Le chargé d'affaires austro-hongrois à Belgrade, Giesl, déclara aussitôt les relations rompues et quitta la Serbie. Le conflit entre l'Autriche-Hongrie et la Serbie n'était plus qu'une question de jours. Le 28 juillet,

La Grande

à 11 heures, soit un mois après l'assassinat de François-Ferdinand, l'Autriche-Hongrie déclarait la guerre à la Serbie.

Qu'allaient faire les grandes puissances, c'est-à-dire l'Allemagne, la Russie, la France, le Royaume-Uni ?

Guillaume II, qui était en croisière au moment de la réponse serbe à l'ultimatum du 23 juillet, eut connaissance des événements le 28. Le texte de la réponse de Pasić lui parut « effacer toute cause de guerre » : il lui semblait que cette réponse était suffisamment humiliante pour son auteur ! Son chancelier, Bethmann-Hollweg, transmit donc à Vienne des appels à la modération, atténués toutefois par la volonté des Allemands de ne pas donner à leurs alliés l'impression qu'ils les abandonnaient. Il était bien tard pour intervenir dans ce sens et Berlin qui croyait, semble-t-il, à une guerre rapide et limitée, laissa faire.

Nicolas II avait échangé des lettres avec son cousin Guillaume II. Nicky (le tsar) avait pressé Willy (le Kaiser) de questions. L'affaire serbe lui paraissait grave. La récente visite effectuée à Pétrograd du 21 au 23 juillet par le président de la République française, Raymond Poincaré, et le président du Conseil, René Viviani, venait opportunément de resserrer les liens entre les deux alliés. La Russie décidément se sentait assurée et puissante. Le déclenchement de la guerre austro-serbe provoqua une réaction immédiate de la part du gouvernement Gorémékine. Ce fut la mobilisation partielle qui signifiait que les corps d'armées russes concentrés au Nord des Carpates, à la limite de l'Empire austro-hongrois, étaient placés sur le pied de guerre.

Le 30 juillet marque ainsi l'entrée en scène de la Russie. Le lendemain, 31 juillet, l'Allemagne sommait la Russie de cesser sa mobilisation. Le 1er août, la mobilisation se poursuivant, l'Allemagne déclara la guerre à la Russie. L'affrontement austro-serbe se doublait d'un affrontement entre l'Allemagne et la Russie.

Que faisaient pendant ce temps les gouvernements de Paris et de Londres ? Poincaré et Viviani avaient regagné Paris le 29 juillet. Le 30, Viviani avait décidé de replier les troupes de couverture aux frontières de 10 km à l'intérieur pour prévenir tout incident. Le 31 juillet, l'Allemagne se fit plus menaçante : elle décréta « l'État de danger de guerre » (*Kriegsgefahrzustand*), expression ambiguë que les parlementaires français interprétèrent de manières contradictoires : au reçu de la dépêche, Jean Jaurès (qui n'avait plus que quelques heures à vivre) cherchait à l'Assemblée un dictionnaire allemand-français pour saisir le sens précis du terme employé ! La décision de Berlin était très dangereuse et inquiétait la France : Poincaré et Viviani n'avaient pu intervenir auprès des Russes pour les calmer et l'ambassadeur à Pétrograd, Maurice Paléologue, avait mal renseigné son gouvernement sur l'évolution des esprits à la cour du tsar. En outre, pendant les moments cruciaux qui précédèrent le conflit austro-serbe, les dirigeants français étaient en mer du Nord.

Position des armées en avril 1914.

Le 1er août, l'Allemagne remit à la France un ultimatum lui demandant de se déclarer neutre en cas de conflit germano-russe et de manifester sa volonté de neutralité par la cession à l'Allemagne des places fortes de Toul et de Verdun.

La réponse française ne se fit pas attendre : au milieu de l'après-midi du 1er août, Joffre, commandant en chef des armées françaises, sortait d'un conseil extraordinaire tenu à l'Elysée avec, en poche, l'ordre de mobilisation générale qu'il réclamait.

La guerre gagnait toutes les grandes puissances. Restait le Royaume-Uni. Dès la rupture entre Vienne et Belgrade, Sir Edward Grey avait proposé de réunir une conférence internationale à Londres. L'Allemagne et la Russie avaient poliment décliné l'offre. Le 27 juillet, Londres avait adressé à l'Allemagne un avertissement mesuré. La *Home Fleet* restait mobilisée. Plus tard, Londres devait revenir à la charge et proposer à Vienne de conserver Belgrade lorsqu'elle l'aurait occupée et de se contenter de ce gage avant que les grandes puissances trouvent un terrain d'entente.

Constamment, le Royaume-Uni avait cherché à éviter la guerre. Mais lorsque le 4 août à 6 heures les troupes allemandes pénétrèrent en Belgique, un ultimatum anglais somma Berlin de retirer ses troupes. Devant le refus de l'Allemagne, le Royaume-Uni se considéra en état de belligérance.

La France avait reçu une déclaration de guerre de l'Allemagne, le 3 août à 18h 45 : on peut donc dire que le 3 août marque le début de la Grande Guerre qui devait durer quatre longues années.

Mauvaise question s'il en fut. Il faut se garder d'intenter un procès à telle ou telle puissance en particulier. Si l'Autriche-Hongrie, l'Allemagne et la Russie (sans oublier la Serbie) ont été à coup sûr particulièrement imprudentes, on doit évoquer le problème des causes du conflit à une échelle plus vaste, celle du continent tout entier.

Depuis le début même de la guerre, de part et d'autre de la ligne de feu, on s'est accusé d'avoir provoqué délibérément le conflit. En 1925, l'historien français Pierre Renouvin, lui-même ancien combattant et grand blessé, montra combien les solidarités diplomatiques affrontées portaient de responsabilités dans le processus du déclenchement de la guerre. Pendant longtemps, on s'en est tenu à des explications d'ordre diplomatique ou militaire, c'est-à-dire essentiellement politiques. Depuis une trentaine d'années, les historiens se sont orientés vers des explications plus profondes et plus lointaines. La recherche s'est effectuée au niveau économique, voire psychologique, tant il est vrai que la guerre, comme l'écrivait Alain, « naît des passions ». La polémo-logie, dont Gaston Bouthoul s'est fait en France une spécialité, a fait avancer sensiblement notre connaissance du déclenchement des guerres. Mais il y a plus : les progrès de certaines disciplines (sociologie, psycho-logie des masses, socio-psychanalyse) permettent d'approfondir les causes de la guerre.

A qui la faute ?

Dans ses livres de 1961 *(Griff nach der Welt-macht)* et 1969 *(Krieg der Illusionen)*, Fritz Fischer, professeur à l'Université de Ham-bourg, a dénoncé l'impérialisme des successifs gouvernements allemands, et tenté de montrer que l'Allemagne portait, de très loin, la respon-sabilité principale dans le déclenchement de la guerre mondiale. Même si elles revêtent une simplification excessive, les thèses de F. Fischer ont secoué des tabous fortement enraci-nés dans la conscience collective allemande et, au-delà des violentes polémiques auxquelles elles ont donné lieu, la plupart des historiens allemands reconnaissent aujourd'hui avec leurs collègues étrangers :
— qu'en poussant l'Autriche-Hongrie à décla-rer la guerre à la Serbie, l'Allemagne plaçait la France devant le dilemme ou d'abandonner son alliée russe et de se trouver désormais complè-tement isolée, ou de soutenir la Russie et de maintenir enclenché le mécanisme qui condui-sait à une guerre européenne ;
— que l'Allemagne a pris sa décision de déclen-cher le conflit avant de connaître l'ordre russe de mobilisation générale ;
— qu'en la matière, la politique allemande a été déterminée par les plans de l'État-Major qui impliquaient que l'Allemagne prît l'initiative des opérations militaires contre la France et envahît la Belgique.

Ainsi J.-B. Duroselle et ses élèves dégagent deux éléments d'explication. D'une part, une organisation internationale favorisant les conflits ; d'autre part, une série d'événements dangereux pour la paix européenne. Au reste, l'État, tel qu'il existe en France, en Allemagne et en Russie, repose, depuis le milieu du XIXe siècle, sur un sentiment national violent. Les responsables politiques cherchent parfois à utiliser ce nationalisme pour justifier leurs plans d'agression. Une atmosphère lourde d'hostilités réciproques caractérise l'Europe en juillet 1914. Les gouvernements des différents pays croient leur propre sécurité en danger. Ils sont prêts à accepter une guerre pour préserver leurs frontières. Les populations semblent disposées à prendre ce risque. Le nationalisme qui s'appuie sur une solidarité de la méfiance est l'un des grands phénomènes responsables du conflit.

II LES FORCES EN PRÉSENCE

Deux camps sont en présence le 4 août 1914 en Europe. D'un côté le camp des Empires centraux. De l'autre, le camp de l'Entente.

LES EMPIRES CENTRAUX

La démographie

Les Empires centraux comprennent l'Allemagne et l'Autriche-Hongrie, ce qui représente 116 millions d'habitants, 160 divisions d'infanterie pouvant être alignées rapidement, dont 100 pour la seule Allemagne. Cette dernière supporte une charge militaire considérable, aussi lourde que celle de la France dans l'autre camp. Par contre, l'Autriche-Hongrie, dont la population était supérieure de un cinquième à celle de la France, n'entretenait qu'une armée de 350 000 hommes, soit 45 pour cent de l'armée française. L'explication de ce dernier fait ne doit pas être recherchée dans une politique pacifique de l'Autriche-Hongrie, c'est trop évident, mais dans l'impossibilité du gouvernement de Vienne d'utiliser la totalité de ses ressources démographiques. L'absence d'homogénéité ethnique l'interdisait. Les autorités de Vienne, si elles pouvaient compter sur les Autrichiens et les Hongrois, se méfiaient des Slaves, des Italiens et des Roumains qui habitaient l'Empire, lequel était un colosse fragile où les forces centrifuges étaient à l'œuvre. L'Allemagne, elle, possédait un atout maître : l'entraînement de ses réserves, ce qui lui permettra de les engager dès le début de la guerre en même temps que l'armée active.

L'armement

L'équipement des Empires centraux était satisfaisant en ce qui concerne l'armement lourd (canon de 150 mm sorti des usines Krupp) sans compter une artillerie de siège de qualité. On mesure là, l'avance considérable de la sidérurgie de l'Allemagne sur celle de toutes les autres puissances industrielles du continent. En revanche, l'artillerie légère était inférieure à celle de l'Entente. Les fusils se valaient de part et d'autre, mais l'Allemagne utilisa mieux ses mitrailleuses, les groupant en nids pour en accroître l'efficacité. L'habillement des troupes allemandes et austro-hongroises était adapté à la guerre moderne : leur tenue de couleur verdâtre, dite « feldgrau », se confondait avec les nuances du paysage naturel et dissimulait bien les combattants.

Les chefs

Si l'organisation des Etats-majors était bonne, le commandement n'était cependant pas de très grande qualité. Ni Conrad von Hoetzendorff, commandant en chef des forces austro-hongroises — un monstre de vanité —,ni von Moltke, responsable de l'application du plan allemand — un indécis manquant de caractère —,n'avaient la valeur d'un Joffre ni même d'un grand-duc Nicolas.

La marine allemande, l'orgueil de l'amiral von Tirpitz, était la deuxième du monde (40 cuirassés, 4 croiseurs). La marine austro-hongroise (11 cuirassés) pouvait tout juste servir d'appoint. Elle fut rapidement surclassée en Méditerranée (son seul domaine d'opérations) par la marine française.

La position stratégique

La réunion en un seul bloc des deux alliés centraux permettait des liaisons faciles et une bonne coordination des mouvements de troupes. En revanche, ce bloc constituait une sorte de forteresse qu'il était possible d'isoler et de transformer en citadelle assiégée,ce que la marine anglaise parviendra assez bien à réaliser.

Puissance démographique et industrielle de l'Allemagne, hétérogénéité nationale de la Double Monarchie habsbourgeoise, concentration au cœur du continent d'un ensemble solide mais faiblement ouvert sur les mers, tels apparaissent au début du conflit les chances et les périls du camp des Empires centraux.

LES ALLIÉS DE L'ENTENTE

Le camp de l'Entente comportait essentiellement trois éléments qui ne formaient pas un bloc soudé : la France, le Royaume-Uni et la Russie, auxquels il faut ajouter la Serbie et la Belgique. Au total, 238 millions d'habitants, 180 divisions d'infanterie dont 80 pour la France et 80 pour la Russie. Les atouts de l'Entente tiennent à la valeur de l'armée française, à la puissance de la démographie russe, à la richesse de l'Empire britannique.

La France :
une armée solide

La France est assurément le pays qui a consenti au début du XXe siècle le plus grand effort militaire. Sa faiblesse démographique (l'un des taux de natalité les plus bas du monde) d'une part, sa richesse nationale, d'autre part, ont conduit, en 1913, le gouvernement à fixer à trois ans la durée du service militaire. Les Français, sans y être favorables, comme on peut le supposer, semblent avoir accepté ce sacrifice. La recrudescence du nationalisme après 1910 explique cette attitude de l'opinion publique.

... et son équipement

L'armement français est de qualité. Le canon de 75 mm modèle 1897 est le meilleur canon de campagne du monde. Il fit de gros dégâts chez l'adversaire dès 1914. Le fusil Lebel est lourd mais assez précis. En revanche, les mitrailleuses sont dispersées dans les régiments sans être utilisées en blocs meurtriers, comme chez les Allemands. L'artillerie lourde, tractée sur rails ou hippomobile, est nettement inférieure à celle de l'Allemagne. L'uniforme des armées françaises est constitué par la tunique bleu sombre et le célèbre pantalon rouge garance. Les pantalons garance apparaissent aux Français comme le signe tangible de l'indéfectible attachement des troupes aux solides traditions guerrières du pays. On a pourtant, dès 1912, fait remarquer, à l'occasion des guerres balkaniques, qu'un uniforme vert comme celui des Bulgares permettrait un meilleur camouflage. L'affaire avait même été évoquée en séance au Parlement. Un tollé avait accueilli la proposition de modifier l'uniforme des soldats. « Comment ? s'étaient écriés certains députés, vouloir abandonner nos pantalons garance, c'est vouloir diminuer la valeur des soldats, c'est courir à notre perte ! » Ainsi les troupes françaises avaient conservé le pantalon dont le rouge sang se détachera avec une grande netteté sur le jaune d'or des blés mûrs au mois d'août 1914, offrant des cibles magnifiques aux mitrailleurs allemands : ainsi verra-t-on le carnage de Dieuze.

Potentiel humain des puissances engagées.

Les chiffres de la première colonne indiquent, en millions, le nombre d'HABITANTS, ceux de la seconde, le nombre, en millions, des MOBILISÉS, en 1914.

Allemagne	66	4
Autriche-Hongrie	50	4
France	39	4
Russie d'Europe	134	8
Royaume-Uni	45	0,1
Belgique plus Serbie	13	0,4

L'armée russe est dépourvue d'un bon encadrement et d'un armement sérieux. Mais la Russie possède, en contrepartie, un magnifique taux de natalité qui lui a permis de connaître, dans la deuxième moitié du XIXe siècle, l'une des plus spectaculaires croissances démographiques qu'on puisse imaginer. Dans ces conditions, et c'est sur quoi comptent les États-majors des puissances de l'Entente, l'armée russe doit jouer le rôle de rouleau compresseur en se déployant aisément dans les vastes plaines qui s'étendent des Carpates à la Baltique. En menaçant dès le début des hostilités le cœur politique du Reich (Berlin), la Russie doit permettre à la France — et permettra en effet — de ne pas subir une pression trop forte. Les 8 millions d'hommes que pouvait théoriquement mobiliser la Russie ne disposaient pas, en réalité, d'un encadrement adapté, d'un entraînement suffisant, d'un armement convenable. Cette triple déficience était le résultat d'une mauvaise gestion budgétaire et aussi d'une insuffisance grave des ressources fiscales. Lorsque tout un pays ne peut être mobilisé dans le cadre d'une armée nationale, on ne peut voir en lui une grande nation militaire. Les structures économiques et sociales étaient, dans le cas de la Russie, préjudiciables à une bonne exploitation de sa richesse en hommes : le rouleau compresseur sera moins efficace que prévu.

La Russie : *le rouleau compresseur ?*

Potentiel économique des puissances engagées.

Les chiffres de la première colonne indiquent, en millions de tonnes, la production d'ACIER ; ceux de la seconde, la production de BLÉ, en millions de quintaux

Allemagne	15,6	47
Autriche-Hongrie	2,6	61
France	3,5	87
Russie d'Europe	4,0	228
Royaume-Uni	9,0	16
Belgique plus Serbie	3,0	5

L'Empire britannique n'est pas une armée (115 000 hommes seulement au début des hostilités), c'est un ensemble de ressources considérables, tant démographiques qu'économiques. C'est aussi et c'est surtout une puissante marine de guerre : 20 *dreadnoughts* et 13 en chantier, 44 cuirassés ordinaires, 10 croiseurs de bataille. Les 21 cuirassés français avaient pour mission de défendre le secteur méditerranéen, tandis que les Anglais avaient organisé leur zone principale de défense en mer du Nord, privilégiant de manière délibérée leur protection maritime par rapport à tout autre moyen d'action militaire. Ainsi s'était affirmée ce qu'on appelait alors la « Blue Water Strategy ».

Le Royaume-Uni : *la maîtrise des mers*

III LES OPÉRATIONS MILITAIRES

Trois phases se succèdent au cours de la Grande Guerre : deux périodes de mouvement encadrant une période de front stable.

Les plans de part et d'autre étaient préparés depuis plusieurs années. Ils avaient souvent été remaniés, tel le plan français, qui en était à sa dix-septième mouture, d'où son nom de « Plan XVII ». Il datait d'avril 1913 et avait Joseph-Jacques-Césaire Joffre pour auteur.

Ce plan prévoyait une armée dite de protection sur la Meuse belge, prête à intervenir en cas de besoin, et une armée dite de manœuvre dans l'Argonne pour appuyer une offensive en Lorraine. La B. E. F. (British Expeditionary Force) devait s'établir à la gauche du dispositif français. Les armées belges étaient celles d'un pays neutre : on ne pouvait en disposer. La certitude que les Allemands ne dépasseraient pas Namur, l'absence de coordination entre Anglais et Français constituaient les faiblesses de ce plan.

Les Russes avaient promis d'attaquer avant le vingtième jour de la guerre sans attendre la fin de la mobilisation. Tout reposait sur l'offensive : c'était la théorie enseignée depuis 1911 à l'École de guerre où les conférences du colonel de Grandmaison avaient porté leurs fruits. Défense égale défaite, telle était l'équation simpliste qui servait de bible à l'État-major français.

Le plan allemand portait le nom d'Alfred von Schlieffen, chef d'État-major, de 1892 à 1906. Celui-ci avait décidé de faire passer les armées allemandes par la Belgique et de déborder les unités françaises par un vaste mouvement tournant qui balaierait tout le Nord de la France en ne laissant subsister le long de la mer du Nord et de la Manche aucun espace où puisse se former une armée française qui viendrait, sur leur flanc droit, contrarier l'avance des Allemands. Ce plan violait la neutralité belge, mais l'intérêt supérieur de la Nation l'exigeait : les diplomates s'étaient inclinés. Un deuxième problème demeurait : pour que le plan réussisse il fallait, comme le disait Schlieffen, « que le dernier Allemand de droite frotte la Manche du bras ». En d'autres termes, il convenait de couvrir la totalité du territoire français du Nord en opérant la manœuvre de débordement des forces françaises. C'est précisément sur ce point fort important que le successeur de Schlieffen, Guillaume-Louis von Moltke (1848-1916), neveu du grand Helmuth von Moltke, le vainqueur de 1870, commit l'erreur de ne pas prévoir une invasion totale de la Belgique et de la France du Nord. Pourquoi ? Deux raisons à cela : d'une part l'espoir qu'une invasion partielle de la Belgique soulèverait moins de protestations dans le monde qu'une invasion totale (comme si on pouvait violer un peu !) ; d'autre part, le danger russe à l'Est, où von Moltke estimait que le dispositif allemand était léger. Il le renforcera d'ailleurs en septembre 1914 pour le plus grand malheur de ses armes.

L'ÉCHEC DE LA GUERRE COURTE

Le plan français

JOFFRE (1852-1931), né à Rivesaltes. Ancien élève de Polytechnique, il était officier du génie. Il avait participé aux campagnes du Tonkin, de Madagascar, du Soudan. Profondément républicain, il avait été désigné en 1911 pour commander en chef les troupes françaises, en raison de sa pondération, de son calme qui, en effet, feront merveille.
Il sera remplacé par Nivelle à la fin de 1916. Il se rendra alors à l'étranger (aux États-Unis . notamment) pour se faire l'avocat de la France.

Le plan allemand

SCHLIEFFEN (1833-1913) est un pur produit de l'aristocratie prussienne. Ancien combattant de 1870, après avoir été attaché militaire à Paris de 1867 à 1869, il commanda les uhlans de la garde impériale. Pour ce lecteur de Clausewitz, le centre vital de la France se trouvait quelque part entre Bruxelles et Paris.

Qu'il s'agisse du Plan XVII ou du plan Schlieffen, le mot d'ordre est l'offensive ; le ressort des succès, l'élan. Des deux côtés, le cri est : « A Berlin ! » ou « Nach Paris ! » Les deux peuples croient à la guerre courte. Guillaume II a dit à ses troupes qu'elles seraient de retour avant la chute des feuilles : il est vrai qu'il n'avait pas précisé de quelle année. La guerre fraîche et joyeuse commençait. Elle ne devait pas conserver longtemps ces deux caractères.

J.J. Becker, dans sa thèse sur l'opinion française en 1914, montre que l'enthousiasme n'était pas aussi grand qu'on l'a cru.

A L'OUEST

Une première tentative des Français sur Mulhouse réussit. La libération de la ville fut saluée en France comme un immense succès. Mais dès le 20 août, l'offensive tentée contre Sarrebourg par les 1re et 2e armées françaises (respectivement Dubail et Castelnau) fut arrêtée à Morhange après de sanglants combats et les Français durent se replier sur Nancy. L'essentiel de l'offensive française prévue par le Plan XVII venait d'échouer.

Le 21 août fut une date aussi dramatique pour l'aile gauche française. Des éléments avancés de la 5e armée (Lanrezac) avaient constaté une pression allemande en Belgique beaucoup plus forte que prévue. Les forts de Liège avaient été pilonnés du 9 au 17 août. Les Belges s'étaient repliés sur la poche d'Anvers et cinq armées allemandes s'étalaient de Bruxelles au Luxembourg, avançant de manière décidée vers le sillon Sambre-Meuse. La 1ère armée (von Kluck) était placée tout à fait à l'extérieur (vers l'Ouest), la 2e armée (von Bülow) était à la droite de la 3e armée (von Hausen) qui progressait au Sud de la Meuse. Les appels au secours de Lanrezac n'ayant pas été entendus par Joffre, qui sous-estimait l'ampleur du mouvement allemand, une bataille difficile dut être livrée aux environs de Charleroi par la 5e armée française. L'absence de coordination avec la B. E. F. du maréchal French, la gêne provoquée par le dédale des voies ferrées, des canaux, des terrils, des corons de cette zone minière fortement urbanisée, l'infériorité numérique des forces françaises face à deux puissantes armées allemandes, tout cela faillit provoquer un désastre difficile à réparer. Mais l'héroïsme du Xe corps de la 5e armée arc-bouté aux flancs des hauteurs qui dominent la Meuse au Sud de Namur, face aux Allemands de von Hausen (progressant d'Est en Ouest) et la promptitude de jugement du général Lanrezac évitèrent la catastrophe. Les troupes se replièrent le 24 août sur une ligne allant d'Arras à Verdun.

L'affolement s'emparait de certains officiers. Il y eut quelques défaillances. Des colonels se suicidèrent. Les carnets de route retrouvés sur le corps des soldats tombés au feu attestent un certain désarroi. A l'Etat-major français, Joffre reste olympien. Le gros homme ne modifie en rien son emploi du temps. Il dort ses 10 heures coutumières par nuit cependant qu'autour de lui les jeunes brevetés d'Etat-major ne savent pas maîtriser leurs nerfs. Les armées françaises reculent en ordre relativement satisfaisant. C'est là l'essentiel. Une nouvelle armée se forme à Amiens sous Maunoury. Le danger qu'avait pressenti Schlieffen se

La bataille de Charleroi (20-24 août 1914)

L'encerclement de la 5e armée française par les 1re, 2e et 3e armées allemandes est évité de justesse par le général de Lanrezac.

La B.E.F. (British Expeditionary Force) fut à pied d'œuvre sitôt l'entrée en guerre du Royaume-Uni.

concrétise. Joffre peut organiser la riposte française. Par sa directive n°4 du 1er septembre 1914, il explique : « Le mouvement débordant effectué par l'ennemi oblige l'ensemble de notre dispositif à pivoter autour de sa droite. Dès que la 5e armée aura échappé à la menace d'enveloppement (...), l'ensemble des 3e, 4e, 5e armées reprendra l'offensive (...). Les troupes mobiles du camp retranché de Paris pourraient également prendre part à l'action principale ».

Ayant persuadé le maréchal French de participer à son plan de contre-attaque, Joffre fut renseigné sur le mouvement de l'ennemi par Gallieni, commandant le camp retranché de Paris. Des aviateurs avaient noté l'orientation des troupes de von Kluck vers le Sud-Est, et non vers Paris, au niveau de Nanteuil-le-Haudouin, à 20 km au Sud-Est de Senlis, entre Oise et Marne. Le 5 septembre au soir, les armées allemandes avaient franchi la Marne et dépassé le Grand Morin à Coulommiers. Les 1re, 2e, 3e armées allemandes tenaient la région proche de la Marne entre Meaux et Vitry-le-François. Vers l'Est, le front ne semblait guère devoir bouger. Tout allait se décider au Sud de la Marne. De l'ancien couvent des Cordeliers de Châtillon-sur-Seine où il avait établi son quartier général, Joffre allait magnifiquement orchestrer l'action des armées alliées.

— *La bataille de la Marne (6-11 septembre 1914) voir croquis page 21*

Le 6 septembre, il fit parvenir aux troupes l'ordre du jour dans lequel il annonçait aux unités que « le moment n'est plus de regarder en arrière ». La bataille qui s'engageait était en effet décisive. Elle se déroula du 6 au 11 septembre 1914. On l'appela simplement la bataille de la Marne. Les faits saillants sont les suivants : à l'Est, la victoire fut remportée par Castelnau au Grand Couronné de Nancy. Au centre, la 9e armée de Foch surprit les Allemands en attaquant dans les marais de Saint-Gond alors que ses deux ailes faiblissaient. A l'Ouest, enfin, la 6e armée de Maunoury attaqua sur l'Ourcq, renforcée par des éléments venus de Paris, acheminés par des taxis réquisitionnés, et bouscula le flanc droit de von Kluck. La B. E. F. (French) et la 5e armée (Franchet d'Esperey remplaçant Lanrezac envoyé à Limoges) passa le Morin puis la Marne, profitant d'un repli de von Kluck, préoccupé de renforcer son flanc droit. Une brèche entre von Kluck et von Bülow fut ainsi entrouverte : la 5e armée française l'exploita. Le 11, les armées allemandes faisaient retraite vers le Nord. Elles s'arrêtèrent sur l'Aisne et la Vesle, sur une ligne allant de Compiègne au Nord de Verdun et passant au Nord de Reims.

Le même jour, un communiqué du G. Q. G. français annonçait : « La bataille de la Marne s'achève en victoire incontestable. » Le chef des armées alliées, Joffre, avait su dominer la situation et ressaisir le destin. Il était proche des combats, en liaison satisfaisante avec ses commandants d'armées. Von Moltke, dans son lointain P. C. de Luxembourg, avait dépêché auprès des 1re et 2e armées allemandes le lieutenant-colonel Hentsch, qui ne put prendre, le moment venu, les

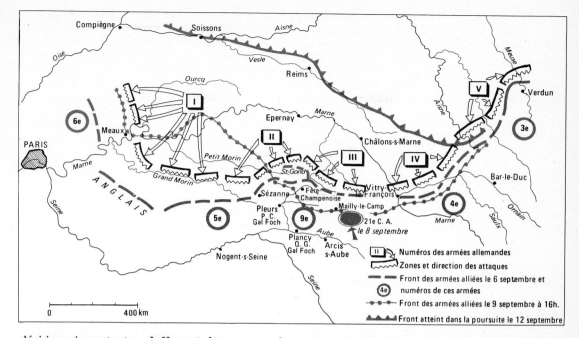

La bataille de la Marne (6-11 septembre 1914)
Croquis extrait de J. Chastenet, *Jours sanglants*, Hachette, p. 62.

décisions importantes. Joffre sut être un grand meneur ; von Moltke manqua de caractère. « La victoire de la Marne est une victoire du commandement » (Pierre Renouvin) dont il ne saurait être question de refuser la gloire à Joffre. Ce dernier, lorsqu'on évoquait devant lui le problème de savoir qui avait remporté la victoire, répondait avec son solide bons sens : « Si cette victoire avait été une défaite, on ne m'en contesterait pas la paternité. » Cette victoire aurait pu être beaucoup mieux exploitée, les Allemands auraient pu être repoussés plus loin, mais la fatigue des troupes et les hésitations des Anglais au début de leur mouvement de contre-attaque avaient empêché de poursuivre plus nettement vers le Nord l'avance alliée.

Von Moltke avait manqué de quelques divisions au moment décisif : ces divisions avaient été transportées sur le front oriental face aux Russes que les Allemands, pourtant, venaient de défaire au moment où les renforts venus de l'Ouest parvenaient à destination. A l'Est non plus, la guerre rapide et décisive n'avait pas abouti à la victoire.

Au moment où les Serbes repoussaient constamment les Austro-Hongrois vers le Danube, manifestant ainsi une remarquable volonté de survivre, les Russes attaquaient dès le 21 août en Prusse orientale et en direction des Carpates. Samsonov et Rennenkampf inquiétèrent quelque temps les forces allemandes de von François. Mais à Tannenberg, du 25 au 30 août, les nouveaux chefs militaires allemands

A L'EST

Hindenburg et Ludendorff rétablirent la situation en remportant une remarquable victoire (92 000 prisonniers russes et prise de 350 canons par les Allemands). Sur les Carpates, les Russes furent plus heureux, parvenant à la ligne de partage des eaux entre flanc Nord et flanc Sud et menaçant la plaine hongroise. Le manque de munitions devait leur interdire d'exploiter cette offensive.

L'impossible débordement

A partir du 13 septembre, on commença à creuser des tranchées. Déjà utilisées en 1912 à Tchataldja par les Turcs pour stopper l'avance serbo-grecque, elles devaient donner leur nom à une nouvelle phase du conflit. Au Nord-Ouest, tout demeurait encore possible : le premier qui déborderait l'autre, encerclerait les troupes enterrées de l'Oise aux Vosges. De furieux combats furent livrés pendant tout l'automne et le début de l'hiver de 1914, tant sur la Somme que sur le canal de la Bassée ou encore dans la région d'Ypres et de Dixmude. Vers le 20 novembre, les troupes, épuisées, s'y enterrèrent à leur tour. Le front se stabilisa de la mer du Nord à la Suisse. Il devait peu varier jusqu'au printemps 1918.

LA GUERRE LONGUE

De même qu'en 1914 on avait commis l'erreur de croire à une guerre de dix semaines, on s'imagina, en 1915, que la guerre allait durer dix ans. Aussi changea-t-elle de nature dans ses conceptions comme dans ses moyens.

Les conceptions de la guerre

La guerre ne pouvait stagner. Seul le mouvement était conforme aux principes enseignés dans les écoles de guerre : le problème était de reprendre l'offensive. Cela provoquera les échecs sanglants d'Artois, de Champagne en 1915, du Chemin des Dames en avril 1917. L'impuissance des armées à reprendre l'initiative de la guerre imposa de nouvelles conceptions stratégiques et tactiques : Falkenhayn, successeur de von Moltke, remercié au lendemain de la Marne, crut pouvoir saigner l'armée ennemie en simulant la percée pour provoquer, en un point dûment choisi, l'hémorragie des forces adverses désireuses de colmater à tout prix la brèche. C'est cette conception qui inspirera l'offensive contre Verdun ; mais là aussi ce sera un échec.

Les moyens de la guerre :

La guerre change de nature lorsque changent les moyens que les gouvernements engagent pour la mener à bien. La durée de la guerre modifie les mots d'ordre : il faut tenir. Cela entraîne une réapparition de la dimension politique. Dès lors qu'il faut mobiliser non seulement les hommes mais tout un pays, le gouvernement reprend en main l'initiative et la décision. En raison de la longue durée de la guerre, le pouvoir politique est amené à tout contrôler.

— économiques et militaires

Le gouvernement français rappelle dans les usines certains soldats affectés spéciaux. Les gouvernements allemand et austro-hongrois font de même. Il faut songer à remettre en œuvre toute la production industrielle. La mobilisation économique impose une intervention de l'Etat dans toutes les activités nationales (voir chapitre suivant).

L'économie devient une arme de guerre (blocus). Les moyens proprement militaires sont, eux aussi, modifiés par la stabilisation des fronts. On cherche à atteindre les tranchées ennemies à quelques dizaines de mètres de distance seulement : d'où les canons à tir courbe (crapouillots, minenwerfer). On veut impressionner l'adversaire par l'utilisation de canons à très longue portée (*Grosse Bertha* en 1918). La tenue des soldats français est enfin modifiée : l'uniforme « bleu horizon » apparaît.

Les moyens psychologiques sont largement utilisés. Des services de propagande organisent la mobilisation morale des foules. Les communiqués de guerre sont toujours optimistes (« bourrage de crâne ») et toute une littérature « hypernationaliste » fleurit dans la presse, les chansons, les cartes postales.

– psychologiques

Les moyens diplomatiques ne sont pas négligés. Faute de pouvoir augmenter d'un coup le nombre de ses combattants, chaque camp s'efforce d'accroître celui de ses alliés. Le 23 mai 1915, l'Entente promet suffisamment de territoire aux Italiens pour que le gouvernement de Rome entre en guerre contre les Empires centraux. De son côté, dès le 16 novembre 1914, la Turquie a dû accepter d'aider Berlin après que deux cuirassés allemands battant pavillon turc eurent bombardé des ports russes de la mer Noire. Le Sultan a lancé un appel au *djihâd* (guerre sainte des musulmans) qui, du reste, est pratiquement resté sans écho. Plus tôt encore que l'Italie, le Japon a déclaré la guerre à l'Allemagne (le 23 août 1914) pour pouvoir s'emparer des ports allemands du Chan Toung et demeurer ensuite parfaitement inactif jusqu'à la fin des hostilités.

– diplomatiques

Les moyens de coercition politique sont encore plus indispensables à des pays qui s'installent dans la guerre longue.

– politiques

En France, l'« Union sacrée » (26 août 1914) permet à l'ensemble des formations politiques (y compris le parti socialiste) de prendre des responsabilités dans un gouvernement qui détient des pouvoirs quasi dictatoriaux. Au Royaume-Uni, une faible minorité de conservateurs refuse d'entrer dans le gouvernement Asquith à dominante libérale. En Russie, aucune « Union sacrée » n'est possible. Les bolcheviques de Lénine (réfugié en Suisse) s'y opposent de manière farouche. De son côté, le gouvernement allemand est dominé par l'État-major, qui a la confiance de l'empereur. Bethmann-Hollweg obéit aux chefs militaires. L'opposition social-démocrate disparaît, à l'exception de quelques intransigeants hostiles à la guerre qui se groupent autour de Karl Liebknecht. L'Autriche-Hongrie est mise en coupe réglée par le comte Stürgkh. Les minorités nationales n'espèrent que la défaite d'un régime honni : la guerre longue met à l'épreuve l'homogénéité des États, et les plus dictatoriaux ne sont pas les plus solides. On verra, du reste, que la guerre de 1914-1918 sonnera le glas des grands empires qui, tous, disparaîtront dans la tourmente de la révolution ou de la défaite.

Les mots « Union sacrée » ont été utilisés pour la première fois par Raymond Poincaré dans son message à la Chambre du 4 août 1914

Les opérations militaires de 1915 à 1918 s'articulent autour de trois types : la percée, le débordement, l'usure.

En 1915, le front occidental est le théâtre de vaines offensives : en Artois (mai-juin) pour tenter de soulager les Russes qui, alors, sont en mauvaise posture, puis en Champagne (septembre-octobre), les opérations se révélèrent très coûteuses. L'offensive champenoise, par exemple, fut préparée par un gigantesque feu de l'artillerie française (trois millions d'obus en un peu plus de trois jours) et, pourtant, les 35 divisions engagées ne progressèrent que de quelques centaines de mètres. Joffre annonça en octobre « une longue période d'attitude défensive ».

Le front russe, lui, est enfoncé le 2 mai entre Vilno et les Carpates. La percée, ici, a réussi, mais l'encerclement de l'armée russe échoue.

Pour les fronts italien et balkanique, les Allemands et les Austro-Hongrois doivent prélever des unités sur les fronts plus importants de l'Ouest et de l'Est. La Serbie ne peut résister aux Austro-Allemands de Mackensen : le 10 octobre, Belgrade est prise. Une retraite éprouvante permet aux soldats de l'armée de Pierre Ier de regagner l'Adriatique. Les Bulgares, nouveaux alliés des Empires centraux, ont joué un rôle dans cette disparition des Serbes de la carte politique de l'Europe. Pour porter secours aux Serbes, des forces franco-anglaises commandées par le général Sarrail débarquent dans le port de Salonique contre l'avis du roi des Hellènes, Constantin. Les Bulgares leur interdisent l'accès des vallées balkaniques et Salonique reste une tête de pont. Nulle part la percée ne réussit ou ne peut être exploitée.

C'est alors que les Britanniques proposent le débordement. Forts sur mer, fragiles sur terre, puissants sur le plan mondial (grâce au Commonwealth), faibles par l'exiguïté de leur terre nationale, les Anglais sont enclins à utiliser leur flotte de guerre pour porter à l'ennemi des coups redoublés là où sa cuirasse présente un défaut. Telle sera de 1940 à 1945 la « stratégie de périphérie » préconisée par l'État-major britannique. Dès 1915, Churchill, premier lord de l'Amirauté, propose aux Français une expédition de débarquement dans les Dardanelles, premier verrou de la porte qui donne accès à la mer Noire, la seconde étant le Bosphore avec Istanbul.

L'opération, à laquelle les Français se sont résignés, débute mal. Le 18 mars, une percée purement navale échoue. Les canons Krupp des forts turcs arrêtent la flotte franco-britannique. On débarque des troupes sur la presqu'île de Gallipoli. Elles sont à leur tour bloquées. On ne veut ni les retirer pour éviter le camouflet d'une défaite devant les Musulmans, ni augmenter les effectifs de manière trop sensible afin d'éviter de perdre des hommes dans « l'enfer des Dardanelles ». On se rallie à la formule la plus discrète, mais la plus coûteuse, celle dite des « petits paquets ». Chaque mois, un contingent d'hommes est débarqué dans les Dardanelles et se fait tuer sur place. La presqu'île de Gallipoli est finalement évacuée en novembre 1915. Le débordement de la citadelle des Empires centraux par les Balkans avait échoué complètement.

En 1916, la tactique de l'usure prédomine. Les alliés de l'Entente, sauf en Russie, avaient eu jusqu'ici l'initiative. Les Allemands préparent à leur tour un plan dont ils espèrent rapidement la victoire. Falkenhayn, le successeur de von Moltke à la tête des armées allemandes du front occidental, décide de saigner l'armée française et il fait choix du saillant de Verdun, où il sait que se trouvent des troupes au repos. Il décide de lancer une offensive sous la responsabilité directe du Kronprinz dans l'espoir de redorer le blason des Hohenzollern, terni par le demi-échec de 1914. Il ne veut pas percer coûte que coûte : certes, s'il y parvient, il exploitera la situation, mais il n'a pas organisé ses forces pour cela et il s'attend à une volonté systématique de colmatage de la part des Français. Il laissera alors les troupes françaises se concentrer sur le terrain qu'il aura choisi et où il compte les décimer. Le rapport prévu entre pertes allemandes et pertes françaises est de un à cinq.

– l'usure

... Verdun (1916)
voir croquis ci-dessous

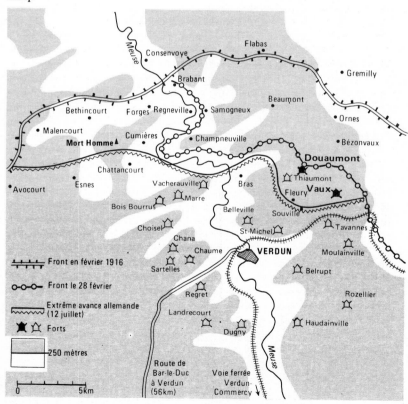

Tous les chefs militaires français vont tomber dans le piège, sauf peut-être Joffre, qui ne considérera jamais Verdun comme la plus grande bataille de l'année. Le 21 février 1916 commença une bataille d'apocalypse. « Ce fut comme un voile qui se déchire », a écrit Jules Romains dans *Les Hommes de bonne volonté*. Verdun est resté le symbole de l'héroïsme des Poilus. De février à juin, les troupes allemandes et françaises vont s'affronter entre armées d'abord, entre régiments ensuite, entre compagnies et entre sections enfin. De trou d'obus en trou d'obus, dans un décor lunaire bouleversé par un bombardement ininterrompu, des hommes couleur de terre vont tuer des hommes couleur de boue. Les uniformes méconnaissables disparaissent dans l'indifférente horreur d'une destruction égale des forces antagonistes. Les Allemands ont, dans un premier temps, enlevé des forts, tel Douaumont, des buttes, tel le Mort-Homme, mais les Français, bientôt dirigés par le général Philippe Pétain, merveilleux de bon sens et de ténacité, vont s'accrocher au sol et résister coûte que coûte. C'était bien ce qu'espéraient les Allemands. Mais ils n'avaient pas prévu qu'ils perdraient autant d'hommes que leurs adversaires. Ils dénombrèrent 240 000 morts contre 275 000 aux Français. Le rapport de un à cinq n'avait pas été respecté. Verdun fut un échec pour les Allemands et Falkenhayn fut remplacé par Hindenburg, assisté de Ludendorff.

La bataille fut un carnage inouï : des villages disparurent pour toujours et il fallut retoucher les cartes pour tenir compte des bouleversements du terrain ; des hectares entiers de terre resteront longtemps en jachère. De nombreux corps de combattants des deux camps n'ont jamais été retrouvés. Sur le moment, les Français virent surtout dans Verdun le coup d'arrêt à la pression allemande et le haut lieu de l'héroïsme des soldats qui montaient à la mort par une route unique baptisée la « Voie sacrée ». 1916 fut essentiellement l'année de Verdun.

... la Somme

A peine avait-on cessé les combats dans le secteur de Verdun que les alliés de l'Entente entamèrent une importante offensive en juillet 1916 sur la Somme. Les Anglais y jouèrent le rôle le plus important. Un gain d'environ 200 km^2 fut réalisé. Mais on ne put exploiter l'offensive faute de moyens. La tactique de la percée ne pouvait pas prendre le relais de la tactique de l'usure. Pourtant, on a su depuis, par des témoignages concordants des responsables militaires allemands, que l'offensive de la Somme faillit coûter la guerre à l'armée allemande. Epuisées par Verdun, manquant surtout de cadres, les troupes furent sur le point de céder sous les coups de boutoir de l'Entente. Les Alliés n'ayant pas persévéré, l'armée allemande put se reprendre.

... le front oriental

Sur le front russe, le général Broussilov tente, le 4 juin 1916, une percée qui repousse les Austro-Hongrois à 100 km au Sud-Ouest. Les Carpates sont de nouveau atteintes, mais une fois de plus, la percée ne peut être exploitée. La Roumanie entre en guerre aux côtés de l'Entente, mais une fulgurante invasion par les Allemands de

Falkenhayn (le vaincu de Verdun) submerge le pays à l'automne. Le 6 décembre, Bucarest est prise. Les restes de l'armée roumaine comptent sur l'appui de la Russie.

Sur le front italien, les tentatives de percée des Austro-Hongrois dans le secteur d'Asiago ou du général italien Cadorna dans le secteur de Gorizia (Trentin) sont aussi stériles l'une que l'autre.

... le front italien

La bataille du Jutland fut la seule grande bataille navale de la guerre. Le 31 mai 1916, elle mit aux prises la *Home Fleet* de Jellicoe et la *Kriegsmarine* de von Scheer. Le combat fut indécis. Les Allemands décidèrent de ne plus utiliser leur flotte de surface, bien qu'ils aient coulé plus de navires anglais qu'ils n'en avaient perdu eux-mêmes. C'était un constat d'échec : la flotte de von Tirpitz ne pourrait plus désormais quitter la Baltique.

... sur mer

En 1917, le général Nivelle propose d'utiliser à nouveau la tactique de la percée. Il est aussitôt placé à la tête des armées françaises en remplacement de Joffre, promu maréchal. Le 16 avril, une vigoureuse offensive est lancée entre l'Oise et Reims. C'est le drame : en 48 heures, les Français déplorent plus de 100 000 tués et blessés. Nivelle cède son poste à Philippe Pétain. Seule réussite de ce type d'opération : la percée du front italien à Caporetto le 27 octobre, par les Autrichiens. La plaine du Pô est envahie. Les Italiens se retranchent derrière le Piave.

L'ANNÉE 1917

Les pertes du 16 avril 1917 provoquent des mutineries dans l'armée française auxquelles correspondent des mouvements analogues, quoique de moindre ampleur, dans les rangs de l'armée italienne après Caporetto. Des régiments du secteur de Soissons décident de marcher sur Paris après avoir passé par les armes leurs officiers. Mais l'ordre est bientôt rétabli : des conseils de guerre prononcent 150 condamnations à mort, mais Pétain décide de faire preuve de clémence et seules 23 des 150 condamnations seront exécutées. L'ordinaire du soldat sera amélioré. Les folles offensives « à la Nivelle » seront supprimées. Le 16 novembre, un changement ministériel fondamental, qui vit Clemenceau prendre en main les destinées politiques du pays, améliora le moral des troupes. Des ministères analogues se formèrent en Italie et au Royaume-Uni, respectivement avec Orlando et Lloyd George.

- *les mutineries*

G. Pedroncini, dans sa thèse sur les mutineries souligne le caractère limité du mouvement d'insubordination.

Deux faits dominent l'année 1917 et vont, à terme, retentir sur les opérations militaires : l'entrée en guerre des États-Unis d'Amérique (6 avril) et les deux révolutions russes (cf. chapitre VI). Le 23 février 1917, une première révolution aboutit au renversement des Romanov en Russie ; elle est suivie, le 25 octobre, d'un second mouvement : la Révolution bolchevique dite « d'octobre ». Le front russe disparut malgré une volonté de contre-attaque courageuse de la part de Kerenski. Les Allemands pouvaient espérer en finir assez vite avec la Russie sur le plan militaire. Ce sera chose faite le 15 décembre 1917 à Brest-Litovsk (armistice germano-russe).

- *les révolutions russes*

Le calendrier julien a été remplacé le 3 mars 1918 par notre calendrier grégorien

La puissance américaine était peu importante sur le plan militaire, du moins dans l'immédiat. Mais, outre le réconfort moral que son intervention apportait au camp de l'Entente, il était possible désormais de compter sur la capacité de production de la première puissance économique du monde. Des deux côtés de l'Atlantique se trouvaient des puissances alliées : les mers étaient le domaine quasi exclusif de l'Entente. Les Empires centraux apparaissaient de plus en plus enterrés au cœur de leur citadelle continentale. Cependant, l'entrée en guerre des Etats-Unis provoqua une modification du plan de campagne allemand pour 1918. De là va surgir la reprise de la guerre de mouvement.

REPRISE DE LA GUERRE DE MOUVEMENT

Le 3 mars 1918 est signé à Brest-Litovsk le traité de paix mettant un terme à la guerre germano-russe. Ce n'est qu'en juin ou au début de juillet 1918 que les Américains pourront être en mesure de jouer sur le front occidental un rôle important. Entre ces deux dates, la supériorité allemande demeure certaine : près de 200 divisions contre 170 aux Alliés. Pour Ludendorff et Hindenburg, c'était donc une « fenêtre » de trois ou quatre mois qu'il s'agissait d'utiliser. L'artillerie lourde s'était développée dans les deux camps, l'aviation n'était plus négligeable depuis que l'escadrille française des Cigognes ou des as allemands, tel Goering, avaient popularisé cet outil appréciable d'intervention militaire et de reconnaissance.

La décision allemande d'attaquer

La guerre a changé de visage. Elle repose désormais autant sur le matériel (plus particulièrement la combinaison des divers types de matériel) que sur les masses humaines. Seul manquait aux Allemands l'un des instruments majeurs de percée : le tank ou « réservoir » mis au point par les Anglais, ainsi appelé pour dérouter les Allemands et qui devait jouer un rôle de premier plan dans les offensives alliées de l'été et de l'automne 1918.

Les attaques allemandes :

Pour l'heure, avec des moyens essentiellement classiques, les Allemands étaient décidés à vaincre avant l'été en reprenant la guerre de mouvement.

– 21 mars

Première attaque, le 21 mars 1918, dans le secteur de Saint-Quentin : les Allemands gagnent 60 km, les Anglais sont enfoncés, mais les forces françaises redressent la situation et les Allemands sont arrêtés devant Amiens. Le 17 avril, les Alliés confient le commandement en chef à Foch.

– 9 avril

Deuxième attaque, le 9 avril, dans le secteur d'Armentières. Le choc, s'il est moins rude, permet cependant aux Allemands de progresser de quelques dizaines de kilomètres.

– 27 mai

Troisième attaque, le 27 mai, dans le secteur du Chemin des Dames, entre les positions de Laffaux et de Craonne, au Nord de l'Aisne. La percée est une nouvelle réussite. Les Allemands gagnent 20 km. Puis ils atteignent la Marne : la tragique situation de 1914 se renouvelle. Les opinions publiques des pays alliés sont ébranlées. Clemenceau est interpellé à la Chambre des députés.

Quatrième attaque, le 15 juillet, en Champagne, entre Reims et – 15 juillet l'Argonne. Mais cette fois, les Français, prévenus de l'offensive grâce à des documents saisis sur un officier allemand capturé par un raid audacieux (sergent Joseph Darnand), retirent leurs troupes de première ligne. Lorsque les Allemands passent à l'attaque, ils sont arrêtés par un tir violent de l'artillerie française. La quatrième offensive allemande échoue à peine entamée. Les troupes allemandes les plus engagées au-delà de la Marne doivent être précipitamment ramenées vers le Nord.

Le 18 juillet, une contre-offensive du Xe corps de Mangin débouche de la forêt de Villers-Cotterêts sur le flanc droit de l'armée allemande. Le même phénomène qu'en septembre 1914 se produit : le 21 juillet, les troupes allemandes se replient au Nord de la Vesle, entre Soissons et Reims. La catastrophe était évitée de justesse par Ludendorff et on dut convaincre Guillaume II de quitter les lieux de la bataille qu'il suivait du haut d'un observatoire. Le Kaiser était venu préparer son entrée triomphale à Paris. Le temps du désenchantement commençait.

La guerre de mouvement avait repris. Elle avait tourné au début en faveur de l'Allemagne. A présent, elle jouait en faveur de l'Entente.

Le plan Foch

Dès la seconde quinzaine de juillet, Ferdinand Foch proposa aux commandants nationaux Pétain (France), Haig (Royaume-Uni) et Pershing (Etats-Unis) deux phases dans les offensives qu'il projetait pour la fin de l'été et l'automne :
— Premier temps : dégager les poches allemandes de Picardie et de l'Argonne.
— Deuxième temps : offensive générale sur l'ensemble du front pour ne pas permettre aux Allemands de se ressaisir.

La résorption des poches allemandes s'effectua avec un plein succès. Le 8 août, la Picardie fut dégagée. Le 15 septembre, la bataille de Saint-Mihiel permit aux troupes américaines de remporter un beau succès. Devant ces événements, Foch retint trois zones pour l'offensive générale de l'automne : en Flandre sous la direction du roi des Belges Albert Ier, entre Cambrai et Reims dans le secteur franco-anglais, à l'Est enfin, de Reims à l'Argonne, dans la région tenue par les Franco-Américains.

FOCH (1851-1929) Polytechnicien, il choisit l'artillerie à sa sortie de l'École en 1873. Il enseigna la tactique générale à l'École de guerre jusqu'en 1907.
Après avoir participé aux batailles de Morhange et de la Marne, il devint en mars 1918 généralissime des forces alliées. En août, il est fait maréchal de France. Défenseur d'une attitude dure pendant les négociations de paix en 1919, il ne put faire partager son point de vue par Clemenceau qui devait compter avec l'opposition de Wilson et de Llyod George.

L'armée allemande se replia lentement. Le 10 novembre, le front passait par Gand, Maubeuge, Mézières, Pont-à-Mousson, le Sud de l'Alsace, la frontière suisse. Le sol allemand n'était pas entamé et l'armée allemande était loin d'être détruite. Mais les réserves allemandes étaient faibles : moins de 20 divisions, celles de Foch étant supérieures à 100.

Ailleurs, c'était également la victoire :
— A Salonique, les Alliés, aidés des Grecs, entrés tardivement en guerre, – Salonique lançaient le 15 septembre une offensive qui provoqua l'armistice du 29 septembre avec la Bulgarie.
— En Italie, le général Diaz remporta le 29 octobre la victoire de – Vittorio Veneto Vittorio Veneto.

— En Orient, les armées anglaises, aidées d'un petit corps français et des Bédouins du désert, animés par le colonel T. E. Lawrence, poursuivaient depuis 1916 leur offensive en Palestine contre les Turcs. Le général britannique Allenby enfonça le front turc le 19 septembre. Damas fut occupée et presque toute la Syrie. Les Alliés étaient aux portes de la Turquie.

— En Extrême-Orient, la Chine entrait en guerre contre l'Allemagne. La guerre devenait vraiment mondiale.

C'est alors que, réuni à Spa, le 29 septembre, un ultime conseil impérial présidé par Guillaume II promulgua des mesures libérales afin d'obtenir un armistice plus avantageux. Le chancelier Max de Bade adressa le 3 octobre, au président des Etats-Unis, une note lui demandant « de prendre en main le rétablissement de la paix ». On était à la veille de la fin du conflit.

LES ARMISTICES

Le rôle de Wilson

Pourquoi Max de Bade, chancelier allemand, s'adressait-il directement à Wilson, président des Etats-Unis, que son entrée en guerre tardive ne désignait pas a priori comme le chef d'orchestre de la coalition de l'Entente ? C'est que précisément Wilson était le responsable politique d'une nation qui ne faisait pas partie de l'Entente. Il n'avait pas signé en septembre 1914 le pacte créant l'alliance de l'Entente et interdisant aux contractants de signer des armistices séparés. En outre, malgré leur entrée récente dans la guerre, les Etats-Unis pourraient aligner sous peu deux millions d'hommes et tenir à eux seuls l'ensemble du front. La prépondérance américaine risquait de devenir à la fois politique, diplomatique et militaire. Washington, en outre, avait une très grande liberté de manœuvre du fait que les Américains étaient associés et non alliés aux pays de l'Entente. Wilson apparaissait aux Allemands comme un interlocuteur privilégié. Enfin et surtout Wilson avait prononcé le 9 janvier 1918 devant le Congrès un discours célèbre dans lequel il avait exposé « quatorze points » fondamentaux qui lui semblaient devoir servir de base au rétablissement de la paix. La charte des « quatorze points » pouvait être un moindre mal pour les Allemands.

Wilson aurait fort bien pu négocier directement avec le gouvernement allemand. Au lieu de cela, il répondit sèchement qu'il ne pouvait négocier avec un régime militariste, que l'Allemagne devait d'abord se démocratiser et qu'ensuite il serait possible de parler avec elle. Il ajouta dans une seconde note qu'il n'était pas question pour lui de négocier à part et que les Allemands devaient s'adresser à Foch s'ils voulaient signer une convention d'armistice.

Le 9 novembre éclata à Berlin une révolution qui provoqua la chute de Guillaume II. Une équipe social-démocrate formée par Friedrich Ebert et Scheidemann combla le vide politique ainsi créé et désigna une délégation pour demander un armistice dont les généraux, impuissants à rétablir la situation militaire, avaient hâte de faire endosser la responsabilité à des civils. Les chefs militaires signent rarement les armistices qui devraient sanctionner leur échec technique. L'échec était évident du côté de l'Allemagne. Les responsables de la défaite allemande s'appelaient Ludendorff, Hindenburg. En revanche, l'un des signataires de l'armistice du côté allemand, le député du Zentrum, Erzberger, sera lâchement assassiné par des ultra-nationalistes qui lui reprocheront d'avoir accepté une défaite dont il n'était pas responsable.

Restait à convaincre les Alliés de l'Entente d'accepter les « quatorze points » comme base du règlement de la paix. Le « colonel » House, confident de Wilson, fut dépêché en Europe pour discuter du problème avec les Européens. Foch n'entendait pas permettre à Ludendorff d'utiliser un armistice pour refaire ses forces, raccourcir son front et reprendre le combat dans de meilleures conditions. Selon lui, un armistice ne pouvait se concevoir que comme instrument de destruction de la puissance militaire allemande. Les Anglais firent une réserve sur les articles concernant la liberté des mers. Les Français demandèrent que l'Allemagne soit condamnée à payer des réparations aux populations civiles. Compte tenu de ces réserves, le 5 novembre, on aboutit à un accord. Wilson put alors inviter la nouvelle Allemagne démocratique (depuis la révolution du 9 novembre) à constituer une délégation pour se rendre auprès de Foch, commandant en chef des forces alliées.

L'armistice fut signé le 11 novembre 1918, au carrefour de Rethondes, dans la forêt de Compiègne, à bord du wagon-salon de Foch. A 11 heures, le feu cessa sur l'ensemble du front. L'armée allemande dut se retirer derrière le Rhin et livrer ses armes lourdes. Etaient également cédées aux Alliés l'aviation et la marine de guerre. La convention, temporaire, devait être par deux fois renouvelée avant la conclusion de la paix.

Toutes les puissances alliées de l'Allemagne avaient déjà signé leurs armistices respectifs lorsqu'elle déposa les armes. La Bulgarie — on l'a vu — s'était inclinée la première le 29 septembre. Les Turcs obtinrent des Anglais un armistice à Moudros le 30 octobre — les Français, non consultés, étant placés devant le fait accompli. Les Austro-Hongrois, dont l'Empire était en pleine décomposition, signèrent l'armistice à Villa Giusti devant les Italiens le 3 novembre. L'empereur Charles Ier, qui avait succédé au vieux François-Joseph, son grand-oncle, le 22 novembre 1916, se réfugia en Hongrie. Après l'Empire russe, tombé en mars 1917, avant l'Empire allemand, qui devait tomber le 9 novembre 1918, voici que le règne des Habsbourg dont l'origine remontait au XVe siècle prenait fin à son tour. Aucun des trois grands Empires, quel que fût le camp auquel il appartenait, n'avait résisté à la guerre longue.

La guerre était gagnée par les alliés et associés de l'Entente. La paix serait-elle aussi difficile à réaliser ? Clemenceau le prévoyait, qui déclarait le 11 novembre : « Il va falloir maintenant gagner la paix. »

Les « quatorze points »

1 Conventions de paix publiques
2 Liberté des mers
3 Suppression des barrières douanières
4 Réduction des armements
5 Règlement des revendications en fonction des intérêts des populations
6 Évacuation du territoire russe et libre développement du pays
7 Restauration de la Belgique
8 Alsace Lorraine à la France
9 Frontières de l'Italie d'après les nationalités
10 Autonomie des peuples d'Autriche-Hongrie
11 Accès à la mer pour la Serbie
12 Empire ottoman limité à la Turquie. Liberté des Détroits
13 Libre accès d'une Pologne libre à la mer
14 Création d'une Société des Nations

IV POUR APPROFONDIR CE CHAPITRE

Lire, la plume à la main, l'ouvrage de P. RENOUVIN : *Histoire des relations internationales*, tome VI : *Le XIXe siècle (1871-1914)*, Hachette, 1955, 402 p., plus particulièrement les pages 324 à 384. Également de P. RENOUVIN : *La Crise européenne et la Première Guerre mondiale*, Collection « Peuples et Civilisations », tome XIX, P. U. F., 1969 (dernière édition), 780 p.

Les événements militaires sont étudiés dans L. KOELTZ : *La Guerre de 1914-1918*, Collection « Histoire du XXe siècle » dirigée par M. Baumont, édition Sirey, 1966, 654 p.

Au lendemain de la Grande Guerre, la *Revue d'histoire de la guerre mondiale*, dont P. RENOUVIN assumait la responsabilité, a cherché à élucider surtout les causes de la guerre. Les numéros sont disponibles dans les bibliothèques universitaires.

En Allemagne, après une abondante production protestant contre la paix de Versailles et cherchant à justifier l'attitude de l'Allemagne en 1914, a paru en 1961 le livre de F. FISCHER : *Griff nach der Weltmacht. Die Kriegzielpolitik der Kaiserlichen Deutschlands (1914-1918)*, 896 p. ; la traduction française de cet ouvrage a paru en 1971, 654 p. ; l'auteur s'en prend violemment à l'impérialisme allemand dont il fait le responsable de la crise de juillet 1914. Sur l'ensemble des problèmes posés par le déclenchement de la guerre, on se reportera à l'ouvrage de J. DROZ : *Les Causes de la Première Guerre Mondiale, essai d'historiographie* ; Le Seuil, Collection Points, 1973, 186 p.

Depuis quelques années, des ouvrages scientifiques ont paru en France. R. POIDEVIN, professeur à l'université de Metz, a publié une thèse importante : *Les Relations économiques entre la France et l'Allemagne de 1898 à 1914*, A. Colin, 1969, 932 p. R. GIRAULT : *Emprunts russes et investissements français en Russie (1887-1914)*, A. Colin, 1973, 624 p. Dans la collection U2, éditée par A. Colin, R. POIDEVIN a publié également un inventaire systématique de ses recherches : *Finances et relations internationales (1887 - 1914)*, 1970, 230 p.

J. THOBIE a consacré sa thèse à un secteur géographique voisin : *Les Intérêts économiques, financiers et politiques français dans la partie asiatique de l'Empire ottoman, de 1895 à 1914*, Lille, 3 vol., 1973, 1468 p.

Sur d'autres problèmes particuliers, voir : J.J. BECKER, *1914 : Comment les Français sont entrés dans la guerre*, Presses de F.N.S.P., 1977, 638 p. ; G. PEDRONCINI, *Les mutineries de 1917*, P.U.F., 1967, 328 p., Publications de la Sorbonne ; A. DUCASSE, J. MEYER , G. PERREUX, *Vie et mort des Français, 1914-1918*, Hachette, 1959, 512 p.

CHAPITRE II

Les grandes puissances en guerre
diplomatie, politique, économie

I LES RELATIONS INTERNATIONALES PENDANT LA GUERRE

A la fin de l'année 1914, les puissances belligérantes d'Europe sont au nombre de huit. Sur les vingt-deux pays que comprend le continent (Turquie d'Europe incluse) cela représente un peu moins du tiers. Il reste ainsi de nombreux pays dont la position stratégique est intéressante pour l'un ou l'autre camp et qui, pour telle ou telle raison, sont susceptibles de se rallier à l'Entente ou aux Empires centraux. Certains, telle la Bulgarie, étaient proches de l'Allemagne. D'autres entretenaient de bonnes relations avec la France, l'Italie par exemple. Chaque coalition va s'employer à faire entrer en guerre de son côté les neutres considérés comme des « belligérants possibles » : Italie, Bulgarie, Roumanie, Etats-Unis.

L'Italie avait réorienté sa politique extérieure depuis 1902. Elle s'était rapprochée de la France, ce qui en faisait un allié incertain pour les Empires centraux. Lorsqu'en août 1914 elle déclara sa neutralité, les chancelleries ne furent pas surprises. Cependant, l'Allemagne ne désespérait pas de persuader Rome de rentrer dans son alliance. Salandra, le président du Conseil italien, avait parlé d'« égoïsme sacré » pour justifier sa neutralité, mais l'égoïsme national pouvait fort bien faire considérer qu'une entrée en guerre correspondait aux intérêts supérieurs de la patrie. Restait à savoir aux côtés de qui. L'objectif de chaque diplomate fut de prouver à Rome que le camp qu'il représentait disposait des meilleurs atouts. Pour cela il fallait se montrer le plus fort puisque l'Italie était prête à voler au-devant de la victoire.

L'Allemagne était représentée par l'ambassadeur von Bülow, ancien chancelier, ami de Salandra, fort connu des milieux romains. La France était représentée par Barrère, ami de Delcassé. Les Empires centraux offraient la Savoie, Nice, la Tunisie, Malte et la Corse. L'Entente promettait le Trentin et l'Istrie, ainsi qu'une copieuse part de l'Empire turc. Mais, dans le pays, les forces politiques étaient partagées. Les catholiques, soutenus par Benoît XV (élu au conclave du 3 septembre 1914), penchaient pour la neutralité, ainsi que les socialistes. De leur côté, les libéraux et les nationalistes voulaient que l'Italie déclarât la guerre aux Empires centraux. Gabriele d'Annunzio devenait lyrique pour proclamer que l'intérêt de l'Italie était de combattre aux côtés de la France. Mussolini, la veille encore socialiste et pacifiste, quittait l'*Avanti* pour fonder avec l'argent de l'ambassade de France le *Popolo d'Italia* et militer en faveur de la guerre.

Aucun milieu politique d'importance ne penchait pour l'alliance avec les Empires centraux. Les intérêts de l'Autriche et de l'Italie étaient partout opposés. Au mois d'avril 1915, les alliés de l'Entente firent de nouvelles offres qui aboutirent au traité secret de Londres (26 avril 1915). Le 23 mai, l'Italie déclara la guerre à l'Autriche ; mais ne deviendra l'adversaire de l'Allemagne que le 27 août 1916. Les grands espoirs suscités par cette intervention devaient décevoir profondément l'Italie : ce sera l'une des causes du succès fasciste en 1922. Pour l'heure, l'entrée en guerre de l'Italie était un franc succès pour la diplomatie de l'Entente.

La Bulgarie choisit l'alliance avec l'Autriche

En Bulgarie, au contraire, la diplomatie de l'Entente connut un échec. Le tsar des Bulgares, Ferdinand de Saxe-Cobourg, avait été élevé en Allemagne, où il avait reçu une éducation militaire à la prussienne. Selon Delcassé, il était favorable à l'Entente. En réalité, un conflit opposait deux camps au sein même des milieux dirigeants bulgares. Le 5 octobre 1915, Ferdinand de Bulgarie déclarait soudain la guerre à la Serbie. Aussitôt, les troupes allemandes franchissaient le Danube, prenant la Serbie en étau. L'entrée en guerre de la Bulgarie était provoquée par les récents succès des Empires centraux et par une vieille communauté de vues entre les diplomaties germanique et bulgare.

La Roumanie entre dans le conflit aux côtés de l'Entente

La Roumanie était un allié traditionnel de l'Allemagne. Le roi Carol (Charles) était membre de la famille des Hohenzollern. Par ses attaches, il était enclin à intervenir dans le conflit aux côtés des Empires centraux, mais il mourut peu après le début de la guerre et son fils Ferdinand était hésitant. En outre, il y avait en Roumanie un parti favorable à l'Entente, animé par la reine Marie et dont un homme politique influent, Bratianu, était membre. Malgré tout, il fallut attendre le 17 août 1916 pour qu'un traité d'alliance soit conclu entre l'Entente et la Roumanie. Deux arguments ont été utilisés par les Français : d'une part, les succès de l'offensive conduite par Broussilov en juin 1916 ; d'autre part, la situation de la Transylvanie, peuplée de Roumains et qui était un territoire austro-hongrois : elle était pour les Roumains l'équivalent de l'Alsace-Lorraine dans le cœur des Français. Le pays transylvain portait la marque de l'occupation étrangère jusque dans sa dénomination puisque les Autrichiens l'appelaient le *Sieben-*

Les grandes puissances

bürgen (le pays de sept châteaux) et les Hongrois *Erdelyi*. Lui restituer son seul nom roumain, c'est-à-dire latin, constituait en soi une raison de faire la guerre aux Empires centraux. Un roi Hohenzollern entrait dans le camp des adversaires de l'Allemagne. C'était, après l'Italie, la deuxième défection d'un ancien allié de Berlin et de Vienne.

Les autres alliances — qu'il s'agisse de la Turquie, quelque peu contrainte d'entrer en guerre par les Allemands, ou de la Grèce, obligée également de prendre parti mais cette fois dans le camp de l'Entente — furent très secondaires. Les puissances extra-européennes, le Japon comme la Chine, poursuivaient des buts fort différents de ceux de l'Entente et leur horizon militaire et diplomatique se bornait à l'Asie. Tout autre est l'intérêt représenté par l'entrée en guerre des Etats-Unis.

Les Etats-Unis sont dès 1914 la première puissance économique du monde et l'une des plus peuplées, avec une croissance démographique spectaculaire. D'autre part, l'isolationnisme américain n'a pas empêché les Etats-Unis d'intervenir dans des affaires extra-américaines depuis le début du XXe siècle : bons offices offerts aux Russes et aux Japonais en 1905, participation à la conférence d'Algésiras en 1906. Toutefois en 1914, lorsque la guerre éclata en Europe, le président démocrate des Etats-Unis proclama la neutralité de son pays. Lorsqu'il fut réélu, en 1916, pour un second mandat, Wilson avait dans son programme électoral la réaffirmation de la neutralité.

Plusieurs faits modifient au début de 1917 la situation diplomatique. Les propositions de paix de Wilson en décembre 1916 ont rencontré une hostilité résolue en Allemagne. Les opérations des sous-marins allemands, ralenties après le torpillage du *Lusitania*, en 1915, reprennent « à outrance » en janvier 1917, ce qui signifie l'attaque des bateaux neutres eux-mêmes. Enfin les Etats de l'Entente avaient depuis le début des hostilités contracté de gros emprunts auprès des banques américaines dont certaines, telle la banque Morgan, étaient proches de Wilson.

Il apparut donc au président des Etats-Unis, que l'attitude de l'Allemagne était à la fois immorale et préjudiciable aux intérêts du pays. Sur requête de son confident House et du secrétaire d'Etat Lansing, Wilson rompit les relations diplomatiques avec Berlin. L'ambassadeur d'Allemagne à Washington, Bernstorff, était pourtant un homme d'une rare habileté. Néanmoins, le Président, à la première occasion, se trouvait prêt à accepter l'entrée en guerre de son pays.

L'opinion publique américaine ne manifestait pas les mêmes sentiments. Il y avait dans le Michigan et l'Iowa des colonies importantes d'Allemands, qui possédaient encore des journaux publiés dans leur langue maternelle. Ces Germano-Américains, comme on les appelait, n'étaient pas disposés à croiser le fer avec leur ancienne patrie. En outre, les ligues pacifistes ou isolationnistes étaient décidées à

Les États-Unis et la guerre

– l'évolution de l'attitude des États-Unis

Les propositions concernaient des États tels que le Texas, l'Arizona ou le Nouveau-Mexique cédés par le Mexique au traité de Guadalupe Hidalgo en 1848 (Texas) ou vendus en 1853 (Sud de l'Arizona)

D'avril à octobre 1917 : un nouveau visage de l'Entente

empêcher coûte que coûte l'intervention des États-Unis dans un conflit lointain et sanglant. Un événement soudain obligea les Américains à changer d'attitude : le 24 février 1917 les bureaux de l'Intelligence Service (organisme britannique de contre-espionnage) déchiffraient un télégramme adressé par le secrétaire d'État allemand aux Affaires étrangères, Zimmermann, au chargé d'affaires allemand à Mexico. Dans ce document (remis par les Anglais au gouvernement américain et à la presse), Zimmermann invitait le représentant allemand à Mexico à proposer des avantages territoriaux au gouvernement mexicain pour le cas où il accepterait d'entrer en guerre aux côtés de l'Allemagne contre les États-Unis. Pour le gouvernement allemand, le Mexique constituait un atout appréciable. Depuis 1913, il entretenait de mauvaises relations avec Washington. En 1916, pour réduire le chef de bande « Pancho » Villa, les Américains avaient envoyé au Mexique une expédition qu'ils venaient tout juste de rappeler en février 1917. L'opinion américaine fut scandalisée par l'attitude de l'Allemagne.

Les 12 et 19 mars, des navires marchands américains furent coulés par des torpilles allemandes : l'agression devenait flagrante. Wilson déclara devant le Congrès que le droit était plus précieux que la paix. Le 6 avril, les crédits de guerre étaient votés par 373 voix contre 56 à la Chambre des représentants et par 82 voix contre 6 au Sénat. Sur le plan militaire, cette entrée en guerre ne bouleversait pas beaucoup l'équilibre sur le front occidental. Sur le plan politique, le camp de l'Entente auquel venaient de s'associer les États-Unis, était désormais constitué de pays démocratiques ou en passe de le devenir. En effet, la Russie du comité de la Douma avait à sa tête depuis le 15 mars des monarchistes constitutionnels comme Milioukov ou des socialistes comme Kerenski. Ces dirigeants étaient décidés à poursuivre (et même à intensifier) l'effort de guerre de leur pays. L'aristocratie tsariste ayant disparu, une Russie libérale et parlementaire pouvait avantageusement la remplacer pour le plus grand profit de l'Entente. Face aux empereurs de Vienne et de Berlin, la sainte ligue des pays libéraux prenait le visage de la cause du droit contre l'injustice ; visage enfin conforme à l'image contrastée que les gouvernements cherchaient à accréditer auprès des peuples depuis le début des hostilités. Enfin, les États-Unis, grâce à l'importance de leur industrie, vont développer rapidement la construction des navires de guerre et de transport de troupes. L'Entente pouvait compter sur un puissant arsenal.

Un bilan de la diplomatie

Ainsi, en Europe, l'Entente a réuni autour d'elle des alliés plus importants que les Empires centraux. L'armée italienne et l'armée roumaine (cette dernière victime malheureuse de la campagne-éclair de Falkenhayn) étaient supérieures à l'armée turque. Ces succès tenaient à l'habileté des diplomates de l'Entente et aux victoires militaires. Mais, dès avant 1914, on pouvait pressentir l'attitude qu'adopteraient ces États. La Bulgarie avait combattu en 1913 la Serbie et la Grèce, futures alliées de l'Entente. La Roumanie, au contraire, était intervenue dans la

Les grandes puissances

deuxième guerre balkanique aux côtés de la Serbie, étroitement alliée à la Russie et à la France. La Turquie, quant à elle, avait été l'adversaire de la Serbie et de la Grèce beaucoup plus qu'elle ne l'avait été de la Bulgarie.

L'intérêt politique est le phénomène qui a joué le plus nettement. En revanche, la solidarité ethnique a eu fort peu d'influence. Certes, les Roumains ont pu se sentir plus proches des Italiens et des Français que des Germains, mais les Bulgares, qui sont des Slaves, ont combattu les Serbes, leurs frères de race.

Quand il s'agit d'une grande nation, comme les Etats-Unis, l'entrée en guerre doit moins aux pressions diplomatiques des pays belligérants (sinon a contrario à leurs bévues) qu'aux décisions souveraines du gouvernement. Notons toutefois que les liens économiques et financiers étaient beaucoup plus importants entre les Etats-Unis et l'Entente qu'entre les Etats-Unis et les Empires centraux, ne serait-ce qu'en raison du blocus.

La diplomatie a été, constamment, active pendant les hostilités et les relations internationales de 1914 à 1918 sont marquées par des tentatives de paix. En 1914, les forces de paix ont été impuissantes à empêcher les hostilités. Elles vont s'employer ensuite à rétablir la paix. Quelles sont les forces de paix ? D'abord tout ce qui est international, toute organisation, toute ligue qui rassemble les représentants de plusieurs nations. Ainsi en est-il de l'Internationale.

Les responsables socialistes avaient en 1914 presque tous participé au mouvement dit d'« Union sacrée ». Après deux ans de guerre, certains ont le sentiment d'avoir cautionné une entreprise tout à fait contraire à l'intérêt du prolétariat international. Quelques individualités, très minoritaires au sein de leurs partis respectifs, décidèrent de se rencontrer en pays neutre pour faire le point. La première réunion eut lieu en Suisse, à Zimmerwald, petite localité proche de Berne, en septembre 1915. Quarante délégués, dont deux Français et deux Allemands, rédigèrent un manifeste appelant les prolétaires d'Europe à exiger la « paix blanche » (sans annexions ni indemnités). L'entrevue de Zimmerwald fut sans effet sur les deux camps. Au demeurant, la rencontre avait permis de constater de profondes divisions entre socialistes, « Zimmerwaldiens » de droite (Merrheim) et « Zimmerwaldiens » de gauche (Lénine) sur le point de savoir quelle stratégie conduirait à imposer la paix.

Une seconde rencontre eut lieu tout près de Zimmerwald, à Kienthal, en avril 1916. Les participants renoncèrent à une attitude de simple protestation contre la guerre. Il fut décidé de lancer un vigoureux appel à tous les partis socialistes demandant à leurs leaders de se retirer de tous les gouvernements d'Union sacrée. En 1917, une conférence fut organisée à Stockholm par l'Internationale socialiste. On s'attendait à une prise de position extrêmement sévère à l'égard des belligérants,

LA RECHERCHE DE LA PAIX

Le socialisme et la guerre

mais les délégués français se virent refuser leurs passeports. L'affaire tourna court.

— les divisions des socialistes

Partout, cependant, les minorités hostiles à l'Union sacrée se développèrent au sein des partis socialistes. En Allemagne, Karl Liebknecht organisait le spartakisme et était emprisonné. En France, Merrheim et la fédération C. G. T. de la métallurgie prenaient une attitude nettement pacifique et militaient pour une « paix blanche ». En Russie, les bolcheviques de Lénine s'étaient opposés dès 1914 à toute politique de compromis. Ils furent les seuls à rassembler une majorité et même à s'emparer du pouvoir (octobre-novembre 1917). De nombreux leaders, notamment Albert Thomas, avaient considéré le régime de Kerenski comme satisfaisant. Ils se montrèrent d'autant plus favorables à la collaboration de classes au sein d'un gouvernement de guerre qu'ils voyaient dans la victoire de Lénine une déviation perverse du socialisme. Le socialisme s'était trop engagé en 1914 en faveur de la guerre pour pouvoir par la suite contribuer au rétablissement de la paix.

Le Vatican et la guerre

La principale intervention en faveur de la paix fut celle du pape Benoît XV le 15 août 1917. Dès son élection en 1914, le Souverain Pontife avait condamné en termes vifs les combats fratricides entre nations également catholiques. Particulièrement frappé par la « fatigue des peuples », Benoît XV décida d'intervenir. Il fit des propositions pour rétablir la paix et la fonder sur des bases qu'il estimait solides. Mais, influencé par les rares représentants de pays belligérants accrédités auprès du Saint-Siège — à savoir les Empires centraux —,il proposa une série de mesures plutôt favorables à l'Autriche et à l'Allemagne, ne mentionna même pas la Serbie et parla simplement de « compromis raisonnable » à propos de l'Alsace-Lorraine. Les gouvernements de l'Entente réagirent vivement.

Les catholiques français eux-mêmes furent scandalisés des propos prêtés au Saint-Siège. Du haut de la chaire de l'église de la Madeleine à Paris, un dominicain célèbre, le père de Sertillanges, lança au pape un *« Non possumus »* pathétique

Les Allemands eux-mêmes étaient divisés sur l'attitude à tenir à l'égard des propositions pontificales. Ludendorff et l'Etat-major étaient hostiles au retrait total des troupes allemandes de Belgique, retrait exigé par Benoît XV. Mal reçue dans les deux camps, la « note pontificale de paix » resta sans effet.

La proposition de paix de Wilson

Il n'est pas interdit de penser que la proposition de paix du président Wilson, alors chef d'un Etat neutre, le 20 décembre 1916, participe du même type d'intervention à caractère moral. Sollicité d'intervenir par plusieurs ligues pacifiques des Etats-Unis, persuadé lui-même que son pays avait une mission à remplir, Wilson crut bon de demander aux nations belligérantes de préciser leurs buts de guerre afin de montrer que le rapprochement des points de vue n'était pas impossible. Cette démarche déplut à l'Entente. De son côté, l'Allemagne commit l'erreur de repousser, la première, la proposition américaine. Déçu, Wilson déclara devant le Congrès le 22 janvier 1917 qu'il se ralliait à une « paix sans victoire ». En réalité, il était à la veille d'engager son pays dans la guerre.

Les tentatives de paix peuvent s'effectuer par l'intermédiaire de pays neutres, il n'en demeure pas moins vrai qu'elles sont toutes suscitées par des pays en guerre. Pour quelles raisons un belligérant peut-il demander la paix ? Parce qu'il est épuisé ? Mais alors il demande l'armistice directement au principal adversaire ; et il n'est nul besoin de sondage ou de mission exploratoire. Parce qu'il vient de remporter une victoire non décisive, mais importante ? En ce cas, le belligérant peut avoir intérêt à présenter des offres de paix alléchantes à son adversaire qui, ébranlé par une défaite partielle, voudra peut-être saisir l'occasion d'achever les combats la tête haute.

Au premier type appartient la tentative autrichienne de 1917. L'empereur Charles Ier de Habsbourg voulait sauver l'essentiel de la puissance de son pays, c'est-à-dire son propre pouvoir. Pour cela, il convenait de traiter séparément avec l'ennemi qui — espérait-il — le ménagerait en gratitude de la dislocation du camp adverse. Comment entrer discrètement en contact avec l'ennemi ? Les familles du Gotha sont internationales. Elles comptaient des membres dans l'un et l'autre camp. Charles avait épousé Zita de Bourbon-Parme, dont les deux frères, Sixte et Xavier, étaient officiers dans les armées de l'Entente. Une lettre autographe de l'empereur d'Autriche-Hongrie datée du 24 mars 1917, confiée au prince Sixte de Bourbon-Parme, fut transmise à Paris. Dans cette lettre, Charles Ier se révélait favorable à la souveraineté belge, à un accès de la Serbie à la mer Adriatique, à une restitution de l'Alsace-Lorraine à la France. Une deuxième lettre, de mai 1917, était beaucoup moins précise. En annexe, le ministre des Affaires étrangères de Charles glosait dans un sens équivoque le contenu fumeux du texte impérial. Il était difficile de tirer quelque chose de tangible d'une attitude aussi peu ferme. Lloyd George et Clemenceau, bien décidés à faire la guerre et non la paix, n'exploitèrent pas la situation, se réservant la possibilité de révéler, le cas échéant, les tractations particulières de l'empereur Charles, de manière que nul n'en ignore en Allemagne.

De même, par l'entremise d'une amie commune, d'origine belge, A. Briand et le baron Lancken, diplomate allemand, devaient se rencontrer en Suisse en septembre 1917 ; mais l'affaire n'eut pas de suite.

Plus typique de la seconde catégorie de démarches, est la proposition de paix des Empires centraux de décembre 1916. Les victoires de Mackensen en Serbie permettaient aux Austro-Allemands de bénéficier d'une situation de force. Une note de l'Allemagne, de l'Autriche-Hongrie, de la Bulgarie et de la Turquie, adressée à l'Entente, proposait des négociations de paix immédiates. Mais les références trop insistantes aux victoires des Empires centraux transformaient la proposition en bulletin de victoire de sorte que le texte devenait inadmissible pour l'Entente. Peut-être faut-il voir dans cette démarche le simple souci d'amadouer certains pays neutres dont les États-Unis.

Il y eut enfin des contacts secondaires : l'intervention du roi d'Espagne Alphonse XIII, qui n'eut pas de suite, celle même d'Albert Ier, roi des Belges. D'octobre 1915 à février 1916, le roi chevalier a eu des contacts avec les autorités allemandes par l'entremise de son beau-frère, le comte Toerring. En 1917, par l'intermédiaire de Camille Huysmans, alors ministre d'Etat du gouvernement belge, ancien secrétaire général de la Deuxième Internationale, fut envisagée à Stockholm une paix séparée entre l'Allemagne et la Belgique. On le voit, les fonds d'archives n'ont pas fini de révéler les aspects complexes des relations internationales au cours de cette période mouvementée.

II LE RENFORCEMENT DE L'AUTORITÉ DE L'ÉTAT

LES NOUVELLES
TÂCHES DE L'ÉTAT

Toute guerre provoque une certaine vacance des libertés individuelles et collectives. La mobilisation des hommes de 20 à 60 ans, l'orientation d'une partie de l'industrie vers la production d'armement, les réquisitions de denrées agricoles pour ravitailler les troupes, la sécurité désormais militaire de l'ensemble du territoire, la nécessité de galvaniser les énergies par un contrôle plus ou moins sévère des diverses publications, la mise au pas éventuelle des oppositions persistantes, tout, dans un pays en guerre, invite l'État à prendre en charge des secteurs qui, d'ordinaire, ne relèvent pas de ses responsabilités. Tout gouvernement prend, sitôt la guerre déclarée, un certain nombre de mesures : les sessions parlementaires — quand il y en a — ont lieu à huis clos chaque fois qu'il est question de problèmes militaires. Le gouvernement est fort peu contrôlé. Les billets de banque ont cours forcé (inconvertibilité), les transactions commerciales sont ralenties, les loyers bénéficient de moratoires, le paiement des dettes est prorogé, bref tout le mécanisme économique est ralenti et modifié.

Dans le cas d'une guerre courte — comme cela avait été le cas en 1870 — un gouvernement fort, quasi dictatorial, peut se faire entendre mieux qu'un gouvernement démocratique. A cet égard, Guillaume II était mieux placé que Poincaré. L'empereur décidait et se faisait obéir. Les opérations militaires étaient officiellement ordonnées par lui : « Seine Majestät befehlt ». La contre-offensive de la Marne n'a pas été décrétée par un ordre du jour de l'Elysée commençant par les mots : « Le président Raymond Poincaré ordonne ... »

L'opinion publique :

A court terme, un Empire est plus sûr qu'une République. Dans la perspective d'une guerre longue, il en va différemment. Le consensus national est mieux réalisé dans une démocratie. Or, plus la guerre dure, plus il est nécessaire de s'appuyer sur l'opinion publique. Cela ne signifie pas que les régimes démocratiques ne connaissent jamais de crises, mais la circulation des informations s'y fait mieux qu'ailleurs, les scandales, quand ils se produisent, éclatent au grand jour.

Les grandes puissances

La France est un bon exemple de l'évolution d'un régime démocratique en temps de guerre. Entre le 2 septembre et le 22 décembre 1914, les Chambres ne se réunissent pas. Le gouvernement est totalement responsable de ses actes sans aucun contrôle. Il y eut ensuite des crises ministérielles. Viviani fut remplacé par Briand, auquel succéda Painlevé, lui-même remplacé par Georges Clemenceau, le 16 novembre 1917. Alors un véritable ministère de guerre fut formé où nombre de ministres n'étaient que des comparses au point qu'un journal satirique présentait l'ensemble du ministère avec, pour chaque responsable de portefeuille, le même visage que celui de Clemenceau. La répression fut sévère quand d'aventure des grèves accompagnées de manifestations se produisirent. En 1917, Paris fut quasiment en état de siège.

Le Royaume-Uni connut jusqu'au 6 décembre 1916 un gouvernement « traditionnel », le cabinet Asquith. De nombreux parlementaires le trouvant trop faible, il fut remplacé par un gouvernement de guerre, celui de Lloyd George. Avant même ce changement, le gouvernement britannique eut à faire face à une émeute à Dublin, fomentée par les nationalistes irlandais (avril 1916). La répression fut sanglante.

Ainsi les démocraties connaissaient un raidissement apparemment temporaire de leur fonctionnement normal : censure, tracasseries policières, répression violente. Certes, ces phénomènes ne sont pas nouveaux, mais ils deviennent au cours de la guerre plus fréquents et on pourrait dire qu'ils « s'institutionnalisent », ce qui est un risque de pérennité. Il faut bien reconnaître que l'intervention de l'État dans de nombreux domaines se maintiendra une fois terminé le conflit.

III LA MISE EN PLACE D'UNE ÉCONOMIE DE GUERRE

Il s'agit moins de montrer ici l'œuvre nationale de mobilisation économique propre à chaque belligérant que de décrire les rouages des institutions économiques interalliées mises en place pendant le conflit. Dans tout pays en guerre, il y a d'abord, dès les premiers temps du conflit, ce qu'on appelle « l'arrêt émotionnel » de la vie économique. Il y a moratoire des banques ; la Bourse est fermée ; les agents de change peuvent ne pas rembourser à discrétion les sommes prêtées par leurs clients. Pour la France, on a évalué à 1,5 milliard de francs-or le montant de cette immobilisation. L'industrie est bloquée. Les transports sont paralysés.

En cas de guerre courte, cela ne présente pas d'inconvénients, mais si le conflit risque de durer, il faut modifier le fonctionnement de l'économie et l'État n'est pas habitué à intervenir dans ce domaine.

La guerre 1914-1918 a coûté des sommes colossales. Les gouvernements ont été très vite obligés de se faire accorder des pleins pouvoirs financiers et d'obtenir des avances de la part des banques centrales. L'entretien des mobilisés, les achats de matériel, les prêts aux Alliés, le déficit fatal de la balance des paiements, la dette publique, tout occasionne des dépenses imprévues et largement imprévisibles. Comment les couvrir ? Par plusieurs méthodes, dont la plus importante est l'augmentation de la masse fiduciaire. Les prix augmentent : en France, l'indice passe de 100 en 1913 à 406 en 1919. Des méthodes plus ou moins neuves apparaissent : en France, par exemple, le financement est assuré par les bons de la Défense nationale, achetés par toutes les catégories sociales. De nouvelles structures ont été mises en place : un secrétariat d'État au Ravitaillement est créé en 1918 ; des cartes d'alimentation apparaissent à la même époque. Ce rationnement est une nouvelle manière de dégager des ressources pour la guerre.

Certains ont voulu aller plus loin et profiter des nécessités de la lutte pour organiser la production et créer des structures régionales qui manquaient à la France. Clémentel était de ceux-là. Il n'a pas été suivi.

LA COOPÉRATION INTERNATIONALE

Il faut aussi mentionner les organismes interalliés qui assurent le financement de la lutte dans les deux camps. Dans les pays de l'Entente, la coopération a été assez poussée. Elle a traversé deux phases : l'une qui va de 1914 à avril 1917 ; l'autre qui couvre la période postérieure à l'entrée en guerre des États-Unis. Cette dernière apporte des solutions au problème financier.

Dans le cadre de la coopération économique furent mis en place des organismes comme la Commission internationale du Ravitaillement, créée à Londres le 15 août 1914 pour coordonner les achats des armées et des flottes britanniques et françaises et l'Exécutif du blé (Wheat Executive), organisme interallié (français, anglais, italien) qui fixait les besoins de chaque pays et les ressources globales à répartir entre les intéressés, comme le Pool du tonnage, créé le 3 novembre 1917 pour permettre aux Anglais et aux Français de faire face au déficit en bateaux provoqué par la guerre sous-marine.

Il y eut également entente financière et soutien réciproque des monnaies. L'ensemble de ces structures disparut en 1919, mais il resta l'idée d'une coopération économique internationale entre pays européens. N'oublions pas que Jean Monnet — l'Européen — était un des animateurs de ces organismes.

IV POUR APPROFONDIR CE CHAPITRE

Aux ouvrages cités au chapitre précédent, il convient d'ajouter : J.-B. DUROSELLE, *La Politique extérieure de la France*, Cours C. D. U. 1965, fascicule 1.

Thèse récente sur la diplomatie pendant la guerre : A. KASPI, *Le Temps des Américains*, Publications de la Sorbonne, 1976, 375 p.

CHAPITRE III

Le rétablissement
de la paix

I LE BILAN DE LA GUERRE

Le caractère exceptionnel de la guerre de 1914-1918 devait entraîner, selon de nombreux hommes politiques, une paix exceptionnelle, c'est-à-dire une paix qui ne reposerait pas sur le ressentiment ou la vengeance. Toutefois, les sacrifices consentis par les populations rendaient difficile un règlement parfaitement équitable.

La scandaleuse hécatombe de 1914-1918 n'avait été admise par les peuples que dans la mesure où l'opinion publique avait le sentiment qu'il s'agissait de la dernière de toutes les guerres de l'humanité. Les « poilus » avaient fait « la der des ders ». Pour les « tommies », c'était « the last war we fight ». C'est à cette condition que les hommes, jour après jour, avaient consenti, sans trop d'opposition, à monter au combat meurtrier. Si vraiment il s'était agi d'une guerre faite à la guerre, si vraiment le vaincu était, avant tout, la guerre elle-même, alors la paix pouvait, en effet, être durable. C'est bien ainsi que l'envisageait le représentant d'une des grandes puissances ayant participé au conflit, Woodrow Wilson. Dans son discours des « quatorze points » de janvier 1918, il avait jeté les bases d'une « New Diplomacy ». Il était dans son intention de venir en Europe procéder à l'application stricte de ses principes abstraits. En réalité la contradiction entre nombre de ces « quatorze points » et les intérêts des nations victorieuses engendra une paix bâtarde, le plus souvent incertaine, assurément inachevée.

Le seul vaincu doit être la guerre

Il convient tout d'abord de prendre la mesure du conflit gigantesque, achevé en novembre 1918, afin de saisir l'ardent désir des peuples d'une paix définitive. Pour souligner le rôle des facteurs démographiques, nous avons établi le tableau suivant :

LES MORTS

Ⓐ	Ⓑ	Ⓒ	Ⓓ	Ⓔ	Ⓕ
Belgique	0,04	7,5	0,54	août 1914	novembre 1918
Empire russe	1,70	173	0,98	août 1914	décembre 1917
Etats-Unis	0,11	100	0,11	avril 1917	novembre 1918
France	1,30	39,6	3,28	août 1914	novembre 1918
Italie	0,70	35	2,00	mai 1915	novembre 1918
Royaume-Uni	0,74	46	1,60	août 1914	novembre 1918
Allemagne	1,80	66	2,72	août 1914	novembre 1918
Autriche Hongrie	1,30	51	2,54	juillet 1914	novembre 1918

Les morts ne sont pas les seules victimes de la guerre ; les économies et les finances, aussi, ont été atteintes. En France, plus de 200 000 maisons ont été détruites, trois millions d'hectares sont hors d'usage ; les régions industrielles les plus riches, le Nord et le Nord-Est, ont été des théâtres d'opérations. Aucun autre pays, en dehors de la Belgique et du Luxembourg, n'a été aussi éprouvé. Certes, la Serbie a souffert ainsi que la Roumanie, mais elles étaient à l'époque des nations beaucoup moins industrialisées que la France.

La France a dépensé 252 milliards de francs-or pour faire la guerre ; l'Allemagne l'équivalent de 173 milliards de francs-or. Pour régler ces dépenses, il a fallu émettre du papier-monnaie non convertible. Même si, pour diverses raisons (mobilisation des hommes, insuffisance de l'offre), les ménages consomment moins, les biens produits sont rarement des biens de consommation ou de production mais plutôt des armements (canons, armes, tanks). La tendance à l'inflation est plus vivement ressentie en temps de guerre. Les prix montent (en France de 1914 à 1918, ils sont multipliés par 4). Ainsi se met en place le phénomène devenu classique de l'augmentation régulière des prix et de l'instabilité de la monnaie, qui constituent, depuis, les éléments de l'économie moderne.

A l'inverse des principaux belligérants d'Europe, les pays extra-européens, tels les Etats-Unis et le Japon, ont connu de 1914 à 1918 une augmentation considérable de leur production. Les Etats-Unis ont accru leur production industrielle de 12 pour cent en 6 ans (1913-1919) et leur production agricole de 14 pour cent, pendant que la France enregistrait une perte de 17 pour cent pour l'agriculture et de 34 pour cent pour l'industrie. Les exemples pourraient être multipliés. C'est là un des points importants de ce phénomène qu'Albert Demangeon a appelé « le déclin de l'Europe ».

Tous les éléments mentionnés ci-dessus sont quantitatifs. Mais il y a certaines conséquences de la Grande Guerre dont l'appréciation est beaucoup plus délicate.

Géographiquement, il est bien difficile de distinguer entre les régions de France celles qui auraient payé un tribut plus lourd à la mort. Pour ce qui est des morts à la guerre par catégories sociales, c'est la bourgeoisie qui a payé le plus lourd tribut, suivie par les masses rurales, les ouvriers de l'industrie étant beaucoup moins touchés.

Une indication des pertes subies par l'élite française est fournie par le nombre des morts des grandes écoles. Chose surprenante, l'Ecole Normale Supérieure a perdu plus d'élèves que Saint-Cyr elle-même. De toute façon, que d'ingénieurs, de professeurs, de savants, d'artistes, de romanciers sont tombés au champ d'honneur ! Les conséquences de la Grande Guerre sont, là, incalculables.

Sur le plan psychologique, deux phénomènes contradictoires sont également nés de la guerre : l'héroïsme et le pacifisme. Le culte du héros s'est porté principalement sur les chevaliers des temps modernes que sont très vite devenus les aviateurs : Goering en Allemagne, Fonck ou Guynemer en France, par exemple. L'exaltation du courage physique que devait si habilement exploiter le fascisme italien ou le nazisme allemand est aussi une conséquence de la guerre. A l'opposé, le dégoût du carnage a provoqué un élan de pacifisme inconnu jusqu'alors.

Tout était à ce point bouleversé par le conflit que les institutions des pays vainqueurs elles-mêmes n'apparaissaient plus comme les rouages les meilleurs des sociétés. Il semblait que la guerre eût balayé tout un monde avec ses principes, quelle qu'en fût la valeur. Si les Empires autoritaires s'étaient effondrés, les démocraties victorieuses étaient également ébranlées. N'avait-on pas vu de 1914 à 1918 maints exemples de manquements graves aux principes démocratiques ? Arrestations arbitraires, juridictions d'exception, absence de contrôle parlementaire, intervention de l'Etat dans presque tous les secteurs de la vie des citoyens, tout cela — qui est absolument nécessaire en période de guerre — ternit à jamais une certaine image de la démocratie.

La première révolution socialiste avait éclaté en Russie. L'événement avait profondément frappé les responsables politiques. Le « péril rouge » sert alors de prétexte aux dirigeants apeurés qui sont pris par une véritable fièvre. Au lieu de repenser l'organisation politique de la société, beaucoup d'hommes d'Etat songent à préserver le *statu quo ante bellum* de manière à tenir bon contre la vague « bolchevique » qui — selon eux — menace. Bien loin de saisir l'occasion d'un renouvellement grâce au bouleversement de la guerre, on songe, dans tous les pays, à un retour sécurisant « à la normale », c'est-à-dire à la situation d'avant 1914.

La guerre de 1914-1918 est autant une crise de civilisation qu'une crise militaire et diplomatique. C'est en ce sens que l'on dit de la Grande Guerre qu'elle marque la fin du XIXe siècle.

Les pertes « qualitatives » sont inestimables

On ne peut dénombrer les morts par région, on risquerait alors de provoquer des oppositions violentes entre les parties constitutives d'un même pays. Cette difficulté a retardé le calcul du nombre des victimes par grandes régions géographiques. Le problème est sensiblement le même pour les classes sociales.

Pour la seule France, des noms tels que ceux de Charles Péguy ou d'Alain-Fournier tombés dès 1914 montrent à quel point l'élite française a été décimée.

En Allemagne des livres tels que « A l'Ouest rien de nouveau » d'Erich Maria Remarque, en France « Les Croix de bois » de Roland Dorgelès ou « Le Feu », qui valut en 1917 le prix Goncourt à Henri Barbusse, développèrent dans les années qui suivirent la guerre un courant d'opinion prêt à accepter tout plutôt que le retour d'un semblable massacre. Le pacifisme à tout prix, issu de l'horreur des combats, ne sera pas sans influence en 1938 au moment de Munich.

LE BOULEVERSEMENT INSTITUTIONNEL

Oswald Spengler, dans *Déclin de l'Occident*, annonce l'avènement des Césars, dictateurs militaires habiles à capter l'enthousiasme des foules. L'ère des masses est entrée dans l'Histoire. Les institutions étaient peu adaptées à cette irruption.

II LA CONFÉRENCE DE PARIS

LES DÉLÉGATIONS

Paris fut choisi pour accueillir la conférence chargée de rétablir la paix. De nombreuses délégations arrivèrent dans la capitale de la France, composant ainsi une société internationale haute en couleurs qui n'est pas sans rappeler l'atmosphère de Vienne en 1815. Les pays vaincus ne sont pas conviés à discuter les termes de la paix. En revanche, les vainqueurs arrivent en nombre : trente nations alliées ou associées, dont quatre dominions du Commonwealth britannique, sont représentées à Paris. Ces délégations diplomatiques furent rarement rassemblées. Seuls les « Grands » se réunirent pour traiter des affaires les plus importantes. Clemenceau représentait la France, Lloyd George le Royaume-Uni, Orlando l'Italie et — surprise — le président des Etats-Unis d'Amérique lui-même, Woodrow Wilson, vint à Paris défendre les principes de sa « New Diplomacy ». Persuadé qu'un vaste mouvement d'opinion mondiale le portait, Wilson n'était pas spécialement inquiet des mauvais résultats obtenus à la Chambre des représentants par le parti démocrate lors des élections de 1918 (237 Républicains avaient été élus contre 190 Démocrates), mais il n'était plus sûr d'avoir au Congrès une majorité favorable à sa politique.

De janvier 1919 à la fin du mois de mars, un conseil de dix membres examina les problèmes diplomatiques. Il était composé des chefs de gouvernement et des ministres des Affaires étrangères des quatre grands pays, auxquels s'ajoutèrent les représentants du Japon. Wilson estima que le travail serait plus rapide si seuls les chefs de gouvernement des quatre grandes puissances siégeaient. Il fut convenu que le conseil des « Quatre » ferait la paix. Une quinzaine de comités d'experts préparaient les dossiers discutés entre les « Quatre ». Quelques membres d'autres délégations étaient conviés aux débats quand le problème du jour rejoignait les intérêts de leurs pays. Du 12 janvier au milieu de février, les problèmes de l'organisation de la Société des Nations retinrent surtout l'attention des « Quatre ». Du 15 février au 14 mars, les travaux de la conférence furent quasiment arrêtés en raison d'un voyage effectué par Wilson aux Etats-Unis.

On connaît, grâce à Paul Mantoux, traducteur au Conseil des Quatre, les principaux problèmes débattus (Les Délibérations du Conseil des Quatre, Paris, Plon, 1955).

Du 15 mars au début de mai, les questions territoriales constituèrent l'essentiel des discussions des « Quatre », dont l'attention fut aussi retenue par les problèmes posés par le bolchevisme : tracé des frontières de la Russie soviétique, ligne de défense contre le communisme, répression des mouvements favorables aux soviets à travers l'Europe.

es positions en présence :
- la France

Il n'est pas impossible de préciser les positions de chaque grande puissance devant le règlement de ces questions. La France avait pour souci premier de préserver sa frontière du Nord-Est d'une nouvelle attaque allemande. Pour cela, il convenait selon deux notes rédigées par le maréchal Foch en novembre 1918 et en janvier 1919 de fragmenter la Rhénanie en une série d'« Etats-tampons », comme cela avait été le cas avant 1870 et surtout avant 1815. Le Royaume-Uni voulait éviter

- le Royaume-Uni

Le rétablissement

l'hégémonie française sur le continent européen. Pour cela, il fallait — selon son représentant Lloyd George — améliorer la situation politique et économique de l'Allemagne. Un argument important, présenté par l'Angleterre, embarrassait Clemenceau : pour dissocier les Etats rhénans du reste de l'Allemagne, il fallait au préalable s'assurer de la volonté séparatiste des habitants de ces régions. Or le mouvement autonomiste du docteur Dorten, alimenté par des fonds français et soutenu par le général Mangin, commandant les troupes d'occupation, n'était pas du tout populaire et apparaissait essentiellement comme le parti de l'étranger. Dans ces conditions, il était peut-être dangereux de créer en Allemagne un sentiment semblable à celui que les Français avaient entretenu de 1871 à 1918 à l'égard des provinces perdues d'Alsace et de Lorraine.

Clemenceau, au demeurant, ne semble pas avoir cru très sincèrement au sentiment séparatiste des Rhénans. Il s'en expliqua devant la Chambre des députés lors des débats de ratification du traité de Versailles pendant l'été 1919. Malgré tout, Clemenceau défendait fermement la nécessité d'une occupation permanente de la rive gauche du Rhin (c'est-à-dire de la portion d'Allemagne comprise entre les frontières de la France, du Luxembourg, de la Belgique, des Pays-Bas, d'une part, et le Rhin, d'autre part). Il voulait également annexer le Sud de la Sarre. Pour prix de sa renonciation à un tel ensemble de projets, la France se vit offrir par les Etats-Unis et le Royaume-Uni un traité de garantie de sa frontière avec l'Allemagne. C'était là un gain appréciable, susceptible de protéger de manière efficace les frontières du pays. On verra le sort qui fut réservé à cet engagement parallèle au traité de paix.

– les rancœurs de l'Italie

L'Italie entendait obtenir la totalité des territoires promis à Londres en mai 1915 et à Saint-Jean-de-Maurienne en 1917. Le Trentin ne posait pas de problème puisqu'il était enlevé à un pays vaincu, l'Autriche. En revanche, pour Fiume en Istrie et pour la côte dalmate, la question était importante. En effet, l'Empire des Habsbourg avait cédé la place au « Royaume des Serbes, Croates et Slovènes », c'est-à-dire à la Yougoslavie. Or ce nouveau pays était soutenu par Wilson puisqu'il s'agissait d'une nation émancipée. Dans ces conditions, il n'était pas possible de concéder à l'Italie une parcelle du territoire yougoslave. Quant aux revendications italiennes sur la Turquie, elles devaient s'évanouir puisque, dès le printemps 1919, le nationalisme de Mustapha Kemal allait permettre aux Turcs de se ressaisir et de chasser les étrangers (Grecs, Italiens, Anglais ou Français) de leur territoire national. L'Italie se sentait spoliée. Victorieuse, elle se considérait comme le « vaincu de la paix ». Orlando quitta donc la Conférence avec fracas. Voyant qu'on ne lui demandait pas de revenir siéger, il se ravisa et rentra à Paris. Il n'en obtint pas pour autant un aménagement des décisions de Wilson. Mussolini, lui, saura exploiter les rancœurs de l'opinion italienne, nées du traité de paix.

La Société des Nations, qui siégeait à Genève, était constituée d'une Assemblée générale, d'un Conseil de quatre membres permanents et de quatre membres temporaires, d'un secrétariat de six cents fonctionnaires. De nombreuses institutions auxiliaires étaient prévues, dont le Bureau international du Travail, qui, par son travail statistique et ses recommandations législatives, rendit de grands services au monde des travailleurs.

Les États-Unis — ou plutôt Wilson — estimaient que le temps était venu de réduire les tensions entre les peuples par l'instauration d'un organisme international. C'est dans cette perspective que la S. D. N. fut conçue et imposée par Wilson. Les Européens, blasés, n'y croyaient guère. Wilson ne s'intéressait pas seulement à la S. D. N. : il entendait aussi régler les problèmes territoriaux — surtout dans les Balkans — par référence à des critères nationaux. Wilson n'était pas ce « Don Quichotte aveugle et sourd » que dépeint de manière partiale l'économiste anglais Keynes. Le président connaissait bien l'Europe et il voulait éviter de faire naître des rancœurs parmi les vaincus. Par exemple, il proposa de fixer arbitrairement une somme forfaitaire au titre des réparations de guerre que devait payer l'Allemagne. Si on l'avait suivi, les Alliés eussent reçu à coup sûr un peu plus que les 10 milliards de marks que devaient finalement débourser les Allemands de 1920 à 1932.

– l'expansion japonaise

Le Japon s'intéressait fort peu aux problèmes de l'Europe. Il voulait se substituer à l'Allemagne en Chine et recueillir tous les avantages dont elle bénéficiait avant la guerre. Les États-Unis s'opposèrent à ces vues. En fin de compte, un marchandage régla le conflit : le Japon ayant déclaré qu'il ne signerait pas le Pacte de la Société des Nations si Wilson persistait à refuser quoi que ce soit au Japon, le président américain céda. Était-ce un bluff de la part de Tokyo ? On l'a cru sur le moment, et on a reproché à Wilson sa faiblesse. En réalité, la menace était sérieuse : on a su depuis que le gouvernement de Tokyo serait allé jusqu'au bout de sa décision et n'aurait pas accepté de signer le fameux « Covenant » (Pacte de la S. D. N.) auquel Wilson tenait tant.

Alors que beaucoup de problèmes territoriaux étaient loin d'être réglés, le texte du traité élaboré à Paris fut soumis le 5 mai aux Allemands relégués à l'hôtel Trianon de Versailles. A la tête de la délégation allemande se trouvait le comte de Brockdorff-Rantzau, qui protesta aussitôt contre les exigences alliées. Les Anglais proposèrent alors certains aménagements que les Français refusèrent. Wilson, pour sauver l'ensemble Traité-Pacte S. D. N., trancha en faveur de la fermeté. Le traité resta ce qu'il était : les Allemands avaient 78 heures pour répondre. Comme il n'était pas question de reprendre les combats, le gouvernement allemand s'inclina devant le « Diktat ».

LES CLAUSES DU TRAITÉ DE VERSAILLES

Le 28 juin 1919, dans la galerie des Glaces du château de Versailles, choisie pour effacer l'humiliation de janvier 1871, fut signé le principal traité de paix qui réglait le sort de l'Allemagne.

Le traité de Versailles est d'une importance considérable pour deux raisons principales :

— Il coupe en deux parties inégales le territoire allemand, isolant la Prusse orientale (ville principale : Koenigsberg) du reste du pays et créant un couloir qui permettait à la Pologne d'accéder à la mer.

Les réparations

— Il rend l'Allemagne moralement responsable du déclenchement de la guerre. En conséquence, il lui impose le paiement de réparations pour les dommages subis par les Alliés. Le texte de l'article qui exigeait ces réparations — le fameux article 231 — était très mal rédigé. Il reflétait par sa confusion l'absence d'accord entre Alliés sur le principe même de la condamnation. En outre, aucune somme n'était fixée.

Les deux clauses qui viennent d'être évoquées sont à l'origine des problèmes essentiels qui affectèrent les relations internationales entre les deux guerres. Jamais les gouvernements allemands successifs n'acceptèrent de reconnaître *de jure* les frontières orientales du pays. En 1939, la Deuxième Guerre mondiale débutera par une invasion du corridor polonais par les troupes d'Hitler.

Les réparations provoquèrent des dissensions entre Alliés, pour fixer d'abord la somme à réclamer aux Allemands, ensuite les mesures cœrcitives à prendre afin d'en obtenir le paiement. Les Anglais et les Français s'opposèrent sur ces sujets pendant de nombreuses années et les Allemands exploitèrent à fond ces divisions. Les gouvernements français comptèrent sur des versements abondants et réguliers de la part de l'Allemagne pour rétablir la situation financière de la France (« Le Boche paiera ! ») : ceux-ci ne vinrent pas. L'atmosphère politique de nombreux États fut empoisonnée par les deux dispositions du traité de Versailles indiquées plus haut. Le reste du traité (440 articles) posa moins de problèmes.

Sur le plan territorial, l'Allemagne perd 15,5 pour cent de son territoire et 10 pour cent de sa population. En 1914, elle couvrait 540 787 km^2 et était peuplée de de 67 millions d'habitants ; en 1919, elle n'en compte plus que 59 millions. Elle perd : l'Alsace-Lorraine, rendue à la France dès l'armistice ; les places d'Eupen et de Malmédy, qui redeviennent belges ; la Sarre, qui devient le « territoire sarrois » (*Saargebiet*), est confiée à la S. D. N. pendant 15 ans. En 1935, un référendum décidera de son statut. Dans l'immédiat, les Français obtiennent les mines de charbon de la Sarre en compensation des mines du Nord détériorées par les Allemands.

Les remaniements territoriaux

La Poznanie, une partie de la Prusse orientale deviennent polonaises et, ensemble, constituent le célèbre corridor qui aboutit à la mer. Dantzig, ville allemande insérée dans un territoire polonais, reçoit un statut international. Elle est administrée par un fonctionnaire de la S. D. N. Un sénat local représente les populations allemandes. La Pologne, pour avoir un port, fit creuser Gdynia à côté de Dantzig. Memel, au Nord de la Prusse orientale, devint ville libre, mais fut annexée par la Lituanie en 1925.

L'Allemagne doit accepter des plébiscites dans certaines régions : — Au Slesvig, le plébiscite eut lieu en février et mars 1920. Le Danemark reçut le Nord de la province contestée et l'Allemagne, le Sud (dans cette dernière partie 80 pour cent des électeurs se prononcèrent en faveur de l'Allemagne ; dans la partie Nord, 25 pour cent).

Des plébiscites

— Au Sud de la Prusse orientale le plébiscite de juillet 1920 maintint Allenstein en Prusse orientale, 97 pour cent des électeurs ayant voté en faveur de l'Allemagne.

— En Haute-Silésie, un plébiscite eut lieu le 20 mars 1921. L'Allemagne obtint 60 pour cent des voix. 40 pour cent s'étaient prononcées pour un rattachement à la Pologne. Les Polonais, estimant que les élections avaient été truquées (électeurs allemands importés par trains entiers), occupèrent le territoire contesté. Des « corps francs » allemands (éléments de l'ancienne armée demeurés sous les ordres de leurs chefs) s'y opposèrent. Les Alliés durent envoyer des troupes pour rétablir l'ordre. Le territoire fut partagé entre l'Allemagne et la Pologne par la S. D. N. de manière égale mais brutale, ce qui eut pour effet de mécontenter les deux parties.

L'Allemagne et l'Autriche se voyaient interdire toute fusion (*Anschluss*). A l'époque (1919) curieusement, c'étaient les Autrichiens qui désiraient cette fusion, redoutant que leur « pays-croupion » ne soit pas viable. En 1931, les Autrichiens furent encore favorables à la fusion et proposèrent l'union aux Allemands pour sortir de la crise. En 1934 (assassinat de Dollfuss) et en 1938, ce furent les Allemands qui imposèrent la fusion aux Autrichiens.

La réduction de la puissance militaire allemande

La puissance militaire allemande est réduite de deux manières. D'une part, un traité de garanties, en vertu duquel les Etats-Unis et le Royaume-Uni assurent la France d'une intervention militaire automatique en cas d'agression allemande non provoquée. En outre, la France occupait temporairement trois zones rhénanes : région de Cologne (5 ans), région de Coblence (10 ans), région de Mayence (15 ans). Enfin, une zone démilitarisée de 50 km de large était prévue à l'Est du Rhin. D'autre part, on désarmait l'Allemagne. L'armée allemande (*Reichswehr*) fut désormais composée de 100 000 hommes dont 5 000 officiers. Tous étaient des militaires de carrière. La conscription fut abolie. L'Allemagne ne devait avoir aucun matériel de guerre moderne tel que tanks, artillerie lourde, aviation. Elle dut céder sa flotte de guerre aux Alliés de l'Entente. (La *Kriegsmarine* s'était sabordée à Scapa Flow le 21 juin 1919.) Une mission de contrôle interalliée devait vérifier que l'Allemagne respectait ces clauses.

Le désarmement de l'Allemagne était, en principe, la première étape d'un désarmement général auquel s'engageaient solennellement les vainqueurs. En attendant, on désarmait surtout les vaincus. Hitler prit argument de ce que le désarmement général ne suivit pas celui de son pays pour décider de réarmer en 1934.

Sur le plan financier, des mesures sanctionnèrent la responsabilité morale de l'Allemagne dans le déclenchement de la guerre de 1914-1918. Une commission particulière (la C. D. R., en clair Commission des Réparations) fut chargée de fixer le montant des réparations. En attendant l'Allemagne devait verser un acompte de

20 milliards de marks-or. La conférence internationale de Londres, le 5 mai 1921, fixa le montant total à 132 milliards de marks-or.

Sur le plan économique, les fleuves, tels le Rhin, l'Elbe, l'Oder, le Danube recevaient un statut international. Les avoirs allemands à l'étranger demeuraient saisis. Les brevets étaient cédés aux vainqueurs. Les colonies étaient confiées aux Alliés.

LES AUTRES TRAITÉS DE PAIX

L'éclatement de l'Autriche-Hongrie

L'Allemagne n'avait pas assumé seule la conduite de la guerre. Ses alliés durent, à leur tour, signer des traités de paix.

Le gouvernement autrichien signa le traité de Saint-Germain-en-Laye le 10 septembre 1919. L'Autriche-Hongrie Cisleithane était réduite aux seules terres peuplées d'Allemands. Elle formait désormais un pays de 84 000 km^2 et de six millions et demi d'habitants.

Le gouvernement hongrois signa le traité de Trianon le 4 juin 1920. La « Transleithanie », elle aussi, était réduite à la région occupée par des Magyars : 92 000 km^2 et huit millions d'habitants. Le drame était que des Hongrois se trouvaient désormais sous administration étrangère : 700 000 en Tchécoslovaquie, 1 300 000 en Roumanie, 460 000 en Yougoslavie.

Le gouvernement bulgare signa le traité de Neuilly-sur-Seine (27 novembre 1919). La Bulgarie cédait une partie de la Macédoine à la Yougoslavie (Serbie agrandie), la Dobroudja méridionale à la Roumanie, la Thrace orientale à la Grèce. Désormais, la Bulgarie n'avait plus d'ouverture que sur la mer Noire.

La Turquie se ressaisit

Le gouvernement turc, par le traité de Sèvres (10 août 1920), ne conservait, en Europe, qu'Istanbul. Le sultan Mehmet VI ne put empêcher le démembrement de l'Empire turc du Moyen-Orient. Un général, Mustapha Kemal, suscita un sursaut nationaliste à Ankara (au cœur de l'Anatolie). Il déchut le sultan, convoqua une assemblée nationale constituante à Ankara et engagea un combat contre les Grecs qui avaient occupé le territoire turc bordant la mer Egée. Après la défaite des troupes grecques à Sakaria, en 1921, les populations helléniques durent quitter le territoire turc. Ce fut le premier grand déplacement de populations de l'histoire contemporaine. L'Angleterre, qui voulait aider les Grecs, mais qui n'était pas soutenue par la France et l'Italie, décida d'accepter la révision du traité de Sèvres. Le nouveau traité, signé à Lausanne le 24 juillet 1923, restituait aux Turcs l'Asie Mineure dans sa totalité et, en Europe, la Thrace orientale avec Andrinople. La Turquie nationaliste de Mustapha Kemal était, après la Hongrie, le deuxième pays vaincu à confier son destin à un militaire. L'exemple devait être suivi.

MUSTAPHA KEMAL (1880-1938). Il fut surnommé Ataturk (le père des Turcs). Capitaine diplômé de l'École de guerre de Constantinople en 1905. Il participa au mouvement jeune turc en 1908 et s'illustra pendant la première guerre mondiale. En 1919, il convoqua le congrès d'Erzeroum, fit déposer le sultan Mehmet VI en novembre 1922 et devint président de la République (octobre 1923). Il laïcisa complètement l'État et fit preuve d'un nationalisme intégral (massacre des Kurdes). Il obtint la révision du traité de Sèvres et des conventions concernant les « Détroits ». Sa tentative de modernisation de la Turquie lui survécut difficilement.

En Hongrie, l'amiral Horthy s'était proclamé régent en 1920.

Le démembrement des anciens Empires

Les Empires (russe, allemand, austro-hongrois, turc) s'étaient effondrés, libérant les peuples asservis. Quel sort allait être réservé à ces peuples soudain politiquement majeurs ?

Les populations non slaves soumises aux tsars se séparèrent de la Russie. Certaines ne devaient pas demander leur intégration à l'ensemble soviétique : la Finlande proclama son indépendance en décembre 1917. Les États baltes firent de même en 1917 et 1918. Leurs régimes se révélèrent d'emblée violemment antibolcheviques. La Pologne, à laquelle le tsar avait promis l'autonomie et qui avait été érigée en royaume par la volonté des puissances centrales en novembre 1916, se proclama république le 3 novembre 1918. Pilsudski obtint le pouvoir. A ce moment, le pays comprenait la « Pologne du Congrès » (région de Varsovie) et la Galicie occupée (sans Teschen). Elle acquit la Galicie orientale (Lwow), le corridor de Dantzig, la Poznanie, le territoire de Teschen, en 1919 et 1920. Mais les Polonais voulaient un ensemble plus grand, comprenant la Lituanie, la Ruthénie et l'Ukraine avec les frontières de 1772 (Pologne d'avant les partages). Les Alliés fixèrent une ligne limitant à l'Est l'extension maximum du territoire polonais (ligne Curzon). Cette ligne passait à 100 km à l'Ouest de la limite exigée par les Polonais. La guerre russo-polonaise d'avril à octobre 1920 permit aux Polonais d'agrandir leur territoire (traité de Riga du 18 mars 1921) en incorporant à l'Est toute une région peuplée de Russes. La querelle entre l'U. R. S. S. et la Pologne était loin d'être terminée : on s'en aperçut en 1939-1940.

Les « États successeurs »

Les anciennes nationalités de l'Empire des Habsbourg constituèrent les « États successeurs » : Pologne (partie méridionale déjà étudiée), Tchécoslovaquie, Roumanie (pour sa partie transylvaine), Yougoslavie, Autriche, Hongrie.

La Tchécoslovaquie, proclamée indépendante le 28 octobre 1918, devint une république franchement occidentale. A la tête de l'État, Masaryk voulut imposer une unité nationale de style « jacobin » qui convenait mal à la réalité multinationale du territoire : trois millions d'Allemands « sudètes » sur le pourtour du quadrilatère de Bohême ; 700 000 Hongrois en Slovaquie ; 25 000 Polonais. Les Tchèques de l'Ouest étaient beaucoup plus urbanisés, évolués, progressistes que les Slovaques de l'Est, ruraux et conservateurs.

— extension de la Roumanie

Le royaume de Roumanie constituait une autre nation favorisée par les traités de paix. On pourrait même dire que c'était le type de l'État « satisfait ». Son territoire s'était accru d'un tiers grâce à l'annexion de la Transylvanie, du Banat de Temesvar, de la Dobroudja et de la Bessarabie. La Roumanie voyait le nombre de ses habitants multiplié par trois ; mais elle avait presque autant d'ennemis que de voisins.

un État multinational : la Yougoslavie

Le royaume de Yougoslavie était la réunion — ou plutôt la juxtaposition — de l'ancienne Serbie, du Monténégro, d'une partie de la Macédoine bulgare, de la Bosnie, de l'Herzégovine, de la Croatie, de la Slovénie. Sa population était multipliée par trois et demi.

Le rétablissement

L'Albanie et la Grèce étaient des États indépendants avant 1914. Ils ne s'agrandirent pas de manière démesurée aux dépens de l'Autriche-Hongrie. C'est pourquoi nous n'avons pas rangé ces pays dans la catégorie des États-successeurs.

Les Balkans ne constituèrent pas la seule région décomposée en pays multiples. Le Proche-Orient fut également divisé en de nombreux territoires. Dans cette affaire compliquée, plusieurs forces se sont opposées : les Arabes, dont le nationalisme antiturc a été exploité par la diplomatie britannique ; le Royaume-Uni, qui convoitait le Proche-Orient pour des raisons de prestige, de politique générale et d'économie (pétrole, route des Indes) ; la France, qui estimait avoir des droits au Proche-Orient et qui maintenait des liens culturels et religieux avec bon nombre de peuples de cette région du monde ; les juifs nationalistes, qui depuis la fin du XIXe siècle s'efforçaient de constituer en Palestine un foyer sioniste. Mentionnons également les Italiens, auxquels avait été promis un morceau de l'Empire turc.

L'IMBROGLIO DU PROCHE-ORIENT

Les Anglais, au cours de la guerre de 1914-1918, ont fait trois séries de promesses contradictoires à trois partenaires différents : la dynastie hachémite, les Alliés et les juifs.

Les promesses anglaises

Pour se concilier les Arabes dans leur lutte contre les Turcs, les Anglais leur avaient promis la constitution, une fois la guerre gagnée, d'un royaume arabe dont la couronne aurait été confiée à l'émir du Hedjaz, Hussein, chef du clan hachémite, qui participa vaillamment avec ses Bédouins aux combats contre les Turcs. Le royaume hachémite devait couvrir la totalité du « Croissant fertile », c'est-à-dire l'ensemble de territoires allant de la Mésopotamie à la Palestine, de part et d'autre du désert de Syrie.

Pour maintenir de bons rapports avec leurs alliés français et italiens, les Anglais partagèrent avec eux, en 1917, les possessions de l'Empire turc, et la plupart des lots attribués au Royaume-Uni, à la France ou à l'Italie, furent constitués par des territoires antérieurement promis à Hussein.

Pour obtenir plus facilement des prêts bancaires aux États-Unis, où la minorité juive joue un rôle essentiel, le Royaume-Uni avait promis en 1917 de créer, après la guerre, un « foyer national juif » en Palestine. La Palestine — terre « trop promise », — avait donc, pour ne prendre que son seul exemple, été adjugée trois fois de 1914 à 1918.

Cette promesse porte le nom de « proposition Balfour » du nom du responsable du Foreign Office de l'époque

Dans de telles conditons, le règlement de la paix, dans cette partie du monde, ne pouvait guère être définitif. Le chef hachémite Hussein fut ulcéré de l'attitude des Européens à son égard. Ses fils Fayçal et Abdallah se montrèrent moins intransigeants et acceptèrent, à défaut de la couronne d'un vaste royaume arabe, des couronnes soutenues par le Royaume-Uni. Fayçal eut l'Irak et Abdallah le désert situé à l'Est du Jourdain et qui, pour cela, porta le nom de Transjordanie. Ces États étaient en réalité des mandats britanniques. Cette notion nouvelle de mandat avait été inventée par la S. D. N. naissante. Les territoires sous mandat n'étaient pas annexés par la puissance mandataire mais confiés par la S. D. N. à une autorité politique de tutelle. Pour les pays les plus évolués, il s'agissait de leur faciliter un passage rapide et sans problèmes à l'indépendance (mandat de type A). Pour d'autres, il s'agissait de les préparer à long terme à une telle évolution (mandat de type B). Enfin certains devaient être considérés comme des territoires purement et simplement assimilables à la métropole (mandat de type C). L'Irak et la Transjordanie étaient des mandats de type A. La Palestine était le troisième « mandat A » confié au Royaume-Uni. La France, elle, aurait bien voulu obtenir la totalité du lot que lui réservait le partage tripartite de 1917. Elle n'obtint pour finir que la Syrie et le Liban, sur lesquels elle imposa un « mandat A ». Mais Fayçal n'entendait pas lâcher la Syrie, qu'il estimait lui appartenir : il fallut l'intervention des troupes françaises, commandées par le général Gouraud, pour venir à bout de la résistance arabe et s'emparer de Damas. Le Liban, en majorité constitué de chrétiens (maronites), fut plus proche de la France que la Syrie, entièrement musulmane. Les Italiens durent se contenter du Dodécanèse avec l'île de Rhodes.

Au Proche-Orient, où allaient se développer le nationalisme arabe et se renforcer le foyer national juif, le Royaume-Uni se préparait des déboires importants pour les vingt années à venir. La France, elle aussi, allait y rencontrer de nombreuses difficultés.

LE SORT DES COLONIES ALLEMANDES

Il semblait naturel aux vainqueurs d'interdire à l'Allemagne toute influence dans le domaine colonial. Elle était jugée indigne de détenir aucune autorité sur les « peuples inférieurs ». Évidemment, les Alliés en conclurent qu'il fallait confier à la France et au Royaume-Uni le soin de « civiliser » les indigènes. C'est pourquoi une partie du Togo et du Cameroun, possessions allemandes, fut confiée à la France tandis que l'autre partie revint au Royaume-Uni. La France, en outre, annexait les territoires cédés en 1911 (« bec de canard »). L'Angleterre s'adjugeait non seulement une part du Togo et du Cameroun, mais aussi l'Est africain allemand, le Sud-Ouest africain (par le truchement de l'Afrique du Sud). L'Australie reçut la partie allemande de la Nouvelle-Guinée et les îles ex-allemandes au Sud de l'Équateur. La Nouvelle-Zélande obtint une partie des Samoa. Le Japon reçut les îles ex-allemandes au Nord de l'Équateur. La Belgique obtint le Ruanda et le Burundi. L'Italie, oubliée, en conçut un nouveau ressentiment, qui s'ajouta à ses rancœurs balkaniques.

UNE NOUVELLE ORGANISATION LA S.D.N.

Le pacte de la Société des Nations était, selon l'expression de Jacques Bainville, « l'enfant de prédilection » du président Wilson. On y trouvait, outre les principes chers au président américain, les thèses de Lord Robert Cecil et de l'expert américain David Hunter Miller. Il s'agissait de compléter le traité de Versailles par un organisme interna-

Le rétablissement

tional où les différends entre nations seraient réglés sans recours à la guerre. En firent partie à l'origine les vainqueurs, les plus attachés à la paix, c'est-à-dire au maintien du statu quo (« le vainqueur est toujours pacifique », aimait à dire Lénine), auxquels s'étaient joints treize pays neutres. Tout autre État pouvait demander son adhésion à condition que les deux tiers des membres soient d'accord. Les vaincus étaient provisoirement relégués dans une sorte de purgatoire avant de mériter l'accès au suprême aréopage.

Les organismes auxiliaires de la S. D. N. furent les seuls à donner satisfaction, tant il est vrai que l'entente internationale réussit mieux sur le plan technique que sur le plan politique.

L'ensemble des traités de Paris constituait une œuvre grandiose mais fragile. A tout le moins il convenait que chaque pays vainqueur en ratifiât les textes. Tel ne fut pas le cas. Le Sénat américain voulut amender le traité. Wilson s'y opposa. Le 19 mars 1920 il n'y eut pas les deux tiers des sénateurs — pourcentage indispensable pour la ratification — pour lui donner leur approbation. Le traité de Versailles était, du même coup, rejeté par les Etats-Unis. Un nouveau traité fut signé entre Washington et Berlin, qui ne comprenait plus certaines dispositions antérieures et notamment le « Covenant » ou « Pacte de la S. D. N. ». Les conséquences de ce rejet du traité de Versailles par les Etats-Unis furent très graves. La première puissance du monde n'avait pas de représentant à la S. D. N. : elle n'y eut jamais qu'un observateur. Le traité garantissant les frontières françaises, dont la France avait bénéficié pour prix de sa renonciation au démembrement de la Rhénanie, devenait caduc. Les Anglais, cogarants avec les Américains des frontières françaises, décidèrent de ne plus supporter seuls la responsabilité de la garantie. La vague d'isolationnisme qui submergea les Etats-Unis de 1920 à 1940 et dont le refus du traité est le premier signe fut d'une grande importance dans l'histoire des relations internationales entre les deux guerres.

Difficile, incertaine, ébranlée avant d'être appliquée, la paix qui mettait fin à la Grande Guerre préfaçait une période de crises profondes.

Le refus américain

III POUR APPROFONDIR CE CHAPITRE

Lire M. BAUMONT, *La Faillite de la Paix*, coll. « Peuples et Civilisations », tome XX, Presses Universitaires de France, 1er volume, dernière édition 1970. Les 2 volumes 950 p. ; P. RENOUVIN, *Le Traité de Versailles*, coll. « Questions d'histoire », Flammarion, 1969, 142 p. : excellent petit ouvrage très documenté.

Sont à consulter la thèse fondamentale de J. BARIÉTY, *Les relations franco-allemandes après la première guerre mondiale*, Paris, Pedone, 1977, 797 p. ; P. MIQUEL, *La Paix de Versailles et l'Opinion publique française*, Paris, Flammarion, 612 p. ; P. GERBET, V.-Y. GHEBALI,

M.R. MOUTON, *Société des Nations et Organisation des Nations-Unies*, Paris, Ed. Richelieu, 1973, 415 p. ; E. WEILL-RAYNAL, *Les Réparations allemandes et la France*, Paris, Nouvelles Editions Latines, 1947, 3 vol., 974 p.

A lire en bibliothèque universitaire (l'ouvrage n'étant plus dans le commerce) : J. BAINVILLE, *Les Conséquences politiques de la paix*, A. Fayard, 1920. L'auteur appartient à l'extrême-droite, mais ses observations, bien que partisanes, sont dignes d'intérêt, notamment en ce qui concerne le règlement de la paix en Europe centrale.

En langue étrangère, consulter : A.J. MAYER : *Politics and diplomacy of Peacemaking. Containment and counterrevolution at Versailles*, Londres, Mendelfeld, 1968, 918 p.

LIVRE DEUXIEME

LE MONDE DE LA GUERRE A LA CRISE

CHAPITRE IV

La vie économique du monde de 1919 à 1929

La période qui s'ouvre pour le monde en 1919 est marquée, sur le plan économique, par le déclin de l'Europe. Cette tendance était déjà perceptible avant le déclenchement de la guerre mondiale et compromettait à terme la prédominance européenne dans le monde. Les pays d'outre-mer entraient dans la voie de l'industrialisation, tandis que les Etats-Unis asseyaient définitivement leur puissance économique. L'évolution, qui restait lente, se trouva considérablement accélérée par la guerre de 1914-1918.

I LE DÉCLIN DE L'EUROPE

En effet, tandis que la guerre apportait la fortune à de nombreux pays (les neutres, comme la Suisse, la Hollande ou les pays scandinaves ; mais surtout les Etats-Unis, les dominions, les pays d'Amérique latine, le Japon), les nations de la vieille Europe se retrouvaient largement endettées. Elles avaient dû, pour financer les énormes besoins de la guerre, pratiquer l'inflation et procéder à l'émission d'emprunts colossaux. En 1913, l'ensemble des dettes de tous les futurs belligérants (Russie exceptée) s'élevait à 26 milliards de dollars ; en 1920, à 180 milliards. En outre 45 milliards de dépenses de guerre avaient été fournis par l'impôt. La dette du Royaume-Uni passait de 17,6 milliards

L'ENDETTEMENT
DÛ A LA GUERRE

Quelques équivalences des monnaies :

	Livre sterling	Dollar
Août 1914	25,20 F	5,18 F
Décembre 1919	41,80 F	10,87 F
Juin 1928	125,21 F	25,53 F

de francs-or à 197 milliards, celle de l'Allemagne de 6 à 168 milliards de francs-or ; la France avait vu sa dette décupler (300 milliards en 1928). De plus les nations de la vieille Europe avaient dû régler en or une partie de leurs achats (vivres, armements) : en 1913, les pays de l'Europe occidentale et centrale disposaient, au total, d'un stock d'or de 3 500 millions de dollars, les États-Unis d'une réserve de 1 750 millions. En 1919, les proportions s'étaient inversées : moins de 2 250 millions pour les premiers, plus de 3 000 millions pour les seconds. Dans des conditions parfois désavantageuses, les belligérants avaient dû également aliéner une part importante de leur portefeuille de valeurs étrangères (environ 12 milliards de dollars pour le Royaume-Uni, la France et l'Allemagne, soit 35 pour cent des avoirs étrangers de ces trois pays).

Les États-Unis banquiers du monde

Aussi les États-Unis étaient-ils devenus, davantage que le Royaume-Uni, les banquiers du monde. Débiteurs en 1914 (7 200 millions de dollars de capitaux étrangers investis chez eux, contre 3 500 millions placés par eux à l'extérieur), la guerre les avait transformés en créanciers. Ayant remboursé la moitié des capitaux investis chez eux, et placé 7 000 millions de dollars à l'extérieur, leur créance nette sur le monde s'élevait à 3 700 millions en 1919.

La chute des investissements européens

La tendance s'accentua au cours des années 1919-1929 ; les « revenus invisibles » ne suffisant plus désormais à assurer l'équilibre de la balance des comptes, les investissements européens à l'extérieur se réduisirent considérablement. Le Royaume-Uni ne plaça plus guère annuellement que 45 millions de livres dans les années 1920-1927, contre 160 avant la guerre ; les placements français n'atteignirent que la moitié de ceux de 1913. Au contraire, les États-Unis, par la multiplication des succursales de banques à l'étranger (12 en 1913, 238 en 1930, réparties sur 38 pays), par la création de filiales de leurs sociétés nationales, par des prises de participation dans des entreprises étrangères, par des prêts de toute nature enfin (à des villes, à des gouvernements, à des groupes privés) détenaient en 1929 pour plus de 17 milliards de dollars de capitaux investis à l'extérieur. Le phénomène présentait des risques ; s'il était normal que les États-Unis financent par des prêts abondants une notable partie de leurs exportations, comme cela avait été le cas pour le Royaume-Uni avant 1914, il pouvait s'avérer dangereux, pour l'équilibre financier des pays emprunteurs comme pour la stabilité mondiale, que les Américains pratiquent la politique de la main forcée, afin d'investir davantage à l'extérieur, notamment en Allemagne.

STRUCTURES INDUSTRIELLES ET COURANTS D'ÉCHANGES

Le déclin de l'Europe tient également à l'évolution des structures industrielles et à la transformation des courants d'échanges, facteurs qui sont étroitement liés. A la fin du XIXe siècle, les exportations des pays européens représentaient 55 à 60 pour cent des exportations mondiales ; dans les années 1920, cette proportion tombe à 45 pour cent, alors que le commerce international retrouve en 1924 son niveau de 1914 et le dépasse d'un tiers en 1929. A quelle cause attribuer cette diminution constante des exportations de l'Europe ?

La vie économique

Essentiellement à l'industrialisation des pays neufs, qui ont profité de la faible concurrence des pays européens pendant la guerre pour élaborer davantage les produits qu'ils fournissaient. Le Canada exporte désormais farine, pâte de bois, bois sciés, articles métalliques ; des pays comme l'Inde ou le Brésil ont monté des usines métallurgiques, et surtout textiles, fermant ainsi au Royaume-Uni l'accès de leur marché. Les industries textiles constituent en effet l'une des activités les plus faciles à implanter dans les pays d'outre-mer, qui disposent à la fois d'un vaste marché intérieur et d'une forte densité de main-d'œuvre, tandis que les pays industrialisés accordent une place désormais plus réduite aux dépenses textiles. Ainsi s'explique qu'au cours de cette première décennie de l'après-guerre les industries traditionnelles de la vieille Europe soient en état de crise latente : charbon, coton, constructions navales sont les secteurs les plus touchés de l'industrie anglaise, parce que précisément les plus dépendants du commerce extérieur.

La répartition des diverses rubriques du commerce extérieur, proposée par certains économistes, fait apparaître trois grands ensembles : le premier « déclinant » (textiles et divers produits manufacturés) ; le deuxième « stationnaire » (produits chimiques, métaux) et le troisième « en expansion » (biens de production, comme les machines ou le matériel de transport). Cette classification permet de distinguer, selon leurs structures industrielles, les pays avantagés et les pays défavorisés par les nouvelles tendances économiques. Italie, Suisse et France, dont les quatre cinquièmes des exportations concernent le groupe « déclinant », sont les plus touchées, immédiatement suivies par le Royaume-Uni et la Belgique, dont 62 pour cent des exportations se situent dans le même groupe. La Suède et l'Allemagne dont 45 pour cent des exportations s'inscrivent dans ce même groupe sont un peu moins défavorisées. Les États-Unis se trouvent, quant à eux, nettement avantagés par la nature de leurs exportations, où les biens d'équipement, qui représentaient 25 pour cent en 1913, sont passés à 45 pour cent en 1928.

Les tableaux ci-contre retracent l'évolution de la production des principales puissances industrielles du monde.

Dans le deuxième tableau, la forte progression des indices du Japon et de la Russie tient au niveau initial très bas de ces deux pays ; l'essor industriel de la France est, pour une large part, imputable au recouvrement de l'Alsace-Lorraine.

La période 1919-1929 apparaît donc parcourue par des courants multiples et contradictoires. Les États-Unis connaissent une certaine euphorie ; le président Coolidge ne déclare-t-il pas, en 1928, dans son message au Congrès sur l'état de l'Union : « Notre niveau de vie, dépassant la mesure du nécessaire, s'élève à la sphère du luxe ». Au contraire, l'Europe traverse une phase de relative stagnation : la croissance de la production industrielle dépasse à peine 1 pour cent par an,

L'industrialisation des pays neufs

Types d'échanges extérieurs

Structure de la production manufacturière
(en pourcentage de la production manufacturière mondiale)

	1913	1926/29
États-Unis	35,8	42,2
Allemagne	14,3	11,6
Royaume-Uni	14,1	9,4
France	7,0	6,6
Russie	4,4	4,3
Japon	1,2	2,5

(d'après M. Niveau, *op. cit.*, p. 190)

Production industrielle de divers pays
(indice 100 en 1913)

	1921	1929
États-Unis	89	170
Allemagne	55	117
Royaume-Uni	(?)	103
France	61	143
Russie	13	194
Japon	259	382

La crise de 1920

alors que, sur les trente années d'avant-guerre, elle avait progressé au rythme annuel de 3,25 pour cent.

Le monde capitaliste ne connaît d'ailleurs pas une expansion régulière. Après le « boom » économique de 1919, dû à la colossale poussée de la consommation dans les pays de l'Europe occidentale (jusqu'alors soumis aux dures privations de la guerre), une grave récession survient en 1920-1921. Sa cause principale réside dans la restriction brutale des prêts et des crédits consentis à leurs clients européens par les États-Unis : « l'Europe n'a plus les moyens d'acheter ». Entrent également en ligne de compte la baisse de la demande sur les biens de consommation, une fois reconstitués les stocks des ménages, et le retour à la normale du volume des échanges internationaux.

La crise de 1920 est donc essentiellement « une crise de reconversion de l'économie de guerre en économie de paix ».

Si la France connaît une dépression moins accentuée, en raison des besoins énormes de la reconstruction (en raison aussi d'une politique financière relativement souple : l'équilibre budgétaire n'est assuré que par le recours aux avances de la Banque de France, c'est-à-dire, au bout du compte, par l'inflation), Royaume-Uni et États-Unis sont sévèrement touchés. Entre 1920 et 1921, le Royaume-Uni voit diminuer de près de moitié sa production de fonte, de près du tiers sa production d'objets manufacturés ; les États-Unis ne sortent plus en 1921 que 20,1 millions de tonnes d'acier, contre 42,8 l'année précédente, et les biens manufacturés reculent du quart ; partout sévit le chômage et régressent les salaires.

L'expansion de 1922 à 1929

A partir de 1922 et jusqu'en 1929, le monde bénéficia d'une longue phase d'expansion économique, avec toutefois deux récessions mineures, en 1924 et 1927, et un rythme différent selon les pays. L'Allemagne, qui avait échappé à la crise de 1920, subit une profonde dépression en 1923 ; le Royaume-Uni, quant à lui, dut à sa politique de déflation, ainsi qu'au retour à l'étalon-or et à la parité d'avant-guerre de la livre, de bloquer littéralement son expansion en 1925.

Investissement (ou formation de capital fixe) part du revenu (d'un particulier, d'une entreprise, d'un pays) qui n'est pas consommée et qui contribue à l'accroissement du capital net

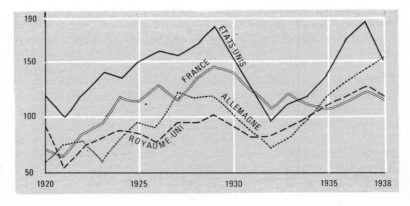

Indices de la production manufacturière (base 100 en 1913), d'après M. Niveau, *op. cit.*, p. 203.

La production d'acier restant pour l'époque un assez bon indicateur de la puissance industrielle d'une nation, le tableau suivant permettra d'apprécier les forces respectives des principaux pays du monde :

Production d'acier brut (en millions de tonnes)

	1920	1921	1929
Allemagne	8,3	9,9	16,2
Etats-Unis	42,8	20,1	57,3
France	2,7	3,0	9,7
Italie	0,7	0,7	2,1
Royaume-Uni	—	3,7	9,7
Japon	—	0,8	2,3
U.R.S.S.	—	0,18	4,7
Monde	71,7	44,6	120,5

II LES FAIBLESSES DU RÉGIME ÉCONOMIQUE

L'essor industriel ne peut d'ailleurs dissimuler les faiblesses du régime économique ; ces dernières se manifestent notamment par l'existence d'un chômage important. Ce chômage est dû à des causes multiples, variables selon les pays : la politique monétaire au Royaume-Uni, l'abondance de la main-d'œuvre en Allemagne ; mais surtout à une contradiction de plus en plus nette entre une production de masse, continuellement accrue par la mécanisation, et un marché de plus en plus restreint, car les débouchés des pays neufs se ferment peu à peu et il n'y a plus de colonies à conquérir, tandis que les masses ouvrières des pays industriels, soumises à la loi du profit, peuvent de moins en moins absorber les produits offerts. Dès 1926-1927 apparaissent des signes d'encombrement du marché mondial, et l'offre est déjà supérieure à la demande.

Une autre faiblesse du système économique réside dans l'esprit nationaliste qui, après le politique, imprègne l'économie. L'expérience de la guerre aidant, les pays européens se replient sur eux-mêmes ; la « balkanisation » de l'Europe centrale et méridionale, issue des traités de paix, brise les vastes ensembles économiques de l'avant-guerre et contribue à la généralisation d'un protectionnisme que les Etats-Unis avaient pour leur part considérablement accentué en 1920. Le Royaume-Uni lui-même, patrie du libre-échange, augmente en 1921, par la « loi de sauvegarde des industries », les droits qu'il avait institués pendant la guerre sur certains produits. Le monde entier se cloisonne de barrières douanières entravant non seulement le commerce international, mais faisant indirectement obstacle à l'essor industriel

CHÔMAGE, PROTECTIONNISME ET INFLATION

Le **chômage** est particulièrement sensible lors des crises (4 750 000 chômeurs aux États-Unis en 1921, soit 11,2 pour cent de la main-d'œuvre totale du pays) ; mais le phénomène se retrouve en période d'expansion normale : l'Allemagne dénombre près de deux millions de chômeurs en 1926 (18,3 pour cent de sa main-d'œuvre), le Royaume-Uni ne descendra jamais à moins d'un million au cours de la décennie 1919-1929 (dans les villes du pays noir, le taux de chômage atteint est effrayant : parfois 40 et même 50 pour cent).

Inflation : « excès de la demande solvable sur l'offre de biens disponibles, cet excès, si rien ne vient rétablir l'équilibre, entraîne une hausse accélérée des prix, donc une dépréciation de la monnaie » (J. Néré), en même temps qu'un accroissement des signes monétaires en circulation (essentiellement billets de banque).

Ad valorem : à la différence des droits de douane fixes, les droits « ad valorem » sont proportionnels à la valeur des produits importés

mondial; les droits d'entrée atteignent parfois des pourcentages *ad valorem* considérables : 41 pour cent en Espagne, 37 pour cent aux États-Unis, 32 pour cent en Pologne.

Une des maladies chroniques de cette période est enfin l'inflation. A condition de demeurer limitée, l'inflation n'est pas un mal en elle-même, elle peut même participer à la relance de l'économie : la hausse des prix et des profits, la dépréciation relative de la monnaie — avec l'aide à l'exportation qui en est la conséquence sur le plan extérieur — constituent le meilleur stimulant qui soit pour une économie anémiée. Pour les États aussi, l'inflation représente un moyen commode, même s'il est peu honnête, pour réduire leurs dettes (puisqu'ils les rembourseront en monnaie dépréciée). Mais quand elle cesse d'être contenue, l'inflation peut entraîner une paralysie générale de l'économie et un bouleversement complet des fortunes publiques et privées, partant, de la société. Ce fut le cas, dans les années 1921-1924, pour nombre de pays d'Europe centrale : Allemagne, Hongrie, Pologne, Autriche, Tchécoslovaquie. La banqueroute totale de ces pays, l'effondrement spectaculaire de leurs monnaies, entraînèrent chez les détenteurs de biens mobiliers une méfiance profonde qui devait les inciter à rechercher pour leur argent des valeurs « sûres », mais improductives (tableaux, œuvres d'art, lingots ou pièces d'or), ou à exporter leurs capitaux vers des pays refuges, comme la Suisse, ou vers des pays à monnaie forte, tels le Royaume-Uni, les États-Unis et, à partir de 1926, la France. Ainsi commença la spéculation internationale, avec les mouvements incontrôlables des capitaux flottants, qui désorganisaient le marché financier tout en portant des coups sévères aux investissements de certaines nations.

Déflation, ou « ponction monétaire » « consiste à freiner la hausse des prix ou à provoquer la baisse des prix par une réduction brutale de la masse monétaire » (R. Barre)

LES DIFFICULTÉS DE L'AGRICULTURE :

Apportent enfin une ombre au tableau de la prospérité les difficultés qu'après une phase d'essor, traverse l'agriculture. La guerre mondiale pourtant avait été une période faste pour les agriculteurs, notamment pour ceux des pays d'outre-mer qui fournissaient les belligérants : la pénurie avait provoqué une importante hausse de leurs produits et avait incité ces pays à s'équiper, tandis que l'inflation et la dépréciation des monnaies dévalorisaient leurs dettes. Dès 1919, en outre, la reconstruction commença à ranimer, en Europe occidentale, les zones de culture dévastées par les combats. D'une façon générale enfin, la mécanisation du travail agricole est un des phénomènes marquants de l'agriculture de l'après-guerre. Aux États-Unis, la moissonneuse-batteuse, encore peu répandue en 1914, voit son emploi se généraliser après 1920 ; l'emploi des tracteurs connaît également un essor considérable : les agriculteurs américains en utilisent 246 000 en 1920, 1 500 000 en 1940. En France, zone de prédilection de la petite agriculture familiale, le nombre des tracteurs passe de 2 500 en 1918 (des chars Renault sont convertis en tracteurs) à 35 000 en 1939. Il en

— le machinisme

résulte une très forte augmentation de la productivité : on a calculé qu'aux Etats-Unis le temps nécessaire pour récolter une tonne de blé était tombé de 33 heures avant la guerre à 20 heures vers 1932-1936.

Tout cela explique comment après la guerre le volume de la production agricole augmenta aussi bien en Europe qu'outre-mer. Mais dans une société de consommation et de profit, le marché de certains produits, comme les céréales, n'est pas indéfiniment extensible. Dès 1925-1926, les prix agricoles retombèrent donc, et dans des proportions souvent catastrophiques : de 1919 à 1929, le cours du blé s'effondra des deux tiers au Canada, de moitié aux Etats-Unis ; le prix du riz tomba de trois huitièmes, celui du maïs de quatre cinquièmes. Après une période d'euphorie, les agriculteurs devenaient les laissés pour compte de l'expansion.

— la baisse des prix des produits agricoles

III LA DEUXIÈME RÉVOLUTION INDUSTRIELLE

La période qui débute en 1919 est souvent appelée l'âge de la deuxième révolution industrielle. On assiste en effet à un reclassement général, sinon à un bouleversement, de la hiérarchie des sources d'énergie et des matières premières. Le charbon demeure la source d'énergie essentielle, mais l'accroissement de sa production s'essouffle, et les stocks s'accumulent :

LES SOURCES D'ÉNERGIE :

— le charbon

Production de houille et de lignite (en millions de tonnes)

	1919 Houille	1919 Lignite	1929 Houille	1929 Lignite
Etats-Unis ...	502	—	552	—
Royaume-Uni	233	—	262	—
Allemagne ...	107	93	163	174
France	22	—	55	—
U.R.S.S.	8	—	41	—
Monde	1 040	130	1 295	226

L'utilisation du charbon, en effet, marque le pas devant l'emploi de nouvelles sources d'énergie, plus rentables, plus efficaces, plus fonctionnelles. Le pétrole est désormais utilisé par les navires (en ce domaine cependant le charbon le concurrence encore victorieusement en 1939), les automobiles, bientôt les avions. Son emploi provoque une véritable révolution des moyens de communication, en même temps qu'il permet, grâce aux facilités de son transport, l'implantation d'industries nouvelles près des grands centres urbains. Sa production s'accroît rapidement : 76 000 tonnes en 1919 (dont 52 000 pour les Etats-Unis), 205 000 en 1929 (dont 138 000 pour les Etats-Unis).

— le pétrole

L'électricité apporta également à l'industrie des avantages considérables : régularité de la fourniture, propreté de l'utilisation, et surtout fractionnement de l'énergie, qui permit le développement rapide du travail à la chaîne et l'essor de la production de masse. Les progrès techniques réalisés dans les premières années de l'après-guerre (transport du courant sur plusieurs centaines de kilomètres, utilisation des basses chutes, connexion entre centrales) entraînèrent un énorme accroissement de la demande ; aussi la production mondiale fut-elle multipliée par six entre 1919 et 1929. Alors que celle-ci se montait à 287 300 millions de kilowatt-heures en 1929, la part des principaux pays producteurs apparaissait ainsi : États-Unis (1930) 114 000 ; Allemagne 30 000 ; Royaume-Uni 15 000 ; France 14 000 ; U.R.S.S. 6 000.

LE RENOUVEAU INDUSTRIEL

– l'électrométallurgie

L'électricité contribue pour une large part à la mise au point de nouvelles techniques métallurgiques ; l'électrométallurgie, qui se développe par exemple en France dans les Alpes et en Provence (près des mines de bauxite), permet l'élaboration d'aciers spéciaux, d'alliages très résistants. Elle provoque dans le même temps le développement de l'industrie du cuivre, principal métal conducteur, et de l'aluminium, qui fait largement appel à l'électricité comme source d'énergie. Dès les premières années de l'après-guerre, c'est « l'âge de l'aluminium » qui commence : la fabrication d'appareils ménagers, d'articles de cuisine, boîtes de conserves, etc., puis la production aéronautique utilisent largement ce métal léger et résistant. En 1921 et en 1929, les principaux pays producteurs d'aluminium se répartissent comme l'indique le tableau ci-contre.

Pays producteur d'aluminium
(en millions de tonnes)

	1921	1929
États-Unis	24,5	103,4
Allemagne	27,0	33,3
France	8,4	29,1
Canada	8,0	28,8
Norvège	5,0	29,1
Royaume-Uni	5,0	8,1
Monde	75,0	270,0

– la chimie

L'épanouissement de la seconde révolution industrielle se manifeste aussi dans l'industrie chimique, par la mise en œuvre et l'utilisation à grande échelle de procédés découverts presque tous avant la première guerre mondiale : dans le domaine des engrais (nitrates synthétiques, obtenus par synthèse à partir de l'azote et de l'hydrogène, produits surtout par l'Allemagne), comme dans celui des textiles artificiels (la fibranne, surtout la rayonne, dont la production est multipliée par sept entre 1919 et 1929). La production de masse de l'automobile donne une impulsion décisive aux raffineries (essence et huiles), aux industries productrices de goudrons et de dérivés de la houille (pour la construction des routes), à celle du caoutchouc (pour les pneumatiques) : l'on fait encore largement appel au caoutchouc de plantation (l'hévéa de l'Asie du Sud-Est supplante le caoutchouc sauvage d'Afrique et du Brésil), car le caoutchouc de synthèse ne se développe de façon notable que dans les dernières années de l'entre-deux-guerres, surtout aux États-Unis et en Allemagne. D'autres industries chimiques prennent également de l'ampleur, comme l'industrie pharmaceutique ou l'industrie cinématographique (c'est le règne d'Hollywood, que consacrent en 1927 les débuts du cinéma parlant).

La première décennie de l'entre-deux-guerres est celle de la production de masse des biens de consommation. Le développement prodigieux de la T.S.F., pourtant mise au point dans les premières années du siècle, remonte à 1922-1923 : les États-Unis disposaient de 60 000 récepteurs-radio en 1922, de huit millions en 1929. Mais c'est bien l'industrie automobile qui est la plus spécifique de cette période et la plus importante sur le plan économique ; ici encore, les États-Unis se classent en tête de la production mondiale ; ils fabriquaient 700 000 voitures de tourisme et véhicules utilitaires en 1911 : en 1931, ils en sortent 2 390 000 (alors que la production mondiale ne dépassait guère à cette dernière date trois millions de véhicules) ; leur parc automobile avait connu un bond prodigieux, passant d'un peu plus d'un million avant guerre à 26 650 000 en 1929. L'Europe suit, mais de loin : en 1931, les productions britannique et française, qui détiennent les deuxième et troisième rangs mondiaux, s'élèvent respectivement à 233 000 et 201 000 voitures ; et le parc automobile de ces deux pays, sensiblement égal, ne dépasse guère 1 300 000 pour chacun.

- l'automobile

Pour arriver à cette production de masse, l'industrie dut recourir à un certain nombre de méthodes nouvelles, destinées à l'amélioration constante de la productivité, que l'on désigne d'ordinaire sous les vocables de rationalisation et de standardisation. La rationalisation n'est autre que la mise en œuvre des principes que l'Américain Taylor avait définis dans les premières années du siècle. Partant de l'observation concrète et systématique, Taylor avait déterminé les meilleures formes d'outils, procédé à l'étude des temps de travail et des mouvements opérés par les divers types d'ouvriers, en vue d'aboutir à une « organisation du travail » véritablement scientifique et à une productivité sans cesse accrue. Adoptant ses méthodes, généralisant la chaîne d'assemblage qu'Henry Ford avait le premier introduite en 1910-1913 dans ses usines de Detroit, les industriels de l'entre-deux-guerres, surtout américains et allemands, réussissent à comprimer considérablement leurs frais généraux, ainsi que leurs dépenses de matières premières et de main-d'œuvre ; les salaires sont cependant loin de suivre la courbe des profits patronaux, et la classe ouvrière dénonce la déshumanisation du travail et l'asservissement à la machine dont est responsable la rationalisation. Sur des registres différents, René Clair en 1931 avec *A nous la liberté* et Charlie Chaplin en 1936 dans *Les Temps modernes*, illustreront magistralement ce thème. Le mouvement de « rationalisation » reste à vrai dire peu prononcé en Europe, l'Allemagne exceptée. En France, on cite surtout le montage à la chaîne introduit par André Citroën dans ses usines de Javel, mais tout comme en Angleterre, l'évolution se heurte à la résistance patronale, due à l'individualisme, et à l'hostilité ouvrière, motivée essentiellement par la crainte d'une profonde crise de chômage.

Les nouvelles méthodes

La rationalisation
- le taylorisme

TAYLOR, Frederick Winslow (1856-1915) Issu d'une famille aisée, affiliée à la secte des « quakers », fut élevé dans les plus strictes traditions d'économie et de travail. À vingt-deux ans, il entra comme simple ouvrier à la *Midvale Steel Co.*, puis, gravissant tous les échelons de la hiérarchie, il devint au bout de six ans ingénieur principal de l'usine

La « rationalisation » s'accompagne d'un mouvement de standardisation très net, là encore, en Allemagne et aux Etats-Unis : des commissions spéciales procèdent, dans chaque secteur industriel, à l'analyse de la production et de la consommation en vue de les rentabiliser ; les modèles de pièces et de machines tendent vers l'unification, et la production se trouve ramenée à un nombre de types très restreint. Par exemple aux Etats-Unis, la commission Hoover sur le *waste in industry* ramène les formes de bouteilles de 210 à 4, les types de pneumatiques de 287 à 32, etc. La consommation elle aussi se standardise. De ce point de vue, l'expansion considérable de la publicité

(les dépenses publicitaires représentent en 1929 2 pour cent du revenu national américain) tend à mettre le public en condition : on procède au lancement de grandes marques de produits de consommation courante, les chaînes de magasins à succursales multiples se généralisent (en 1929, ces magasins écoulaient, aux Etats-Unis, plus du quart des produits alimentaires et des vêtements). Avec la baisse souvent considérable qui résulte des économies réalisées dans la production, la vente à crédit qui se répand (aux Etats-Unis, en 1929, 60 pour cent des voitures étaient achetées à crédit, 50 pour cent des appareils ménagers, 75 pour cent des appareils de radio) donne à cet égard à une consommation de masse standardisée son impulsion définitive.

LA CONCENTRATION DES ENTREPRISES

L'essor de la production et l'amélioration de la productivité ont, dans l'immédiat après-guerre, favorisé un mouvement de regroupement et de concentration des entreprises que l'affrontement des impérialismes avait encouragé dès le début du siècle. Ce sont surtout peut-être l'étroitesse des marchés et les difficultés de la concurrence qui entraînent les grandes entreprises à renoncer au capitalisme sauvage du XIXe siècle, à

Les cartels

se rapprocher de leurs rivales, puis à former avec elles des ententes ou cartels, au plan national, mais aussi international : des quotas sont fixés pour la production, des accords conclus pour la répartition des ventes ou l'échange des brevets. La concentration économique reste d'ailleurs inégale selon les secteurs ; dans la métallurgie, elle touche surtout les productions nouvelles : ainsi pour l'automobile, l'extension de Ford, qui essaime en Europe (en France en 1929, en Allemagne en 1932) et de General Motors qui, en 1929, fournit 40 pour cent de la production automobile américaine. La France elle-même, « patrie de l'automobile à l'époque artisanale », voit ses quatre principales entreprises sortir la moitié de la production française en 1929. Dans le domaine de la chimie, se constituent des empires colossaux : l'*I.G. Farben* en Allemagne (1925), les *Imperial Chemical Industries* au Royaume-Uni (1926). La même tendance, accentuée encore par la crise de 1920-1921, qui a entraîné la disparition de nombreuses petites entreprises, se retrouve dans la sidérurgie : il suffit d'évoquer la puissance de l'*U.S. Steel*, qui produit 30 pour cent de l'acier américain, ou des *Vereinigte Stahlwerke*, fondés en 1926 et qui livrent 25 pour cent du charbon et 40 pour cent de l'acier allemands.

Dans nombre de secteurs industriels, les plus puissantes firmes concluent souvent des ententes ; le *Comptoir sidérurgique de France* (1926), ou le *Rohstahlgemeinschaft* (1924) sont ainsi des cartels nationaux. Mais les frontières sont fréquemment ignorées : plusieurs cartels franco-allemands voient le jour, comme celui de la potasse en 1926, ou celui des matières colorantes en 1927 ; outre le cartel du cuivre et celui de l'aluminium, se crée également en 1926 le cartel international de l'acier : il regroupe la France, la Belgique, la Sarre, le Luxembourg, l'Allemagne, s'adjoignant en 1927 l'Autriche et la Tchécoslovaquie, et son comité directeur fixe tous les trimestres la production maxima autorisée pour chaque groupe national.

Ainsi la période 1919-1929 apparaît-elle sous un jour très contrasté : prospérité, mais plusieurs points de faiblesse dans l'économie ; déclin de l'Europe et puissance des Etats-Unis ; extension géographiquement inégale d'une deuxième révolution industrielle beaucoup plus rapide que la première. Cependant, malgré sa violence et son universalité, la crise de 1929 n'effacera pas l'acquis de la période antérieure.

IV POUR APPROFONDIR CE CHAPITRE

La vie économique du monde entre 1919 et 1929 a suscité un certain nombre d'études de détail. Aucune d'entre elles ne donnant pleinement satisfaction, nous renverrons le lecteur à cinq ouvrages plus généraux, aux qualités complémentaires.

M. CROUZET, *L'Époque contemporaine*, Paris, P. U. F., 1969, 5e éd., 944 p., tome VII de l'Histoire générale des Civilisations ; — M. NIVEAU, *Histoire des faits économiques contemporains*, Paris, P. U. F., 1970, 3e éd., 580 p. ; — M. RONCAYOLO, *Nos Contemporains*, Paris, Bordas-Laffont, 1968, coll. « Le Monde et son histoire », tome 9, 638 p. ; — C. AMBROSI, M. BALESTE, M. TACEL, *Histoire et Géographie économiques des grandes puissances à l'époque contemporaine*, Paris, Delagrave, 1969, tome I, 812 p., — J.-A. LESOURD et C. GÉRARD, *Histoire économique, XIXe-XXe siècles*, Paris, A. Colin, Coll. U, 1963, 2 vol., 368 p. et 368 p.

CHAPITRE V

L'Allemagne
de 1919 à 1929

La chute du régime impérial, le 9 novembre 1918, avec l'abdication de Guillaume II, est le point d'aboutissement d'un long processus qui commence en juillet 1917 : après l'échec de la guerre sous-marine, une majorité s'était alors dégagée au Reichstag dans le sens d'une paix de compromis ; le chancelier Bethmann-Hollweg, lui-même peu éloigné de ces vues, avait dû démissionner, sur l'injonction du Grand Quartier Général. Dès lors, les militaires avaient en fait exercé le pouvoir, par le truchement de chanceliers très effacés que nommait un empereur dépassé par les événements.

I LA RÉVOLUTION ALLEMANDE
ET LES DÉBUTS DE LA RÉPUBLIQUE DE WEIMAR (1918-1919)

LA RÉVOLUTION
ALLEMANDE

Avec les revers militaires, l'évolution se précipita à partir d'août 1918. Elle conduisit, en trois étapes rapides, à l'élimination du régime impérial.

Le 4 octobre, un membre de la famille des Hohenzollern, Max de Bade, acquis aux idées libérales, constitua un gouvernement de large union en s'appuyant sur la majorité de juillet 1917 (socialistes, catholiques du Zentrum, progressistes). Les militaires ne s'opposèrent pas, comme on l'avait pensé un moment, à l'entrée des socialistes dans le gouvernement : ils espéraient qu'elle faciliterait l'acceptation de la défaite par le peuple. Ce même 4 octobre, le gouvernement doit, sur l'insistance de Ludendorff et du Grand Etat-major, solliciter un armistice et il estime que la caution socialiste épargnera au pays une secousse révolutionnaire.

A la fin d'octobre, le pouvoir militaire, peu soucieux d'endosser la responsabilité de la défaite, passe la main au pouvoir civil. Ludendorff démissionne le 26 ; il est remplacé par le général Groener, qui déclare que l'armée doit rester à l'écart des négociations d'armistice.

La crise révolutionnaire éclate début novembre à Kiel, où se révoltent les marins qui craignent que l'on tente une sortie-suicide ; elle se propage dans toute l'Allemagne : en Bade-Wurtemberg, en Saxe, en Bavière, les dynasties régnantes sont chassées et partout se forment des Conseils de soldats et d'ouvriers. A Munich, le 8 novembre, le socialiste indépendant Kurt Eisner proclame la « République socialiste de Bavière ». Les socialistes majoritaires (S. P. D.) redoutent la contagion de l'exemple bavarois ; avec le Zentrum, ils exigent l'abdication de Guillaume II. Ce dernier finit par céder à la pression des militaires, informés, depuis le 23 octobre, du refus du président Wilson de négocier avec lui : le 9 novembre, au Quartier général des forces armées, à Spa, il signe son abdication, puis se réfugie en Hollande.

C'est l'annonce de la défaite militaire qui provoque l'explosion révolutionnaire, et non l'inverse, comme le prétendront bientôt les chefs de l'armée.

Dans le chaos complet où toutes les forces conservatrices se sont dissoutes, Max de Bade démissionne et, avec l'accord de tout son gouvernement, nomme à sa place à la chancellerie le socialiste Ebert : le S. P. D. est en effet la seule force politique qui dispose de l'appui de l'opinion, et il apparaît comme le seul rempart possible contre une révolution bolchevique menaçante. Ce même 9 novembre, un peu trop rapidement au gré d'Ebert, qui aurait préféré attendre l'élection d'une Constituante, le socialiste Scheidemann proclame la République devant le Reichstag, devançant Karl Liebknecht, qui, du château impérial, a proclamé de son côté une « République socialiste libre ». Un Conseil des commissaires du peuple se forme, composé de trois socialistes majoritaires (dont Ebert et Scheidemann) et de trois socialistes indépendants (dont Haase).

Le S.P.D., recours suprême

L'analyse des forces en présence montre que tout passe par le courant socialiste.

Les forces en présence :

Le S. P. D. (socialistes majoritaires) est le plus important des partis politiques allemands, tant par le nombre de ses adhérents (un million en 1914) que par son organisation et son rayonnement (liens étroits avec les syndicats, les coopératives, les associations culturelles). Jusqu'en avril 1917, il s'est prononcé pour l'« Union sacrée ». Sur le plan social, le S. P. D. admet un certain nombre de réformes, mais à opérer dans l'ordre ; ses chefs, Friedrich Ebert, Philippe Scheidemann, espèrent ainsi intégrer totalement le prolétariat dans la nation.

– le S.P.D.

L'U. S. P. D. (socialistes indépendants) est constitué par les anciens minoritaires de l'aile gauche du S. P. D. qui, refusant l'« Union sacrée » et le vote des crédits de guerre, ont quitté le parti en janvier 1917. Partisans d'une véritable République socialiste, ils forment cependant un groupe très hétérogène, dont le seul ciment a été la lutte contre la guerre : Kautsky y côtoie son vieil adversaire Bernstein, et des modérés comme Haase sont en plein désaccord avec les spartakistes.

– les socialistes indépendants

Les spartakistes sont ceux qui, autour de K. Liebknecht, ont, dès le 2 décembre 1914, refusé de voter les crédits de guerre et pour cette raison ont été exclus du S. P. D. Minoritaires de gauche au sein de

– les spartakistes

l'U. S. P. D., ils s'y sentent mal à l'aise depuis que les problèmes
intérieurs ont pris le pas sur la lutte contre la guerre ; ils quitteront
bientôt l'U. S. P. D. pour aller fonder le K. P. D., parti communiste
d'Allemagne, début janvier 1919. Leurs chefs, K. Liebknecht, Rosa
Luxemburg, Clara Zetkin, même s'ils n'ont pas la caution de Lénine
(voir la controverse entre celui-ci et Rosa Luxemburg), se réclament de
la révolution russe ; en s'appuyant sur des conseils d'ouvriers et de
soldats, analogues aux soviets de Russie, ils entendent opérer de
profondes transformations économiques et sociales.

Du malentendu à l'épreuve de force

Entre ces diverses fractions du courant socialiste, le malentendu est
fondamental : « Dans l'Allemagne de 1918, tout le monde parle de
révolution, beaucoup s'en réclament, d'autres la combattent. Mais tous
sont loin de parler de la même chose » (G. Castellan). Pour les uns,
socialistes majoritaires, la révolution s'est terminée le 9 novembre au
soir : il convient seulement de tirer sur le plan social les conséquences
du bouleversement politique. Pour les spartakistes au contraire, la révolution ne saurait être qu'un point de départ, qui doit conduire à des
changements économiques et sociaux aussi profonds que ceux que
Lénine a instaurés après octobre 1917. Pour les uns, comme pour les
autres, le problème se posait en termes de rapport de forces.

La politique du S.P.D.

Or, incontestablement, la masse ouvrière restait derrière le S. P. D.,
comme le prouve l'hostilité à l'égard des spartakistes de nombreux
conseils et assemblées d'ouvriers et de soldats tenus en novembre et
décembre 1918. Rosa Luxemburg elle-même en était consciente, qui
incriminait dans son dernier article de la *Rote Fahne* (14 janvier 1919)
le manque de maturité des soldats et des ouvriers allemands, et reconnaissait que « dans ce choc, une victoire durable de la révolution n'était
pas possible ». Le S. P. D. sut d'ailleurs prendre immédiatement un
certain nombre de mesures libérales qui renforcèrent sa popularité
(abolition de l'état de siège, garantie des libertés fondamentales,
annonce de l'élection d'une Constituante, etc.). D'autre part, les
syndicats ouvriers signèrent avec les associations patronales des accords
qui, tout en rejetant la socialisation des moyens de production, intro-
duisaient dans la vie industrielle d'appréciables réformes : journée de
huit heures, reconnaissance des syndicats par le patronat, création de
« Communautés de travail ». Cette politique, qui sera approuvée à une
forte majorité par la « base » (congrès des syndicats socialistes, tenu à
Nuremberg en juillet 1919), assurait en outre au S. P. D. l'appui de la
grande bourgeoisie. De même, le très réactionnaire État-major, désireux
d'éliminer les révolutionnaires, avait promis son soutien à la République
naissante ; Ebert, qui s'entretenait journellement par téléphone avec le
général Groener, s'était engagé pour sa part à mater toute désobéissance
du côté des conseils de soldats.

Malgré un rapport de forces très défavorable, les spartakistes ne déses-
péraient pas de réaliser, en s'appuyant sur les conseils — pourtant
hostiles à leur endroit —, une révolution de type bolchevique et, dans

cette perspective, de transformer en émeutes, puis en insurrection, les manifestations qui se multipliaient en cette fin d'année : heurts sanglants entre soldats de la garde et spartakistes, insurrection violemment réprimée de la division de marine (formée de 3 000 marins venus de Kiel appuyer la révolution). Pour brider le mouvement révolutionnaire, les socialistes font décider par le congrès national d'ouvriers et de soldats (16 décembre) d'avancer du 16 février au 19 janvier la date des élections à la Constituante ; dans le même temps, après la démission des trois commissaires U. S. P. D., en proie aux critiques de l'aile gauche de leur parti, Ebert remanie le gouvernement et nomme à leur place trois majoritaires, dont Noske, jusqu'alors gouverneur de Kiel ; désormais, les six commissaires du peuple sont des membres du S. P. D.

L'insurrection éclate le 5 janvier 1919 ; à la suite de la destitution du préfet de police de Berlin, le socialiste indépendant Eichhorn, une grève générale se déclenche et un comité d'action révolutionnaire se crée, sorte de gouvernement insurrectionnel, composé de Liebknecht (spartakiste) et de Ledebour et Scholze (U. S. P. D.). Des combats de rue marquent le début de la « semaine sanglante » de Berlin (6-13 janvier) : violents combats autour des gares, dans le quartier des journaux et des imprimeries, près de la porte de Brandebourg. Noske, nommé gouverneur général de Berlin, concentre plusieurs milliers d'hommes, dont ceux des corps francs du général Maerker ; le 11 janvier, à la tête des troupes, il entre dans la capitale et, avec l'aide de chars et de canons, s'en rend maître en vingt-quatre heures. Quelques jours plus tard, le 15, Rosa Luxemburg et Liebknecht, qui avaient échappé aux forces de police, sont arrêtés et assassinés, au cours d'une prétendue tentative d'évasion. Le mouvement révolutionnaire berlinois était brisé.

Le 19 janvier, les élections, effectuées sous le coup des événements de Berlin, donnèrent sans surprise 75 pour cent des voix, et 331 sièges sur 421, aux républicains modérés et aux socialistes ; c'était la traduction, sur le plan politique, de l'échec du mouvement de rue. Le 11 février Ebert fut élu président de la République, et Scheidemann constitua le gouvernement. C'est alors qu'encouragés par l'Internationale communiste, qui venait de se créer et qui considérait que l'Allemagne était le point le plus faible du système capitaliste — le pays par lequel devait nécessairement passer la révolution bolchevique pour s'étendre hors des frontières russes —, les révolutionnaires allemands tentèrent un suprême effort. Ils comptaient particulièrement sur la province, qui avait soutenu le mouvement révolutionnaire berlinois. A travers toute l'Allemagne, à Brême et à Hambourg, dans la Ruhr, en Saxe, les communistes se soulèvent et tentent de prendre le pouvoir ; Noske, maintenant ministre de la Guerre, investi des pleins pouvoirs, brise impitoyablement le mouvement, et organise la répression avec l'aide de l'armée et des corps francs, ce qui lui vaudra le surnom de « chien sanglant ». A Berlin, on assiste, du 4 au 13 mars, à une nouvelle

L'insurrection

— la semaine sanglante de Berlin

Les corps francs, constitués à l'initiative d'officiers de carrière, avec l'approbation de l'État-major, regroupaient des soldats désireux de réagir contre la défaite. Les corps francs les plus connus sont le Corps des chasseurs du général Maerker et la Brigade de marine du capitaine Ehrhardt.

— le dernier sursaut

« semaine sanglante » ; l'armée intervient avec artillerie, chars, avions ; on dénombre 1 200 morts. En Bavière, où, après l'assassinat de Kurt Eisner en février, la révolution l'avait emporté et où une « République indépendante des Conseils » avait été proclamée, un assaut général est donné fin avril contre Munich, qui s'achève par des massacres.

Les causes de l'échec de la révolution

Si l'on tente de discerner les causes profondes de l'échec de la révolution, plusieurs séries de facteurs sont à évoquer.

Le chômage et les difficultés d'ordre économique et social n'entraînent pas un bouleversement de la société, comme il s'en produira en 1923 et en 1931-1932. La paysannerie allemande reste en tout cas fondamentalement réactionnaire. D'autre part, la démobilisation, après un moment de panique, en novembre 1918, s'est effectuée dans l'ordre, les corps francs ayant joué un rôle stabilisateur. Autant d'éléments qui différencient l'Allemagne de 1919 de la Russie de 1917.

Les facteurs psychologiques et moraux sont, en réalité, les plus importants — l'historiographie marxiste en convient — car lorsque l'on veut tenter d'expliquer pourquoi le S. P. D. a pratiqué cette politique d'alliance avec les forces conservatrices du Reich, il ne suffit pas d'évoquer son désir d'exploiter la situation à son profit. En refusant la révolution, le socialisme allemand restait, en fait, dans la ligne de son idéologie traditionnelle, beaucoup plus proche du socialisme français que du bolchevisme russe : « Les masses allemandes n'avaient pas conscience d'être le dos au mur, contraintes à une fuite en avant dans une nouvelle révolution, c'est-à-dire une nouvelle période de violences, d'efforts et de privations. Sortant de quarante ans d'un Reich semi-féodal et de quatre années d'une guerre sanglante, elles pensaient avoir devant elles une ère de démocratie et de paix » (G. Castellan).

LES DÉBUTS DE LA RÉPUBLIQUE DE WEIMAR
Les forces politiques :

— l'U.S.P.D.

— le S.P.D.

— le parti démocrate allemand

Les élections à la Constituante s'étaient déroulées au suffrage universel (le droit de vote avait été donné aux femmes), avec un scrutin de proportionnelle renforcée d'où avait été banni tout vestige antidémocratique, tel le vieux système prussien des trois classes. La configuration des forces politiques, telle qu'elle résultait du vote du 19 janvier, apparaissait ainsi, de gauche à droite :

— U. S. P. D. (socialistes indépendants) : 2 300 000 voix (7,8 pour cent) et 22 sièges.

— S. P. D. (socialistes majoritaires) : 11 500 000 voix (37,9 pour cent) et 165 sièges.

— D. D. P. (Deutsche Demokratische Partei, parti démocrate allemand) : 5 600 000 voix (18,6 pour cent) et 75 sièges. Ce parti traduit les aspirations de la moyenne et de la petite bourgeoisies. Parmi ses dirigeants : son fondateur, le pasteur Friedrich Naumann (décédé en 1919) ; le juriste et ministre Hugo Preuss ; le sociologue Max Weber (décédé en 1920) ; et surtout Walter Rathenau : homme d'une intelligence universelle, industriel, écrivain, philosophe, artiste, économiste, ministre de la Reconstruction (1921) puis des Affaires étrangères (1922).

— Zentrum (Centre catholique) : 5 900 000 voix (19,7 pour cent) et 91 sièges. Ce vieux parti catholique apparaissait très hétérogène, son seul ciment étant d'ordre confessionnel. Son aile droite, proche des grands propriétaires fonciers d'Allemagne du Sud, s'opposait à une aile gauche qu'animaient le ministre Matthias Erzberger et Joseph Wirth, et qui s'appuyait sur les ouvriers catholiques et les petits paysans. — le Centre catholique

— D. V. P. (Deutsche Volkspartei, parti populiste) : 1 300 000 voix (4,4 pour cent) et 19 sièges. Successeur des nationaux-libéraux d'avant-guerre, il était le parti des milieux d'affaires (haute finance et industrie lourde surtout) ; ses leaders, Stresemann, le docteur Schacht, Thyssen, de tendance monarchiste, se rapprocheront du régime et participeront même aux gouvernements à partir de 1920. — le parti populiste

— D. N. V. P. (Deutschnationale Volkspartei, nationaux-allemands) : 3 100 000 voix (10,3 pour cent) et 44 sièges. Conservateur et monarchiste, il est le parti des Junkers (grands propriétaires fonciers de l'Est), des officiers, de la haute bourgeoisie, ainsi que d'une partie de la moyenne bourgeoisie dans les régions orientales. — les nationaux allemands

Les élections ont donc donné plus des trois quarts des suffrages et 331 sièges sur 421 aux trois partis qui appuient le nouveau régime (S. P. D., Zentrum, D. D. P.) et vont former la « coalition de Weimar ». Parmi eux, le parti socialiste bénéficie d'une énorme poussée : il a rallié les partisans d'une démocratie libérale à l'occidentale, mais aussi une part importante des voix de la bourgeoisie, qui voit en lui le meilleur rempart contre une révolution sociale.

La Constituante se réunit, le 6 février, à Weimar, petite ville de Thuringe, ancienne capitale du duché de Saxe-Weimar, riche de souvenirs littéraires (Goethe, Schiller y ont vécu). Pourquoi Weimar ? Les responsables politiques, socialistes compris, craignent en effet la pression du peuple de Berlin, et le souvenir du Paris de 1871 hante les esprits ; plusieurs milliers d'hommes du Corps des chasseurs du général Maerker stationnent à proximité de la ville. **La réunion de l'assemblée de Weimar**

La mise en place du gouvernement s'effectua rapidement. Devant le refus des socialistes indépendants de collaborer au pouvoir, le S. P. D. se tourna vers le Zentrum et le D. D. P., qui acceptèrent ses exigences : forme républicaine de l'État, politique fiscale frappant les plus riches, socialisation de certaines entreprises. La « coalition de Weimar » est donc animée par une idéologie à plusieurs composantes : un socialisme révisionniste, un libéralisme politique de type « bourgeois », un catholicisme à préoccupations sociales. L'Assemblée porta sans difficulté Ebert à la présidence de la République (11 février), tandis que Scheidemann constituait le gouvernement : ce dernier comprenait six S. P. D., dont Noske à la Reichswehr ; trois membres du Zentrum, dont Erzberger ; trois démocrates, dont Hugo Preuss à l'Intérieur.

L'élaboration de la constitution fut longue et minutieuse ; les commissions, animées par le professeur et ministre Hugo Preuss, n'examinèrent pas moins de cinq projets. La constitution fut finalement — le vote de la constitution (31 juillet 1919)

adoptée, le 31 juillet 1919, par 262 voix contre 75 ; avaient voté contre l'U. S. P. D., qui considérait le nouveau régime comme une trahison de la révolution, et la droite (nationaux-allemands et populistes) qui se situait ainsi, dès l'origine, à l'extérieur du système. La constitution, votée par les partis de la « coalition de Weimar », instituait, en effet, un système démocratique, apparenté à celui des démocraties occidentales, mais n'ayant rien de commun avec les traditions constitutionnelles allemandes.

Les constituants de 1919 ont voulu, tout en marquant la rupture avec le régime déchu, souligner avec force la continuité des institutions ; ils sont restés fidèles à l'idée d'un Reich qui s'identifierait, non à une forme politique déterminée, mais à la totalité des pays allemands. Lorsque l'article premier de la constitution énonce que « le Reich est une République », il sous-entend que la permanence réside dans le Reich fondé par Bismarck et Guillaume Ier en 1871, alors que la République ne représente que la forme, peut-être provisoire, qu'il revêt extérieurement : thèse constitutionnelle originale, mais ambiguë, qui permettait un ralliement quasi général des Allemands autour du nouveau régime, mais laissait lourdement posé le problème d'une restauration monarchique (l'hypothèque n'en sera levée qu'en 1933 . . .).

Le nombre d'États (Länder) avait été ramené de 25 à 17 notamment par la réunion de 7 petits États en un Land de Thuringe (dont Weimar était précisément la capitale) ; le problème se posait de savoir quel degré d'autonomie leur serait accordé. Sur ce point aussi un compromis fut réalisé : les Länder conservaient leur administration et leur gouvernement respectifs, avec pouvoirs spécifiques dans les domaines de la police, des cultes et de l'instruction publique. Mais leur souveraineté restait limitée : « Le droit du Reich brise le droit des États », portait l'article 13 de la constitution, qui renforçait par ailleurs les pouvoirs fédéraux en ce qui concernait les affaires étrangères, l'économie, les finances et l'armée.

Les rouages de la démocratie politique allemande :

La nouvelle démocratie politique allemande était également le fruit d'un compromis, entre les traditions allemandes (un pouvoir exécutif fort) et les innovations empruntées aux démocraties occidentales. Le fondement de la démocratie parlementaire est d'abord posé par les articles 1 (« le pouvoir politique émane du peuple ») et 54 (« le chancelier et les ministres doivent obtenir, pour l'accomplissement de leurs fonctions, la confiance du Reichstag »). La démocratie représentative s'exerce par le truchement de deux assemblées ; le Reichstag, élu pour quatre ans au suffrage universel, vote les lois fédérales et le budget, et contrôle le gouvernement qu'il peut renverser ; le Reichsrat, chambre de réflexion disposant d'un veto suspensif sur les lois votées par le Reichstag, réunit les délégués des dix-sept États, en nombre proportionnel à leur population (avec un maximum de deux cinquièmes des sièges pour la Prusse, qui regroupe en effet 62 pour cent du territoire du Reich et 60 pour cent de sa population).

— les Assemblées

La permanence des institutions se manifeste par les pouvoirs très étendus dévolus au président du Reich : élu pour sept ans, au suffrage universel — c'est là l'origine d'une puissance politique de premier ordre —, il est en outre rééligible. Le Reichstag n'a aucune prise sur lui : le président ne peut être contraint à se retirer qu'à la suite d'un référendum ; par contre, il peut dissoudre le Reichstag sans condition. Exerçant toutes les attributions dévolues habituellement au pouvoir exécutif, il dispose aussi d'un veto suspensif de deux ans sur toutes les lois ; il peut soumettre à référendum toute loi qui n'aurait pas son assentiment ou celui du Reichsrat. Chef suprême des armées, il peut, « si la sécurité et l'ordre publics sont gravement compromis ou menacés », proclamer l'état d'urgence et prendre les mesures militaires nécessaires (article 48).

Pour écarter les dangers de cette coexistence entre deux émanations également fortes du suffrage universel, le Président et le Reichstag, les constituants avaient prévu un large recours au référendum : le président en avait la pleine initiative ; en outre, un référendum devait être organisé sur n'importe quel problème à la demande d'un dixième du corps électoral. En réalité, une constitution ne révèle ses qualités qu'à son application ; la pratique fera apparaître, dès 1925, après l'élection d'Hindenburg (« l'homme providentiel »), une appropriation à peu près exclusive par le président de l'autorité issue du suffrage universel, tandis que le Reichstag, en raison d'un système électoral proportionnel, se montrera incapable de former une majorité cohérente.

L'influence des socialistes au sein de la coalition de Weimar se traduit par l'adoption de mesures sociales et économiques : la constitution instaure ainsi une école primaire obligatoire, elle contient une série des stipulations sur le droit au travail, les assurances sociales, les conseils ouvriers (dont la hiérarchie s'élève du niveau de l'usine à celui du Reich). L'article 165 déclare : « Les travailleurs et employés sont appelés à collaborer au règlement des conditions de salaire et de travail, comme au développement économique général des forces productives. Cela sur la base de l'égalité des droits et en communauté avec le patronat. » C'est-à-dire que si l'on se gardait de toucher aux structures économiques et de s'engager sur la voie de la socialisation des moyens de production, une tentative était faite pour aménager et réformer le système capitaliste en instituant de nouveaux rapports entre le capital et le travail. Certes, la puissance économique restait entre les mains de la grande bourgeoisie : les socialistes majoritaires ne pouvaient guère aller plus loin dans la voie des réformes, sous peine de s'aliéner — en face de leurs adversaires révolutionnaires — le concours indispensable des forces bourgeoises et conservatrices.

Œuvre de circonstance, fondée sur une série de compromis, ne résolvant aucun des grands problèmes posés au pays, ainsi apparaissait cette constitution qui n'était point de nature à susciter l'enthousiasme

— le président du Reich

EBERT (1871-1925), nommé président de la République, à titre provisoire, par la Constituante, souffrira des attaques d'une droite dénonçant en lui le « mal élu ». Lorsque devait se poser, en octobre 1922, le problème d'une élection régulière, la situation était si catastrophique que le Reichstag prolongea jusqu'en juin 1925 le mandat du président

L'amorce d'une démocratie économique et sociale

— les conseils ouvriers

général. Les conservateurs s'inquiétaient déjà des tendances socialisantes du nouveau régime ; mais le véritable grief de la droite résidait plutôt dans l'acceptation du traité de Versailles.

L'acceptation du traité de Versailles

Les Alliés avaient en effet contraint l'Assemblée de Weimar à approuver les conditions du traité de paix, afin que nul en Allemagne ne pût ultérieurement se prétendre dégagé des obligations créées par un texte dont on attribuerait la signature à un gouvernement irresponsable et non représentatif. C'est le 22 juin que, non sans protester contre l'injustice qui était faite à l'Allemagne, l'Assemblée autorisa la signature du traité ; 237 voix s'étaient prononcées pour (les partis de la majorité), 158 contre (la droite et l'U. S. P. D.). L'autorisation n'avait pas été acquise sans de profonds remous : le président du Conseil Scheidemann avait préféré démissionner, le 20 juin ; certains chefs militaires, comme Hindenburg, ou Groener, devant l'impossibilité absolue de reprendre la lutte, avaient agi de même. C'est le moment où se répand en Allemagne la légende du « coup de poignard dans le dos », dont Hindenburg se fait le propagateur.

Scheidemann avait déclaré le traité inacceptable : « Quelle est la main qui, se plaçant et nous plaçant dans ces chaînes, ne serait pas forcée de se dessécher ? » Il fut remplacé par le S.P.D. Bauer, qui s'appuyait exactement sur les mêmes groupes.

La propagande nationaliste attaque violemment l'Assemblée de Weimar ; l'opinion s'indigne tout particulièrement des « articles infamants » du traité (art. 227 à 231) qui affirment la responsabilité de l'Allemagne : que celle-ci fût à l'origine du conflit mondial, certains Allemands l'admettaient ; qu'elle en fût responsable et coupable, personne n'entendait le reconnaître. L'amour-propre national était également blessé, et la volonté de revanche attisée, par les clauses qui prévoyaient la livraison aux Alliés de personnalités civiles et militaires qualifiées de « criminels de guerre » ; les Alliés finiront d'ailleurs par renoncer à faire appliquer ces clauses du traité.

II LES ANNÉES DIFFICILES : 1919-1923

LES CONSÉQUENCES ÉCONOMIQUES DE LA GUERRE

Au lendemain de la signature du traité de Versailles (28 juin 1919), l'Allemagne devait dresser un bilan de la guerre. Avec les territoires qui venaient de lui être enlevés, elle perdait six millions et demi d'habitants, dont, il est vrai, près de la moitié n'étaient pas de langue allemande. Ces pertes étaient partiellement compensées par le retour d'Allemands peu soucieux de constituer des minorités ethniques dans les pays qui venaient de se créer, en Europe centrale et orientale, ainsi que par des nationaux ayant quitté les colonies : au total deux millions de personnes. Les pertes causées par la guerre elle-même se chiffraient à 1 800 000 décès (tués au front ou morts de maladie), auxquels s'ajoutaient 750 000 civils (victimes surtout de la sous-alimentation et des épidémies) et un déficit de naissances qu'on peut évaluer à trois millions. La perte de deux millions d'hommes jeunes, les facteurs d'incertitude économique, sociale, politique, joints à une restriction volontaire des naissances, ont entraîné une chute durable de la natalité :

Les pertes démographiques

La natalité ne remontera qu'à 20,7 pour mille en 1925 (premier recensement complet d'après-guerre) contre 28 pour mille en 1910 (dernier recensement d'avant-guerre). Au total, l'Allemagne ne recouvrera qu'en 1930 le chiffre de sa population de 1910, soit 65 millions d'habitants.

or l'expansion démographique avait constitué, depuis plus d'un demi-siècle, un des éléments essentiels du développement économique de l'Allemagne. Au total cependant, le dynamisme démographique de cette dernière restait nettement moins éprouvé que celui de la France.

L'Allemagne, comme la France, devait inscrire dans son bilan les lourdes pertes matérielles consécutives à la guerre ; non point tant les destructions de routes ou d'usines et la dévastation de larges zones de culture — la guerre ne s'était pas déroulée en territoire allemand et l'aviation de bombardement n'était pas encore née — que l'usure et le non-renouvellement du matériel ; de là résultaient un déficit de production et une diminution de la productivité. Le prix de la paix était également lourd : abandon de territoires à haut potentiel économique, livraisons en nature à effectuer aux Alliés, avantages économiques et financiers à accorder à ces derniers, sans parler des réparations elles-mêmes. Mais, là encore, l'Allemagne était moins atteinte que la France. Si, en 1919, les récoltes de blé et de pommes de terre ne représentaient que la moitié de celles de 1913, la situation de l'industrie était moins catastrophique : pour un indice 100 en 1913 (mais dans les frontières de 1919), la production moyenne de charbon, de minerai de fer, de fonte et d'acier s'établissait à 66 en 1919, 76 en 1920, 92 en 1922.

Le bilan financier apparaissait sans doute plus préoccupant. Le Reich avait, pour financer la guerre, dépensé environ 140 milliards de marks-or ; cette somme colossale n'avait évidemment pu être tout entière prélevée sur la richesse acquise ni sur la production nationale. Elle avait été couverte à 60 pour cent par l'inflation, c'est-à-dire par l'émission d'un papier-monnaie non gagé sur un stock d'or (ou sur un portefeuille adéquat de devises) ; d'autant que, pour acquitter les achats qu'elle effectuait auprès des neutres, l'Allemagne, soumise au blocus, avait dû se dessaisir d'une appréciable part de son métal précieux. En 1918, il y avait huit fois plus de billets en circulation qu'en 1914, et le mark avait perdu près de la moitié de sa valeur par rapport au dollar. L'État, qui avait émis une masse impressionnante d'emprunts, devait enfin faire face aux obligations d'une très lourde dette : en 1918, la dette flottante (c'est-à-dire à très court terme) se montait à 50 milliards de marks — contre 0,5 milliard en 1914 — ; elle s'éleva à 86 milliards en 1919, et à 153 en 1920 ; la dette consolidée (c'est-à-dire à long terme) atteignait, quant à elle, 96 milliards de marks, contre 5 en 1914.

A l'arriéré de la guerre, il fallait ajouter les dépenses nouvelles : pensions aux victimes de guerre, aide aux démobilisés, subventions aux industries pour leur reconversion à l'économie de paix. Où trouver les ressources correspondantes ? A coup sûr, pas dans un renforcement des impôts sur la consommation, la population était trop appauvrie. Le ministre des Finances Erzberger fit donc adopter une refonte générale du système fiscal et instituer un impôt sévère sur la richesse acquise ; en fait, cette louable tentative fut impitoyablement sabotée par les possédants. Comme le gouvernement répugnait par ailleurs à instaurer une politique d'austérité, après les dures privations des années de guerre, l'essor de la consommation ne fut point freiné et les importations connurent un vif accroissement. On continua dans la voie facile de l'inflation, qui, malgré les efforts du chancelier Wirth (mai 1921-novembre 1922), entrait dans un processus cumulatif, dont les effets allaient, de 1921 à 1923, décider du destin de l'Allemagne.

Le mark connut rapidement une dépréciation uniformément accélérée, ainsi que le montre l'évolution du cours du change du dollar à la Bourse de Berlin. Ce tableau spectaculaire se traduit dans la réalité concrète par des phénomènes bien connus : timbres-poste valant des millions, puis des milliards de marks, salaires touchés deux fois par jour par les ouvriers, ménagères partant faire leur marché leur cabas rempli de billets et revenant moins chargées qu'à l'aller.

De cette évolution dramatique, l'Allemagne rend responsables les réparations, puis l'occupation de la Ruhr. Qu'en est-il en réalité ? A la fin de l'année 1922, l'Allemagne a versé, au titre des réparations, une somme de 5,4 milliards de marks-or. Même en tenant compte des livraisons en nature (évaluées très excessivement par elle à 20 milliards : la commission des réparations parle de 5 milliards), cela correspond à une charge annuelle inférieure à 8 milliards, alors que les dépenses de guerre se sont montées à 140 milliards de marks-or environ. Mais, ainsi que le tableau des cours du change le fait apparaître, le facteur d'accélération de l'inflation est bien l'occupation de la Ruhr, ou plutôt sa conséquence, la « résistance passive », c'est-à-dire l'arrêt général de la production ordonnée par le gouvernement dans la zone occupée. On a calculé qu'elle avait coûté à l'Allemagne au moins 3,5 milliards de marks-or, outre la désorganisation complète de l'économie provoquée dans cette région vitale. L'événement fut essentiel aussi par ses conséquences psychologiques : les porteurs de bons du Trésor, affolés, se précipitèrent pour en demander le remboursement.

L'inflation fut-elle décidée d'avance par l'Allemagne, comme l'en accusait la commission des réparations ? Elle fut au moins tolérée. « Tout se passe comme si un plan d'ensemble avait réglé une manœuvre préparée de longue main par les anciens milieux dirigeants avec la complicité des hommes d'affaires » ; en tout cas, « à eux seuls, les bénéfices énormes de l'industrie trahissent sa préméditation » (E. Vermeil).

Le mécanisme de la spéculation effrénée à laquelle se livrèrent la plupart des industriels allemands est simple à démonter. Empruntant, aux banques et à l'Etat, des sommes colossales, des hommes comme Stinnes, Thyssen, Otto Wolff exportaient immédiatement ces capitaux — c'est-à-dire qu'ils achetaient des devises étrangères — puis remboursaient quelque temps après leurs emprunts en un papier-monnaie qui avait perdu la plus grande part de sa valeur ; dans le même temps, ils achetaient à crédit tout ce qu'ils pouvaient trouver : usines, hôtels,

L'INFLATION ET SES CONSÉQUENCES

Les responsabilités de l'inflation

Cours du change du dollar à la Bourse de Berlin : nombre de marks pour un dollar

Juillet 1914	4,2
Janvier 1919	8,9
Janvier 1920	64,8
Janvier 1921	76,7
Janvier 1922	191,8
Juillet 1922	493,2
Janvier 1923	17 792
Juillet 1923	353 410
Août 1923	4,6 millions
Septembre 1923	98,8 millions
Octobre 1923	25,2 milliards
15 novembre 1923	4,2 trillions

(d'après G. Castellan : *L'Allemagne de Weimar*, p. 154).

Les bénéficiaires de l'inflation :

– *les industriels*

agences de voyages ... D'immenses empires industriels se constituèrent ainsi, qui ne devaient pas tous survivre d'ailleurs à la stabilisation de 1924, tandis que les anciens *Konzerne* se renforçaient considérablement. L'État lui-même semblait complice de ces opérations spéculatives : il tolérait que les grands industriels s'acquittent tardivement de leurs impôts, en monnaie dépréciée par conséquent, et la Reichsbank maintenait un taux d'escompte exceptionnellement bas dans les circonstances présentes (5 % jusqu'en août 1923).

Parmi les bénéficiaires de l'inflation, il faut compter aussi toutes les personnes, physiques et morales, qui pouvaient se trouver endettées : l'État lui-même, les Länder, les communes virent leurs dettes — en tout cas celles d'avant-guerre — pratiquement annulées. L'aristocratie foncière et la paysannerie moyenne bénéficièrent également de l'inflation : libérées de leurs dettes, elles profitaient en même temps de la hausse des prix agricoles. Les débiteurs en général, de quelque nature qu'ils fussent, se virent dégagés de leurs obligations, emprunts ou hypothèques. On assistait à un véritable bouleversement de la société allemande.

— les collectivités publiques

— la paysannerie

En 1923, alors qu'un luxe inouï s'affichait devant elles, des catégories sociales tout entières se trouvaient, au contraire, victimes de l'inflation ; on a rarement vu dans l'histoire du monde le spectacle aussi criant d'une richesse colossale acquise par quelques-uns sur la misère du plus grand nombre. La masse ouvrière tout d'abord : si la flambée des prix a été un peu moins rapide que la dévalorisation du mark, l'évolution des salaires n'a suivi cette montée vertigineuse des prix qu'avec un retard constant, c'est dire que le niveau de vie des salariés a connu une baisse sensible : au plus fort de la crise, il représente sans doute entre un cinquième et un quart de son indice de 1914. Mais il est à noter que, hormis le dernier trimestre de 1923, le chômage n'atteint pas des proportions démesurées par rapport aux autres pays : l'inflation a été moins génératrice de chômage que la stabilisation déflationniste qui l'a suivie.

Les victimes de l'inflation :

— les ouvriers

Indices du chômage : moyenne du quatrième trimestre 1923 : 20 pour cent de la population active (pointe importante en décembre : 28,2 pour cent) La moyenne de l'année 1923 (9,6 pour cent) reste nettement inférieure à celle du chômage du Royaume-Uni : 12 pour cent

La petite et la moyenne bourgeoisie ont comparativement beaucoup plus souffert encore de l'inflation. Certes, ce sont les hauts salaires (des fonctionnaires, des cadres) qui ont proportionnellement le plus baissé. Mais surtout les détenteurs de revenus fixes vont sortir ruinés de la crise : bénéficiaires de pensions civiles ou militaires, retraités, petits rentiers ayant investi leurs économies en obligations ou en bons du Trésor, petits porteurs d'actions (aux dividendes calculés à l'année). Petite et moyenne bourgeoisies vont constituer des groupes aigris, imputant leur déclassement — faute d'informations, puisque la grande presse est aux mains de l'industrie — à l'hostilité de l'étranger et au régime républicain. La crise aboutissait à la disparition de toute une série de couches intermédiaires et à un très lourd renforcement de la prolétarisation, tandis que se multipliaient les richesses accumulées par le patronat et la haute bourgeoisie.

— la petite et la moyenne bourgeoisie

Cette période désastreuse du point de vue financier et social voit cependant l'économie allemande prendre un nouveau départ ; apparent paradoxe, que les étrangers, et notamment les Français, n'arrivent pas à saisir : on décèle dans ce phénomène l'expression de la volonté de l'Allemagne de se relever sans acquitter les réparations. Pourtant les facteurs financiers que nous venons d'évoquer agissent directement en ce sens : l'inflation est en soi une incitation à consommer, donc à produire ; la concentration de l'industrie en de puissants empires favorise l'accroissement de la productivité ; le remboursement d'emprunts en valeur fictive permet une rapide modernisation des machines ; et du fait de la dépréciation du mark, l'Allemagne produit en abondance et à bon marché, en enregistrant un gigantesque essor de ses exportations. D'autres éléments vont dans le même sens : l'abondance des crédits et des subventions consentis aux industriels culmine avec l'occupation de la Ruhr ; l'Etat verse alors d'énormes « indemnités » aux magnats qui ne peuvent faire fonctionner leurs usines. De même l'existence d'une main-d'œuvre nombreuse, que nourrit la masse des réfugiés et des coloniaux de retour au pays, permet au patronat de maintenir de bas salaires.

— l'industrie

Les pertes démographiques dues à la guerre sont à peu près comblées : en 1913, il y avait sept millions et demi d'ouvriers ; en 1919, sept millions.

— l'agriculture

De son côté, l'agriculture connaît un relèvement rapide jusqu'en 1923 ; après l'annulation de fait de ses dettes due à l'inflation, elle voit les prix de ses produits monter plus vite que ceux des produits industriels ; elle reconstitue donc aisément son stock de machines et utilise massivement les engrais (dès 1921, 50 pour cent d'engrais de plus qu'en 1913). Les ouvriers agricoles et les domestiques de ferme bénéficient de substantielles améliorations de leurs conditions de vie (la nouvelle législation les libère de leur état de dépendance, leur accorde les assurances sociales). Mais la grande propriété demeure intacte : en vue de briser sa puissance, surtout dans les régions de l'Est, et de constituer une petite et une moyenne propriété qui fussent une barrière contre le communisme, la réforme d'août 1919 avait prévu le morcellement d'un tiers des grands domaines non cultivés et leur conversion en lots à attribuer à des travailleurs agricoles ; la réforme fut freinée, puis bloquée par les *Junkers*. En 1932, sur les 21 millions d'hectares prévus par la loi, 750 000 seulement auront été redistribués. De tels bouleversements économiques et sociaux ne pouvaient rester sans conséquence sur le plan politique.

LES TROUBLES POLITIQUES

La Reichswehr

Au lendemain de la défaite, la Reichswehr apparaît aux nationalistes comme le seul corps qui puisse préserver l'Allemagne de la révolution et la sauver de la décomposition. Malgré la défaite, son prestige est immense : la légende ne se répand-elle pas du « coup de poignard dans le dos », qui lui aurait été porté par les révolutionnaires du 9 novembre ? Réorganisée par la loi du 6 mars 1919, qui limite ses effectifs à cent mille hommes, conformément aux stipulations du traité de Versailles, la Reichswehr apparaît comme un Etat dans l'Etat : elle dépend uniquement du ministre de la Guerre, et le Reichstag renonce en fait à tout contrôle sur la répartition des importants crédits qui lui sont attribués (10 pour cent du budget fédéral) ; plus que jamais elle est composée de monarchistes, et le corps des officiers devient « le refuge des nostalgiques de l'ordre ancien ». Rompant avec sa tradition d'obéissance, elle entend désormais parler d'égal à égal avec le gouvernement ; elle discute, fronde, attaque certains ministres : « L'indiscipline s'appelle, dans le corps des officiers, attitude nationale pourvu qu'elle soit antirépublicaine » (G. Castellan). Le personnage du général von Seeckt, qui devient le 26 mars 1920, et pour plus de six ans, son chef direct, symbolise assez bien le paradoxe de cette armée antirépublicaine, mais pourtant choyée par le gouvernement républicain.

Dans ces conditions, le soulèvement tenté par Kapp — haut fonctionnaire prussien, qui avait créé en 1917, avec l'amiral von Tirpitz, un éphémère parti nationaliste — apparaît dans la nature des choses. L'origine directe de ce soulèvement fut le refus opposé au gouvernement par le général von Lüttwitz, commandant le corps d'armée de Berlin, de dissoudre la Brigade de marine du capitaine Ehrhardt, comme l'ordonnait le ministre de la Guerre Noske, conformément aux clauses du traité de Versailles. La Brigade marche alors sur Berlin ; von Seeckt (chef du « bureau des troupes ») déclare qu'il ne fera pas ouvrir le feu : « La Reichswehr, dit-il, ne tire pas sur la Reichswehr. » Le 13 mars 1920 au matin, le gouvernement doit s'enfuir en province, et les insurgés entrent à Berlin sans rencontrer de résistance ; un gouvernement Kapp-Lüttwitz s'installe, avec l'aide de Ludendorff. En fait, l'opération échoue, car l'insurrection pâtit d'un triple handicap :

— la passivité de l'administration et l'expectative générale où restent les partis de droite et du centre ;

— la grève générale déclenchée par toute la gauche, sociaux-démocrates inclus, qui paralyse la capitale ;

— la division de l'armée, quant au soutien à apporter aux conjurés : les régions du Nord et de l'Est marchent avec eux, mais l'Ouest et le Sud refusent de se rallier ; cette situation était lourde de menaces pour l'unité de la Reichswehr.

Finalement les putschistes s'enfuient, le 17 mars, et paradoxalement l'insurrection n'aura d'autre suite que le remplacement par von Seeckt à la direction de l'armée, du général Reinhardt, qui s'était déclaré prêt à défendre la République par les armes . . .

En ces années 1920-1921, la crise qui sévit renforce l'hostilité de l'extrême gauche envers les gouvernements de la coalition de Weimar et entretient des troubles permanents dans le monde ouvrier. Ainsi en mars 1920, à l'annonce du putsch Kapp, des mouvements de solidarité avec les ouvriers de Berlin ont lieu en Saxe, en Thuringe, et surtout dans la Ruhr, où des conseils ouvriers occupent les principales villes ; partout, la Reichswehr procède à une sanglante répression. Un an plus tard, fin mars 1921, des opérations policières dans la région de Mansfeld (mines de cuivre) et des usines Leuna (non loin de Leipzig), entraînent une véritable insurrection, dirigée par le révolutionnaire Max Hoelz.

Le putsch de Kapp (13-17 mars 1920)

Certains corps francs s'intégrèrent dans l'armée, la plupart durent se dissoudre, quitte à se reconstituer d'une façon clandestine. La Brigade de marine (6 000 hommes), qui avait pris pour emblème la croix gammée, était tout particulièrement composée d'extrémistes.

L'historiographie marxiste attribue à la grève générale l'échec du putsch. Mais des travaux récents ont montré que cette grève n'aurait pas suffi à faire abandonner la lutte aux « têtes brûlées » qu'étaient Lüttwitz et Ehrhardt. La cause essentielle de leur échec tient bien plutôt à la pression opérée sur eux par les officiers du ministère de la Guerre, désireux d'éviter à tout prix la cassure de l'armée.

La crise intérieure de 1920-1921

La conjoncture apparaît favorable à une radicalisation des partis d'extrême gauche. A l'automne 1920, l'aile gauche de l'U. S. P. D. fait scission et fusionne avec le K. P. D. au congrès tenu par ce dernier à Berlin en décembre (la majorité de l'U. S. P. D. rejoindra cependant le S. P. D. en septembre 1922). En quelques mois, les effectifs du Parti communiste bondissent de 80 000 à 300 000 adhérents, tandis que diverses élections régionales confirment cette progression.

L'extrême droite ne reste pas inactive. Les corps francs qui n'avaient pu s'intégrer dans l'armée avaient dispersé leurs membres dans des organisations secrètes, véritables groupes de guerre civile, disposant de la complicité plus ou moins avouée de la Reichswehr, telle l'organisation connue sous le nom d'Orgesch, en Bavière. Ces groupes utilisent la violence systématique et n'hésitent pas à recourir à l'assassinat comme méthode politique.

Sont ainsi assassinés :
– Haase, chef de l'U.S.P.D. (8 octobre 1919).
– Gareis, député de l'U.S.P.D. de Munich (26 juin 1920)
– Walter Rathenau, ministre des Affaires étrangères et partisan de la « politique d'exécution » du traité de Versailles (24 juin 1922)
– Erzberger, chef de l'aile gauche du Zentrum, signataire de l'armistice de Rethondes, ministre des Affaires étrangères, puis des Finances (26 août 1922)

Les coupables restent impunis

Une telle insécurité, une telle conjoncture, ne vont pas sans favoriser les forces conservatrices. Leur poussée s'était traduite dès les élections pour le premier Reichstag, le 6 juin 1920 : les trois partis de la coalition de Weimar avaient subi un recul sensible. Ils avaient perdu la majorité des suffrages (47,8 pour cent au total, contre 76,2 pour cent le 19 janvier 1919) et ne disposaient plus que de 226 sièges, au lieu de 331 (alors que le nombre de députés passait de 421 à 459). Le glissement à droite modifia l'équilibre du cabinet : le S. P. D. soutint, sans y participer, un gouvernement dirigé par le centriste Fehrenbach et qui comprenait des ministres du D. D. P., du Zentrum et du D. V. P. Les deux ministères Wirth (Zentrum, mai 1921/novembre 1922) puis le cabinet Cuno (novembre 1922/août 1923) allaient confirmer cette rapide évolution vers la droite.

La crise de 1923

La crise dramatique de 1923 s'inscrit dans le contexte de l'effondrement de la monnaie, de la paralysie de l'économie, de la désagrégation de l'État : la « résistance passive » mène l'Allemagne à la catastrophe. Aussi, avant que le stade de la décomposition totale ne soit atteint, le ministère Cuno, très axé à droite (il a l'appui du D. N. V. P.), cède-t-il la place, le 12 août, à un cabinet Stresemann, qui va des populistes (D. V. P.) aux sociaux-démocrates. Tirant les conséquences de son échec, Stresemann annonce, le 24 septembre, la fin de la résistance passive.

La situation intérieure était grave ; les manifestations populaires et les échauffourées se multipliaient à travers l'Allemagne ; le Parti communiste constituait des groupes de défense armés, les « centuries révolutionnaires », dont 25 000 membres avaient défilé à Berlin le 1er mai. De son côté, l'extrême droite représentait une menace de plus en plus sérieuse, surtout en Bavière, où elle se trouvait cependant divisée en deux courants distincts : d'une part, un courant monarchiste (partisan de la restauration des Wittelsbach) et autonomiste (prêt à aller jusqu'à la sécession) autour du gouvernement du Land dirigé par von Kahr ; d'autre part, un courant nationaliste et plus « unitaire », qui imprégnait la plupart des groupes extrémistes, des sociétés secrètes et des petits partis, dont le N. S. D. A. P. de Hitler, qui comptait alors environ 50 000 adhérents. Dans ces conditions, Stresemann résolut de s'appuyer sur l'armée et fit proclamer l'état de siège (29 septembre).

N S D A P   National Sozialistische Deutsche Arbeiter Partei (Parti national-socialiste des travailleurs allemands)

La répression contre les mouvements de gauche prit un double aspect, conforme au double visage sous lequel apparaissait alors un K. P. D. divisé en « gauchistes » et « légalistes ». Le K. P. D. avait connu en 1919-1920 une première crise grave ; Lénine, qui avait dénoncé les gauchistes allemands dans sa brochure bien connue : *La Maladie infantile du communisme : le « gauchisme »*, avait contribué à les faire exclure du parti. Ces gauchistes devaient se regrouper au printemps 1920 dans le K. A. P. D. (Parti communiste ouvrier d'Allemagne) ; mais ce parti ne se releva pas de l'échec de Max Hoelz en mars 1921. Dans le même temps, la tendance luxemburgiste se trouvait décapitée par l'exclusion de Paul Levi, qui allait réintégrer le S. P. D.

La répression contre la gauche
— le parti communiste allemand

En 1923, le K. P. D. est tout aussi divisé : ses dirigeants, Brandler et Thaelmann, ne croient pas à la possibilité d'une action révolutionnaire et sont partisans d'une prise du pouvoir par des voies légales, là où la chose est possible. Au contraire, une gauche animée par Maslow et Ruth Fischer condamne toute collaboration avec la social-démocratie. Le Komintern, représenté sur place par Karl Radek, jugeait la situation révolutionnaire et partageait le point de vue de la gauche ; mais Thaelmann était à peu près le seul dirigeant du K. P. D. sur lequel l'Internationale pût compter.

L'éventualité envisagée par Brandler se réalise le 11 octobre en Saxe et en Thuringe, où des gouvernements de gauche se mettent en place, appuyés sur une majorité composée de communistes et de socialistes de gauche. Aussitôt le président de la République, Ebert, invoquant l'article 48 de la constitution, dépose les deux gouvernements et fait exécuter sa décision par la Reichswehr. Poussé par le Komintern, Thaelmann déclenche alors à Hambourg une grève générale de solidarité, qui tourne rapidement à l'insurrection ; elle est réprimée de manière sanglante par la Reichswehr (22-25 octobre).

Du côté de l'extrême droite, mise à part une agitation nationaliste et séparatiste en Rhénanie — qui alla jusqu'à la proclamation d'une éphémère République rhénane, sous la protection des Français, en octobre 1923 — le fait principal est le putsch de Munich (8 novembre 1923). A Munich, von Kahr ayant finalement rompu avec le gouvernement de Berlin, s'était octroyé le titre de commissaire général de l'Etat, et avait pratiquement fait sécession. Mais le chef de la Reichswehr, von Seeckt, le désavoue formellement le 4 novembre. Pour soutenir von Kahr dans sa résolution, ses turbulents alliés du N. S. D. A. P. de Hitler, dans les rangs desquels s'était répandue l'idée d'une marche sur Berlin — à l'instar de la « marche sur Rome » qui, l'année précédente, avait si bien réussi à Mussolini —, tentent une opération décisive : le 8 novembre au soir, ils envahissent la brasserie

Le putsch de Munich (8 novembre 1923)

Bürgerbräuhaus, où von Kahr et ses amis tiennent un meeting. Bon gré, mal gré (pour l'historiographie marxiste, les deux groupes sont de connivence) ceux-ci acceptent de constituer un gouvernement dont Hitler fait partie, et de donner à Ludendorff la direction des troupes qui doivent marcher sur Berlin pour en chasser les « rouges » et les sociaux-démocrates, et proclamer une dictature nationale. Devant le danger, Ebert proclame l'état d'urgence et confère tous les pouvoirs à von Seeckt (article 48) : cadeau empoisonné et manœuvre qui se révélera finalement habile. Devant la fidélité de von Seeckt au régime, von Kahr alors se ravise ; le 9 au matin, il fait tirer sur une manifestation de rue entraînée par Hilter et Ludendorff pour essayer de le fléchir à nouveau ; il y a quatorze morts, Goering est blessé, les chefs sont arrêtés. Pour cette action subversive, Hitler sera condamné à cinq ans de prison (mais Ludendorff sera acquitté). Cependant, même manqué, ce putsch apporte à Hitler une notoriété nationale, qui constitue pour lui « la première chance ».

Bientôt, sous la poigne de Stresemann, le gouvernement ressaisit la barre. Avec 1923 s'achève l'année terrible ; la situation s'est éclaircie, l'économie repart rapidement, le temps des troubles se termine.

La thèse de J. Benoist-Méchin (*Histoire de l'Armée allemande*) est que la Reichswehr, en 1923, a sauvé l'unité de l'Allemagne. En fait, von Seeckt, personnage ambitieux et vaniteux, a contribué, par ses intrigues perpétuelles contre Stresemann, à affaiblir la position du gouvernement et l'autorité de l'État en un moment où les Allemands patriotes se devaient de le soutenir

III L'ÈRE DE LA PROSPÉRITÉ (1924-1929)

LA RESTAURATION FINANCIÈRE

Le redressement monétaire, effectué sous les ministères Stresemann, puis Marx (novembre 1923 — décembre 1924), fut essentiellement l'œuvre de deux hommes : le ministre des Finances de ces deux cabinets, le Dr Luther, du parti populiste ; et surtout le Dr Schacht, commissaire à la monnaie, puis directeur de la Reichsbank.

Le « Rentenmark »

Le problème résidait dans la création d'une monnaie nouvelle inspirant confiance à l'opinion, sans être garantie par une encaisse métallique (la Reichsbank n'en avait pratiquement plus) et sans recours aux crédits extérieurs. Le Dr Schacht s'inspira de projets antérieurs, qui n'avaient pas abouti : notamment du projet du banquier Helfferich qui en 1921 avait proposé d'instituer une monnaie gagée sur le seigle. Le 15 novembre 1923, une nouvelle monnaie fut créée, le *Rentenmark*, qui fut échangée au taux de un pour mille milliards de marks. Cette monnaie était gagée sur une hypothèque générale prise sur l'agriculture et l'industrie allemandes, couverture fictive, puisque non mobilisable, ce qui, a-t-on fait remarquer, l'apparentait à l'assignat de la Révolution française. Le *Rentenmark* était émis par un institut privé, indépendant de l'Etat, la *Rentenbank*, dont le capital se montait à 2 400 millions de *Rentenmark* et 800 millions de réserves. Un prêt non renouvelable de 1 200 millions était consenti à l'Etat, et 1 200 millions seraient avancés à l'économie. La nouvelle monnaie constituait une étape transitoire entre l'ancien mark-papier totalement dévalorisé et un nouveau mark gagé sur l'or. Elle n'avait pas cours forcé, mais tous les organismes et

Une banque pour la « monnaie-seigle » vivra cependant, au cours des quatre derniers mois de 1923, au moment où beaucoup de paysans refusaient de vendre leurs produits contre des marks-papiers.

banques d'État l'acceptaient officiellement. La Reichsbank subsistait comme banque ordinaire, mais des limites très strictes étaient tracées à son action : il lui était notamment interdit d'émettre des billets ou des bons du Trésor, ainsi que de réescompter ces derniers — sinon le cycle infernal risquait de reprendre. L'ensemble de ces mesures inspira confiance au public et aux financiers, surtout lorsque la Reichsbank eut refusé, en décembre, un crédit supplémentaire au gouvernement. La pompe était réamorcée.

Le Dr Luther put alors juguler l'inflation et remettre en ordre les finances du Reich. Dès le moment où la confiance était revenue, il put fixer le cours du mark-papier à un taux élevé (relativement !) : 4,2 billions pour un dollar ; les spéculateurs, qui avaient sans cesse anticipé la chute du mark et qui n'avaient pas hésité à acheter du dollar au taux de 12 billions de marks, furent lourdement frappés. D'autre part, pour résorber la monnaie en circulation, le Dr Luther inaugura une politique de déflation à outrance : sévère restriction de tous les crédits et subventions, diminution du nombre des fonctionnaires, réduction des allocations de chômage ; dans le même temps, les impôts, payables en monnaie nouvelle, étaient augmentés de façon importante. Cette politique réussit d'autant mieux que l'État se trouvait, par le fait même de la gigantesque inflation précédente, à peu près totalement libéré de ses dettes : par une sorte de coquetterie dérisoire, il revalorisa cependant celles-ci de 2 à 10 pour cent (en fonction de la date à laquelle elles avaient été contractées) et consacra 180 millions de *Rentenmark* à leur remboursement.

Dans ces conditions, on put passer assez vite à la troisième étape : la stabilisation définitive fut opérée par la loi du 30 août 1924, qui réorganisa la Reichsbank et remplaça le *Rentenmark* par un *Reichsmark* défini par rapport à l'étalon-or (un *Reichsmark* = 358 mg d'or fin) mais qui n'était pas convertible. En même temps (voir chapitre IX) était accepté le plan Dawes, pour le règlement des réparations, ce qui allait permettre à l'Allemagne de drainer une masse de prêts anglais, et surtout américains, dont son économie allait largement profiter.

A peine la monnaie définitivement stabilisée, les capitaux étrangers affluent en Allemagne ; ils ne cesseront de l'irriguer jusqu'en 1929. La conjoncture politique (prédominance de la droite), la stabilité sociale (peu de grèves, chômage relativement faible) constituent à cet égard de puissants adjuvants. Les investissements étrangers, qui pour plus de la moitié sont américains, sont évalués, pour la période 1924-1929, à un montant de 20 à 30 milliards de *Reichsmark*, dont 5 de participation directe en capital (ainsi de la participation de la General Electric chez Siemens, de la General Motors chez Opel ou du développement de la filiale allemande de Ford). Dans le même temps (et même jusqu'en juillet 1931, date du moratoire Hoover), les paiements au titre des réparations n'ont pas dépassé 10,8 milliards de *Reichsmark*.

L'inflation jugulée ;
la stabilisation

**LA PROSPÉRITÉ
ÉCONOMIQUE**

L'afflux des
capitaux étrangers

C'est dire que ni l'épargne ni l'impôt ne paient la stabilité du mark ni les réparations ; c'est l'argent des prêteurs. Une politique de facilité financière s'instaure ; tout comme le Reich, les Länder et les communes dépensent et empruntent (à des taux très élevés) avec une folle prodigalité. Aussi la dette extérieure mobilise-t-elle, chaque année, des sommes de plus en plus importantes au titre de versement des intérêts : 1 255 millions de *Reichsmark* en 1929. Surtout, le système est extraordinairement précaire et vulnérable ; si les emprunts étrangers viennent à tarir, il sautera. Les Allemands ne sont pas sans percevoir le danger, mais ils vivent dans l'euphorie ; seul le Dr Schacht, à la veille de la grande crise de 1929, aura crié casse-cou.

Concentration et modernisation de l'industrie

Puissamment irriguée par ce courant ininterrompu de capitaux, l'industrie allemande se concentre davantage encore et se modernise. Avec la déflation de 1924-1925, nombre de *Konzerne* nés de l'inflation de 1921-1923 périclitent et disparaissent : Wolff en 1924, Stinnes en 1925. Les entreprises familiales elles-mêmes doivent s'intégrer dans de plus vastes ensembles, qui prennent la forme de sociétés anonymes ou de grands holdings ; les capitaines d'industrie sont remplacés par des directeurs qui représentent les nouveaux groupes financiers ; c'est l'époque où le capital bancaire supplante définitivement le capital

— les grandes sociétés

industriel. Comme exemple de concentration, on peut citer les *Vereinigte Stahlwerke*, qui regroupent en 1926 les quatre plus grands producteurs d'acier (Krupp excepté), emploient 160 000 ouvriers et produisent 40 pour cent de l'acier allemand ; de même l'I. G. Farben (*Interessen Gemeinschaft der deutschen Farbenindustrie*) qui se constitue en 1925 autour des trois plus grandes entreprises de produits chimiques ; de même encore le consortium Siemens-Schuckert ou l'*Allgemeine Elektrizitäts-Gesellschaft.*

Cette concentration va de pair avec une recherche constante du profit et de la productivité. Redécouvrant une seconde fois l'Amérique, comme on l'a dit, les industriels allemands adoptent ses méthodes de haute technicité et de « rationalisation » : introduction du travail à la chaîne, utilisation des techniques de production les plus modernes,

— le souci de la productivité

généralisation de l'emploi de l'électricité. Le gain de productivité est important, mais il subordonne l'ouvrier à la machine. Le patronat demande en même temps au travailleur un effort quantitatif plus grand ; la journée de travail est allongée : elle atteint 9 heures 30 dans la sidérurgie, où les ouvriers font 57 heures par semaine. La recherche scientifique fait également des progrès spectaculaires ; les industriels multiplient les instituts de recherche, qu'ils dotent de moyens considérables ; aussi les découvertes opérées dans les domaines de la chimie, de l'électro-technique, de l'optique, des industries mécaniques, placèrent-elles souvent l'Allemagne au premier ou au deuxième rang de la production mondiale.

— les résultats

Par rapport à l'avant-guerre (1913, mais dans les frontières de 1919), l'industrie allemande connaissait en 1929 un essor très important : si l'indice de la production de minerai de fer régressait à 88 (en raison de la perte de la Lorraine), celui du charbon s'élevait à 116, celui du lignite à 200, celui de l'acier à 138. Avec 16 millions de tonnes d'acier, l'Allemagne occupait alors le deuxième rang mondial, devant le Royaume-Uni et la France, qui ne produisaient chacun que 9,7 millions de tonnes.

Enfin un des traits spécifiques de l'économie allemande des années 1924-1929 est un renforcement, plus net encore que dans les autres pays, de l'intervention de l'Etat. Au niveau bancaire d'abord, le Reich et les Länder multiplient les organismes financiers à objectif précis (banques d'hypothèques, banques pour la construction de logements, etc.). Au niveau industriel ensuite : l'Etat et les Länder édifient eux-mêmes des usines, des centrales électriques, des immeubles à usage d'habitation ; et l'on sait que les chemins de fer allemands ont été nationalisés en 1919.

Un socialisme « national »

Vis-à-vis des cartels, l'Etat dispose de la loi, peu efficace, de novembre 1923 ; il la complète par un décret de juillet 1930 sur la subordination des cartels à l'Etat. En tout cas, la stabilisation a mis fin à la toute-puissance et à la totale indépendance des grands groupements économiques à l'égard de l'Etat.

La législation sociale enfin, qui complétait le système mis en place sous Guillaume II, contribuait à intégrer davantage les ouvriers dans la nation. Tant sur le patronat que sur le prolétariat, l'emprise de l'Etat est donc hors de mesure avec ce qui existe au Royaume-Uni ou en France à la même époque ; certains rêves de socialisation de 1918 se réalisèrent dans une collaboration étroite entre le capital et le travail sous l'égide de l'Etat, et dans l'avènement d'un « socialisme éminemment national » (E. Vermeil).

La prospérité, pour éclatante qu'elle soit, ne va pas cependant sans zones d'ombres. L'agriculture tout d'abord se remettait très lentement de la stabilisation de 1923-1924, qui s'était effectuée à un moment défavorable pour elle (en octobre-novembre 1923, les paysans avaient déjà vendu leur récolte, en une monnaie largement dévalorisée) ; il avait fallu aux paysans contracter de nouveaux emprunts, à un taux très élevé cette fois (environ 20 %), puisqu'on était en pleine phase de déflation. En outre, l'évolution des prix agricoles n'était pas aussi rapide que celle des produits manufacturés, des salaires ou des charges sociales. Aussi les paysans ne cessaient-ils de réclamer crédits et subventions à la Reichsbank. Les gouvernements de droite alors au pouvoir adoptèrent une politique de soutien systématique à l'agriculture (remise ou allégement d'impôts ; prêts à faible intérêt, comme l'*Osthilfe*, créée en 1929 pour les agriculteurs de l'Est ; garantie des prix de certains produits agricoles) que renforça la mise en vigueur en 1927 d'un tarif protectionniste. L'agriculture allemande se développait ainsi dans d'artificielles conditions de sécurité.

Les points faibles :

– *l'agriculture*

L'exportation était d'autant plus indispensable pour l'Allemagne que la consommation intérieure (monde ouvrier sous-payé, bourgeoisie en partie ruinée par l'inflation), ne pouvait suffire à absorber la production industrielle ; à l'inflation monétaire s'ajoutait une inflation industrielle dangereuse, qu'entretenaient les prêts extérieurs

Le déficit de la balance des paiements constituait cependant le plus grave danger pour l'Allemagne. Pendant les années 1924-1929 ; il s'en fallut d'un milliard et demi de *Reichsmark* par an pour qu'elle fût en équilibre. Les « exportations invisibles » (revenus de capitaux placés à l'étranger, services comme le fret ou les assurances) se révélaient d'un rapport bien moindre qu'avant guerre. Le Reich s'efforça donc de multiplier ses exportations, par une politique, de type économique et juridique tout à la fois, d'infiltration à l'étranger ; des traités de commerce furent signés, notamment avec l'U. R. S. S. (octobre 1925) et avec la France (août 1927). Mais l'équilibre n'était réalisé que par l'afflux constant des capitaux étrangers. A la moindre alerte, leur flot pouvait tarir, un mouvement massif de rapatriement survenir ; alors l'économie allemande s'effondrerait.

UN RÉGIME CONSERVATEUR

Cette période de prospérité coïncide avec la domination des forces de droite. Le mécontentement engendré par la politique de déflation ne pouvait évidemment renforcer sur sa gauche la coalition de Weimar, qui perdait cependant sur sa droite l'appui de nombreux nationalistes : le printemps 1924 fut en effet marqué par de longues discussions sur le plan Dawes, que le Reichstag finit par approuver le 30 août.

Les deux dissolutions du Reichstag (1924)
— les élections du 4 mai 1924

Privé du soutien des socialistes et des nationaux-allemands, le chancelier Marx obtint du président Ebert la dissolution du Reichstag, où aucune majorité ne se dégageait. Aux élections du 4 mai 1924, les partis du centre s'effritèrent, tandis que progressaient nettement les extrêmes : le K. P. D. passait de 2,1 pour cent à 12,6 pour cent des suffrages, et le D. N. V. P. de 15,1 à 19,5 pour cent ; sur la droite de ce dernier apparaissait le nouveau parti de Hitler, le N. S. D. A. P., avec 6,6 pour cent des voix. La carte géographique des élections fait ressortir la division de l'Allemagne en trois grandes zones : catholique, où le Zentrum et son allié, le Centre bavarois, prédominent (Rhénanie et toute l'Allemagne du Sud), nationaliste (tout l'Est du pays) et socialiste (l'Allemagne moyenne, de la Thuringe au Hanovre et de Coblence à Dresde).

— les élections du 7 décembre 1924

En proie aux mêmes difficultés, Marx fit procéder à une deuxième dissolution, en décembre de la même année. Les élections (7 décembre 1924) permirent au gouvernement de profiter du redressement monétaire et de la reprise économique ; sans bouleverser la physionomie électorale du pays, elles virent en effet refluer les extrêmes au profit des partis du centre ; le S. P. D. surtout connaissait une progression très importante (20,5 à 26 pour cent des voix) et acculait les forces catholiques et nationalistes dans leurs bastions respectifs du Sud et de l'Est.

L'agitation d'extrême droite

Confortée par ce succès, la coalition de Weimar ne sut pas préserver son unité ; l'hostilité du Centre bavarois, très réactionnaire, à la présence de socialistes au gouvernement, entraîna, de 1925 à 1928, l'alternance de deux types de coalitions gouvernementales, sous les présidences du Dr Luther et de Marx : l'un, axé nettement à droite (Zentrum, D. V. P., D. N. V. P.), l'autre de caractère « bourgeois » (D. D. P., Zentrum, D. V. P.). Ces succès de la droite conservatrice suscitèrent même, paradoxalement, un regain de l'agitation d'extrême droite. Le phénomène s'explique essentiellement par la personnalité du chef de l'aile droite du D. N. V. P. (qui en deviendra le président en 1928), Hugenberg, lequel attirait vers son parti d'abondantes subventions du patronat tout en animant plusieurs organisations extrémistes, dont le *Stahlhelm* (le Casque d'acier) ; cette formation paramilitaire, qui devait atteindre en 1927 le chiffre énorme de 400 000 membres, rassemblait d'anciens combattants dont ceux des corps francs et polarisait l'agitation nationaliste : contre le plan Dawes, contre les fondateurs de la République, contre la social-démocratie et Ebert.

En face, le S. P. D. fonde le *Reichsbanner* (la Bannière du Reich), le K. P. D., le *Rotkämpferbund* (le Front rouge des combattants). Ce renforcement des ligues paramilitaires s'avère extrêmement grave pour le régime ; ce dernier en est d'ailleurs en grande partie responsable : la désaffection dont sont victimes les partis organisés (leurs effectifs globaux tombent de quatre millions et demi en 1920 à un million et demi en 1928) est imputable à leur multiplicité et constitue la rançon d'un scrutin proportionnel qui rend fragiles les majorités de coalition et multiplie les crises ministérielles.

L'offensive de la droite se renforça après l'élection de Hindenburg à la présidence de la République (27 avril 1925). Le premier tour vit la droite faire bloc sur le nom du populiste Jarres, tandis que les partis de la coalition de Weimar dispersaient leurs voix. Sentant le danger, le S. P. D. retira son candidat au profit de Marx, pourtant arrivé loin derrière lui. Mais la droite, habilement, fit bloc autour du vieux maréchal Hindenburg, qu'on avait persuadé de se présenter en lui disant qu'il s'agissait d'« une nouvelle bataille pour le Reich », et auquel l'ex-Kaiser avait donné sa bénédiction. Le vainqueur de Tannenberg et des lacs Mazures jouissait d'un prestige considérable, il réalisait le lien avec un passé glorieux, il était « l'homme providentiel ». Ayant placé habilement, mais faussement, sa candidature sous le signe de l'apolitisme, il l'emporta.

Tout en refusant de soutenir ouvertement l'action des nationaux-allemands qui visaient à renverser la République, Hindenburg, en gouvernant avec l'aide de la Reichswehr et en s'appuyant sur l'article 48 de la constitution, contribua puissamment à axer à droite la vie politique allemande ; il affichait du reste ouvertement ses opinions réactionnaires : ainsi, en mai 1926, fit-il hisser, dans les consulats et ambassades d'Allemagne, le drapeau impérial noir-blanc-rouge aux côtés du pavillon noir-rouge-or de la République ; de même intervint-il de façon décisive dans la campagne (janvier-juin 1926) contre l'indemnisation des princes dépossédés en 1918 (Guillaume II devait recevoir 97 000 hectares de terres et 15 millions de marks...). Surtout, en

HUGENBERG, qui avait compté parmi les fondateurs de la ligue pangermaniste, avait été jusqu'en 1918 président du directoire de la firme Krupp, après quoi, aidé par la guerre et l'inflation, il avait créé le *Konzern* Hugenberg, qui contrôlait de nombreux journaux, des agences d'information, des sociétés de cinéma.

Hindenburg, président

Ebert était mort avant la fin de son mandat, le 28 février 1925, brisé par la campagne de dénigrement dont il avait été victime (l'extrême droite l'accusait de trahison pour avoir participé aux grèves de janvier 1918) ; il fut foudroyé par une péritonite, alors qu'il avait sans cesse retardé une indispensable intervention chirurgicale.

Élections présidentielles de 1925
(en millions de voix)

1er tour (29 mars) :

Jarres (D.V.P.)	10,4
Braun (S.P.D.)	7,8
Marx (Zentrum)	3,8
Thaelmann (K.P.D.)	1,8
Hellpach (D.D.P.)	1,6
Hell (Centre bavarois)	0,99
Ludendorff (N.S.D.A.P.)	0,21

2e tour (27 avril) :

Hindenburg	14,6
Marx	13,7
Thaelmann	1,9

1926, sur les conseils du colonel von Schleicher, Hindenburg renvoie von Seeckt de la direction de l'armée pour l'assumer lui-même. Deux ans plus tard, pour remplacer le ministre de la Guerre, l'inamovible Gessler, contraint à la démission par les retombées d'un scandale, il nomme, directement et par-dessus la tête du chancelier Marx, son ancien adjoint, le général Groener. En face d'un Parlement peu considéré, le président accaparait, dans un but de politique personnelle, toute l'autorité émanant du suffrage universel.

Les élections de 1928

Les élections de 1928 (20 mai) modifièrent peu ces tendances générales, encore qu'elles aient vu le S. P. D. réaliser des progrès spectaculaires (la campagne avait porté surtout sur la journée de huit heures). Le socialiste Müller, auquel Hindenburg consent à confier la chancellerie, forme un cabinet de personnalités, puis (en avril 1929) un ministère de grande coalition, qui va du S. P. D. aux populistes du D. V. P. Tout en naviguant entre les écueils parlementaires, il reprend en fait la politique antérieurement poursuivie ; c'est ainsi qu'il réprime avec vigueur l'agitation communiste, notamment lors du 1er mai 1929 : c'est l'époque où l'Internationale croit prochaine la prise du pouvoir par les partis communistes d'Europe occidentale et demande à ces derniers de procéder à une « radicalisation » qui s'opère en réalité à contretemps. La droite cependant se divise ; le D. N. V. P., furieux de la « politique d'apaisement » de Stresemann à l'égard de la France, porte à sa présidence Hugenberg, qui radicalise le parti et s'allie au N. S. D. A. P. de Hitler qu'il subventionne.

Ces difficultés politiques révélaient les contradictions internes d'un régime trop brutalement greffé sur un pays en proie à l'amertume et au doute. Mais la prospérité économique semblait pouvoir garantir, au moins pour un temps, une certaine forme de stabilité politique. La crise de 1929 allait brutalement remettre en question le destin de l'Allemagne.

IV POUR APPROFONDIR CE CHAPITRE

Sur le sujet, deux ouvrages fondamentaux : G. CASTELLAN, *L'Allemagne de Weimar, 1918-1933*, A. COLIN, coll. U, 444 p., et R. POIDEVIN, *L'Allemagne de Guillaume II à Hindenburg, 1900-1933*, Ed. Richelieu 1973, 414 p. ; voir aussi G. BADIA, *Histoire de l'Allemagne contemporaine, 1917-1962*, Ed. sociales, 1962, 2 vol. 342 et 400 p. (interprétation marxiste), et E. VERMEIL, *L'Allemagne contemporaine sociale, politique et culturelle*, tome 2, Aubier, 1953, 442 p. (ouvrage un peu vieilli du grand historien de l'Allemagne).

On ajoutera deux ouvrages utiles : S. BERSTEIN et P. MILZA, *L'Allemagne, 1870-1970*, Paris, Masson, 1971, 222 p. coll. «Un siècle d'histoire — premier cycle» ; P. GUILLEN, *L'Allemagne de 1848 à nos jours* Paris, Nathan, 1970, 256 p., coll. «Fac».

CHAPITRE VI

La Russie des Soviets
de 1917 à 1921

En 1917, la Russie est secouée par un puissant mouvement révolutionnaire, dont les conséquences se révéleront essentielles pour l'histoire du monde. Pourtant l'échec de la révolution de 1905 avait conduit bien des opposants au régime tsariste à penser qu'une nouvelle tentative révolutionnaire nécessiterait, pour se préparer et éventuellement s'imposer, un délai d'au moins une génération. Mais la guerre avait joué, selon le mot de Lénine, son rôle d'« accélérateur de l'histoire », dans un pays qui n'était qu'un colosse aux pieds d'argile.

I LES DEUX RÉVOLUTIONS DE 1917

Avec ses 22 millions de km^2 et ses 174 millions d'habitants, l'Empire russe était, à la veille de la première guerre mondiale, le pays le plus vaste et le plus peuplé d'Europe. En fait, sa superficie utile ne dépassait guère 3,5 millions de km^2 ; mais son dynamisme démographique, dû à une natalité considérable (45,5 pour mille en 1913) et surtout à une forte diminution de la mortalité, constituait un vigoureux facteur de progrès.

LA RUSSIE EN 1917

Dans cette population rurale à 85 pour cent, les paysans, manifestement trop nombreux, disposaient de moins d'un hectare de terres cultivables par personne ; aussi étaient-ils pénétrés de haine envers les grands seigneurs (les *pomechtchiki*) et les grands propriétaires fonciers. Ceux-ci, les *koulaks*, au nombre de 5 millions environ, disposaient en

— *les paysans*

moyenne de 10 à 12 hectares de terres, surface peu importante en soi, mais qui semblait considérable en Russie.

— l'essor de l'industrie

La société russe ressentait aussi les effets d'un rapide essor industriel. Le nombre des ouvriers était passé de un million et demi en 1890 à trois millions en 1914 ; à cette dernière date, près de 85 pour cent d'entre eux travaillaient dans des entreprises de plus de cent ouvriers, et presque 40 pour cent dans des usines de plus de mille ouvriers. Jointe à l'extrême misère du prolétariat, cette concentration était éminemment propice à l'éclosion d'une conscience de classe et à la propagation de l'agitation révolutionnaire. Entre les classes pauvres et les groupes privilégiés (haut clergé, aristocratie terrienne et noblesse de fonction), on ne trouvait en Russie qu'une classe moyenne étriquée, instable, pour partie en voie de prolétarisation et qui constituait un ferment d'agitation plus qu'un élément de stabilité.

— les conséquences
de la guerre

La guerre aggrava toutes les difficultés qu'un peuple miséreux devait affronter : le financement du conflit n'étant assuré que par l'inflation, la production s'orientant vers les armements au détriment des biens de consommation, les prix connurent une montée vertigineuse (300 à 600 pour cent en l'espace de trois ans), alors que les salaires progressaient peu. L'armée, de son côté, se trouvait en pleine décomposition : par centaines de milliers, les hommes désertaient ; le moral des combattants était atteint par l'incapacité du commandement, les déficiences de l'armement et du ravitaillement, ainsi que par l'ampleur des pertes humaines (début 1917, on dénombrait déjà trois millions de morts et près de cinq millions de blessés). L'impopularité des gouvernants et le puéril entêtement du tsar dans un absolutisme désuet rendaient total l'isolement d'un régime qui avait créé le vide politique autour de lui.

De 1914 à 1917, le prix du pain avait doublé, celui de la viande triplé. Début 1917, par 20° au-dessous de zéro, les queues s'allongent devant les boulangeries, où l'on rationne le pain à raison d'une livre de pain bis par jour.

LA RÉVOLUTION
DE FÉVRIER 1917

Le calendrier russe orthodoxe, qui devait rester en vigueur jusqu'au 1er février 1918, est en retard de 13 jours sur notre calendrier grégorien. Comme c'est celui des événements, nous l'avons conservé ici.

Depuis la fin de l'année 1916, la situation n'avait cessé d'empirer ; le mouvement de désertion s'était intensifié tandis que le gel et les chutes de neige empêchaient les convois de céréales d'arriver dans les grandes villes. De la résignation, la population ouvrière passa à un état de semi-révolte, se traduisant par la multiplication des grèves et des manifestations de mécontentement. Changement d'attitude généralement spontané : les militants bolcheviques, dont la plupart avaient été emprisonnés ou envoyés sur le front, n'étaient pas plus de deux mille à Pétrograd, et les mencheviks, dont l'opposition se trouvait tolérée par le pouvoir, s'intéressaient moins aux ouvriers des faubourgs qu'à la désaffection que témoignait maintenant l'ensemble de la bourgeoisie à l'égard du régime.

C'est au congrès de Bruxelles (1903), que le parti social-démocrate russe se scinda en bolcheviques (majoritaires) et mencheviks (minoritaires). Malgré leurs noms respectifs, que leur avait valus un vote de surprise, les mencheviks constituaient la majorité au sein du P.S.D.R.

Commencée le 23 février par une émeute de la faim, poursuivie le lendemain par une grève générale, la révolution fut scellée à Petrograd par la volonté du tsar de faire rétablir l'ordre : les troupes refusent de tirer sur la foule et se mutinent (27 février). Insurrection spontanée et improvisée, s'il en fut, opérée par la poussée anonyme des masses, et en laquelle les militants révolutionnaires avaient peine à croire, tant elle différait des schémas marxistes d'une révolution minutieusement préparée, et déclenchée au moment opportun par un parti situé à l'avant-garde du prolétariat. Dans la capitale, l'exercice du pouvoir échut à deux organismes, que l'abdication de Nicolas II, connue le 3 mars, devait laisser face à face : d'une part le « Comité exécutif provisoire » (C. E. P.), émanation de la rue, qui ressuscita le « Soviet des ouvriers et soldats », et d'autre part le « Comité provisoire de la douma » (C. P. D.), où les personnalités les plus connues étaient le prince Lvov, l'avocat socialiste Kerenski et l'historien monarchiste constitutionnel Milioukov.

La dualité des pouvoirs
– l'échec de la douma

Contrairement à toute attente, il n'y eut pas au début d'affrontement entre ces deux pouvoirs : la douma s'imposait à un peuple privé de véritables leaders, et « rares étaient alors les esprits assez audacieux pour imaginer que le pouvoir pût tomber directement des mains du tsar dans celles du peuple, alors incarné par le soviet » (F. X. Coquin). Mais rapidement le gouvernement provisoire, présidé par Lvov, où Milioukov, aux Affaires étrangères, était l'élément principal et où Kerenski figurait à titre d'observateur délégué par le soviet (ce dernier avait décliné l'honneur d'y participer), se heurta à la pression constante du peuple. C'est que les mesures politiques adoptées (amnistie, proclamation des libertés fondamentales, préparation de l'élection d'une Constituante, liberté accordée aux minorités ethniques) n'étaient pas accompagnées de mesures sociales ; dans les campagnes notamment, les paysans se résignaient mal à attendre la réunion de la Constituante pour voir opérer le démembrement des grands domaines.

– le retour de Lénine

La situation évolua rapidement avec le retour de Lénine à Pétrograd (3 avril) : le chef bolchevique avait en effet obtenu de l'Allemagne, pour lui-même et pour une centaine de révolutionnaires exilés en Suisse, l'autorisation de traverser son territoire. Contrairement aux mencheviks, dont la position prévalait alors largement au soviet de Pétrograd, Lénine estimait qu'il n'était pas nécessaire d'affermir la révolution dans son étape bourgeoise avant de passer au stade ultérieur, celui de la révolution prolétarienne. Il sut faire prévaloir cette idée chez les bolcheviques, jusqu'alors réticents (ce sont les fameuses « Thèses d'avril »), en un moment précisément où la situation qui s'aggravait tendait à lui donner raison : extension dramatique du chômage, maladroite répression patronale (avec licenciements de militants ouvriers et parfois lock-out), enlisement du mouvement révolutionnaire sous les impératifs de la défense nationale (« Ou c'est la révolution qui tuera la guerre, ou c'est la guerre qui tuera la révolution »). Dirigées par les bolcheviques dont le nombre et l'audience s'accroissaient de jour en jour, les masses populaires précipitèrent l'évolution en cours.

Les gouvernements de coalition

Dans une première étape, elles contraignirent à la démission Milioukov et tout le gouvernement, dont la politique étrangère conforme aux buts de guerre de l'ancien régime heurtait leur volonté de « paix démocratique » (27-30 avril). Un gouvernement de coalition fut alors formé : sous menace de démission collective, les ministres « bourgeois » avaient entraîné mencheviks et socialistes révolutionnaires à y participer, tandis que seuls, les bolcheviques refusaient de se compromettre dans un regroupement impuissant, et bénéficiaient ainsi de l'évolution des événements et de la maturation du prolétariat.

Mais à la suite de manifestations populaires spontanées contre le gouvernement (3-5 juillet), les chefs bolcheviques, qui en avaient pris la tête pour éviter un heurt qu'ils jugeaient alors prématuré, connurent les rigueurs de la répression. Lénine dut se réfugier en Finlande, tandis que Kamenev et Trotski, entre autres, étaient emprisonnés à la forteresse Pierre-et-Paul.

— le gouvernement Kerenski

Le ministère était cependant tombé comme un fruit mûr (7 juillet) ; il fallut trois semaines de tractations pour que Kerenski formât le nouveau gouvernement, où désormais les socialistes étaient majoritaires. Kerenski se trouva bientôt pris en tenaille entre la droite et les bolcheviques : à droite, le général Kornilov, ancien commandant militaire de Petrograd, polarisait les espoirs des opposants ; mais le putsch qu'il tenta contre le gouvernement (25 août-1er septembre) échoua totalement, en raison de la défection d'une partie de ses cosaques et de la vigueur du soulèvement populaire. De ce fait, les bolcheviques furent sacrés champions de la révolution ; début septembre, ils prenaient la direction des soviets de Petrograd, de Moscou, de Kiev, ainsi que de nombreuses autres villes industrielles.

LA RÉVOLUTION D'OCTOBRE

De Finlande où il comprend qu'après l'échec de Kornilov les événements se précipitent, Lénine parvient, non sans mal, à rallier à ses vues le comité central bolchevique ; contre l'opinion de Zinoviev, partisan d'attendre la prochaine réunion du IIe congrès des soviets (prévue pour le 25 octobre), les bolcheviques adoptent en effet, le 11 octobre, le principe de l'insurrection. Bientôt, à l'instigation de leur chef rentré clandestinement à Petrograd, ils fixent au 24 octobre la date du soulèvement. Dans l'optique de Lénine, il convenait en effet de renverser Kerenski avant la tenue d'un congrès qui, en toute hypothèse, ne pourrait pas s'emparer lui-même du pouvoir, mais seulement le recevoir des mains des bolcheviques ; la mission d'un parti bolchevique n'était-elle pas d'ailleurs de jouer pleinement son rôle d'avant-garde du prolétariat, au lieu de s'embourber dans le légalisme ?

L'insurrection fut facilement victorieuse ; dans la nuit du 24 au 25 octobre, tous les centres vitaux de la capitale tombèrent entre les mains des quelques milliers de bolcheviques, et des matelots et soldats ralliés à la révolution. Le 25 au soir, seul tenait encore le Palais

« Toute une imagerie révolutionnaire tentera ultérieurement d'accréditer la légende d'un assaut du palais par le peuple de Pétrograd unanime, bravant l'incendie et la fusillade pour asseoir le pouvoir bolchevique. Ce n'est pas minimiser la vaillance des assaillants ni la signification symbolique de l'événement que de souligner qu'il n'y eut pas alors d'unanimité populaire, et que l'insurrection ne bénéficia que de la neutralité de cette garnison, dont le rôle avait été décisif en février » (F.X. Coquin).

d'hiver, où s'étaient réfugiés les ministres : quelques projectiles expédiés par le croiseur « Aurora » suffirent à le faire capituler. Kerenski, qui avait réussi à s'échapper dans une voiture battant pavillon américain, ne put réunir que quelques centaines de soldats : l'État-major, encore à sympathies tsaristes, se souciait peu de tirer pour un autre les marrons du feu. Rassemblé le 25 octobre au soir, le IIe congrès des soviets, qui comptait 390 bolcheviques sur 650 députés, reçoit donc le pouvoir des mains des insurgés ; il adopte immédiatement un certain nombre de mesures révolutionnaires et ratifie la composition du nouveau gouvernement, le « Conseil des commissaires du peuple », entièrement composé de bolcheviques, où Lénine occupe la présidence, Trotski le ministère des Affaires étrangères, et Staline celui des Nationalités.

II L'INSTALLATION DU RÉGIME ET LA GUERRE CIVILE (1917-1921)

Le 26 octobre, le IIe congrès des soviets avait voté à la quasi-unanimité un « Appel aux ouvriers, soldats et paysans de la Russie », résumant tout le programme bolchevique : « Le pouvoir soviétique proposera une paix démocratique immédiate à toutes les nations. Il procédera à la remise aux comités paysans des biens des propriétaires fonciers, de la couronne et de l'Église (...). Il établira le contrôle ouvrier sur la production, (...) assurera à toutes les nationalités vivant en Russie le droit absolu à disposer d'elles-mêmes. »

Le congrès avait immédiatement adopté, en ce sens, deux décrets proposés par Lénine : le « décret sur la paix », qui offrait à tous les belligérants l'ouverture sans délai de pourparlers « en vue d'une paix immédiate, sans annexion et sans indemnité » ; et le « décret sur la terre », qui supprimait sans aucune indemnité la grande propriété foncière et la remettait entre les mains des comités agraires et des soviets de paysans. Dans les jours qui suivirent, le Conseil des commissaires du peuple adopta plusieurs décrets complémentaires : le décret sur la presse (28 octobre), présenté comme provisoire, prévoyait l'interdiction des journaux « incitant à la résistance ou à la désobéissance ouvertes envers le gouvernement ouvrier et paysan » ; le décret sur la milice ouvrière (même date) mettait sur pied les unités de gardes rouges, qui allaient former le noyau de l'Armée rouge. Surtout le décret sur le contrôle ouvrier (1er novembre) donnait aux ouvriers le contrôle des entreprises industrielles, et le décret sur les nationalités (2 novembre) établissait l'égalité et la souveraineté de tous les peuples de l'empire.

Certaines de ces décisions visaient davantage à gagner au nouveau régime les masses populaires, qu'à appliquer dans son intégralité la doctrine marxiste. Le décret sur la terre, par exemple, allait-il dans le sens d'une collectivisation, ou bien plutôt, comme le crurent les paysans, d'une simple redistribution des terres ? Par réalisme, Lénine ne trancha pas cette incertitude, qui devait être à l'origine de nombreux

Les premières mesures du nouveau gouvernement

– le décret sur la paix

– le décret sur la terre

Le 15 janvier 1918, un décret instituera l'« Armée rouge des ouvriers et des soldats ». Recrutée d'abord sur la base du volontariat, l'Armée rouge verra gonfler ses effectifs, à partir de l'été 1918, avec l'instauration du service militaire obligatoire.

Les bolcheviques avaient promis de réunir une assemblée constituante. Les élections se déroulèrent fin novembre, mais ne leur donnèrent que 25 pour 100 des voix (surtout dans les grandes villes et dans l'armée), contre 58 aux socialistes-révolutionnaires (S.R.). Lénine s'empressa d'écrire dans *La Pravda* que ces élections ne reflétaient pas une situation en pleine évolution. L'assemblée se réunit le 18 janvier, élit à sa présidence un S.R. de droite et manifesta son hostilité aux mesures de nationalisation déjà prises. Le Comité central du parti bolchevique prononça alors sa dissolution qui s'effectua sans difficulté.

conflits entre le pouvoir bolchevique et le monde rural ; au demeurant, l'idéologie bolchevique s'adressait avant tout au prolétariat industriel.

La conclusion de la paix

Il restait à conclure la paix. Sur le refus du généralissime Doukhonine d'engager des négociations immédiates (9 novembre), Lénine le destitue et nomme à sa place l'aspirant Krylenko ; le 2 décembre, un accord d'armistice est signé avec l'Allemagne et l'Autriche-Hongrie, à Brest-Litovsk, et le 7 décembre le cessez-le-feu s'étend à tout le front. Mais les bolcheviques étaient loin d'être unanimes sur la nature de la paix à conclure ; Lénine à peu près seul estimait qu'il fallait la signer à tout prix, le pays n'ayant aucun moyen de poursuivre le conflit ; une fraction importante du parti, autour de Boukharine, continuait à croire que l'on pouvait transformer la guerre impérialiste en guerre révolutionnaire ; la position médiane de Trotski rallia finalement la majorité, elle consistait à arrêter la guerre et à démobiliser, sans signer la paix. Mais l'Allemagne ne se contenta pas de cette temporisation ; après le rejet d'un ultimatum, ses troupes reprirent les hostilités et entreprirent jusqu'aux portes de Petrograd une simple promenade militaire (18 février). Le Comité central du parti bolchevique se range alors, mais à une voix de majorité, à la position de Lénine.

Pour les « communistes de gauche », conclure la paix à tout prix était en outre trahir le prolétariat international, surtout le prolétariat allemand.

— le traité de Brest-Litovsk (3 mars 1918)

La paix est finalement signée, le 3 mars, à Brest-Litovsk ; ses conditions sont draconiennes : la Russie renonce à la Pologne et aux pays baltes ; elle reconnaît l'indépendance de la Finlande et de l'Ukraine. Ces amputations représentent non seulement le quart de sa population et de ses terres cultivables, mais les trois quarts de sa production de houille et de fer. Devant les clauses particulièrement humiliantes du traité, Lénine estime qu'il faut d'abord relever le pays et asseoir la puissance de la Révolution.

La guerre civile

Voir carte 4

La paix de Brest-Litovsk entraîne une véritable débandade de l'armée russe : en quelques mois, sept millions d'hommes sont démobilisés ; aucune mesure n'a été prise en leur faveur, aussi beaucoup d'entre eux vont-ils grossir les bandes de pillards qu'ont formées les masses de déserteurs de l'année précédente. C'est de ce désordre général, dont tentent de tirer parti des officiers aux convictions violemment antibolcheviques (comme Denikine) et plus encore des aventuriers avides de gloire et de fortune, que naît la guerre civile.

— les forces en présence

Les « blancs », qui n'agissent pas de concert, tiennent le pourtour du pays : Pologne et Biélo-Russie, Ukraine et Crimée, steppes du Don et de la Volga, Sibérie. Ils sont aidés par l'intervention de puissances étrangères (Anglais dans le Caucase et dans la région de Mourmansk, Français en Ukraine et en Crimée, Japonais en Sibérie extrême-orientale), dont les mobiles sont divers : volonté de voir honorer la dette russe (les bolcheviques viennent de confirmer qu'ils ne rembourseront pas les emprunts émis par le régime tsariste) ; désir de conserver le marché russe à l'expansion de leurs industriels ; crainte surtout de la contagion révolutionnaire, qui commence à se faire sentir en Europe centrale.

Les armées contre-révolutionnaires sont en fait très hétérogènes ; elles regroupent d'abord des débris de l'armée russe, puis se gonflent de tous les mécontents : une partie de la bourgeoisie, *koulaks*, paysans moyens ou petits que heurtent, outre les réquisitions, les tentatives successives du régime pour briser l'individualisme agraire. Dans les villes elles-mêmes, en général fidèles aux bolcheviques, les conditions d'existence sont épouvantables : le ravitaillement, du fait de l'insécurité des campagnes et en raison de l'arrêt des transports, se fait de plus en plus rare ; une inflation gigantesque s'amorce, qui entraîne la généralisation du système du troc ; la famine, jointe à l'absence d'hygiène, provoque des épidémies qui doublent le taux de mortalité d'avant-guerre, tandis que la natalité s'effondre. On a calculé qu'en trois ans (1918-1920) sept millions et demi de personnes étaient mortes de froid, de faim, ou de maladie. Les dramatiques conditions de vie ont pour conséquence le dépeuplement des villes : en 1920, elles comptent huit millions d'habitants de moins qu'en 1914, soit 30 pour cent de recul. Ce phénomène est d'autant plus grave que c'est le prolétariat, unique appui du nouveau régime, qui s'affaiblit. Sur les trois millions d'ouvriers d'industrie du début de l'année 1917, il n'en reste plus que 1 200 000 en janvier 1921 : les uns ont été affectés par le parti à des tâches politiques ; beaucoup (un million peut-être) ont été absorbés par l'Armée rouge ; de nombreux autres enfin ont préféré à l'anarchie qui régnait dans les usines et aux salaires infimes qui leur étaient octroyés, une réinsertion dans la vie rurale que pouvait favoriser le mouvement de redistribution des terres.

Pour faire face à cette situation catastrophique, le gouvernement bolchevique adopta un ensemble de mesures de réorganisation de l'économie que l'on désigne par l'expression de « communisme de guerre » : décisions de circonstance, où l'idéologie socialiste s'efface souvent devant la nécessité d'assurer la survie du régime.

Dans le domaine de l'industrie, le gouvernement rapporte nombre de décisions prises depuis novembre 1917 : le contrôle ouvrier est abandonné ; la nationalisation, théoriquement appliquée à partir d'un seuil de cinq employés (novembre 1920), ne touche que les entreprises d'intérêt public ; les spécialistes « bourgeois », souvent étrangers, sont attirés par des salaires élevés. Dans le même temps, de gros efforts tendent à augmenter le rendement et la productivité. On utilise la persuasion : des travailleurs acceptent de faire plusieurs heures supplémentaires gratuites par semaine, tels les cheminots de la ligne Moscou-Kazan à partir de mai 1919 ; des mesures d'incitation au travail sont adoptées, comme l'introduction du travail aux pièces et des méthodes de rationalisation américaines. La contrainte surtout est employée : heures supplémentaires obligatoires, amendes et lourdes sanctions frappant les absentéistes, menace de renvoi à la moindre défaillance.

L'aristocratie ne s'engage pas dans la guerre civile : elle a déjà gagné l'étranger ou se terre dans les villes.

— les difficultés des villes

La population de Petrograd subit une chute brutale, passant de deux millions à 600 000 habitants, et si celle de Moscou subit une réduction moindre, tombant de un million et demi à 900 000, elle le doit à l'apport des services administratifs et politiques transférés dans la nouvelle capitale

Le communisme de guerre :

— dans l'industrie

« L'héroïsme d'un travail organisateur, continu et assidu dans tout l'État, est infiniment plus difficile qu'un héroïsme d'insurrection » (Lénine).

Pour assurer le ravitaillement des centres urbains, il fallait vaincre la mauvaise volonté des *koulaks*, qui stockaient le blé ou le vendaient au marché noir à des prix très élevés, et il convenait de surmonter la résistance passive à peu près générale des petits et moyens paysans, qui préféraient réduire leur production plutôt que l'abandonner à ceux qu'ils considéraient comme des exploiteurs. Les bolcheviques utilisèrent deux séries de méthodes complémentaires : d'une part, constitution de comités de paysans pauvres, qui devaient lutter contre les *koulaks* et assurer le ramassage des grains ; d'autre part, organisation de détachements, de vingt ou trente ouvriers chacun, chargés de réquisitionner le blé dans les campagnes. Ces mesures furent dans l'ensemble couronnées de succès, mais il fallut bien se rendre à l'évidence : toutes les tentatives effectuées dans le sens d'une collectivisation des terres s'étaient brisées sur un individualisme agraire puissamment enraciné. Consacrant le rôle primordial des petites exploitations, le décret du 30 avril 1920 garantit qu'aucune nouvelle répartition des terres ne sera opérée au cours des deux décennies à venir.

Si le bilan économique de la période du « communisme de guerre » se soldait par un passif assez lourd, la terreur économique avait permis de faire face à la contre-révolution. Sur le plan politique, le régime s'était durci avec le renforcement des oppositions, surtout celle des socialistes révolutionnaires (S. R.) qui, disposant de l'appui d'une grande partie de la paysannerie, combattaient la politique agraire des bolcheviques. Une vague de terreur s'abattit sur le pays à l'été 1918, attentats, arrestations, assassinats se multiplièrent ; mais la *Tchéka*, police politique qui venait de se créer sur le modèle de l'*Okhrana* tsariste, mit assez vite fin à ce climat de violence et d'anarchie.

La constitution de 1918

La constitution de la République fédérative des Soviets de Russie (R. S. F. R.), qui devait être imitée dans les autres républiques soviétiques, avait enfin, en juillet 1918, posé les bases politiques du nouveau régime. Une « Déclaration des droits du peuple exploité et travailleur » définissait d'abord l'idéal de ce dernier : « Abolir l'exploitation de l'homme par l'homme et instituer le socialisme qui ne connaîtra ni classes sociales ni Etat ». Le suffrage universel était proclamé, mais en étaient exclus les membres du clergé, les anciens policiers et fonctionnaires impériaux, ceux qui « exploitaient le travail d'autrui » (notion ambiguë et très extensible). Les élections s'effectuaient à main levée, selon un système de désignation indirecte avantageant nettement les ouvriers (un député pour 25 000 habitants dans les villes) au détriment des campagnes (un pour 125 000). Toutes ces précautions visaient à prévenir un retour des partisans de l'ancien régime et faisaient apparaître la constitution de 1918 comme une œuvre de transition. La hiérarchie des responsabilités était la suivante : le Congrès panrusse des soviets, constitué par les représentants des soviets locaux, désignait un comité exécutif de deux cents membres, responsable devant lui, qui nommait à son tour le Conseil des commissaires du peuple, lequel exerçait le pouvoir exécutif.

En 1921, les bolcheviques étaient donc victorieux. Les principaux facteurs de cette victoire avaient été la mésentente entre les contre-révolutionnaires, le soutien accordé aux rouges par les masses paysannes qui appréhendaient le retour des grands propriétaires, les exactions des blancs, ainsi que la vigoureuse organisation de l'Armée rouge par Trotski, alors commissaire à la Guerre. Mais de la guerre étrangère comme de la guerre civile, le bilan semblait effroyablement lourd : douze millions et demi de personnes avaient disparu dans la tourmente, soit 8 pour cent de la population russe de 1913 ; les villes s'étaient dépeuplées, on comptait moins d'ouvriers qu'en 1880. La Russie était revenue un demi-siècle en arrière.

La Russie exsangue

Le bilan des pertes humaines apparaît ainsi guerre étrangère : quatre millions de personnes ;
guerre civile : un million ;
victimes civiles : sept millions et demi.

III POUR APPROFONDIR CE CHAPITRE

La révolution de 1917 peut être étudiée à travers : F.X. COQUIN, *La Révolution russe*, Paris, P. U. F., 1962, 126 p., coll. « Que sais-je ? » ; — M. FERRO, *La Révolution de 1917*, tome I *La chute du tsarisme et les origines d'Octobre*, Paris, Aubier-Montaigne, 1967, 606 p. ; — C. O. CARBONNELL, *Le Grand Octobre russe*, Paris, Ed. du Centurion, 1967. On n'oubliera pas le célèbre récit du journaliste marxiste américain J. REED, *Dix jours qui ébranlèrent le monde*, Paris, Union générale d'éditions, 1963 (rééd.), 378 p., coll. 10/18.

L'histoire générale de l'U.R.S.S. sera abordée au moyen de divers ouvrages de H. CARRERE d'ENCAUSSE, notamment *l'Union soviétique de Lénine à Staline, 1917-1953*, Ed. Richelieu, 1972, 446 p., et *Lénine*, Flammarion, 1979, coll. Champs, 297 p. Voir aussi J. ELLEINSTEIN, *Histoire de l'U.R.S.S.*, t.1, *La Conquête du pouvoir (1917-1921)*, Ed. sociales, 1973 ; et J.P. NETTL, *Bilan de l'U.R.S.S., 1917 - 1967*, Ed. du Seuil, 1967, 323 p.

On ajoutera : — une étude sociale : P. SORLIN, *La Société soviétique, 1917-1967*, Paris, A. Colin, 1967, 282 p., coll. « U » ; — une étude politique : P. BROUÉ, *Le Parti bolchevique*, Paris, Les Editions de Minuit, 1963, 628 p. ; — une biographie : J. BRUHAT, *Lénine*, Paris, Club français du livre, 1960, 386 p.

CHAPITRE VII

La France
de 1919 à 1931

Au lendemain de la guerre, la France était exsangue. Il lui fallut d'abord consacrer plusieurs années à sa reconstruction (1919-1924) ; après quoi, une conjoncture favorable et d'heureuses transformations structurelles assurèrent à son économie une vive croissance jusqu'en 1930-1931. Nous nous attacherons en premier lieu à cet aspect fondamental de la période, avant de procéder à l'étude des grandes phases de la vie politique.

Plus que pour les autres chapitres, nous supposons connue la trame des événements politiques. On se reportera au besoin à un manuel de l'enseignement secondaire.

I LA VIE ÉCONOMIQUE ET SOCIALE

**LE PRIX
DE LA VICTOIRE**

Bien avant la guerre mondiale, la France avait pris un retard économique considérable par rapport au Royaume-Uni et surtout à l'Allemagne. Certes, en 1919, elle est victorieuse, mais c'est elle qui, de tous les belligérants, a subi les pertes humaines et matérielles les plus lourdes.

Le bilan humain :
— tués au feu et disparus plus de 1 310 000 ;
— pertes de la population civile 200 000
— pertes résultant de la baisse de natalité : 1 400 000.
Total : plus de 2 910 000 vies humaines en moins.
En outre, on dénombrait 2 800 000 blessés, dont 600 000 invalides ; 630 000 veuves et 750 000 orphelins

Le bilan humain est terrible : sur 1000 hommes actifs, 105 sont morts ou disparus — contre 98 pour l'Allemagne — ; en tout, près de trois millions de vies humaines en moins. La ponction est encore plus importante du point de vue qualitatif : forte proportion de jeunes hommes tués, d'enfants qui ne sont pas nés, tribut plus sévère payé par les cadres, officiers, élèves et anciens élèves des grandes écoles, universitaires, etc. Au total, un vieillissement accusé d'une population dont la caractéristique essentielle était déjà d'être vieille.

Le bilan matériel

Le bilan matériel n'est pas moins lourd ; il faut évoquer :
— Les pertes subies du fait des combats ou de l'occupation : plus de 6 000 édifices publics, plus de 200 000 maisons et 20 000 usines détruits ; 5 000 km de voies ferrées, 53 000 km de routes (c'est-à-dire la moitié de notre réseau routier) hors d'usage ; la production de blé des régions dévastées diminuée des deux tiers par rapport à 1913. L'industrie a énormément souffert : les mines ont été inondées et les usines détruites par l'armée allemande en retraite. Les Allemands ont en outre prélevé beaucoup de richesses, par exemple plus de 800 000 bovins, près de 900 000 ovins et caprins.

— L'usure et la dégradation du patrimoine productif (usines, biens de production divers) peu ou pas entretenu. La capacité de production française est, toute destruction mise à part, nettement inférieure à celle de l'avant-guerre.

— Le déficit financier, beaucoup plus grave encore que la situation économique : la France s'était endettée de 32 milliards de francs-or envers l'étranger (dont 90 pour cent, aux Etats-Unis), tandis qu'elle rapatriait la moitié de son portefeuille extérieur et qu'elle subissait la perte de ses créances sur la Russie tsariste. L'Etat s'était surtout endetté à l'égard des particuliers : plus de 150 milliards, contre 33 en 1914. Comptant sur les réparations, il avait en outre décidé de prendre à son compte des charges considérables : financement de la reconstruction, versement de pensions aux deux millions et demi de victimes civiles et militaires. La France se trouvait dépendre, d'une part, de l'Allemagne pour le règlement des réparations et, d'autre part, des Alliés pour obtenir le versement de ces réparations, lui faciliter le remboursement de ses dettes, et l'aider dans sa reconstruction économique.

Tout n'apparaît cependant pas négatif dans le bilan de 1919 :

— La France recouvre l'Alsace-Lorraine, avec ses riches gisements de potasse, de minerai de fer et de charbon ; elle obtient, pour une durée de quinze ans, l'exploitation des mines de la Sarre ; elle se voit confier l'administration de la plus grande partie du Togo et du Cameroun (ôtés à l'Allemagne), et de la Syrie (enlevée à la Turquie).

— L'Allemagne a commencé à effectuer des livraisons en nature : bateaux, matériel de chemin de fer (et la France peut utiliser librement les brevets allemands et naviguer sur les eaux du Rhin) ; l'on attend en outre des réparations en argent.

— La guerre n'a pas laissé de susciter un renouvellement et un effort de modernisation dans les entreprises reconstruites (par exemple dans les usines du Nord) ; elle a joué « un rôle d'accélérateur » (A. Sauvy), entraîné une augmentation de la productivité dans les campagnes, provoqué les progrès de la radio, de l'aviation, ... et de la chirurgie. Elle a fait naître un état d'esprit d'émancipation générale : le brassage social des combattants, devenus des « anciens combattants » (« unis comme au front »), a un temps rapproché les classes sociales ; tandis que les femmes, investies de la fonction de chefs de famille, obligées pour beaucoup de travailler (on se rappelle la forte proportion de femmes dans les usines pendant la guerre), ont été les principales bénéficiaires d'un affranchissement qui se manifeste, par exemple, dans l'allure générale (cheveux courts, mode de la « garçonne ») ou le comportement moral (augmentation du nombre des divorces, revendication de l'indépendance à l'égard du mari).

Finalement la France se trouve secouée par de « violents courants en sens contraire » : tendance au repli sur soi, au malthusianisme économique, peur du progrès ; mais en même temps, attrait de l'avenir et désir de renouveau.

La **dette publique** était, pour la moitié du total, une dette à court terme ; de là le danger qui planait sur les finances publiques et l'importance du phénomène de la « confiance » — d'autant que la France avait, tout comme l'Allemagne, financé la guerre surtout par l'inflation : l'émission de papier-monnaie avait fait tomber la couverture (or et devises) de 70 pour cent à 21 pour cent.

La Garçonne, roman de Victor Margueritte paru en 1922, connut un formidable succès de librairie. Il met en scène une jeune fille d'origine bourgeoise, qui s'habille et se coiffe court, danse et fait du sport, et dont l'esprit d'indépendance la pousse au refus du mariage et à la libre maternité. L'ouvrage fit scandale et suscita de très violentes polémiques ; l'auteur fut même radié de l'ordre de la Légion d'honneur.

LE PROBLÈME DÉMOGRAPHIQUE

Population de la France (en millions d'habitants) :
1911 : 39,6 (dont 1,160 d'étrangers) ;
1921 : 39,2 (dont 1,550) ;
1931 : 41,8 (dont 2,9).

Les causes du déclin démographique

Taux de mortalité (pour 1 000 habitants)
1906-1910 (moy.) 19,1
1920 17,5
1936 15,0

Espérance de vie en 1939 :
France . . . . 54 ans
Angleterre . . . . 58 ans
Allemagne . . . . 60 ans

Taux de natalité (pour 1 000 habitants)
1906-1910 (moy.) 20,2
1921-1925 18,5
1936-1939 14,7

Le déclin des familles nombreuses :
en 1931,
    15 % des ménages sont sans enfant,
    26,5 % ont un enfant,
    23,5 % ont deux enfants.

Familles de 3 enfants et plus :
1911 . . . . 33 %
1936 . . . . 10 %

Les conséquences

La population active

La situation démographique, qui, entre autres facteurs, conditionne directement la production, est d'une importance essentielle pour l'économie. La France qui avait, déjà en 1919, un énorme handicap à combler, connaît entre les deux guerres une évolution défavorable : si l'on défalque les 1 700 000 Alsaciens-Lorrains recouvrés et les 1 740 000 étrangers nouveaux immigrés, l'on constate, entre 1911 et 1931, une régression démographique qui est liée à une trop forte mortalité et à une crise de « dénatalité ».

La diminution de la mortalité due aux progrès de la médecine et de l'hygiène, ainsi qu'à l'amélioration des conditions de travail et de l'alimentation, reste beaucoup trop lente par rapport aux autres pays : le vieillissement de la population, la médiocre amélioration des conditions de logement, l'acoolisme aussi, en sont responsables.

Or la natalité restait en régression. Il y eut certes dans l'immédiat après-guerre un phénomène de compensation : mariages et naissances furent plus nombreux qu'avant-guerre, mais ils reculèrent ensuite progressivement (788 000 naissances en 1911, 833 000 en 1920, 618 000 en moyenne dans les années 1936-1939). Les causes occasionnelles (la forte proportion de jeunes hommes tués) jouent moins que des traits plus profonds de la société française et que des « phénomènes de civilisation » : attrait du confort et de la facilité, malthusianisme démographique et économique, déclin du sentiment religieux, émancipation de la femme. Cette « dénatalité » entraîne un recul des familles nombreuses, essentielles à la vitalité du pays.

La France devient ainsi un « pays de vieillards », où le gain annuel de population se réduit à quelques dizaines de milliers de personnes, obtenu d'ailleurs par l'accroissement de la longévité et surtout par l'importance de l'immigration : le maximum du nombre d'étrangers est atteint au recensement de 1931 (2 900 000, contre 1 550 000 en 1921 et 1 160 000 en 1911). Ce vieillissement a des répercussions profondes au point de vue économique : l'esprit d'initiative, la volonté de modernisation s'émoussent ; une mentalité de rentiers tend à imprégner la société, tandis que des charges accrues (du fait de l'entretien des personnes âgées) pèsent sur un nombre plus restreint de contribuables.

Devant la gravité de la situation, l'Etat amorce une politique familiale : les lois de 1917 et 1918 faisaient déjà bénéficier tous les fonctionnaires des allocations familiales ; celles de 1921 et de 1923 étendent l'aide publique aux familles de quatre enfants ayant des revenus modestes ; mais en 1925, 270 000 familles seulement touchaient des allocations familiales. Il faudra attendre 1932 pour que le système s'applique à tous les salariés, et 1939 pour qu'il se généralise à la population active.

L'évolution de la population active reste conforme aux données démographiques ; certes, en 1921, on dénombre 650 000 inactifs de moins qu'en 1913 et 115 000 actifs supplémentaires. C'est que « devant le désastre, les Français se sont mis en plus grand nombre au travail »

(A. Sauvy) ; mais en 1929, malgré le renfort des trois départements recouvrés, la population active est retombée à son niveau d'avant-guerre (alors que dans le même temps elle connaissait un accroissement de 15 pour cent au Royaume-Uni et de 12 pour cent en Allemagne). Le vieillissement de la population et la fin de la « suractivité » du temps de guerre en sont au premier chef responsables, mais il faut évoquer aussi l'allongement de fait de la scolarité et « la tendance à réduire l'activité dans les âges élevés ». L'évolution de la population active comporte cependant quelques traits positifs : un taux d'activité masculine qui, aux âges de pleine activité, correspond au plein emploi (0,98 en 1929) ; la réduction d'une domesticité qui apparaît comme « un signe non équivoque de sous-emploi » (A. Sauvy) ; un exode rural qui touche surtout les petits exploitants et les salariés agricoles — la France cesse d'être un pays à prédominance rurale, le renversement s'effectuant entre les recensements de 1926 et 1931.

La répartition de la population active par grandes catégories socio-professionnelles connaît surtout de profondes mutations. Entre 1906 (car le recensement de 1911 n'est pas utilisable de ce point de vue) et 1931, elles se traduisent dans le tableau suivant (en milliers d'emplois) :

	1906	1931	Variation
Agriculture, forêt, pêche	8 386	6 792	− 1 594
Industrie et transport ..	7 225	8 464	+ 1 239
Commerce	2 069	2 795	+ 726
Professions libérales ...	483	658	+ 175
Armée	594	410	− 184
Services publics	549	787	+ 238
Services domestiques ..	946	794	− 152
Total	20 252	20 700	+ 448

(d'après A. Sauvy, *Histoire économique de la France entre les deux guerres*, tome 1, p. 215).

La répartition socio-professionnelle des Français se marque également au cours des années 1920, par une nette progression du salariat (ouvriers et employés) aux dépens de la petite entreprise et de l'artisanat, ainsi qu'il ressort du tableau ci-dessous, qui donne la répartition de 10 000 hommes actifs à diverses dates : (d'après A. Sauvy).

	1913	1921	1931
Chefs d'établissement .	2 844	2 709	2 547
Petits patrons isolés ...	940	788	789
Employés	972	1 118	1 163
Ouvriers	4 497	4 676	4 886
Salariés à domicile	169	124	119
Salariés sans emploi fixe	442	330	265
Sans emploi	136	255	231
Total	10 000	10 000	10 000

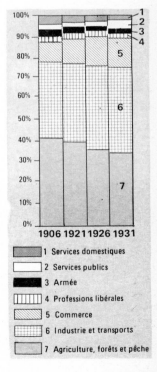

Population française

	totale (millions d'hab)	urbaine (pourcentage du total)	rurale
1911	39.6	44.2	55.8
1921	39.2	46.4	53.6
1926	40.7	49.1	50.9
1931	41.8	51.2	48.8
1936	41.9	52.4	47.6

D'après J. Néré, *La Troisième République, 1914-1940* (p. 85)

— la répartition socio-professionnelle

1 Services domestiques
2 Services publics
3 Armée
4 Professions libérales
5 Commerce
6 Industrie et transports
7 Agriculture, forêts et pêche

Évolution de la structure socio-professionnelle, d'après A. Sauvy, *op. cit.*, p. 217

Signalons enfin que si le taux d'activité des jeunes a tendance à décroître (pour les garçons de 13 et 14 ans, ce taux est de 53,2 en 1931, contre 65,5 en 1906), on ne se rend pas encore compte que l'on néglige, avec l'instruction, « l'investissement humain le plus rentable de tous ». Quant aux femmes, contrairement à une opinion répandue, leur proportion dans la population active, après une pointe en 1921, diminue sensiblement : le nombre de femmes actives pour 1 000 hommes est de 563 en 1911, 575 en 1921, 510 en 1931 ; l'illusion vient de ce qu'un plus grand nombre de femmes travaillent désormais dans les bureaux ou accèdent aux professions libérales, mais la proportion de celles qui travaillent en usine, dans l'agriculture ou à domicile a tendance à décroître.

LES TRAITS GÉNÉRAUX DE LA CROISSANCE :
– du point de vue structurel

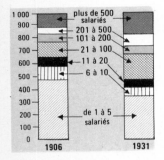

Répartition de 1 000 salariés, en 1906 et 1931, selon l'importance des entreprises, d'après A. Sauvy, *op. cit.*, p. 232

– du point de vue de la conjoncture

L'évolution de l'économie de 1919 à 1931 est d'abord fonction des transformations des structures. Du point de vue financier, l'épargne tarde à se reconstituer, du fait de l'inflation, qui incite à acheter des produits de consommation, et de l'Etat, qui la draine systématiquement au profit d'emprunts publics, peu profitables à la vie économique. Le cadre protectionniste, qui reste assez rigide jusqu'en 1927, se relâche ensuite quelque peu jusqu'en 1931, mais la protection est inégale selon les secteurs : faible pour l'agriculture (ce qui entraîne une baisse de prix de ses produits), plus forte qu'avant-guerre au contraire pour l'industrie, dont l'incitation à la productivité reste donc médiocre. Dans le domaine industriel, on assiste cependant à un certain mouvement de concentration. Concentration géographique de l'industrie dans la région parisienne, dans le Nord et le Nord-Est, ainsi que dans le Midi méditerranéen. Concentration technique également : à côté d'une progression numérique des entreprises familiales n'occupant aucun salarié, on constate une réduction du nombre des petits établissements occupant de un à cinq salariés ; mais le mouvement, qui touche surtout les mines et la métallurgie, les industries textiles et chimiques, reste inégal et relativement faible dans l'ensemble.

La période 1919-1931 est marquée par une conjoncture favorable à l'expansion économique. La crise mondiale de 1920-1921 touche peu une France tout entière consacrée à sa reconstruction, et la croissance se poursuit à un rythme rapide jusqu'en 1926. A cette date, l'industrie dépasse de 20 pour cent son niveau de 1913 ; c'est que l'inflation constitue un puissant stimulant pour la consommation, et la dévalorisation de la monnaie un adjuvant incontestable pour les exportations. Ce n'est donc pas un paradoxe qu'à la période de graves difficultés monétaires que connaît le pays sous le Cartel des gauches, corresponde une phase de vive croissance économique. La politique de déflation entreprise par Poincaré en 1926-1928 entraîne ensuite un léger ralentissement de l'économie, après quoi celle-ci marque une vigoureuse reprise (en 1930, l'industrie dépasse de 40 pour cent son niveau de 1924). Mais des points noirs subsistent ; l'agriculture surtout, malgré la reconstitution du patrimoine agricole (menée à bien en 1925) et une modernisation des méthodes et des équipements, se débat dans des difficultés inextricables : les rendements restent inférieurs à ceux de la plupart des pays d'Europe occidentale, en raison d'un « sous-emploi des terres, combiné avec un sous-emploi des hommes » (A. Sauvy), et elle ne parvient pas à remédier aux effets de l'effondrement de ses prix, que provoque, avec la surproduction mondiale, une concurrence impitoyable.

Pour les transformations de l'industrie, on se reportera au chapitre IV (La vie économique du monde de 1919 à 1929)

II LES GRANDS PROBLÈMES DE LA VIE POLITIQUE (1919-1929)

1 La poussée syndicale et la naissance du Parti communiste

La guerre avait provoqué parmi les combattants un vigoureux brassage social et rapproché les classes et les idéologies. L'adhésion à l'« Union sacrée » pendant la majeure partie du conflit mondial avait renforcé chez beaucoup de militants socialistes et syndicaux la conviction qu'à la victoire, une nouvelle société plus juste et fraternelle ferait disparaître la cause de bien des luttes sociales de l'avant-guerre. Retour du front, il leur fallut rapidement déchanter ; les seules mesures adoptées en faveur de la classe ouvrière furent une loi sur les conventions collectives (25 mars 1919) et une loi limitant à huit heures sans diminution de salaire la journée de travail dans l'industrie. La poussée des effectifs syndicaux (la C. G. T. compte plus d'un million d'adhérents à la fin de 1919, contre 400 000 avant la guerre) renforça la combativité ouvrière, et l'on assista à des séries de grandes manifestations et de grèves, dont l'ampleur fit croire à beaucoup d'ouvriers et à un certain nombre de **bourgeois que la révolution était aux portes. Après les grèves de mai-juin 1919, le mouvement culmina en mai 1920 : le fer de lance en fut la Fédération des cheminots qui, en février-mars de cette même** année, avait soutenu des grèves de protestation contre des révocations sur le réseau du P. L. M. Au soir du 1er mai 1920, où la démonstration syndicale avait revêtu une ampleur inégalée, la Fédération, forte de ses 374 000 adhérents, ordonna une grève générale illimitée pour imposer la nationalisation des chemins de fer. Le Comité confédéral de la C. G. T., pour appuyer les cheminots, lança des « vagues d'assaut » successives, sous forme de consignes de grève générale dans les autres branches d'industrie. Mais l'échec ne put être évité : le patronat et le gouvernement se préparaient depuis longtemps à l'épreuve de force. Les compagnies de chemins de fer, avec les agents non grévistes et le concours de retraités et de « volontaires » recrutés parmi les élèves des grandes écoles, purent faire marcher les trains. Le bilan fut lourd : chez

L'ÉCHEC DE LA RÉVOLUTION SYNDICALE

En juin 1919, de grandes grèves dans les usines métallurgiques de la région parisienne firent espérer à beaucoup de leurs ouvriers, faiblement syndicalisés et peu formés politiquement, que la révolution allait se déclencher.

mai 1920

Marcel Sembat au congrès de Tours (26 déc. 1920) : « J'ai peur qu'à bref délai des mouvements n'éclatent, que la bourgeoisie, au lieu de s'appliquer par des concessions à les calmer, voit venir avec une joie secrète (...) J'ai peur encore qu'en grande majorité les paysans ne soient plus soucieux de défendre les gros gains qu'on fait aujourd'hui en vendant le cochon et la volaille et que vous ne retrouviez demain contre vous aux élections leurs votes et dans la rue leurs fusils ! »

les cheminots, 18 000 révocations (c'est-à-dire 12 pour cent des grévistes, et 5 pour cent des membres de la corporation), et dans tout le monde ouvrier une immense déception. La situation, semblait-il, n'était pas révolutionnaire et la solution ne se trouvait pas du côté d'un syndicalisme altier, convaincu de la vertu de la grève générale et soucieux d'éviter toute compromission avec un socialisme jugé par trop réformiste.

LA SCISSION DU MOUVEMENT SOCIALISTE

Il y a certes des anciens qui reprennent leur carte, mais la plupart « n'ont pas fait la guerre et adhèrent au socialisme pour des raisons exactement opposées à celles de leurs aînés : parce qu'ils en ont assez des héros, assez des anciens combattants, assez des pieuses inaugurations des monuments aux morts » (Annie Kriegel : *Le Congrès de Tours*).

Le socialisme français et le bolchevisme

L'acceptation des conditions posées par le Comité exécutif de l'Internationale Communiste et la création du nouveau parti communiste (S F I C) furent votées par 3 247 mandats contre 1 398 et 143 abstentions

Le mouvement socialiste sortait lui-même de la guerre profondément transformé. « La première guerre mondiale, dit L.-O. Frossard, a ravagé le socialisme comme elle a ravagé le monde. » En ce qui concerne d'abord la composition du parti : la S. F. I. O., en 1919, a dépassé sensiblement son nombre d'adhérents de l'avant-guerre, 73 000 environ ; mais sur ceux-ci, près des trois quarts ont adhéré au cours de cette année 1919. La guerre a ensuite provoqué des changements de direction au sein du socialisme français ; au congrès de Paris (octobre 1918), l'ancienne majorité, qui avait soutenu jusqu'en septembre 1917 la formule de l'« Union sacrée », perd la direction du parti, dont Frossard devient Secrétaire général.

Le conflit mondial a surtout posé au mouvement socialiste le problème de l'adhésion à la révolution russe et à la Troisième Internationale, fondée par Lénine en mars 1919. Malgré un attrait général, voire une admiration certaine pour la première, des réserves ont retardé l'adhésion à la seconde : la paix séparée de Brest-Litovsk, conclue par les bolcheviques en un moment difficile pour la France (mars 1918), a choqué le patriotisme de nombre de socialistes. Mais, surtout, le bolchevisme apparaît comme bien éloigné des traditions du mouvement ouvrier français (socialisme démocratique et syndicalisme révolutionnaire). Aussi le courant bolchevisant du socialisme français, divisé en « ultra-gauche » et en « comité de la IIIe Internationale », resta-t-il minoritaire. Les bolcheviques eux-mêmes étaient indécis : convenait-il, dans le cadre d'une stratégie à court terme — celle de l'extension rapide de la révolution en Europe — de créer en France un parti communiste qui fût un noyau restreint mais sûr ? Fallait-il au contraire, avec l'idée que la révolution russe ne pourrait se propager rapidement en Occident, concevoir une stratégie à plus long terme et mettre sur pied un groupe plus large, même s'il devait être moins solide ? L'année 1920, avec ses retournements de situation, ne facilitait pas le choix des bolcheviques. C'est seulement à la mi-août, après l'échec de l'Armée rouge devant Varsovie, que la première stratégie apparut, avec le recul du temps, comme condamnée. Aussi les conversations menées à Moscou par Cachin et Frossard pendant l'été 1920 aboutirent-elles à un compromis, et le parti qui vit le jour à Tours à la Noël de la même année regroupat-il, à côté des partisans d'une adhésion inconditionnelle à la IIIe Internationale, la fraction gauche de la majorité « centriste » (Cachin, Frossard). Les bolcheviques avaient, il est vrai, pris leurs précautions, en imposant aux nouvelles sections de la IIIe Internationale l'acceptation des draconiennes « vingt et une conditions » et en excluant nommément du parti français des hommes comme Longuet et Paul Faure.

La fondation d'un parti communiste revêt en France plus d'importance en elle-même qu'en raison d'une influence immédiate dans la vie politique. Dès sa création en effet, et jusqu'en 1932, le P. C. F. connut une hémorragie ininterrompue de militants et d'électeurs, que provoquait, avec une épuration quasi permanente, un durcissement politique et idéologique marqué d'abord par le mouvement de la « bolchevisation » (1924), ensuite et surtout par l'adoption de la tactique « classe contre classe » (1928). Aussi la S. F. I. O. retrouva-t-elle rapidement dans la vie politique une place beaucoup plus large que ne l'auraient laissé supposer les votes du congrès de Tours ; de même, après la scission syndicale du début 1922, la C. G. T. U. (Confédération Générale du Travail Unitaire), d'obédience communiste, fut-elle loin d'égaler la puissance de la C. G. T. L'influence que le P. C. F. exerça sur la vie politique française au cours des années 1920-1932 fut, dans ces conditions, très indirecte ; sa présence sur le flanc gauche de la S. F. I. O. retint ce parti sur la voie d'une trop nette « collaboration de classe » et la concurrence qu'il pouvait représenter contribua au refus de la « vieille maison » d'accorder sa participation aux gouvernements du Cartel des gauches.

2 Autour de l'échec du Cartel des gauches (1924-1926)

L'échec de l'expérience du Cartel des gauches apparaît précisément comme très révélateur de l'incapacité de la gauche d'alors à poser correctement les problèmes économiques et financiers, dont l'irruption sur la scène, au lendemain de la guerre, bouleverse pourtant les données traditionnelles de la vie politique française. Cet échec doit se comprendre d'abord à la lumière de l'héritage financier laissé par le Bloc national.

Arrivé au pouvoir avec les élections législatives de novembre 1919, le Bloc national disposait à la Chambre d'une majorité trop spectaculaire (368 voix contre 195) pour ne pas assumer l'absolue responsabilité de sa gestion. Il est vrai qu'à un moment où l'Etat disposait de ressources amoindries (du fait des destructions entraînées par la guerre et du ralentissement général de l'activité économique), il devait faire face à des dépenses accrues. Le remboursement des dommages de guerre, mis à sa charge par la loi du 17 avril 1919, en attendant les réparations versées par l'Allemagne, allait obliger le Trésor à débourser, entre 1919 et 1926, une trentaine de milliards de francs-or. Par ailleurs, l'Etat devait assurer le versement des intérêts et l'amortissement de la dette extérieure et intérieure.

La fondation du parti communiste

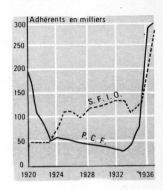

Les effectifs du Parti communiste français et de la S.F.I.O., d'après A. Kriegel, *Le Pain et les Roses*, p. 203

LE LEGS FINANCIER DU BLOC NATIONAL

La dette publique

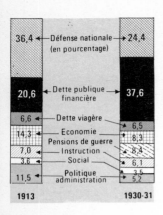

1913		1930-31
36,4	Défense nationale (en pourcentage)	24,4
20,6	Dette publique financière	37,6
6,6	Dette viagère	
14,3	Economie Pensions de guerre	6,5
7,0	Instruction	8,3
3,6	Social	8,4
11,5	Politique administration	6,1
		3,5
		5,2

Les dépenses publiques. Répartition en pourcentage, d'après A. Sauvy, *op. cit.*, p 371

Les remèdes

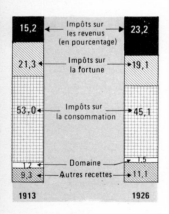

1913		1926
15,2	Impôts sur les revenus (en pourcentage)	23,2
21,3	Impôts sur la fortune	19,1
53,0	Impôts sur la consommation	45,1
1,2	Domaine	1,5
9,3	Autres recettes	11,1

Les recettes publiques. Répartition en pourcentage, d'après A. Sauvy, *op. cit.*, p 373

La dette extérieure, inexistante en 1914, se monte à un total de 35 milliards de francs-1913 (dont 18 dus aux Etats-Unis et 14 au Royaume-Uni). Contractée à court terme, elle ne peut être remboursée, dans l'esprit des hommes politiques et pour toute l'opinion publique, que par les versements de l'Allemagne effectués au titre des réparations ; de là l'acharnement de la France à vouloir lier les deux chapitres, ce que contestent absolument les Anglais et les Américains. Une solution sera finalement trouvée, en 1926, par l'accord « Mellon-Béranger » avec les Etats-Unis, puis par un protocole signé par Caillaux avec l'Angleterre : juridiquement, dettes extérieures de la France et réparations sont dissociées. Dans la pratique, les annuités que la France doit acquitter sont sensiblement inférieures à celles qui lui ont été accordées par le plan Dawes au titre des réparations.

La dette intérieure, elle, a bondi de 33 milliards en 1914 à 124 milliards en 1919, ce qui représente environ deux fois le revenu national. Sur cette somme, près de la moitié (56 milliards) étant contractée à court terme, le Trésor se trouve dépendre du renouvellement — lui-même fonction de la confiance du public — des bons de la Défense nationale et des bons du Trésor.

Devant ces difficultés, les gouvernements du Bloc national tentent un effort de redressement : compression des dépenses, surtout militaires ; pression fiscale accrue (par rapport au revenu national, celle-ci atteint 13 pour cent en moyenne au cours des années 1921-1924, contre 8,5 pour cent en 1913). Mais ce sont toujours les impôts sur la consommation — y compris la taxe sur le chiffre d'affaires, créée en 1920 — qui fournissent la majeure partie des recettes publiques ; l'impôt sur le revenu progresse insuffisamment, et l'on se garde d'instituer un prélèvement indistinct sur le capital ou un impôt sur les bénéfices de guerre. On préfère au contraire se lancer dans une politique d'emprunts, à long terme, il est vrai. Cette politique de facilité se comprend dans une certaine mesure si l'on songe aux privations endurées par la population pendant la guerre, et si l'on se rappelle que l'on comptait sur les réparations pour résoudre les difficultés. Le Bloc national engage donc la France sur une voie périlleuse pour l'avenir dont, par facilité, ne se départiront pas les gouvernements suivants. En 1930-1931, le pays consacrera ainsi « plus de la moitié de ses dépenses à régler les charges du passé et le quart à la guerre future ; il ne reste même pas un quart pour les dépenses normales d'administration, enseignement, économie, etc. » (A. Sauvy).

Par une ironie du hasard, c'est précisément au moment où le gouvernement Poincaré, après l'alerte du début de l'année 1924 (due à la forte montée des prix et à la dévalorisation du franc), se résout à faire voter des charges fiscales plus lourdes, mais équitables (le double décime est l'augmentation de 20 pour cent de tous les impôts directs), que l'opinion porte au pouvoir le Cartel des gauches.

Aux élections du 11 mai 1924, le déplacement des voix fut à vrai dire aussi peu spectaculaire qu'à celles du 16 novembre 1919 : la marge du Bloc national n'avait été que de 300 000 voix, son triomphe sur le plan parlementaire s'expliquant par la division de ses adversaires autant et plus que par les effets d'une loi électorale alliant, dans le cadre du scrutin de liste départemental, la représentation proportionnelle au système majoritaire. En 1924, l'alliance des radicaux-socialistes et des socialistes au sein du Cartel reste même minoritaire, atteignant un total de 4 270 000 suffrages contre 4 500 000 au Bloc national sortant ; mais ce sont les vertus du système majoritaire qui permettent à la première de l'emporter : 328 sièges (républicains de gauche et radicaux inclus) contre 226 aux conservateurs et au centre-droit, les communistes obtenant pour leur part 26 sièges. En fait, la majorité est loin d'être massive ; elle dépend des 41 membres de la gauche radicale, qui pour être politiquement au centre-gauche, sont partisans d'une politique financière traditionnelle. L'échec du Cartel est inscrit dans la configuration parlementaire de 1924. Le refus des socialistes de participer au gouvernement constitue également un lourd handicap pour Herriot : si l'équipe ministérielle en est plus homogène, elle s'en trouve incontestablement plus faible. Les socialistes, qui n'avaient pas contracté avec un enthousiasme démesuré leur étroite alliance électorale avec les radicaux, arguaient d'ailleurs de l'absence d'accord en matière de politique économique et financière.

L'échec du Cartel réside cependant davantage, semble-t-il, dans les contradictions internes du radicalisme, qui reflètent d'ailleurs bien celles de la majorité des Français. La clé du système politique français, rappelle André Siegfried en 1930, dans son *Tableau des partis en France*, c'est que « chez nous, l'esprit contre-révolutionnaire se reforme constamment, sous des formes chaque fois nouvelles (. . .). Notre démocratie est encore à se défendre, sur sa droite, contre un ancien régime, constamment rajeuni ou camouflé, qui ne désarme pas ». Contre cette réaction incarnée par l'Eglise, la noblesse et la haute bourgeoisie, se dresse une gauche qu'animent la petite et la moyenne bourgeoisie, renforcées par la paysannerie, l'artisanat et le monde ouvrier. Mais les radicaux, qui constituent l'émanation politique de cette bourgeoisie petite et moyenne, se trouvent tiraillés par deux attractions contradictoires : par leurs mœurs, par leur vision sociale, ils sont conservateurs (« le cœur à gauche, mais le portefeuille à droite ») ; mais leur mystique, la tradition de 1789, leur commande de n'avoir « pas d'ennemi à gauche ».

Dans ces conditions, après l'épisode Millerand, qui fit perdre un temps précieux au Cartel sans représenter pour autant la solution la plus constitutionnelle ni la plus efficace, le ministère Herriot, faute de pouvoir aborder de front le problème essentiel, qui était celui de la

Édouard **HERRIOT** (1872-1957), élève, de l'École normale supérieure, agrégé des lettres (1893), fut nommé professeur au lycée, puis à la faculté des lettres de Lyon Élu à la mairie de cette ville en 1906, il allait détenir ce poste pendant un demi-siècle Sénateur (1912-1919), puis député du Rhône (1919-1940), deux fois président du Conseil (14 juin 1924-10 avril 1925 et 19-21 juillet 1926), il fut longtemps le très estimé président de la Chambre des députés.

Les quatre grands thèmes sur lesquels le Cartel s'était regroupé portaient uniquement sur la laïcité, sur la politique extérieure (rapprochement avec le Royaume-Uni, politique plus souple à l'égard de l'Allemagne), sur les libertés et sur la défense de la propriété privée

Causes politiques
– le radicalisme

« Tout le programme économique du radicalisme consiste à majorer sous une auréole mystique une épithète, l'épithète *petit* : le petit agriculteur, la petite propriété, la petite épargne, les petits porteurs » (Albert Thibaudet, *La République des professeurs*, 1927).

– le gouvernement Herriot

chute du franc et de l'équilibre budgétaire, se préoccupa surtout de l'application de son programme de politique intérieure pure. Le ministre de l'Instruction publique, François Albert, mit l'accent sur une laïcité combative, et le gouvernement se prépara à supprimer l'ambassade au Vatican (que le Bloc national avait rétablie en 1920) et à introduire les lois laïques en Alsace-Lorraine (qui demeurait sous le régime concordataire). Outre qu'elles transformèrent en vigoureuse hostilité la réserve qui jusqu'alors avait caractérisé l'attitude de la droite à l'égard du gouvernement, ces mesures ne constituaient pas une politique ; non plus que le vote d'une amnistie ou le transfert des cendres de Jaurès au Panthéon.

Causes économiques et financières

L'étalon-or est un dogme si ancré qu'il « prime toute considération économique ( ) Un siècle de stabilité et de tenue des engagements a conféré au papier une valeur propre : trois générations ayant passé, les hommes ont fini par voir, dans le signe de la richesse, la richesse elle-même » (A. Sauvy)

Lorsqu'il s'agit de juger des responsabilités du Cartel dans son échec financier, on est porté à distinguer deux séries d'erreurs et d'incompréhensions : celles qui imprègnent toute l'opinion publique et le personnel politique dans son ensemble ; celles qui lui sont plus spécifiquement imputables. Au nombre des premières, on rangera une méconnaissance complète des mécanismes financiers (dont Herriot se faisait d'ailleurs une gloire) ; on entretient le culte de l'étalon-or ; on saisit mal le phénomène de l'inflation, que l'on confond avec ses effets : la circulation fiduciaire, ou le montant des avances de la Banque de France à l'État (qui ne doit pas dépasser le fameux « plafond », fixé à 41 milliards de francs par loi du 31 décembre 1923). La traditionnelle indiscipline budgétaire des assemblées a également contribué à l'échec financier du Cartel ; les commissions de la Chambre, surtout la commission des finances, agissent comme de véritables contre-gouvernements, car les ministres passent, mais les rapporteurs restent ; le budget que la Chambre discute chaque année n'est jamais celui qu'a établi le gouvernement, mais « celui que, dans sa dictature, la commission des finances a refait à son gré » (A. Tardieu, *Le Souverain captif*), et celui que des dizaines, voire des centaines d'amendements ont transformé, en fonction d'initiatives démagogiques ou de considérations locales. Au total, rien de propice à la mise en œuvre d'une politique cohérente.

En revanche, la responsabilité des dirigeants radicaux est directement engagée lorsqu'ils se laissent aller à proférer « des incantations rituelles, propres à soulager le cœur plus qu'à résoudre le problème » (A. Sauvy). Ainsi, à propos de l'impôt sur la richesse acquise évoqué sous le ministère Herriot : « Proférer des imprécations contre le capital, sans pour autant prendre aucune mesure contre lui, est à coup sûr l'attitude la moins opportune » (A. Sauvy) : elle provoque directement la fuite des capitaux. De même, pendant le ministère Painlevé, on parle périodiquement de consolidation des bons du Trésor et de la Défense nationale, mais sans tenter la moindre action en ce sens : nul doute que les porteurs de bons aient été dès lors enclins à expatrier leurs capitaux, en tout cas à ne pas renouveler des bons qui risquaient d'être convertis du jour au lendemain en créances à long terme portant un intérêt moindre ; le « plébiscite quotidien des porteurs de bons » ne pouvait être que franchement négatif.

L'histoire du Cartel, dans ces conditions, n'est qu'« une série de périodes qui se succèdent à la façon des états d'une maladie » (A. Siegfried) : de juin 1924 à avril 1925, ce sont les faciles « gestes symboliques » du Cartel triomphant, avec la dissociation du politique et de l'économique ; d'avril 1925 à juin 1926, le Cartel « cherche en vain à mettre sur pied une politique financière qui soit conforme à sa doctrine et cependant propre à répondre aux graves nécessités de l'heure ; (. . .) quand enfin, lassés de repêcher des cabinets de gauche que la gauche abandonne, les modérés eux-mêmes finissent par ne plus répondre aux appels du gouvernement, c'est le gâchis total » (A. Siegfried).

3 Les modérés au pouvoir (1926-1932)

Bien des facteurs permettent de rendre compte de la rapidité avec laquelle fut constitué le ministère Poincaré, de sa force, de sa longévité. On a invoqué avec raison les qualités de l'homme et du politique, l'attitude prudente du président du Conseil de 1924, contre lequel cependant les coups les plus vifs avaient été portés par le Cartel, sa réserve lorsque ce dernier, parvenu au pouvoir, se montra incapable de maîtriser les difficultés financières ; on peut avancer à coup sûr également la lassitude de l'opinion et même des milieux politiques devant la crise, qui permit à Poincaré de constituer en deux jours un cabinet comportant seulement treize ministres. Poincaré s'était attaché le concours de cinq anciens présidents du Conseil (Barthou, Briand, Painlevé, G. Leygues, Herriot) et de trois personnalités qui le deviendront (Albert Sarraut, Tardieu, Queuille). Mais le problème est précisément de comprendre pourquoi, à côté d'une droite toute acquise, les chefs du Cartel, Herriot, Painlevé, apportent leur participation à Poincaré. Le goût du pouvoir ne joue plus à ce stade et les débats de conscience que décrira Herriot dans son livre de souvenirs (*Jadis*) semblent marqués d'une incontestable sincérité. La clé de l'énigme, comme l'a bien vu André Siegfried, réside dans la personnalité politique de Poincaré, qui réalise en sa personne même la meilleure combinaison parlementaire possible dans le régime d'alors, un gouvernement qui n'inquiète pas les intérêts, mais qui est animé d'une mystique démocratique. Car Poincaré rassure aussi la gauche : c'est un laïque, c'est un de ces progressistes qui, en 1899, en pleine agitation nationaliste consécutive à l'affaire Dreyfus, se sont ralliés à Waldeck-Rousseau et ont choisi la République et la gauche. Ses successeurs n'auront pas, comme lui, la chance d'avoir accédé aux responsabilités politiques avant la grave déchirure de l'Affaire . . .

La force du cabinet Poincaré

Ce nombre restreint de treize ministres était un signe de force, surtout dans l'optique parlementaire : un ministère nombreux, bien dosé, permettait de neutraliser un plus grand nombre de députés.

1926-1932 : Une phase de bon fonctionnement du régime parlementaire

— les crises ministérielles

On peut considérer, avec François Goguel, que la période 1926-1932 a été une phase de bon fonctionnement du régime parlementaire et de relative stabilité politique ; et ce, malgré la succession de onze cabinets ! Pendant six ans en effet, il y a eu une majorité cohérente et disciplinée à la Chambre ; l'étude des crises ministérielles va nous faire pénétrer au cœur du système parlementaire.

Chronologiquement, la situation se présente ainsi :

4e cabinet Poincaré : 23 juillet 1926-6 novembre 1928
5e cabinet Poincaré : 11 novembre 1928-27 juillet 1929
11e cabinet Briand : 29 juillet-3 novembre 1929
1er cabinet Tardieu : 3 novembre 1929-17 février 1930
1er cabinet Chautemps : 21 février-25 février 1930
2e cabinet Tardieu : 2 mars-4 décembre 1930
1er cabinet Steeg : 13 décembre 1930-22 janvier 1931
1er cabinet Laval : 27 janvier-13 juin 1931
2e et 3e cabinets Laval : 13 juin 1931-16 février 1932
3e cabinet Tardieu : 20 février-10 mai 1932

Dans cette liste, nous trouvons d'abord trace de crises ministérielles de pure forme ; le passage du premier au deuxième cabinet Laval a été provoqué par l'élection du président de la République, Paul Doumer, auquel, selon la coutume constitutionnelle, le président du Conseil a présenté la démission de son ministère, avant d'être chargé d'en constituer un nouveau, qui fut en fait le même. Presque semblable est la transition entre le deuxième et le troisième cabinet Laval : mis en minorité par le Sénat sur la question du scrutin uninominal à un tour (qui aurait nettement favorisé la droite), Laval reconduit son ministère. C'est un remaniement à signification politique auquel procède au contraire Poincaré à l'automne 1928 : sous la pression de leurs adhérents les députés radicaux ont contraint leurs ministres à la démission et se sont rejetés dans l'opposition (congrès d'Angers).

Deux autres crises se révèlent à l'analyse purement formelles. D'abord le premier cabinet Chautemps, renversé par la Chambre le jour même de sa présentation, à la suite d'une habile manœuvre politique du président de la République : après la chute de Tardieu, tombé sur une question secondaire en raison d'une maladresse de son ministre des Finances Henry Chéron, Doumergue, pour bien clarifier la situation, veut faire la preuve qu'un ministère cartelliste est impossible ; ce genre de manœuvres est chose courante dans l'entre-deux-guerres. La même opération se reproduit avec le sénateur radical Steeg : le vote de confiance émis en sa faveur par la Chambre n'était absolument pas attendu ; la majorité modérée se ressaisit au bout de cinq semaines et évince ce cabinet soutenu par les socialistes.

Il faut également ici mettre en lumière le rôle du Sénat. La haute assemblée, formée d'une majorité de radicaux et de modérés du centre-droit, a pour doctrine politique et pour maître-mot la conjonction des centres ; pour elle, un cabinet axé à droite est aussi mauvais pour la

République qu'un cabinet de type cartelliste. Aussi, quand, en décembre 1930, elle trouve que décidément on s'oriente trop à droite, se résout-elle à renverser Tardieu. L'échec qu'elle inflige à Laval (2e-3e cabinets Laval) reflète la même intention : la modification du système électoral demandée par le président du Conseil eût assuré le triomphe des forces de droite à la Chambre. En fait, si l'on prend en considération qu'après l'intermède Chautemps, Tardieu se succède à lui-même, puis, qu'après l'épisode Steeg, Laval recueille sa succession pour une suite de trois ministères interrompus par de simples péripéties ; et si, se rappelant l'intimité des deux hommes, dont l'un était la plupart du temps le ministre des Affaires étrangères de l'autre, l'on convient que le tandem Tardieu-Laval a constitué en réalité un seul gouvernement, il apparaît évident que la période 1926-1932 a été une phase particulièrement faste pour la stabilité gouvernementale, avec deux temps forts : Poincaré et Tardieu-Laval, séparés par le gouvernement de transition animé par Briand. Le régime parlementaire apparaît donc, non pas comme une conjonction d'incohérences, mais comme un jeu tout en finesse. Encore faut-il que les problèmes vitaux qui se posent au pays trouvent leur solution. Ce ne devait pas être le cas après 1932, quand une majorité cartelliste traversée de courants contradictoires et incapable de mettre en œuvre une politique cohérente dut faire face aux effets de la crise économique mondiale.

III POUR APPROFONDIR CE CHAPITRE

Trois manuels d'enseignement supérieur, courts, denses et pratiques constituent la meilleure introduction à la question : J. NÉRÉ, *La Troisième République, 1914-1940*, Paris, A. Colin, 1967, 192 p. coll. U2 ; — Y. TROTIGNON, *La France au XXe siècle*, Paris, Bordas-Mouton, 1968, t.1, 448 p. Ph. BERNARD, *La Fin du monde, 1914 - 1929*, Ed. du Seuil, t. 12 de la *Nouvelle Histoire de la France contemporaine*, 1975, 253 p.

Deux histoires de la Troisième République permettront alors une analyse plus approfondie : J. CHASTENET, *Histoire de la Troisième République*, tome 5, *Les années d'illusion, 1918-1931*, Paris, Hachette, 1960, 352 p. ; destiné au public cultivé, mais non spécialiste, l'ouvrage comporte parfois des vues rapides ou contestables, mais certains chapitres, concernant par exemple la vie sociale et intellectuelle, sont d'un précieux recours ; — E. BONNEFOUS, *Histoire politique de la Troisième République*, tomes 3 à 7, Paris, P. U. F., 1967-1968. En fait, il s'agit moins d'une histoire politique que d'une histoire parlementaire : on y trouvera rapportés et résumés les grands débats des Chambres.

Pour étudier la vie politique de la France de l'entre-deux-guerres, on recourra d'abord à la très précieuse étude de F. GOGUEL, *La Politique des partis sous la Troisième République*, Paris, Ed. du Seuil,

1968, 566 p. L'auteur analyse systématiquement la vie politique intérieure, la politique économique et financière, la politique sociale, la politique étrangère — et ce, en fonction des réactions respectives du « parti de l'ordre établi » et du « parti du mouvement ». On lira ensuite le très pénétrant *Tableau des partis en France*, d'A. SIEGFRIED, Paris, A. Colin, 1930, ainsi que l'essai d'A. THIBAUDET; *Les Idées politiques de la France*, Paris, Stock, 1932. Parmi les études récentes : J. TOUCHARD, *La Gauche en France depuis 1900,* Ed. du Seuil, 1977, 380 p. ; J.-N. JEANNENEY, *Leçon d'histoire pour une gauche au pouvoir, La faillite du Cartel, 1924-1926,* Ed. du Seuil, 1977, 156 p. et l'*Histoire du parti radical* de S. BERSTEIN, tome 1, *La Recherche de l'âge d'or, 1919-1926,* Presses de la F.N.S.P., 1980, 486 p.

La naissance du Parti communiste français sera utilement abordée avec *Le Congrès de Tours (1920)* d'A. KRIEGEL, Paris, Julliard, 1964, 260 p., coll. Archives et l'édition critique, *Le Congrès de Tours,* Editions sociales, 1980, 918 p. Comme introduction à l'histoire du P.C.F., on pourra utiliser R. TIERSKY, *Le Mouvement communiste en France (1920-1972),* Fayard, 1973, 421 p. et *L'Enfance du Parti communiste (1920-1938),* de J.-P. BRUNET, Paris, 1972, 96 p., coll. « Dossiers Clio ».

Socialisme et syndicalisme ont fait l'objet de plusieurs ouvrages importants : G. LEFRANC, *Le Mouvement socialiste sous la Troisième République, 1875-1940*, Paris, Payot, 1963, 444 p. ; — G. LEFRANC, *Le Mouvement syndical sous la Troisième République*, Paris, Payot, 1967, 452 p. ; — D. LIGOU, *Histoire du socialisme en France (1871-1961)*, Paris, P. U. F., 1962, 672 p. ; — C. WILLARD, *Socialisme et communisme français*, Paris, A. Colin, 1967, 160 p., coll. U2.

Pour les partis et mouvements de droite, on se reportera au chapitre XIII.

La vie économique de la France entre les deux guerres est l'objet du magistral ouvrage d'A. SAUVY, *Histoire économique de la France entre les deux guerres*, Paris, Fayard, 1965-1972, 3 vol. ; même si quelques-uns de ses chapitres manquent d'esprit synthétique, même si, par ailleurs, certaines de ses thèses sont parfois poussées à l'excès (ainsi de l'idée du malthusianisme économique de la France), le travail d'A. SAUVY est de première main et absolument fondamental.

L'étude de la vie sociale sera enfin abordée avec : G. DUPEUX, *La Société française, 1789-1960*, Paris, A. Colin, 1964, 296 p. ; — P. SORLIN, *La Société française*, tome 2, *1914-1968*, Paris, Arthaud, 1971, 328 p. ; — J.-M. MAYEUR, F. BEDARIDA, A. PROST et J.-L. MONNERON, *Cent Ans d'esprit républicain*, tome 5 de l'*Histoire du peuple français*, Paris, Nouvelle Librairie de France, 1964, 612 p. — **Histoire de la France rurale**, tome 4, *De 1914 à nos jours*, **(sous la direction de Georges Duby et Armand Wallon), par** M. GERVAIS, M. JOLLIVET, Y. TAVERNIER.

CHAPITRE VIII

Le monde anglo-saxon

de 1919 à 1929

Le monde anglo-saxon comprend le Royaume-Uni, le Commonwealth, les Etats-Unis. Seuls comptent, en réalité, le Royaume-Uni et les Etats-Unis. Ces deux démocraties, issues d'idéaux semblables, évoluent différemment entre les deux guerres du fait des conditions économiques dans lesquelles elles se trouvent engagées. Le Royaume-Uni traverse une crise bien avant 1929. En revanche, les Etats-Unis entrent en 1922 dans une période de croissance qu'on a pu qualifier de « Prospérité » avec un grand « P ».

I LA CRISE DU ROYAUME-UNI

André Siegfried pouvait écrire en 1931 un livre intitulé *La Crise britannique au XXe siècle.* Il ne cherchait pas à y décrire le phénomène qui venait d'affecter l'économie libérale du monde en octobre 1929, mais se proposait de rechercher les causes lointaines d'un mal plus profond, propre à modifier la civilisation britannique elle-même.

Les bases de la croissance anglaise depuis la fin du XVIIIe siècle étaient : une richesse houillère, une avance technique, des capitaux commerciaux. Or ces trois piliers de la puissance britannique, déjà ébranlés avant 1914, subissent un coup plus rude encore du fait de la guerre. La richesse houillère n'est plus le facteur essentiel de la croissance industrielle : d'autres sources d'énergie se développent (pétrole, électricité) et l'avance technologique anglaise s'estompe. La plupart des brevets d'invention doivent, depuis une bonne décennie, être achetés à l'étranger, surtout aux Etats-Unis. Le Royaume-Uni, persuadé de sa suprématie, a somnolé dans une lente croissance. En 1918, il se réveille ébranlé, dubitatif, incertain de l'avenir. La position privilégiée de la place de Londres dans le commerce mondial fait encore

LES ÉLÉMENTS DE LA CRISE

du Royaume-Uni un ensemble financier passablement solide, mais tout ne se décide plus à Londres. La *Federal Reserve Bank* des Etats-Unis détient depuis la Grande Guerre, dans ses caves de Fort Knox, près de la moitié du stock d'or mondial et les dettes contractées par les alliés de l'Entente auprès du gouvernement américain placent ce dernier dans une position plus forte qu'en 1914.

La livre sterling comme avant 1914

Le Royaume-Uni ne se résout cependant pas à modifier sa politique pour l'adapter à la réalité issue de la guerre. Le meilleur exemple de ce « retour à la normale » est fourni par l'ambitieuse politique monétaire que s'assignent les gouvernements anglais jusqu'en 1931. Le retour à la normale financière semble en 1918-1919 d'autant plus aisé à réaliser que le Royaume-Uni n'a pas été gravement atteint par la Grande Guerre. Il n'a connu qu'une mobilisation tardive (avril 1917) et incomplète ; il n'a pas été envahi et n'a subi aucune destruction. Ses pertes sont incomparablement moins élevées que celles de la France. Son déficit commercial a été compensé par la bonne tenue des revenus de capitaux placés à l'étranger de manière judicieuse. Le gouvernement du Royaume-Uni a été contraint d'aliéner une partie de son portefeuille étranger et d'emprunter à l'extérieur, mais il a aussi prêté à ses alliés, notamment à la France.

A partir de 1918, l'effort de guerre a dû être financé par la dette publique (emprunt auprès des sujets de Sa Majesté), par le relèvement de l'impôt, par l'inflation enfin. Dès 1914, la livre sterling n'est plus convertible en or. Sa dépréciation par rapport au dollar est, en 1919, relativement modeste : la livre valait 4,86 dollars en 1913, elle en vaut 3,59 en 1919, soit une perte légèrement inférieure à 30 pour cent.

La politique financière du Royaume-Uni, dans l'après-guerre, est marquée par une ferme volonté de revenir à la convertibilité-or de la livre : il y va du prestige de la couronne et le Royaume-Uni est décidé à faire des sacrifices pour retrouver son rang. Le gouverneur de la Banque d'Angleterre, Cunliffe, estime la revalorisation de la livre possible, si la convertibilité est rétablie. Selon lui, le moyen le plus sûr de restaurer la parité de la livre au niveau de 1913 réside dans la déflation, c'est-à-dire la diminution de la masse de monnaie fiduciaire (les billets de banque) en circulation dans le pays. La déflation peut s'obtenir par plusieurs méthodes : la diminution des salaires, l'emprunt forcé, le relèvement des impôts, l'équilibre budgétaire strict (couverture intégrale des dépenses par les recettes), le relèvement du taux de l'escompte (qui retentit sur le taux d'intérêt, freine le crédit et ralentit le développement économique). Le gouvernement britannique choisit le taux d'escompte élevé et l'équilibre budgétaire comme leviers pour redresser la situation de la livre.

Le difficile redressement monétaire

Le redressement monétaire s'opère en trois étapes. Dès 1919, une déflation sévère est opérée : en mars 1922, la livre vaut 4,40 dollars. En avril 1922, la conférence de Gênes lui restitue son rôle international. C'est à Gênes qu'a été mis au point le système dit du *Gold Exchange*

Standard dans lequel l'or est réservé aux échanges internationaux : les pièces d'or sont retirées de la circulation intérieure et l'encaisse des banques centrales qui gage l'émission peut être constituée pour partie de billets de la banque d'Angleterre ou de la « Réserve fédérale américaine ». La livre rejoint le dollar américain dans le rôle de monnaie de réserve, retrouvant ainsi son caractère de monnaie « supérieure », symbole et gage de suprématie financière. La troisième étape est le rétablissement officiel de la convertibilité de la monnaie britannique : c'est chose faite en 1925 avec le *Gold Bullion Standard Act*. Le règlement des dettes contractées par le Royaume-Uni auprès des Etats-Unis, l'effondrement du mark en 1923, les difficultés du Cartel des gauches en France à partir de l'été 1924 sont autant de causes de l'afflux substantiel de capitaux sur la place de Londres qui retrouve son importance de naguère.

Mais les conséquences de cette politique de prestige monétaire sont graves : le déficit de la balance commerciale se trouve subitement augmenté puisque les produits anglais sont chers. Le chômage s'installe dans tout le pays, provoquant des troubles sociaux : les années de la livre forte sont aussi des années moroses. L'économie anglaise est atteinte par le niveau trop élevé du signe monétaire. Ces difficultés ne se traduisent pas par des bouleversements graves dans une société qui demeure étrangement semblable à elle-même : son évolution, comme le mouvement des idées, ne peut du reste être envisagée qu'au terme d'une longue période.

Le 14 décembre 1918 ont lieu les premières élections de l'après-guerre. Pour la première fois, les femmes votent. Lloyd George, Premier ministre depuis 1916, bénéficie de la victoire. Sa coalition composée de libéraux et de conservateurs l'emporte avec 5 millions de voix et 474 sièges (338 conservateurs et 136 libéraux) contre 59 sièges aux travaillistes, 73 aux républicains irlandais, 48 aux conservateurs dissidents, 29 aux libéraux dissidents (tendance Asquith). Les travaillistes ont quintuplé le nombre de leurs voix par rapport à 1910. Lloyd George est le maître de la situation et la chambre « Kaki » (nationaliste et très « ancien combattant ») suit fidèlement ce fin Gallois, courageux, mais versatile, qui va rencontrer de grandes difficultés après avoir défendu les intérêts britanniques à la Conférence de la paix à Paris.

L'ÉVOLUTION POLITIQUE ET SOCIALE

L'instabilité (1918-1924)

Le mouvement revendicatif ouvrier se durcit. La cherté des denrées alimentaires, le retour à une certaine forme de libéralisme, notamment dans les mines, où avait été garanti par l'Etat un niveau de salaires assez élevé pendant la guerre, déclenchent des grèves, des manifestations, le plus souvent réprimées sans ménagement par les forces de l'ordre. Les syndicats réunis dans le *Trade Union Congress*, centrale liée organiquement aux travaillistes, sont d'autant plus redoutables que la scission entre socialistes et communistes, qui a affaibli ailleurs (sur le continent européen notamment) le mouvement ouvrier, ne se produit pas au

Royaume-Uni. Les dockers, par exemple, refusent de charger les armes destinées à soutenir la Pologne contre la Russie soviétique. Pourtant, les objectifs des syndicats ne sont pas politiques : l'augmentation des salaires et l'obtention d'une indemnité de chômage sont leurs revendications essentielles. En 1921, il y a 2,5 millions de chômeurs et leur nombre ne descendra jamais au-dessous du million dans l'entre-deux-guerres.

La fin des libéraux

Le jour n'est pas éloigné où leurs députés « tiendront dans un taxi »

La politique extérieure de Lloyd George par ailleurs subit plusieurs revers dont les plus importants furent l'installation du kemalisme en Turquie et la défaite des Grecs, protégés des Anglais, devant les Turcs (1922). Cet échec conduisit Lloyd George à démissionner : la grande coalition rassemblée pendant la guerre se disloquait. Le 15 novembre 1922 de nouvelles élections envoyaient à la Chambre des communes une majorité de conservateurs dont Stanley Baldwin, leur leader, prit la direction.

Baldwin, confronté aux difficiles problèmes posés par l'économie anglaise essoufflée, tenta des modifications profondes. Mais plutôt que de s'attaquer aux structures (dimension des entreprises, investissements), il eut recours à une politique protectionniste, en opposition flagrante avec le libéralisme britannique en vigueur depuis le milieu du XIXe siècle. Devant l'opposition suscitée par cette politique, Baldwin préféra porter le débat devant les électeurs : il décida la dissolution des Communes et organisa une nouvelle consultation. Le 6 décembre 1923, les conservateurs perdirent la majorité absolue, les travaillistes l'emportant avec près de 200 sièges et plus de 4 millions de voix ; succès qui ne leur permettait toutefois pas de détenir à la Chambre la majorité absolue : pour gouverner, il leur fallait l'appoint du petit parti libéral. Ce parti déclinant pouvait encore jouer dans la vie politique anglaise un rôle déterminant et Asquith décida de soutenir les travaillistes avec lesquels il se trouvait en effet d'accord pour refuser la politique protectionniste de Baldwin et maintenir le sacro-saint libéralisme en matière commerciale.

L'arrivée des travaillistes au gouvernement

Le leader travailliste Ramsay MacDonald devint Premier ministre le 21 janvier 1924. Énergique mais hostile à toute entreprise de caractère révolutionnaire, il crut pouvoir aménager la société et l'économie en privilégiant les réformes sociales : logements à bon marché, assurances contre le chômage, renforcement du pouvoir d'achat des masses laborieuses. Sa politique étrangère tranchait également sur celle de ses prédécesseurs : il reconnut officiellement la Russie des soviets. Un scandale allait mettre un terme à la première expérience gouvernementale travailliste : MacDonald avait reçu un paquet d'actions d'une entreprise alimentaire dont le directeur avait été anobli. Une commission d'enquête ayant été créée par les Communes, MacDonald décida de dissoudre la Chambre. L'atmosphère de la campagne électorale fut tendue : Baldwin tonnait contre le danger communiste dont il faisait de MacDonald le fourrier. Une lettre de Zinoviev, responsable du

Komintern, adressée aux syndicats britanniques fut publiée : elle leur demandait de multiplier les grèves révolutionnaires. La radio fut pour la première fois utilisée au cours de cette campagne. Le 29 octobre 1924 l'électorat britannique apeuré se précipita vers les conservateurs qui accrurent le nombre de leurs voix de 2 millions et enlevèrent 415 sièges.

La période d'instabilité prenait fin au profit de la droite. Le vent de panique qui avait soufflé sur l'opinion anglaise expliquait largement la brusque arrivée d'une chambre, sinon « introuvable », du moins « retrouvée ». Baldwin s'installa au 10 Downing Street pour cinq ans. Les difficultés sociales n'étaient pas pour autant aplanies : les syndicats allaient déclencher au cours de la législature conservatrice les plus violents mouvements de grèves enregistrés au Royaume-Uni depuis longtemps.

Pour la première fois depuis 1905, la durée de la législature fut normale (celle de 1910 s'était prolongée jusqu'en 1918 en raison de la guerre). Baldwin annonça en 1925 un programme de bon sens et de retour à la normale. Austen Chamberlain aux Affaires étrangères, Winston Churchill aux Finances appliquèrent fidèlement la politique conservatrice : fermeté à l'égard du communisme international, d'une part, rattachement de la livre à l'or au niveau de 1913, d'autre part.

La politique monétaire conservatrice entraîna une vive réaction sociale. Le vendredi 31 juillet 1925, un grand mouvement de grève générale éclata (*red Friday*). Le danger était grand pour le gouvernement : si l'ensemble de l'économie s'arrêtait, quelle solution interviendrait pour résoudre le problème ? Le gouvernement conservateur décida de temporiser. Pour obtenir du *Trade Union Congress* (T. U. C.) qu'il reporte *sine die* son ordre de grève générale, Baldwin créa une commission d'enquête afin de déterminer la nature du conflit mineurs-patronat et les types de solutions qu'on pouvait lui apporter. Ce n'était qu'une trêve pour préparer la réplique à toute désorganisation ultérieure de l'économie. Les délais de l'enquête furent longs. Le gouvernement utilisa ce délai pour mettre en place un ensemble de moyens destinés à faire fonctionner une partie de l'économie britannique en cas de grève générale. Des équipes de volontaires furent préparées pour assurer la marche des secteurs-clés : transports, énergie notamment.

Finalement, le T. U. C., peu satisfait des conclusions de l'enquête sur les mines, refusa la négociation et lança à nouveau un ordre de grève générale pour le 4 mai 1926. Pendant une semaine, le pays se trouva presque paralysé. Cependant, les équipes mises en place par le gouvernement firent fonctionner les rouages essentiels de l'économie. Les pleins pouvoirs furent accordés à Baldwin par les Communes et l'opinion publique prit position dans un sens plutôt hostile aux syndicats. En réalité la grève tourna court : le T. U. C., inquiet de cette situation, donna le 12 mai l'ordre de reprise du travail. Les ouvriers arrêtèrent leur mouvement de grève non sans hésitations ni protestations, et le syndicalisme britannique sortit affaibli de l'expérience.

Les conservateurs au pouvoir (1924-1929)

– le «vendredi rouge»

Les mineurs – une fois encore – étaient à l'origine du mouvement. Le *Labour* comptait s'opposer ainsi à la politique conservatrice. On voit bien les deux armes dont disposent les deux grandes forces politiques du pays. Lorsque le travaillisme est au pouvoir, le conservatisme lui oppose le « mur d'argent » (comme en France du reste). Lorsque le parti conservateur a remporté les élections, le parti travailliste s'efforce souvent de contrarier sa politique par l'action des syndicats qu'il contrôle assez largement.

Fort de son succès, Baldwin accentua le caractère réactionnaire de sa politique. Cette orientation n'était pas de nature à satisfaire l'opinion publique anglaise qui relâcha peu à peu son intérêt pour l'équipe en place. Le danger social étant écarté, du moins provisoirement, la situation économique n'étant pas mauvaise, il devenait difficile d'accepter une politique aussi marquée par la dureté et l'intransigeance. En outre, le monde ouvrier gardait une rancune tenace à Baldwin.

– les élections de 1929

Aussi, lorsque, le 30 mai 1929, eurent lieu à la date normale les élections aux Communes, ce fut un triomphe travailliste. Avec 287 sièges contre 261 pour les conservateurs et 59 pour les libéraux, les travaillistes pouvaient espérer gouverner, à condition d'obtenir le soutien libéral. Comme en 1924, les libéraux acceptèrent de collaborer. Ramsay MacDonald qui, après une cure dans l'opposition, avait trouvé un nouveau souffle politique, se réinstalla au 10 Downing Street. Pour la première fois dans l'histoire du Royaume-Uni, une femme, Margaret Bondfield, devint ministre.

Ramsay MacDonald victime de la crise

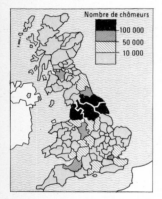

Le chômage en Angleterre en 1928, d'après M. Crouzet, *L'Époque contemporaine*, P.U.F., p. 62

MacDonald Premier ministre d'un gouvernement conservateur

La crise qui éclata en octobre 1929, aux Etats-Unis, atteignit très vite le Royaume-Uni. Le chômage se développa avec une grande rapidité : en décembre 1930, il y avait 2,3 millions de chômeurs, l'or s'enfuit des caves de la Banque d'Angleterre, au rythme de 2,5 millions de livres sterling par jour à partir de juillet 1931.

Pour enrayer la crise, MacDonald tenta une Union nationale, un peu comme Poincaré en 1926, en France. Cette politique ne fut pas approuvée par l'ensemble des membres du parti travailliste dont certains estimaient ne pouvoir cohabiter avec des conservateurs au sein d'un même gouvernement : MacDonald laissa nombre de ses amis démissionner et prit la tête d'un gouvernement dont bientôt les conservateurs allaient être les maîtres. C'est MacDonald qui dut prendre la décision de dévaluer la livre le 21 septembre 1931 : en réalité, le gouvernement britannique décida de détacher la livre de l'or, c'est-à-dire de ne plus assurer sa convertibilité. Dès lors son niveau pouvait varier en fonction des fluctuations du marché des changes. Ainsi la livre qui, pendant l'été 1931, valait 4,86 dollars américains, tomba à 3,40 dollars en décembre. Un protectionnisme douanier sévère fut institué.

Les conservateurs, estimant que la situation politique leur était favorable, voulurent en profiter et exigèrent de nouvelles élections qui eurent lieu le 27 octobre 1931. Sans ébranler sensiblement la coalition gouvernementale, elles n'en assurèrent pas moins une solide reprise en main de l'électorat par les conservateurs : Ramsay MacDonald devenait le Premier ministre travailliste d'un gouvernement conservateur. Les libéraux étaient anéantis. Fatigué, MacDonald démissionna le 7 juin 1935, mais le Royaume-Uni était loin d'avoir trouvé une solution à la crise. Pourtant, grâce à une dévaluation précoce et à des mesures énergiques, il devait redresser sa situation économique beaucoup plus tôt que des pays, qui, comme la France, n'avaient pas encore retrouvé en 1939 le niveau de production de 1929.

Sans, pour autant, cesser d'être une grande puissance, le Royaume-Uni subit de 1919 à 1929 son premier ébranlement. Il présente au lendemain de la Grande Guerre des traits qui s'affirmeront : croissance lente, chômage important, investissements faibles, abaissement de la productivité et de la rentabilité dans les entreprises. Le Royaume-Uni, dont le prestige financier et colonial faisait encore illusion, amorçait son déclin : n'était-ce pas aussi le déclin de l'Europe tout entière, que le géographe français Demangeon avait annoncé, dès 1919, dans un livre demeuré célèbre ?

De 1918 à 1922, une grave question bouleverse la vie politique des Iles Britanniques : le problème irlandais, qui posé depuis la conquête de l'Irlande par les Anglais sous Henry II Plantegenêt, au XIIe siècle, n'avait trouvé une solution que grâce au vote du *Home Rule* (l'autonomie) par le Parlement britannique en 1912. Mais le *Home Rule* ne put être appliqué en raison de la guerre et pendant le conflit, le mouvement nationaliste irlandais noua d'étroites relations avec les Allemands. En 1916, à Dublin, une révolte fut sévèrement réprimée par les troupes britanniques et, en 1918, les événements avaient évolué très vite : la situation se trouvait complètement modifiée, et le *Home Rule* périmé. Le principal mouvement irlandais, le *Sinn Fein,* était franchement révolutionnaire : les 73 membres du *Sinn Fein* élus au Parlement britannique en 1918 et qui devaient venir siéger à Londres, refusèrent de quitter l'Irlande et siégèrent, seuls, à Dublin, en un congrès national, le *Dail* (21 janvier 1919) : c'était une véritable proclamation d'indépendance. Les Irlandais, enfin, comptaient beaucoup sur la conférence de Paris pour faire aboutir leurs revendications.

L'heure des nationalités sonnait ; pourquoi l'Irlande ne pourrait-elle prétendre à ce qui était accordé à la Tchécoslovaquie ou à la Pologne ? Rien cependant ne put être obtenu ; Lloyd George s'opposa aux revendications irlandaises d'autant plus fermement que les Alliés ne voulaient en rien bouleverser la politique intérieure de l'un des grands pays vainqueurs. Restaient les Irlandais des États-Unis d'Amérique, nombreux surtout dans la ville de Boston et en général en Nouvelle-Angleterre. Un jeune professeur de mathématiques dont le père était espagnol et la mère irlandaise, Eamon de Valera, fit un voyage de propagande en Amérique : sa cause n'obtint pas plus de succès qu'à la conférence de Paris.

Devant cette situation sans issue, il ne restait plus qu'à accepter la lutte armée. Les troupes britanniques intervinrent les premières. La guerre embrasa l'île entière. Les Irlandais mirent sur pied une armée. l'I. R. A. (*Irish Republican Army*) qui fut placée sous les ordres de Michael Collins. De janvier 1919 à juillet 1921, les opérations militaires se poursuivirent. Il y eut près de 1 000 morts tant du côté irlandais que parmi les forces britanniques.

LE PROBLÈME IRLANDAIS

Sinn Fein signifie « nous-mêmes » en langue gaélique

La guerre civile

Lloyd George voulait un compromis. Il fit publier, le 23 décembre 1920, le *Government of Ireland Act* qui prévoyait la division de l'Irlande en deux parties inégales : au Nord-Est, autour de Belfast, l'Ulster resterait partie intégrante du Royaume-Uni (*United Kingdom of Great Britain and North Ireland*) ; le reste de l'île serait déclaré pays ne relevant pas de l'administration britannique. Des élections furent organisées aussitôt après la publication de ce document, de manière à dégager une majorité populaire indiscutable en faveur de cette politique. Dans le Sud, sur 128 élus, 124 appartenaient au *Sinn Fein*. Dans le Nord, 40 Unionistes (partisans de l'union avec la couronne britannique) furent élus contre 6 nationalistes irlandais modérés et 6 membres du *Sinn Fein*. Le 8 juillet 1921, une trêve fut signée.

La «partition» : un règlement définitif ?

De Valera se rendit à Londres pour négocier avec le gouvernement britannique un traité en bonne et due forme, reconnaissant légalement l'existence d'une souveraineté irlandaise distincte de la souveraineté britannique. Le traité, signé le 6 décembre 1921, entérina la division de l'île en deux parties. L'Etat libre d'Irlande devenait un dominion, membre du Commonwealth au même titre que le Canada ou l'Australie.

Le 7 janvier 1922, le traité fut ratifié non sans difficultés par le parlement du Dublin, par 64 voix contre 57, de profonds désaccords étant intervenus entre Irlandais. Certains estimaient que l'indépendance complète n'avait pas été obtenue et une guerre civile éclata entre les combattants unis la veille encore contre l'ennemi commun, l'Anglais. La première victime en fut Michael Collins lui-même. De nouvelles élections furent organisées dans une atmosphère enfiévrée, le 16 juin 1922. L'opinion publique irlandaise, lassée de tant de troubles, se prononça nettement en faveur du traité, mais les derniers opposants ne déposèrent les armes qu'en avril 1923.

L'Irlande s'installait dans une indépendance politique qui deviendra totale, en 1949, lorsque ses derniers liens avec le Commonwealth seront rompus ; mais sur le plan économique et financier les échanges avec le Royaume-Uni, hérités du passé, pesaient lourdement sur son avenir.

II LES ÉTATS-UNIS D'AMÉRIQUE DE 1919 A 1929

Le comportement des Etats-Unis dans les dix années qui suivirent la Grande Guerre est jugé sévèrement en Europe, singulièrement en France. Pour beaucoup d'observateurs, voire d'historiens, les Etats-Unis auraient commis deux fautes : l'une en politique extérieure, en ne suivant pas leur Président sur la voie de responsabilités internationales qui auraient été pourtant en accord avec une puissance financière et économique mondiale ; l'autre en développant une richesse factice dont les excès boursiers devaient provoquer des troubles planétaires catastrophiques. En outre, la prohibition, l'affaire Sacco-Vanzetti, les lois sur l'immigration contribuent à rendre peu sympathique l'image d'un pays qui semble ne pas avoir bien mesuré ses responsabilités mondiales.

Cette analyse est erronée. Si l'isolationnisme fait de grands progrès aux Etats-Unis au lendemain de la guerre, ce n'est pas une parenthèse qui s'ouvre mais une période qui s'achève. La politique wilsonienne de la New Diplomacy n'était pas adaptée à la mentalité des plus larges couches de l'opinion publique et c'est un retour à la normale qui s'opère en 1920. Le parti républicain, s'il a connu dans ses rangs de médiocres personnages comme Warren Gamaliel Harding, saura porter à la Maison Blanche un homme remarquable en la personne de Herbert Hoover. Le plus frappant, au cours de la période 1919-1929, est l'activité économique : la « Prosperity » a bel et bien existé — non pas une agitation plus ou moins factice — mais un développement économique réel. En 1920, les Etats-Unis entrent, avec 40 ans d'avance sur l'Europe, dans la « société de consommation ». C'est l'un des phénomènes les plus remarquables de leur histoire et il convient de n'en pas sous-estimer l'importance, d'autant que cette « Prosperity » n'était pas porteuse de la crise. Quant à l'attitude égoïste de l'Amérique, elle correspond à une volonté de jouir des bienfaits d'une civilisation enfin parvenue à sa maturité. Quelle société résisterait à semblable tentation ?

Le Président était resté absent des Etats-Unis, de décembre 1918 à mars 1919. Après un mois passé en Amérique, il était reparti pour l'Europe, dès la fin de mars, pour participer à la fin de la conférence de la paix et signer le traité de Versailles, le 28 juin. Cette longue absence avait été d'autant mieux exploitée par ses adversaires que des élections partielles au Congrès, en novembre 1918, avaient marqué un important redressement du nombre des voix républicaines après que le sénateur Cabot Lodge eut orchestré une lutte en règle contre les idées et les méthodes du Président. En outre, le traité de Versailles ne traduisait pas dans la réalité les idées de Wilson. Ce dernier, dans son célèbre discours des quatorze points de janvier 1918, avait annoncé une diplomatie ouverte, la liberté des mers, une paix par l'application systématique du principe des nationalités ; or il rapportait un document — le traité de paix — qui était un texte de compromis, fruit de conversations secrètes entre les quatre grands : Wilson, Lloyd George, Orlando et Clemenceau, et qui ne satisfaisait pas tout le monde : les Anglais avaient obtenu qu'on renonce à la liberté des mers ; le principe des nationalités avait engendré en Europe centrale et orientale plus de luttes qu'il n'avait réglé de conflits ; l'Italie s'estimait frustrée par les traités de paix ; les réparations dont Wilson voulait qu'elles fussent peu élevées, réalistes, obtenues tout de suite et d'un coup, sans justification morale ou pénale à l'encontre de l'Allemagne, étaient réservées pour l'avenir et un chèque en blanc devait être signé par le vaincu ; le bolchevisme, qui avait retenu l'attention des négociateurs beaucoup plus longtemps que les véritables problèmes de la paix, laissait planer encore plus d'incertitudes sur

Un historien américain fort peu suspect de tendresse à l'égard de l'administration républicaine de cette période, Arthur J. Schlesinger, a bien montré, dans le premier tome de son histoire de « l'Ère Roosevelt », précisément consacré aux années d'après guerre, que la « Prosperity » n'avait pas été mythique

LA DÉFAITE DE WOODROW WILSON

Wilson contre le Sénat

l'avenir politique et social de l'Europe ; enfin, le pacte organisant la Société des Nations, enfant de prédilection de Wilson, était annexé au traité de paix et un tel amalgame était propre à déplaire à ceux des parlementaires qui, réticents à l'égard du pacte, désiraient cependant ratifier le reste des articles du traité (les Américains ne voyaient dans le « covenant » — le pacte de la S. D. N. — qu'une machine dangereuse propre à engager la nation dans de nouvelles aventures militaires). Bref, la guerre conçue par le peuple américain comme une croisade s'achevait en marchandages sordides. Quelle déception !

Conscient de la faiblesse de sa position, Wilson décida en septembre 1919 de parcourir les Etats-Unis pour convaincre ses concitoyens du bien-fondé de sa politique. Il fallait faire vite : on était à un an des élections présidentielles, et il convenait de préparer le terrain de la manière la plus solide possible pour que le candidat démocrate apparaisse comme le bénéficiaire politique de la grande victoire alliée sur le militarisme et l'impérialisme allemands.

En pleine tournée, Wilson tomba victime d'une attaque d'hémiplégie. A nouveau, il devait être, pendant un temps assez long, absent de la scène politique. Dans ces conditions, le Président et son administration ne pouvaient négocier avec l'opposition républicaine un accord en vue d'une ratification du traité de paix par le Sénat (la majorité des deux tiers était requise pour cette ratification). A la fin de 1919, puis en février 1920, le traité, dont le « covenant » n'avait pas été dissocié, fut rejeté par le Sénat (la majorité des deux tiers n'avait pas été atteinte).

Restait la grande consultation électorale de 1920, à laquelle Wilson tenait à donner la dimension d'une vaste confrontation nationale entre sa philosophie politique et celle des Républicains, entre la « New Diplomacy » et l'« Isolation », entre l'Avenir et le Passé. Les conditions n'étaient pas réunies pour qu'il en fût ainsi. Le bolchevisme, l'agitation sociale orientèrent les esprits vers la défense immédiate de l'ordre, au détriment du grand problème national et international concernant le rôle des Etats-Unis dans le monde. Il est frappant de constater combien de dispositions législatives furent prises par les Etats en 1918, 1919 et 1920 pour faire barrage au communisme. Pourtant, dans le pays, le danger n'était pas si grand. Il n'empêche qu'au moindre attentat, à la moindre grève suivie d'échauffourées (et il y en eut de nombreuses tout au long de l'année 1919), la presse proche du « business » (le monde des affaires) tempêtait contre l'impéritie des autorités et réclamait plus de dureté dans la répression et plus d'ordre dans le pays. Aussi étrange que cela puisse paraître, le « danger bolchevique » a joué un rôle non négligeable dans la préparation de l'élection présidentielle de novembre 1920.

La convention démocrate choisit le gouverneur de l'Ohio, Cox. Un sénateur de l'Ohio lui aussi, Harding, fut désigné par la convention républicaine. Il est évident que l'Amérique voulait échapper aux querelles européennes, au bolchevisme qui se répandait alors en Europe,

Victoire de l'isolationnisme
— le rejet du traité de Versailles

La fin du wilsonisme

L'Amérique n'a pas encore « digéré » son XIXᵉ siècle. Elle refuse la tentation planétaire et ne plus considérer que ses propres problèmes : l'année 1913 avait été celle de l'arrivée du plus fort contingent d'immigrants et la nation restait confrontée à tout un ensemble de problèmes concernant l'assimilation et le développement économique (la crise de reconversion de 1920 a été sérieuse). Dans ces conditions, le wilsonisme n'avait plus d'attraits : il ne pouvait qu'entraîner l'Amérique dans des aventures dangereuses. Comme le disait en substance le sénateur Cabot Lodge, le grand adversaire du Président sortant, il fallait éviter que le pays ne soit obligé de « fourrer son épingle dans le jeu européen » ; or la S. D. N. risquait d'impliquer constamment les États-Unis dans les problèmes du vieux continent. Harding triompha aux élections par 16 152 000 voix contre 9 147 353 à Cox : l'Éléphant arrachait la Maison Blanche à l'Âne.

L'Éléphant est le fétiche du parti républicain, l'Âne celui du parti démocrate.

De 1920 à 1932, les républicains vont être au pouvoir. Harding, élu président jusqu'en août 1923, meurt subitement ; il est remplacé, comme le prévoit la Constitution, par le vice-président Calvin Coolidge. En 1924, ce dernier est présenté par son parti aux nouvelles élections présidentielles, cette fois en tête du « ticket » : il est élu.

En 1928, Herbert Hoover, candidat républicain, succède au republicain Coolidge. N'ayant su ni prévoir ni maîtriser la crise de 1929, il sera battu par le candidat démocrate, Franklin Delano Roosevelt, aux élections présidentielles de 1932, et l'administration démocrate, cette fois, s'installera à la Maison Blanche pour vingt ans. Pendant ces présidences républicaines, la Chambre des représentants et le Sénat sont constamment entre les mains des républicains.

Le personnel républicain fut de valeur inégale. Le président Harding n'était pas une personnalité remarquable et les groupes de pression trouvaient en lui un allié dévoué : dans son administration figure, comme secrétaire à l'Intérieur, le trop célèbre Fall, qui reçut un « pot de vin » de 100 000 dollars pour avoir favorisé la cession à des compagnies pétrolières de terrains réservés à la Marine, scandale qui fit grand bruit. Cependant, figuraient également aux côtés de Harding des hommes dignes d'estime tels que Hughes, responsable de la politique étrangère, ou Mellon aux finances (*Treasure Secretary*).

Calvin Coolidge, au prénom symbolique, fut pur et dur dans un monde facile et souvent d'une moralité douteuse, austère dans une société d'abondance, muet par nécessité plus que par calcul. S'il incarne l'alibi puritain dans une Amérique qui découvre les délices de l'abondance, ce ne fut pas le plus grand des présidents de la période.

Herbert Hoover eut infiniment plus de talents. Ingénieur, il avait parcouru une partie du monde, ce qui n'est pas si fréquent parmi les hommes politiques américains de l'époque. Membre de l'administration dès la présidence de Harding, il sut confirmer les qualités d'organisateur dont il avait déjà fait preuve durant la guerre en prenant la responsabilité des secours à la Belgique. Il restera dans l'histoire américaine

L'ADMINISTRATION RÉPUBLICAINE
Le personnel républicain

On appelle « ticket » la liste des candidats à la présidence et à la vice-présidence. Il y a un « ticket » par parti.
Il n'y a pas d'exemple dans l'histoire des États-Unis de vice-président qui, ayant remplacé le président en cours de mandat, n'ait pas été élu président aux élections suivantes.

Pendant la législature 1921-1923, aux 301 représentants et 59 sénateurs républicains s'opposent 131 représentants et 37 sénateurs démocrates. En 1923-1925, 1925-1927 et 1927-1929, les représentants républicains auront constamment un minimum de 20 sièges de plus que les démocrates. Au Sénat, l'avance sera moins nette : par exemple au cours de la législature 1927-1929, les républicains auront seulement 3 sièges de plus que les démocrates.

comme le type du président qui n'a pu donner toute sa mesure et a été victime des événements (crise de 1929).

Les «laissés pour compte» de la croissance

La période de prospérité économique qui marque ces années républicaines eut ses laissés pour compte, ses mécontents : fermiers et ouvriers, ces derniers dans une moindre mesure.

L'occasion était belle pour un homme politique sans emploi de former un tiers parti. R. M. La Follette, sénateur de l'Etat du Wisconsin, la saisit et tenta sa chance aux élections présidentielles de 1924. Son programme comportait la nationalisation d'une partie des sources d'énergie (électricité hydraulique), le libéralisme douanier, l'aide financière aux *farmers*, le soutien des cours de certaines denrées agricoles, enfin de vagues réformes sociales. Il réunit sur son nom 4 800 000 voix contre 8 300 000 au candidat démocrate (battu également) et 15 700 000 à Coolidge. Décidément, il n'y avait pas place aux Etats-Unis pour un tiers parti. Même si le programme de La Follette avait réuni un plus grand nombre de suffrages, la victoire définitive n'aurait pu lui revenir, car les deux grands partis, conscients du danger d'un affrontement triangulaire, eussent fait alliance in extremis pour barrer la route au troisième homme.

Si la « troisième force » est un phénomène contraire à la vie politique américaine, en revanche la consécration d'une politique par une action morale en est particulièrement typique. Le *Back to Normalcy* ne pouvait être totalement achevé qu'à condition d'être couronné par une série de décisions propres à souligner le caractère vertueux de l'Amérique et la radicale différence qui la séparait de la « pagaïe » politique, économique et morale de la vieille Europe.

Vertueuse Amérique !

Toute une série de faits se conjuguent pour souligner l'importance de cet « Ordre moral » : les restrictions apportées à l'immigration, la prohibition de l'alcool, la lutte contre certaines conceptions du monde et de l'histoire de l'humanité (darwinisme, par exemple), le nouvel essor du Ku Klux Klan. L'Amérique entend par là s'affirmer en se différenciant du vieux continent européen, mais l'Amérique fait plus que rompre avec ce qui la reliait encore à l'Europe : elle veut tuer une certaine idée de l'Europe à laquelle elle s'estimait par trop attachée. Dans ce parricide obligé, il y a l'affirmation d'une indépendance culturelle que sous-tend une domination matérielle confirmée par la guerre et ses conséquences financières.

Les lois des quotas sur l'immigration de 1921 et 1924 restreignaient considérablement l'afflux d'étrangers qui avait connu son maximun d'intensité à la vieille du conflit. La loi de 1921 limitait le contingent annuel d'immigrants de chaque nationalité à 3 pour cent du nombre de ces nationaux établis aux Etats-Unis en 1910. Cela permettait chaque année à 42 000 Italiens d'entrer en Amérique, à 6 000 Français, mais à 80 000 Anglais environ et à près de 70 000 Allemands de faire de même. En réalité, dans l'année qui suivit le vote de la loi, les contingents effectivement admis furent bien inférieurs aux chiffres autorisés : 42 000 Anglais et 19 000 Allemands ; mais en revanche, pour les Italiens, le contingent fut dépassé de 150 000 en raison de la situation économique et politique de l'Italie, particulièrement mauvaise dans les années 1921-1922. La loi de 1924 fut votée parce que la précédente manquait d'efficacité. Les nouvelles dispositions législatives fixaient à 2 pour cent des nationaux installés en 1890 le contingent annuel d'immigrants. Désormais seuls les Anglais, les Allemands, les Scandinaves pouvaient pénétrer aux Etats-Unis. Les Latins, et en général les Méditerranéens, se voyaient fermer les portes de l'Amérique : de 42 000 le contingent des Italiens fut ramené à 3 800 environ.

Cet ostracisme envers les Méditerranéens s'accompagna d'une vague d'hostilité à l'égard plus particulièrement des Italiens. Les descentes de police étaient nombreuses et violentes dans les quartiers italiens de la banlieue de New York (Hoboken par exemple). C'est dans cette atmosphère de xénophobie que se produisit l'affaire Sacco-Vanzetti.

Nicola Sacco et Bartolomeo Vanzetti, soupçonnés à tort du meurtre d'un gardien d'usine, furent condamnés à mort par la Cour supérieure du Massachusetts en 1921 et exécutés en 1927 malgré une campagne de protestation d'ampleur mondiale

La prohibition de l'alcool — production aussi bien que vente — fait l'objet du dix-huitième amendement ; en réalité, celui-ci fut voté dès le début de l'année 1919 avant l'installation de l'administration républicaine. Mais il fallait compléter cette disposition par toute une série de mesures législatives propres à définir les types de boissons alcooliques et les conditions précises de la répression de leur fabrication et de leur commerce : ce fut chose faite en novembre 1921. L'opinion publique se partagea en fonction de critères précis : les « dry » (c'est-à-dire les partisans du régime sec prohibitionniste) se recrutaient principalement, mais non exclusivement, dans les milieux ruraux (certains groupes sociaux urbains étaient favorables à la prohibition : la plupart des protestants, tous les groupes qui avaient contribué au développement des mouvements hostiles à l'intervention militaire en 1917 ; en gros les isolationnistes). Les « wet » (c'est-à-dire les adversaires de la prohibition) se recrutaient plutôt chez les catholiques. Mais les critères religieux ou sociologiques n'étaient pas les seuls à jouer, et des clivages géographiques intervinrent : le Nord-Est était plutôt hostile à la prohibition, le Sud et l'Ouest lui étaient plutôt favorables.

— la prohibition

Tout un folklore est né de la prohibition. Dans ses premières séquences, le film Some like it hot (Certains l'aiment chaud), *restitue avec humour l'atmosphère de cette période.*

Le bilan fut tout à fait négatif. S'il y eut plus de deux millions de dollars de contraventions qui entrèrent dans les caisses du Trésor, spécialement chargé de la répression, les divers gangs intéressés au trafic de l'alcool s'enrichirent dans des proportions inouïes : Al Capone doit beaucoup au dix-huitième amendement. Combien de débits de boissons clandestins ou « speakeasies » (lieux où l'on cause aimablement) étaient contrôlés par ses sbires ? Combien de *bootleggers* (trafiquants d'alcool) furent en réalité encadrés par des rois de la pègre qui, sans l'aubaine de ce commerce illicite, n'auraient pu accumuler aussi facilement une fortune importante ! Toutes les villes n'étaient pas comme Cicero, complètement dans la main d'Al Capone, mais la plupart des grandes agglomérations étaient touchées et il est difficile d'accepter les affir-

Cicero (Illinois) se trouve dans la partie orientale de la conurbation de Chicago.

— la renaissance des sectes

— le Ku Klux Klan

LA « PROSPERITY »

Le développement de la production

La voiture progresse, mais la voie ferrée joue toujours un rôle économique important. Elle n'est pas encore détrônée comme aujourd'hui.

mations de Ford selon lesquelles la prohibition aurait permis d'améliorer les cadences dans les chaînes de montage des usines et la qualité du travail.

Le repli des Américains sur le continent s'accompagna non seulement d'un repli moral sur le puritanisme originel de leur civilisation (*Puritanism and Isolation go together*), mais aussi d'une renaissance des sectes protestantes les plus intransigeantes, de la lutte contre certaines conceptions philosophiques du monde, enfin du racisme antinoir le plus virulent.

Parmi les sectes religieuses qui connurent un grand développement dans les années 1920-1925 figure le fondamentalisme dont les adeptes recommandaient l'application intégrale des préceptes enseignés par la Bible. Aucune critique du texte sacré n'était plus possible dans de telles conditions : le darwinisme, qui formulait une théorie évolutionniste de l'histoire biologique de l'humanité, était particulièrement visé et son enseignement fut condamné à de nombreuses reprises et même interdit par les autorités de certains Etats. Des procès sensationnels obligèrent des partisans de Darwin à s'expliquer devant les tribunaux !

Du fondamentalisme au racisme, la filière est certaine. Le « Klan » ressemblait trait pour trait à son ancêtre des années 1865-1866. Réapparu en 1915, il s'étendit surtout à partir de 1920 à travers le Sud et l'Ouest, prônant le plus souvent une xénophobie très violente, antinoire certes, mais aussi anti-italienne, antijuive, etc. Les laissés pour compte de la remarquable croissance des années républicaines furent les victimes de prédilection de ce racisme. De larges groupes sociaux manquèrent donc le rendez-vous de la « Prosperity », mais celle-ci n'en fut pas moins une réalité tangible.

Ce qu'on appelle, traditionnellement, la « Prosperity » est, sur le plan économique et social, une période de l'histoire qui correspond pour les Etats-Unis à leur entrée dans la « société de consommation ». La croissance économique des années 1922-1929 présente tous les caractères de l'expansion : la « Prosperity » est marquée par le développement industriel, une inflation faible, la concentration des entreprises, l'essor de la spéculation boursière.

Les progrès techniques accélérés par la guerre ont permis la diffusion sur le marché américain de la radio, de l'automobile, de l'avion. L'électricité et le moteur à explosion sont les signes les plus visibles de cette deuxième révolution industrielle. Le parc automobile passe de 10,4 millions de voitures en 1921 à 26,5 millions en 1929 dont 23 millions de voitures particulières. L'automobile concurrence le train, mais jusqu'à la guerre et malgré le *Highway Federal Act* de 1921, bon nombre de routes secondaires demeurent des pistes et les compagnies ferroviaires ont encore devant elles de belles années. Les voies fluviales restent largement utilisées. L'aviation civile en est à ses débuts (première ligne régulière pour passagers entre Chicago et Cheyenne en 1920).

La production industrielle a progressé de 64 pour cent entre 1919 et 1929, mais cet essor est inégal selon les secteurs : la sidérurgie est l'un des domaines de très forte expansion (doublement de la production d'acier entre 1910 et 1930) ; l'appareillage électrique (surtout ménager) se développe rapidement, de même que le bâtiment et les industries chimiques (pétrole). La consommation de produits de synthèse par l'industrie des produits finis devient impressionnante.

Les constructions navales, les textiles, les charbonnages souffrent d'une crise structurelle que l'on retrouve en Angleterre : les formes d'énergie changent. Le charbon est détrôné par le pétrole et l'électricité, et seules sont maintenues en activité les mines dont les conditions d'extraction sont rentables (forte mécanisation).

L'agriculture connaît une crise beaucoup plus grave. L'endettement des *farmers* pendant la guerre a été lourd puisqu'il fallait produire de plus en plus et pour cela acquérir un matériel sans cesse plus important. De grosses sommes ont été empruntées aux banques, car pour s'équiper il fallait des capitaux. Or, depuis la crise de 1920-1922, la production s'écoule mal, les revenus stagnent ou baissent, les traites qu'il faut payer aux créanciers grèvent le budget des agriculteurs : les faillites sont nombreuses. Cette crise provoque le départ de plus d'un million et demi de personnes, tandis qu'un demi-million d'hectares retournent en friche.

Avec l'espoir de trouver une solution à leurs problèmes, les *farmers* se spécialisent ; ils créent les *belts*, régions consacrées à une production agricole déterminée, mais il n'en résulte aucune amélioration des revenus, car les marchés s'engorgent et les stocks s'alourdissent. Les revenus s'en ressentent et le remède est pire que le mal.

Le visage de l'Amérique prend ses traits contemporains. La concentration des entreprises s'accélère après un ralentissement au début du siècle. Vers 1930, deux cents affaires s'adjugent près de la moitié de la richesse commerciale des Etats-Unis ; le quart du commerce intérieur se fait par l'intermédiaire de magasins à succursales multiples. Dans la grande industrie, *Ford*, *General Motors* et *Chrysler* — les géants de l'automobile — occupent pratiquement une situation de monopole. Après 1926, la concentration ne sera plus motivée par un souci légitime de rationalisation des entreprises (taylorisme), mais par simple goût de la spéculation. Ce sera une des causes de la crise boursière de 1929.

La concentration des entreprises

Les Etats-Unis ont connu, de 1922 à 1929, une croissance remarquable. La crise de 1929 constitue-t-elle, comme le prétendent certains auteurs, la retombée nécessaire de cette ascension économique ? Le raisonnement semble erroné. Si, sur le plan financier, on peut observer des aspects malsains (spéculation boursière, par exemple), il n'en demeure pas moins vrai que l'économie est restée fondamentalement saine. Au demeurant, c'est pour cette raison que la crise des années 30 a été, en définitive, surmontée.

— la croissance ne fut pas un mythe

Se reporter au chapitre X.

III POUR APPROFONDIR CE CHAPITRE

Sur la Grande-Bretagne, on consultera deux excellentes synthèses : R. MARX, *Histoire du Royaume-Uni*, A. Colin, coll. U, 1967, 423 p., et F. BEDARIDA, *La société anglaise, 1851-1975*, Arthaud, 1976, 281 p.; ainsi que l'ouvrage remarquable de P. RENOUVIN, *La Grande-Bretagne de 1914 à 1939*, Paris, C.D.U., 1960 ;— et celui, plus vieilli, d'A. SIEG-FRIED : *La Crise britannique au XXe siècle*, Paris, A. Colin, 1931, 216 p.

Pour les Etats-Unis, on consultera surtout le livre de A. KASPI et D. ARTAUD : *Histoire des Etats-Unis*, Paris, A. Colin. Collection U, 1969, 413 p. Voir aussi : A. KASPI, *La vie quotidienne aux États-Unis au temps de la prospérité, 1919-1929*, Hachette, 1980, 343 p..

La Documentation française (quai Voltaire à Paris) a publié un dossier sur les institutions américaines : « Documents d'études » n°1. *Les institutions des Etats-Unis*, janvier 1970, indispensable pour comprendre le système politique américain.

D. ARTAUD : *Le New Deal*, Paris, A. Colin, coll. U2, 288 p. ; — A. SCHLESINGER : *L'Ere Roosevelt*, tome 1, Paris, 1971, 540 p. ; traduction d'une des plus célèbres histoires de la période 1932-1945 publiées aux Etats-Unis. Schlesinger a été un collaborateur de l'équipe démocrate de Kennedy. M. TACEL : *Le Royaume-Uni de 1867 à 1981*, Paris, Masson, coll. « Un siècle d'Histoire », 1981, 289 p., pas d'index.

CHAPITRE IX

Les relations internationales de 1919 à 1931

Les relations internationales de 1919 à 1931 sont principalement centrées sur l'Europe. La France, l'Allemagne et le Royaume-Uni en sont les protagonistes. De 1919 à 1925 environ, le problème de l'application du traité de Versailles provoque une tension entre les anciens alliés, celui des réparations domine la scène diplomatique et déclenche parfois des crises. De 1925 à 1931, l'ère Briand-Stresemann et ses prolongements semblent engager le monde dans la voie de la paix, illusion vite dissipée par les conséquences de la crise. Une vive tension à partir de 1931 oppose les pays du monde entier.

Voir carte 3

I LES NOUVEAUX FONDEMENTS DES RELATIONS INTERNATIONALES

La peur d'un retour de la guerre a conduit les diplomates et les hommes d'Etat à multiplier les garde-fous, à baliser la vie publique des nations de tout un ensemble de signaux d'alarmes propres à assurer une paix durable. Deux grands principes furent admis : la publicité des contacts et l'internationalisation des débats.

L'idée prévalait alors que la crise de juillet 1914, et donc la guerre, avait été provoquée par le caractère secret de la diplomatie de couloirs qui régnait depuis toujours. Des traités plus ou moins connus, aux incidences imprévues, semblaient les grands responsables de ce jeu d'assurances et de protections qui avait conduit l'Allemagne à soutenir l'Autriche, la Russie à défendre la Serbie, et la France à s'engager aux côtés de l'empire russe. La cause majeure de la Grande Guerre, universellement admise à l'époque, était l'existence de nombreuses clauses secrètes et militaires dans les traités entre Etats.

LES PRINCIPES

Pour éviter le retour de semblables pratiques, il fallait rendre claires les relations entre États, publiques les rencontres entre diplomates, limpides les traités. Wilson avait milité pour le triomphe de tels principes. De fait, les projecteurs de l'actualité saisirent à l'envi les contacts qui marquèrent cette « diplomatie des palaces », comme l'appelèrent les journaux. Mais, bien vite, une seconde diplomatie, souterraine celle-là, doubla la diplomatie officielle et la démentit : la paix y gagna moins que l'hypocrisie. Jamais le nombre des entrevues ne fut aussi grand et une géographie diplomatique pourrait être faite des sites de ces rencontres.

Le second principe donna naissance à la Société des Nations. L'idée d'une instance internationale devant laquelle viendraient en discussion les différends entre pays est vieille comme l'espoir des hommes de constituer une République universelle, et tous les grands noms de la Pensée ont proposé de constituer un tribunal suprême des nations afin de résoudre pacifiquement les conflits et de mettre la guerre hors la loi. Pour la première fois dans l'histoire de l'humanité, cette idée se concrétisait, les principaux pays du monde ayant décidé de constituer une Société appelée à connaître du contentieux entre États. Son siège était fixé à Genève dans les locaux qui devaient prendre le nom de Palais des Nations. Wilson avait placé tous ses espoirs dans cette organisation, mais son propre pays avait refusé d'en faire partie. Bien vite, la S. D. N. allait prendre l'allure d'un club de vainqueurs d'où étaient exclues, entre autres, l'Allemagne et l'U. R. S. S. Son objectif se confondait avec le maintien du « statu quo » issu du traité de Versailles au bénéfice de Londres et de Paris. Comme l'affirmait justement Lénine : « Le vainqueur est toujours pacifique. »

Les changements dans la nature des relations internationales sont plus apparents que réels

A en juger par les principes et les rouages de la S. D. N., la paix devait être jalousement préservée. En réalité, si aucun conflit de caractère grave n'éclata et si la S. D. N. parvint à résoudre de multiples incidents localisés, il faut bien reconnaître que les relations internationales furent passablement troublées de 1919 à 1931. Au centre de ces perturbations, nous rencontrons un grave problème : le problème allemand.

II LE PROBLÈME ALLEMAND

L'Allemagne ne reconnaît *de jure* aucune des frontières imposées par le traité de Versailles : la restitution de l'Alsace-Lorraine, mais surtout la perte des territoires qui ont formé la zone de Dantzig et la partie occidentale de la Pologne ressuscitée ne sont, en aucune façon, acceptées. L'Allemagne est « révisionniste » et veut une modification profonde du traité de paix.

Aux termes de son article 231, le traité de Versailles avait condamné l'Allemagne à payer les frais et dommages de guerre supportés par les puissances victorieuses. Le montant n'en avait pas été fixé et un simple acompte de vingt milliards de marks-or avait été réclamé. Un second traité, purement financier celui-là, restait à élaborer. Une commission des réparations, longtemps présidée par Raymond Poincaré, parvint à déterminer la somme exigée des Allemands : 132 milliards de marks-or. Il était prévu que la moitié du montant reviendrait à la France, le quart aux Anglais dont les exigences concernant le paiement des pensions aux veuves de guerre avaient contribué à gonfler la somme réclamée au vaincu. Presque tous les hommes politiques estimaient, de façon peu réaliste, que cette somme pouvait être payée intégralement. Dès qu'elle eut connaissance de ce qu'on lui demandait, l'Allemagne se déclara insolvable, bien décidée qu'elle était à payer le minimum. Les Français se montrèrent les plus durs, avec les Belges, à l'égard de l'Allemagne. Les Anglais, d'abord très fermes, évoluèrent vers une attitude beaucoup plus conciliante. Les Français voulaient lier le paiement de la dette allemande au règlement des dettes interalliées. Les Anglais et surtout les Américains récusaient cette relation. On le voit, le problème allemand n'était pas seulement une affaire européenne, il se situait au centre des grandes questions mondiales.

L'évolution du problème allemand dépendait de l'attitude française et de la politique extérieure britannique.

Réactions française et anglaise

L'attitude française avait pour mobile majeur la sécurité. Il fallait pour la France faire accepter réellement par l'Allemagne les clauses — tant territoriales que financières — du traité de Versailles. Pour atteindre ce but, deux politiques étaient possibles ; l'une fondée sur la sécurité traditionnelle : armée nationale puissante, garanties alliées contre un retour offensif des Allemands, mesures coercitives contre les gouvernements allemands récalcitrants ; l'autre fondée sur la sécurité collective assurée dans le cadre de la S. D. N. Les gouvernements français tentèrent le plus souvent de mêler les deux politiques.

La politique extérieure du Royaume-Uni a connu une évolution rapide au début de la période qui nous intéresse : aux élections de 1918, c'est le chauvinisme le plus vengeur qui triomphe et l'hostilité envers l'Allemagne est générale ; puis vers le milieu de l'année 1919, l'influence des milieux financiers oriente la politique étrangère britannique vers une plus grande compréhension à l'égard de l'Allemagne. En réalité, Londres craignait plus l'hégémonie française sur le continent que le retour en force du militarisme allemand, et sa politique tendait plus à contenir la France qu'à favoriser l'Allemagne : celle-ci profita des divisions entre les alliés de la veille.

Deux étapes principales marquent l'évolution du problème allemand : de Versailles à Locarno (1919-1925), et de Locarno aux années de la crise de 1929-1930.

L'évolution du problème allemand

Les clauses concernant le désarmement de l'Allemagne ne pouvaient être efficaces qu'à la condition d'être strictement observées. Or la mission militaire alliée de contrôle ne put jamais réellement effectuer

voir page 47

son travail de surveillance et seule l'occupation de certaines bases en Rhénanie assurait la sécurité de la France. Le traité prévoyant l'entrée en guerre automatique des Anglo-Américains en cas d'agression allemande était désormais caduc : en effet, le traité de Versailles ayant été rejeté par les Américains, les Anglais estimaient ne pouvoir assumer seuls une telle intervention.

— la crise de 1920

Le principe de la zone démilitarisée fut plusieurs fois remis en question par les Allemands. Le 13 mars 1920, le coup d'Etat manqué de l'ultra-nationaliste Kapp suscita une grève générale des ouvriers de la Ruhr. Or, pour réprimer l'agitation, les autorités du Reich devaient obtenir l'autorisation des Alliés. Les Anglais étaient disposés à accepter, les Français non. Le 20 mars 1920, cependant, le gouvernement allemand envoya des troupes : l'autorisation des Alliés n'avait même pas été sollicitée. Les Français décidèrent de réagir aussitôt et, forts de l'appui des Belges, ils occupèrent le 6 avril 1920 les villes de Francfort-sur-le-Main, Darmstadt et Duisburg. Londres manifesta beaucoup de mauvaise humeur et une conférence internationale, réunie en avril à San Remo, vit se dégager une majorité hostile à la France. L'évacuation des trois villes allemandes fut décidée.

— attitudes de la France et du Royaume-Uni

La France n'était pas disposée à tolérer de manquement allemand aux clauses garantissant la sécurité du pays victorieux, alors que l'Angleterre avait une attitude opposée. Les deux politiques, inconciliables en 1920, devaient se rapprocher en 1921 pour aboutir à la conférence de Cannes en janvier 1922.

Lloyd George, Premier ministre britannique, souhaitait un moratoire (c'est-à-dire un report) des réparations allemandes : pour y parvenir il fallait obtenir l'accord de la France, et comment faire accepter une telle solution par Paris, sinon par une sorte d'échange, pour ne pas dire de chantage ? En contrepartie de l'accord français sur le moratoire, le Royaume-Uni envisageait de garantir le territoire de la France. Ce que le traité de Versailles avait prévu, ce que les Américains avaient refusé, ce que les Anglais avaient à leur tour abandonné, revenait au grand jour pour séduire le gouvernement français et obtenir un assouplissement de sa politique allemande. La sécurité — problème numéro un pour la France — était mise en avant pour atténuer l'ampleur des réparations. On le voit, les deux problèmes (sécurité, réparations) étaient bien les deux composantes majeures de la question allemande.

Briand, président du Conseil, avait évolué au cours de l'année 1921. L'occupation des trois villes allemandes en 1920 n'avait fait qu'isoler la France. En outre, une attitude éternellement hostile à l'égard de la nation vaincue lui était insupportable et il penchait vers une politique de conciliation modérée, lorsque Lloyd George en décembre 1921 lui proposa le marché : sécurité contre diminution ou prorogation des dettes allemandes. Briand aurait voulu que la garantie anglaise fût étendue aux frontières allemandes de l'Est : Lloyd George refusa tout net. Des conversations eurent lieu à Cannes en janvier 1922, mais la

Les relations internationales

conférence fut interrompue par le rappel à Paris de Briand, le désaveu qui lui fut infligé par Millerand, président de la République, et, bien sûr, par la démission du président du Conseil, le 12 janvier 1922. En 1920, une politique dure avait prévalu en France. En 1921, une attitude plus conciliante était apparue sous le gouvernement Briand. En 1922, Poincaré revint à une politique nettement hostile à l'Allemagne, une politique dite « d'exécution », c'est-à-dire d'application stricte des clauses du traité de Versailles.

La population parisienne « résistance un mélange de paralysie et d'attribu passer».

La « politique d'exécution » de Poincaré

Poincaré, redevenu président du Conseil après avoir été président de la République, et dont l'autorité de ce fait était très grande, ne croyait pas à la valeur d'un traité de garantie, un tel document diplomatique ayant quelque chose d'humiliant pour la France. Une garantie unilatérale de la France par le Royaume-Uni prenait une allure de protection, et de protection à protectorat la distance est vite parcourue. Pourquoi ne pas négocier entre les deux pays un traité bilatéral comme c'était l'habitude avant la guerre et comme ce doit toujours être le cas entre deux grandes nations libres et égales ? En outre, Poincaré voulait non seulement une garantie du sol de la France, mais aussi l'assurance qu'une agression contre les troupes françaises d'occupation en Rhénanie entraînerait automatiquement une intervention britannique. Lors de l'entrevue des deux chefs de gouvernement, à Boulogne-sur-Mer les 25 et 26 février 1922, Lloyd George refusa de prendre en considération cette thèse.

La conférence de Gênes qui se tint du 10 avril au 19 mai 1922 n'améliora pas la situation. Cependant, un événement considérable s'y produisit : le rapprochement entre l'Allemagne et l'U. R. S. S., les deux pays ayant été conviés à discuter du règlement des grands problèmes européens. L'entrevue entre Rathenau et Tchitchérine n'était conçue — surtout du côté allemand — que comme une manœuvre propre à inquiéter les puissances occidentales et à les faire céder devant les réclamations de Berlin. Pour les Russes, c'était une sorte de réinsertion dans la vie internationale. Toujours est-il que l'accord germano-soviétique de Rapallo inquiéta le gouvernement français. Poincaré qui, peu de temps auparavant, était opposé à un traité unilatéral de garantie en relança alors l'idée. Cette fois, ce furent les Anglais qui se montrèrent réticents : ils se demandaient si une telle garantie ne les entraînerait pas trop loin.

— l'importance de la conférence de Gênes

Rapallo est une petite ville de 20 000 habitants au fond du golfe de Gênes. L'accord germano-soviétique fut signé le 16 avril 1922.

Poincaré en vint à considérer, au cours de l'été 1922, que le meilleur moyen d'obtenir quelque chose des Allemands était d'aller chez eux se faire payer : ainsi prit corps la doctrine du « gage productif ». Une nouvelle demande de moratoire des Allemands convainquit Poincaré de la nécessité de saisir une partie du patrimoine économique de l'adversaire, afin de la faire fonctionner au profit de la France. Le 11 janvier 1923, les troupes françaises et belges occupèrent la plus grande partie de la Rhénanie. Sur le plan diplomatique, Poincaré s'opposait aux Anglais et risquait d'aggraver l'isolement de la France, mais sur le plan économique, il pouvait espérer la récupération d'une

— l'occupation de la Ruhr (1923)

...e la vie écono...
... qu'on a appelé la
»

partie des dettes. Or, soutenues par le gouvernement allemand, les plus grandes entreprises de la région, dont les usines sidérurgiques et les centres miniers, cessèrent tout travail et les Français durent envoyer en Rhénanie leurs propres spécialistes pour faire fonctionner les entreprises. En outre, la tension entre les troupes d'occupation et les populations fut très vive, des affrontements eurent lieu, il y eut des morts à Essen, des exactions furent commises par les troupes françaises. Forts du soutien du gouvernement Cuno, qui accepta le développement d'une inflation galopante, les industriels allemands pouvaient tenir longtemps. Aucune issue favorable à la France n'était prévisible, mais Poincaré, en solide juriste, sûr de son bon droit, habile à défendre le dossier le plus délicat, entendait obtenir, quoi qu'il arrive, gain de cause.

Voir page 78

— victoire diplomatique,
mais défaite financière

Cependant, au cours de l'été 1923, la situation intérieure allemande se modifia, et Stresemann inaugura une politique plus souple à l'égard de la France. Poincaré triomphait ; mais sa victoire fut contrecarrée par la situation du franc. La monnaie française subissait les assauts répétés des spéculateurs internationaux. Pour la soutenir, il fallait se procurer des devises et les échanger contre les francs proposés à la vente sur les marchés monétaires. La banque américaine Morgan offrit un crédit, assorti de conditions politiques : la France devait modifier sa politique dans la Ruhr et retirer progressivement ses troupes. Poincaré, pour sauver le franc, perdit la bataille de la Ruhr. En raison de sa faiblesse financière, la France n'avait pu pratiquer la politique étrangère qu'elle prétendait faire triompher.

— les oscillations de
la politique française

Dans la préparation et au cours même de la Conférence internationale de Londres (16 juillet-16 août 1924), Herriot qui comptait inconsidérément sur son intuition, sur les contacts personnels, ainsi que sur une communauté de sentiments politiques avec Mac Donald, abandonna en fait toute une série d'atouts dont la France pouvait disposer : disjonction des réparations allemandes et des dettes interalliées, remise à plus tard d'une discussion sur le problème de la sécurité internationale. Il se laissa arracher, les unes après les autres, toute une série de concessions, par une diplomatie anglo-américaine (surtout anglaise) convaincue que la liquidation de l'affaire de la Ruhr et le relèvement de l'Allemagne constituaient la condition indispensable au retour d'un équilibre et d'une paix véritable en Europe.
En quelques mois, tout le système de pression français en Rhénanie fut démantelé ; les clauses commerciales du traité de Versailles, devenues caduques, ne furent pas même partiellement renouvelées. La France renonçant à la commercialisation des réparations allemandes dans le cadre du plan Dawes, se liant les mains par avance, à toute action unilatérale en cas de défaut de paiement de ces réparations.

Les oscillations de l'année 1924 laissaient prévoir une volonté de conciliation dans la politique extérieure française. C'est bien ce qui se produisit, en raison notamment du résultat des élections législatives de mai 1924. Sans qu'une majorité se fût nettement dégagée en faveur de la gauche, le parti radical et le parti socialiste S. F. I. O. obtinrent une victoire à la Chambre : ils purent y constituer une majorité fragile dirigée par le radical Edouard Herriot.

Au même moment, au Royaume-Uni, les élections portaient au pouvoir le leader travailliste, Ramsay MacDonald. Deux hommes proches par les idées se retrouvaient chefs de gouvernement, l'un à Paris, l'autre à Londres. Or la politique étrangère d'Herriot ne différa guère de celle de son prédécesseur : l'évacuation des troupes françaises de la Ruhr n'intervint qu'à l'été 1925 après avoir été âprement négociée entre les Français et leurs anciens alliés.

La volonté de résoudre les problèmes pendants entre la France et l'Allemagne émana du gouvernement allemand lui-même. Sur la suggestion de Lord d'Abernon, ambassadeur du Royaume-Uni à Berlin, Stresemann laissa entendre que l'Allemagne accepterait de signer avec la France et les autres pays intéressés un accord garantissant notamment les frontières franco-allemandes issues de Versailles, zone démilitarisée incluse. La proposition fut communiquée à la France le 9 février 1925.

Voir page 50

Les avantages n'étaient pas négligeables, l'Allemagne acceptant comme définitif le retour de l'Alsace-Lorraine à la France. Ce qu'aucun gouvernement n'avait pu obtenir auparavant, sans risque de conflit armé, Briand l'obtenait sans coup férir à la requête même du principal intéressé, l'Allemagne vaincue.

Cette dernière trouvait également des avantages dans cette affaire. La France étant garante de la frontière entre les deux nations, une opération semblable à celle de janvier 1923 cessait d'être possible. En outre, Stresemann escomptait que la France, satisfaite à l'Ouest, s'occuperait moins des intérêts de ses alliés orientaux. La révision, ardemment souhaitée par les Allemands, des frontières orientales pourrait intervenir un jour sans soulever de difficultés. Ce point est fondamental : c'est au prix d'un renoncement à l'Ouest que l'Allemagne espérait obtenir gain de cause à l'Est. La France n'a peut-être pas compris le caractère intangible de la grande « protestation orientale » des Allemands.

La réponse française fut communiquée par Briand, l'« homme de Cannes », au mois d'avril 1925. Le Royaume-Uni avait été consulté entre-temps. La France réclamait l'inclusion de la Belgique dans le règlement d'ensemble et exigeait que l'Allemagne acceptât une reconnaissance *de jure* du traité de Versailles, dans sa totalité. De cela, les Allemands ne voulaient à aucun prix : pour eux, le traité de Versailles était un « Diktat », c'est-à-dire un texte imposé, sans discussion bilatérale, au vaincu par le vainqueur. Parmi les divers articles de ce « Diktat », certains pouvaient faire l'objet d'une convention de garantie bi- ou multilatérale entre l'Allemagne et d'autres pays, mais il n'était pas question de considérer le traité comme un tout et d'en reconnaître officiellement et solennellement le caractère intangible.

Enfin, la France se montrait désireuse d'étendre la garantie proposée par l'Allemagne aux frontières orientales (Pologne, Tchécoslovaquie). Comme on connaissait dans les milieux diplomatiques français l'intransigeance de l'Allemagne sur ce point, on proposa de multiplier des pactes bilatéraux entre les puissances intéressées, Pologne et Tchécoslovaquie, d'une part, et Allemagne puis France, d'autre part. Stresemann n'était pas hostile à la multiplication de tels pactes, mais il refusait que la France les garantît en bloc. Il était difficile de trouver un véritable terrain d'entente.

Cinq pays se réunirent à Locarno, le 5 octobre 1925 : France, Allemagne, Royaume-Uni, Italie, Belgique. Briand, dès le 10 octobre, céda sur les points les plus importants des revendications allemandes, acceptant que la France ne garantît pas les traités bilatéraux. Alors les choses évoluèrent très vite : les délégations tchèque et polonaise qui piaffaient devant la porte de la conférence purent être introduites : le 16 octobre 1925, cinq traités furent signés. D'abord, un pacte rhénan : il garantissait les frontières de l'Allemagne dans la partie occidentale de

L'habile politique de Stresemann

STRESEMANN (Gustav), 1878-1929. Ce Berlinois fut dès 1907 député libéral national. En 1919, il fonda et dirigea le parti populiste. Chancelier en août 1923, il fut abandonné par les socialistes pour avoir trop durement réprimé des grèves et dut se retirer en décembre 1923. Il fut ministre des Affaires étrangères jusqu'à sa mort. Grand adversaire du parti nazi, sa disparition prématurée privera la légalité républicaine d'un ardent défenseur.

BRIAND (Aristide), 1862-1932. Ce Nantais, fils d'aubergiste, fut d'abord avocat à Saint-Nazaire. Il fonda avec Jaurès le parti socialiste français. Député en 1902, sa « voix de bronze » et son talent de conciliateur l'imposèrent comme l'un des plus brillants parlementaires. Ministre de l'Instruction publique en mars 1906, il fut membre de nombreux cabinets ministériels dès avant 1914. Il fut chef de gouvernement de juillet 1909 à novembre 1910. Il forma deux nouveaux ministères en 1913. Pendant la guerre, il fut président du Conseil d'octobre 1915 à décembre 1916. Après de nombreuses responsabilités gouvernementales, il devint un véritable ministre des Affaires étrangères inamovible du 7 avril 1925 au 12 janvier 1932. La fin de sa vie fut marquée par un échec aux élections présidentielles de 1931. Il mourut peu après (7 mars 1932).

L'ESPRIT DE LOCARNO

Locarno est une ville suisse située sur la rive Nord du lac Majeur

son territoire (c'est-à-dire les frontières franco-allemande et germano-belge) ; le Royaume-Uni et l'Italie en étaient co-garants, avec les parties intéressées. Ensuite quatre traités d'arbitrage : Allemagne-France, Allemagne-Belgique, Allemagne-Pologne, Allemagne-Tchécoslovaquie. La France, faute d'avoir obtenu une garantie des frontières orientales de l'Allemagne, signa de nouveaux traités d'alliance avec la Pologne et avec la Tchécoslovaquie. Il y avait donc deux types de traités superposés : un premier ensemble avait pour centre l'Allemagne et la liait à divers voisins ; un deuxième ensemble, dont le centre était la France, liait cette dernière à certains des pays voisins de l'Allemagne, ceux qui n'étaient pas compris dans le pacte de garantie. Les deux ensembles de traités étaient, pourrait-on dire, complémentaires. C'est parce que l'Allemagne avait accepté de signer des traités d'arbitrage, sans pour autant consentir à un pacte de garantie, que la France s'était vue contrainte de protéger unilatéralement les voisins orientaux de l'Allemagne. En réalité, les traités signés par la France avec la Pologne et la Tchécoslovaquie ne servaient pas à grand-chose. Ils n'étaient là que pour sauver la face. Selon l'Allemagne, les traités ne faisaient pas partie des accords de Locarno. Seul, le pacte rhénan, selon Stresemann, méritait d'être appelé « Accord de Locarno ». Il y eut un « Locarno de l'Ouest » (garantie des frontières occidentales de l'Allemagne). Il n'y eut pas et il n'y aura jamais un « Locarno de l'Est ». C'est précisément à l'Est qu'éclatera la Seconde Guerre mondiale.

LES RÉPARATIONS :
un problème qui évolue

Pendant que la sécurité de la France semblait assurée par le pacte rhénan, les réparations connaissaient en 1924 un aménagement important. En soutenant les industriels de la Ruhr dans leur résistance passive contre les Français, le gouvernement allemand avait favorisé une inflation d'une exceptionnelle intensité. La monnaie allemande ayant perdu toute valeur, le règlement des réparations en devises n'avait plus de sens. Le paiement en nature, vaches ou tonnes de charbon, n'était guère facile à pratiquer. Il fallait recourir à des méthodes radicales, c'est-à-dire un allégement des réparations, mais la France, principale puissance intéressée, n'y trouverait pas son compte. Le trouverait-elle en recevant des marks dévalués ?

Une vaste négociation s'engagea et un plan fut élaboré, qui porta le nom du président de la commission chargée d'en fixer les termes : le plan Dawes prévoyait une aide substantielle des banques américaines à l'Allemagne. Le docteur Schacht ayant réalisé une véritable banqueroute en 1924 et créé une nouvelle unité de compte, le *Rentenmark*, l'assainissement de la trésorerie allemande pouvait être entrepris dans de bonnes conditions. Les dettes allemandes seraient contingentées et à chaque paiement un crédit américain correspondant serait ouvert. En réalité, la conséquence majeure de ce nouveau mode de paiement était une notable réduction du volume des dettes. L'Allemagne y gagnait.

DAWES (Charles), 1865-1951 Né dans l'État de l'Ohio, il fut ingénieur des chemins de fer et avocat d'affaires. Intendant général du corps expéditionnaire américain en 1917, il fut un remarquable organisateur. Expert auprès de la commission des réparations, c'est à ce titre qu'il présida la commission chargée d'établir le plan qui porte son nom. Prix Nobel de la paix en 1925. Vice-président des États-Unis sous Coolidge (1925-1929), il fut ensuite ambassadeur à Londres (1929-1932). Il abandonna alors la vie politique.

En 1925, la situation internationale en Europe était donc dominée par les intérêts contradictoires de trois pays : France, Royaume-Uni et Allemagne. Le premier, en tout cas, n'avait obtenu sa sécurité qu'au prix de lourdes concessions, notamment dans le domaine du paiement des réparations allemandes.

Sa sécurité, la France avait cru cependant pouvoir la compléter par des alliances de revers « dans le dos » de l'Allemagne, semblables à la précieuse alliance qu'elle avait su contracter en 1892 avec la Russie des tsars. Comment remplacer l'alliance franco-russe désormais impossible en raison de la révolution bolchevique d'octobre 1917 ? Deux possibilités s'offraient à la France : une alliance avec la seule Roumanie, une alliance avec les pays de la Petite Entente. Mais l'idéal eût été que les pays « successeurs » formassent une confédération comme le préconisait le Tchèque Benès. En la patronant, la France eût remplacé avantageusement l'alliance russe par une alliance avec toute l'Europe centrale et balkanique. Mais le nationalisme des jeunes Etats avait empêché la réalisation d'une vaste fédération polono-danubienne. Ainsi la France avait dû s'entendre avec plusieurs pays très différents et fort opposés parfois sur le plan de leurs intérêts nationaux respectifs.

Le Royaume-Uni, moins préoccupé de sa sécurité territoriale, n'avait nul besoin d'un allié en Europe orientale. D'ailleurs le gouvernement britannique n'estimait pas que fussent conformes au bon droit les frontières orientales, celles de l'Allemagne comme celles des autres pays, ce qui excluait de sa part toute idée d'alliance. L'Italie seule pouvait contester — avec la Russie, dont le cas est à cette époque un peu particulier — une hégémonie française en Europe orientale et danubienne. Quoique puissance victorieuse, l'Italie, déjà déçue par les traités de paix, ne pouvait soutenir que des pays danubiens, eux-mêmes mécontents de ces traités (cf. le chapitre XV).

On assiste alors à la formation de deux blocs antagonistes. D'une part, celui de la clientèle française : Pologne, Roumanie, Tchécoslovaquie, Yougoslavie. D'autre part celui du camp italien : Autriche, Hongrie, Bulgarie, Albanie. Comment ces deux ensembles se sont-ils constitués ? Au début de la période qui nous intéresse, la France plaça ses espoirs dans une confédération danubienne axée sur la Hongrie. Maurice Paléologue fut le promoteur de cette politique, qui favorisait des intérêts financiers : Schneider, la grande firme du Creusot, devait assurer la gestion et le développement des chemins de fer hongrois ; une des plus grandes banques hongroises passerait sous le contrôle des intérêts français ; le port de Budapest serait réorganisé par des entreprises françaises. En contrepartie de tous ces avantages financiers et économiques, la France promettait de soutenir les revendications de la Hongrie concernant les traités de paix, notamment dans le tracé de ses frontières. Une bien curieuse politique française s'engageait ainsi sur le

LA POLITIQUE DES ALLIANCES

La Petite Entente regroupait la Tchécoslovaquie, la Roumanie et la Yougoslavie dans une alliance dirigée contre la Hongrie.

La France à la recherche d'une politique orientale

PALEOLOGUE (Maurice), 1859-1944. Issu d'une grande famille d'origine byzantine, il entra en 1880 dans la carrière diplomatique. Très proche de Delcassé, il représenta, de 1914 à 1917, la France à Petrograd. Il termina sa carrière comme secrétaire général du Quai-d'Orsay (1919-1920). Il entra à l'Académie française en 1928.

Danube au lendemain même de la victoire de l'Entente sur les Empires centraux et de l'éclatement de l'Autriche-Hongrie voulu par la France.

Voir carte 3

La « Petite Entente »

Cette politique dura fort peu de temps. Lorsque Millerand succéda au malheureux Deschanel à l'Elysée, Paléologue quitta le Quai d'Orsay, et son remplaçant, Philippe Berthelot, pratiqua une diplomatie totalement opposée. Après sa victoire sur la Russie, la Pologne semblait susceptible de devenir l'alliée de la France : Pilsudski effectua un voyage à Paris en février 1921, et le 10 une alliance politique fut conclue que compléta une convention militaire secrète dirigée contre l'Allemagne. La France promettait son assistance contre la Russie. En outre, un accord commercial fut signé en février 1922. Mais la Pologne n'est pas la Russie : il fallait lui adjoindre d'autres alliés. Le 25 janvier 1924, la France signa un traité d'alliance avec la Tchécoslovaquie. Aucune action automatique n'était envisagée et une simple concertation entre les deux pays était prévue en cas de crise internationale grave. La France désirait un rapprochement entre ses deux nouveaux alliés : Pologne et Tchécoslovaquie, mais l'accord était impossible, en raison notamment du problème territorial de Teschen en Silésie, zone revendiquée par les deux nations.

La France avait deux alliés mais qui ne s'entendaient pas. Cependant, en 1925, la France était satisfaite de son action. Elle avait des alliés contre l'Allemagne et sa sécurité s'en trouvait renforcée. Notons qu'à l'époque, la « Petite Entente », constituée en 1920 sur l'initiative de la Tchécoslovaquie et qui réunissait, autour de Prague, la Roumanie et la Yougoslavie, n'était pas intégrée au système oriental français. Elle avait seulement pour but de regrouper les pays satisfaits (des traités de paix) contre d'éventuelles actions hostiles des pays révisionnistes, au premier rang desquels figurait la Hongrie.

De son côté, l'Italie, dont l'espoir de constituer un empire maritime en Méditerranée orientale a été déçu, cherche à contrecarrer le nationalisme yougoslave et à déjouer l'influence française sur le Danube. En 1924, la Yougoslavie est obligée de s'incliner devant les exigences de Mussolini à propos de l'affaire de Fiume, les intérêts italiens se développent à Tirana et le Dodécanèse, avec Rhodes, reste italien. Eléments de puissance, ces jalons ne constituent pas encore une véritable assise impériale, mais le régime fasciste développe une idéologie favorable à l'impérialisme le plus violent.

Ainsi, en 1925, la politique européenne reste dominée par le problème allemand, c'est-à-dire par la sécurité française. Le déroulement des événements souligne le caractère central de la France au point que parfois on pourrait croire que l'étude des relations internationales s'identifie à l'étude de sa politique extérieure. Un grand pas a été fait dans le sens de la paix. L'Allemagne, désarmée et financièrement rétablie, paraît disposée à accepter une diplomatie partiellement fondée sur le traité de Versailles. Le plan Dawes permet d'espérer un règlement du problème des réparations. L'importance des résultats d'une telle diplomatie se mesure par rapport à la situation antérieure (c'est-à-dire avant Locarno) et non pas — comme trop d'historiens ont le tort de le faire — par rapport aux événements qui vont suivre.

III APRÈS LOCARNO

Après Locarno, la France poursuit sa politique d'alliances multiples en Europe centrale et méridionale, en concluant deux traités importants : le premier, avec la Roumanie, est signé le 10 juin 1926. De gros intérêts français convoitent le pétrole roumain et favorisent une alliance avec Bucarest. Le second traité, conclu avec la Yougoslavie, le 11 novembre 1927, consacre l'antagonisme franco-italien. L'intégration de la « Petite Entente » au système français constitue un élément favorable. Bien que dirigée contre la Hongrie et non contre l'Allemagne, cette entente groupe en Europe centrale plusieurs pays dont la diplomatie est liée à celle de la France.

Le Royaume-Uni, lui, ne garantit aucune puissance. Uniquement soucieux de contrarier l'hégémonie française et de maintenir l'équilibre européen, il veille à ne pas écraser l'Allemagne sous le poids des réparations, à maintenir la Russie dans les frontières qui sont les siennes depuis 1921, et persiste à penser que la révision des traités de paix de 1919-1920 interviendra tôt ou tard : ce qui est une forme de « révisionnisme ».

L'Italie, quant à elle, s'est constitué, un peu comme la France, un système d'alliances dans l'Europe danubienne (la synthèse de ces traités apparaît dans le schéma ci-contre). Jusqu'aux années 1930, la lutte d'influence avec la France fut âpre dans les Balkans, mais là n'étaient pas les principaux problèmes. Les tensions internationales les plus graves avaient pour origine le problème allemand, même après l'accord de Locarno.

Le désarmement allemand ne pouvait plus être contrôlé d'aussi près qu'auparavant par la France. Soutenus par le Royaume-Uni, les Allemands font observer que le maintien d'une étroite surveillance est incompatible avec l'esprit de Locarno. En outre, en septembre 1926, l'Allemagne entre à la S. D. N.; elle est redevenue une nation majeure. Mais surtout le désarmement de l'Allemagne en 1919 avait été conçu comme la première étape d'un désarmement général, et aucune décision n'avait été prise en ce sens depuis la fin de la Grande Guerre. Si la France voulait empêcher un redressement du militarisme allemand et sauvegarder sa sécurité, elle ne pouvait plus compter que sur une conférence internationale du désarmement dont on parlait beaucoup, mais qui ne venait jamais. Elle ne se réunira qu'en février 1932.

LES ALLIANCES TRADITIONNELLES

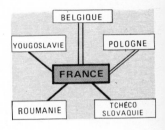

Le problème allemand

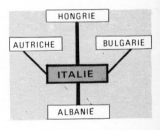

C'est sous l'égide de la France que s'effectua l'entrée de l'Allemagne à la S.D.N. A cette occasion Briand prononça son célèbre discours contre les armements « arrière les canons, les mitrailleuses ».

Comment assurer la sécurité internationale dans ces conditions ? Dans les années 1925-1930, un certain développement est donné à la Société des Nations tant par la France que par le Royaume-Uni. Au lendemain de la guerre, la plupart des hommes d'Etat étaient assez tièdes à l'égard de la S. D. N., mais malgré tout, en 1924, un effort fut tenté pour augmenter ses possibilités d'arbitrage : cette tentative s'appelle le « Protocole de Genève ». Dès 1923, des projets proposés par les Anglais à l'Assemblée générale tendaient à faire garantir par tous les Etats les décisions de Genève. Les Français, de leur côté, proposaient une série d'accords défensifs particuliers entre pays. Une fois ces accords conclus, la sécurité serait assurée et une convention générale avaliserait ces traités multiples et concordants. L'Assemblée vota un compromis entre les thèses anglaise et française : une résolution d'assistance mutuelle. L'Assemblée n'ayant que la possibilité de présenter aux gouvernements des recommandations, le « Protocole de Genève » fut vite abandonné.

La S. D. N. ne cesse pas pour autant d'occuper le devant de la scène diplomatique. Le retour au Quai-d'Orsay d'Aristide Briand en avril 1925 va faire de Genève l'un des centres les plus importants des relations internationales. Briand ne prétend pas faire de la S. D. N le fondement d'un système diplomatique rigoureux. Son tempérament pragmatique s'y oppose et il s'efforce de comprendre l'évolution de la réalité historique pour lui apporter des solutions appropriées. Loin de devancer l'événement, il le suit, il le sent et, fort de son intuition, élabore des « politiques ». Tout à la fois partisan d'une solide armée française et « apôtre de la Paix », il ne joue pas double jeu : il joue deux jeux en même temps ou alternativement.

L'ère Briand-Stresemann

Plusieurs initiatives vont avoir pour origine la volonté d'Aristide Briand de promouvoir une politique de paix. Comme il rencontre en Gustav Stresemann un interlocuteur de qualité, on parle souvent, à propos des années 1926-1929, d'« ère Briand-Stresemann ». En septembre 1926, l'Allemagne entre à la S. D. N., ce qui est une assurance de paix. En 1927, à l'occasion du dixième anniversaire de l'entrée en guerre des Etats-Unis, des contacts sont pris entre Briand et Kellogg,

– le pacte Briand-Kellogg

secrétaire d'Etat américain. En décembre 1927, un projet de mise hors la loi de la guerre entre les Etats-Unis et la France est élaboré : le 27 août 1928, le pacte Briand-Kellogg est solennellement signé. Aucune sanction n'est prévue au cas où l'une des parties contractantes se rendrait coupable d'un acte d'hostilité à l'égard de l'autre : il est vrai qu'on voit mal un conflit éclater entre les Etats-Unis et la France. Le pacte avait surtout un caractère symbolique, et une valeur d'exemple. Beaucoup de nations furent conviées à y adhérer et en 1929 plus de soixante nations l'avaient paraphé, dont l'Allemagne et la plupart des pays qui devaient être partie prenante dans les grandes crises internationales des années 1930-1940. En août 1929, Briand se rend à La Hayè où une conférence doit mettre au point un plan d'aménagement des réparations. Il y rencontre des représentants de mouvements pan-européens dont les idées sont alors bien accueillies. Parmi les mouvements les plus connus, figure celui du comte de Coudenhove-Kalergi qui s'appelle « Pan-Europa ». Son entourage presse Briand de prendre une initiative dans le sens d'un renforcement de l'unité entre les pays d'Europe, voire de la formation d'Etats-Unis d'Europe.

— l'Union européenne

En septembre 1929 a lieu, comme chaque année, la session de l'Assemblée générale de la S. D. N. Le 5 septembre, Briand prononce un discours, resté célèbre, sur la nécessité de l'Union européenne. L'idée est encore bien vague. Le 1er mai 1930, un mémorandum, rédigé par son chef de cabinet, Alexis Léger, propose la constitution d'une société des nations européennes dont l'organisation serait copiée sur celle de la S. D. N. La plupart des pays s'y déclarèrent hostiles. On était en pleine crise et les problèmes aigus posés aux gouvernements les détournaient des projets de Briand. La S. D. N. n'était pas mieux armée pour jouer un rôle en période difficile qu'en période de paix internationale. En septembre 1930, le projet des Etats-Unis d'Europe fut abandonné. Symboliquement, Briand connut en France un cuisant échec en 1931 : il fut battu aux élections présidentielles. Au reste, les temps avaient complètement changé et la crise de Mandchourie avait éclaté en septembre 1931. Une autre période commençait.

LEGER (Alexis), né à Pointe-à-Pitre en 1887. Il est connu pour son œuvre poétique sous le pseudonyme de Saint-John Perse. Il fut directeur du cabinet diplomatique de Briand de 1925 à 1932, puis secrétaire général du Quai-d'Orsay de 1933 à 1940. Il s'installa définitivement aux États-Unis en 1941. Ses œuvres principales sont *Anabase* (1924), *Exil* (1942), *Amers* (1957). Il reçut le prix Nobel de littérature en 1960.

Les problèmes posés par les réparations n'avaient pas été résolus par le plan Dawes. Dès avant la grande crise de 1929, l'Allemagne prit du retard dans ses paiements. Il fallait en revoir les modalités. C'est à cet effet que fut réunie une conférence présidée par l'Américain Young, d'où sortit un plan qui porte son nom. Les paiements allemands devaient s'échelonner jusqu'en 1988, et aucune annuité ne pourrait excéder la capacité de paiement de l'Allemagne. Bientôt le plan Young fut, à son tour, dépassé et, en 1931, un moratoire général des dettes fut décidé par tous les pays intéressés. Par la suite, les Allemands ne reprendront plus le paiement de leurs dettes. Sur les 132 milliards de marks-or que la Commission des réparations avait prévus, 10 seulement avaient été réglés ; en outre ce problème avait jeté la discorde entre les anciens alliés et permis à l'Allemagne d'effectuer sa rentrée diplomatique dans le concert des nations européennes.

— les réparations

YOUNG (Owen D.), 1874-1962, était un expert financier. Le plan qui porte son nom fut signé le 7 juin 1929. 59 annuités étaient prévues. Il établissait un lien de fait entre les réparations et les dettes interalliées. Une partie des réparations devait être fournie aux puissances créancières sous forme d'un capital et non pas sous forme d'annuités. Le reste était révisable, c'est-à-dire que son montant pouvait en être à nouveau abaissé. En raison du moratoire Hoover (1931), le plan Young ne fut jamais appliqué.

Les frontières de l'Union Soviétique constituent avec le problème allemand l'une des questions cruciales de l'histoire des relations internationales entre 1919 et les années 30. La Russie des Soviets était depuis 1917 un pays tenu à l'écart de la loi internationale, et dont le régime, jugé aberrant, passait pour provisoire ; mais lorsqu'il fut solidement implanté, une attitude nouvelle s'imposa et il fallut décider si oui ou non, sans qu'on allât obligatoirement jusqu'à la reconnaître *de jure*, la Russie réintégrerait la communauté internationale. L'idée prévalut — aussi bien à Paris qu'à Londres Washington ou Rome —, qu'il convenait d'établir ce que le maréchal Foch appelait un « cordon sanitaire » dont la Pologne et la Roumanie étaient les maillons essentiels.

LES FRONTIÈRES DE L'U.R.S.S.

L'Union Soviétique ou U.R.S.S. n'existera en tant que telle qu'après le premier congrès des Soviets tenu à Moscou (29 décembre 1922) où est adoptée une constitution de type fédéral.

Cependant, l'isolement de l'U. R. S. S. va, peu à peu, s'atténuer et elle va plus ou moins s'insérer dans le concert des nations européennes, parce qu'il est difficile de laisser longtemps un grand pays à l'écart des relations internationales, ne serait-ce que sur le plan économique, et que l'intérêt des grandes puissances veut qu'elles entretiennent des rapports même avec un pays dont l'idéologie risque de provoquer, à l'intérieur des Etats, des mouvements subversifs dont il serait difficile de maîtriser les effets.

La première grande démocratie occidentale à reconnaître *de jure* l'U. R. S. S. fut le Royaume-Uni pour des raisons essentiellement commerciales. Lloyd George, sans défendre une telle attitude, avait permis l'établissement de rapports avec les Russes dès 1920. Des ambassadeurs furent échangés. L'Angleterre fut suivie par l'Italie fasciste et par la France (1924). Le dernier grand pays à reconnaître l'U. R. S. S. fut les Etats-Unis. Ainsi, malgré son idéologie redoutée, malgré de nombreux problèmes pendants (remboursement des épargnants français, par exemple), l'U. R. S. S. reprenait peu à peu sa place parmi les nations. La consécration de cette évolution fut l'entrée de l'U. R. S. S. à la S. D. N. en 1934.

Lloyd George résumait son point de vue par une formule saisissante : « On commerce bien avec des cannibales ! »

Cette réinsertion de la Russie est une preuve supplémentaire du caractère favorable de la situation internationale en Europe en 1929. Les chances de la paix ne sont pas minces.

IV LES PROBLÈMES NON EUROPÉENS

En 1914 — le fait ne souffre guère de discussion — l'Europe dominait le monde de ses armes et de ses capitaux. La guerre a réduit sensiblement cette puissance. Cependant, il subsiste deux vastes empires coloniaux, l'anglais et le français, dont l'étendue s'est accrue des colonies ex-allemandes et dont la force est plus grande que jamais. En outre, de nombreuses zones dans divers continents se trouvent placées sous l'influence des grandes puissances européennes : le Proche-Orient, l'Asie du Sud-Est, la plus grande partie de l'Afrique. Seule, l'Amérique échappe partiellement à l'emprise européenne : le Nouveau Monde est définitivement tombé entre les mains des Etats-Unis. La diplomatie américaine est dirigée successivement au cours de notre période par Hughes (1921-1925), puis par Kellogg (1925-1929). Deux problèmes dominent l'action de ces diplomates : le Pacifique (c'est-à-dire le Japon) et l'Amérique latine.

LE PACIFIQUE

La rapide accession du Japon au rang de grande puissance inquiète les Américains. La seule nation de couleur à avoir battu une nation blanche, dès avant 1914, se trouve, depuis 1918, dans une situation très favorable pour accroître encore ses forces militaires et économiques. C'est surtout la marine japonaise qui inquiète Washington. La marine est à l'époque l'instrument impérialiste par excellence. Depuis que l'Allemagne n'a plus le droit de posséder des navires de guerre, seules subsistent les flottes anglaise et française, ce qui ne peut inquiéter les Américains, mais il reste la flotte japonaise dont le poids est d'autant plus redoutable qu'elle se concentre dans le seul océan Pacifique. Il convient de rééquilibrer les forces navales dans le monde : pour ce faire, une conférence navale est convoquée à Washington du 12 novembre 1921 au 6 février 1922.

L'événement est d'importance. Pour la première fois une grande conférence internationale se réunit aux Etats-Unis : cela satisfait l'amour-propre américain et confirme la puissance de la grande république. Ensuite, l'alliance anglo-japonaise (1902), dont les Etats-Unis pouvaient à bon droit craindre les conséquences dans le domaine naval, fait place à un rapprochement quasi total du Royaume-Uni et des Etats-Unis, et révèle entre ces deux pays une communauté de vues qui ne se démentira plus.

La conférence de Washington (novembre 1921 - février 1922)

Les puissances qui vont pâtir du rapprochement anglo-américain sont le Japon certes, mais aussi la France et l'Italie. La conférence aboutit à la signature d'un accord entre les cinq pays représentés, accord au terme duquel un certain rapport devra être maintenu pendant quinze ans entre les éléments lourds des diverses flottes (seuls les cuirassés sont donc réellement concernés par l'accord). Les rapports sont matérialisés par des nombres abstraits : coefficient 5 pour les Etats-Unis et le Royaume-Uni, 3 pour le Japon, 1,75 pour l'Italie et la France.

– l'équilibre des forces navales

Le triomphe des Etats-Unis n'est qu'apparent. S'ils obtiennent la parité avec le Royaume-Uni (ce qui est pour les Anglais le premier accroc à la théorie sacro-sainte du *Two Powers Standard*), ils concèdent en réalité au Japon une situation tout à fait privilégiée, la flotte japonaise n'ayant à s'intéresser qu'à la façade asiatique, toute la puissance navale des nippons peut être concentrée dans le Pacifique. En revanche, les Américains et les Anglais, même avec un coefficient supérieur, ne peuvent se permettre de concentrer leurs flottes dans les seules eaux du Pacifique, puisque les Etats-Unis ont une façade atlantique et que les Anglais doivent assurer la surveillance d'un vaste empire. Les Japonais y auront donc la supériorité navale.

Two Powers Standard : expression qui désigne la règle selon laquelle la flotte de guerre britannique doit être le double de celle de son plus proche concurrent.

La conférence de Washington s'est également préoccupée de l'équilibre dans le Sud-Est asiatique. Par un « traité à quatre », le 13 décembre 1921, Etats-Unis, Royaume-Uni, Japon et France se garantissent leurs possessions respectives. Le « traité des Neuf Puissances » du 6 février 1922 met un terme au *Break up of China* : il condamne l'existence de sphères d'influence en Chine et affirme la souveraineté du pays. Le Japon doit retirer ses troupes de Sibérie et renoncer à ses vues expansionnistes dans la péninsule du Chan Toung. Il s'agit d'un véritable échec pour le Japon et d'un succès de la diplomatie américaine dans la mesure où les deux traités sont des coups d'arrêt à l'expansion

– l'importance de la conférence

nippone. Sur le continent asiatique, la pénétration du Japon se trouve provisoïrement bloquée. Il devra désormais utiliser ou bien des moyens commerciaux, c'est-à-dire pacifiques, ou bien des moyens militaires, mais alors il rencontrera l'hostilité des Etats-Unis, qui n'hésiteront pas à accepter la guerre.

L'AMÉRIQUE LATINE

En Amérique latine, la politique extérieure des Etats-Unis est caractérisée par le passage de la diplomatie du *big stick* (gros bâton) à celle du *good neighbourhood* (bon voisinage). Y a-t-il eu réellement évolution dans un sens libéral, ou bien s'agit-il d'une façade, la mainmise sur les Etats d'Amérique latine étant maintenue par le capitalisme américain ? Le problème est loin encore d'être parfaitement élucidé. Les termes du « Corollaire » Roosevelt (il s'agit de Théodore Roosevelt, Président républicain des Etats-Unis de 1901 à 1909) n'étaient plus de mise après la Grande Guerre. Faire de l'Amérique latine la chasse gardée de la diplomatie et de la force armée des Etats-Unis n'était plus concevable. Des interventions comme celles de Cuba, d'Haïti, de Saint-Domingue et du Nicaragua sont désormais difficiles à envisager. Pourtant, le rôle des capitaux américains après la guerre est considérable et, dans certaines régions, les Etats-Unis ont pris le relais des pays européens. Ce sont là des responsabilités qui interdisent de se désintéresser de l'Amérique latine. La forme de l'intervention, en revanche, change.

En 1906, à propos de la République dominicaine, le président Th. Roosevelt estime que les pays européens n'ayant pas à intervenir sur le continent américain (doctrine de Monroe), il s'ensuit que les États-Unis doivent y assurer le « maintien de l'ordre » (corollaire de la doctrine de Monroe)

Les menaces font place aux conseils, les hommes d'affaires prennent en main les rouages des pays. La liberté des gouvernements n'est pas mieux assurée que précédemment, mais la présence américaine est moins brutale. C'est sans doute cela qu'on peut appeler la « politique de bon voisinage ». En 1930, le « Corollaire » Roosevelt est officiellement abandonné tandis que le panaméricanisme, qui suppose plus de participation des pays latino-américains à l'élaboration de leur avenir politique, se développe, comme l'attestent les conférences de Santiago du Chili en 1923 et de La Havane en 1928. Les Etats-Unis font figure de leader du continent américain : Washington intervient même dans des litiges entre Etats sud-américains.

LE PROCHE-ORIENT

Le Proche-Orient est un théâtre diplomatique beaucoup plus complexe que l'Amérique ; de nouveaux problèmes y apparaissent en 1919 qui s'ajoutent aux séquelles de la Grande Guerre. L'Egypte, en 1922, cessa d'être un véritable protectorat pour se voir promettre l'indépendance (acquise seulement en 1936). En réalité, elle resta soumise aux intérêts britanniques et dut tolérer la présence d'une importante force militaire anglaise. Le mouvement nationaliste *Wafd* de Zogloul Pacha mena la vie dure aux autorités anglaises. L'Irak devint indépendant en 1930 et entra en 1932 à la S. D. N., mais un traité signé avec le Royaume-Uni permettait le maintien d'une présence anglaise et, en cas de guerre, la possibilité pour Londres de faire stationner des troupes dans le pays. Au Hedjaz, les fortes positions de la famille hachémite furent battues en brèche par Ibn Saoud, chef d'une secte de musulmans austères, les Wahabites. Ibn Saoud créa de gros problèmes aux Anglais, car il fut soutenu par les Américains, qui étaient leurs concurrents dans cette région du Proche-Orient. Pour préserver ses positions sur la route des Indes, le Royaume-Uni dut consentir de larges concessions.

En Extrême-Orient, deux faits essentiels dominent la première décennie de l'entre-deux-guerres : l'essor économique du Japon et les désordres de la Chine.

L'EXTRÊME-ORIENT

Pendant la Grande Guerre, et jusqu'en 1925, le Japon connut une prospérité économique remarquable. Il vendait de la soie, des textiles, des produits fabriqués de qualité moyenne aux Etats-Unis et en Chine, sans oublier les possessions anglaises d'Asie. Mais sa position était fragile en raison de sa dépendance par rapport aux marchés extérieurs. Le renforcement du protectionnisme dans le monde risquait de provoquer chez lui une crise grave.

La période de prospérité se traduisit sur le plan politique par le maintien au pouvoir d'une majorité libérale, proche des milieux d'affaires, encore que les empereurs Yoshihito (1912-1926) puis Hirohito fussent bien souvent sensibles aux arguments des clans ultra-nationalistes. Lorsqu'éclata en 1929-1930 la grande crise mondiale, le Japon fut très durement frappé. La politique libérale qui, sur le plan diplomatique, s'était traduite par la modération de Shidehara, fit place à la politique de plus en plus nationaliste d'équipes soumises aux militaires. En 1930, le ministère Inukaï marqua le début de l'établissement au Japon d'un régime hypernationaliste, proche parent du fascisme : les hommes d'affaires avaient échoué dans la mise en place d'un Japon pacifique. L'affaire de Mandchourie allait montrer en 1931 que le changement se produisait rapidement. Le Japon était malgré tout un Etat moderne en comparaison de la Chine.

Le Japon des marchands...

Une guerre civile opposa deux Chines dès la fin de la guerre en Europe : la partie du Nord (Pékin) aux mains de quelques généraux sans scrupules (la « clique d'Anfou ») et la zone du Sud (Nankin) contrôlée par le « Kouomintang » de Sun Yat Sen. En 1925, l'unité du pays fut à nouveau réalisée par un des militaires dévoués au Kouomintang, Tchang Kaï-chek. Mais si Sun Yat Sen avait laissé se développer le communisme et avait entretenu de bonnes relations avec l'U. R. S. S. (mission Borodine), Tchang Kaï-chek ne put s'entendre avec le leader communiste Mao Tse-toung. Pourchassé par Tchang, Mao dut se replier vers le Nord, dans le Chan Si. C'est la fameuse « Longue Marche » (octobre 1934 — octobre 1935) qui représente l'un des grands épisodes de l'histoire du parti communiste chinois. Sous l'autorité de Tchang, la Chine se ressaisissait, mais l'unité nationale était loin d'être une réalité et le pays risquait de devenir rapidement une proie facile pour un impérialisme aussi entreprenant que celui du Japon, par exemple.

... et la Chine des généraux

CARACTÈRE GÉNÉRAL DE LA PÉRIODE 1919-1931

Toutes les parties du globe connaissent une stabilisation entre 1919 et 1930. La crise allait bouleverser un monde en voie d'apaisement, un apaisement qui pourtant peut apparaître superficiel. En effet, des forces révolutionnaires sont à l'œuvre. L'Europe n'a plus l'autorité que lui assurait sa puissance avant 1914. Son prestige est entamé par le nationalisme indigène (quand il s'agit de nations coloniales) et par la propagande communiste internationale (congrès des peuples opprimés tenu à Bakou en 1920). La tension latente dans les empires coloniaux tant anglais que français est là pour attester le malaise européen provoqué par la guerre : la crise de 1929 va rendre explosive la situation.

La période de 1930 à 1939 est une période de crises. Le Japon ultranationaliste, l'Allemagne nazie, l'Italie fasciste, l'U. R. S. S. stalinienne, l'Espagne franquiste, tous les régimes autoritaires, finiront par s'entendre et les trois grandes démocraties, Etats-Unis, Royaume-Uni, France, ne pourront endiguer le flot des exigences et des revendications de leurs adversaires.

Les années 1930-1931 marquent la ligne de partage entre un temps de pacification relative et une période d'avant-guerre.

V POUR APPROFONDIR CE CHAPITRE

On consultera : P. RENOUVIN : *Histoire des Relations internationales*, Paris, Hachette, 1957 et 1958, tome 7 : *De 1914 à 1929*, 376 p. — tome 8 : *De 1929 à 1945*, 428 p. ; — M. BAUMONT : *La Faillite de la Paix*, Coll. Peuples et civilisations, t. XX, 1er volume (1918-1935), 950 p. Paris, P. U. F., 5e éd. 1967 ; — J.-B. DUROSELLE : *Histoire diplomatique depuis 1919*, Dalloz, 7e éd., 1978, 935 p. ; — J. BARIÉTY, thèse citée p. 55 ; — B. de JOUVENEL : *D'une Guerre à l'autre*, 2 vol. Paris, 1940-1941 ; — P. MANTOUX : *Les Délibérations du Conseil des Quatre*, 2 vol. (vol. 1, 522 p.; vol. 2, 580 p.), Paris, Plon, 1955; — J.M. KEYNES : *Les Conséquences économiques de la Paix* 240 p., Paris,1920; — E.P. WALTERS : *A History of the League of Nations*, 2 vol., 834 p. Londres, 1952 ; A. FRANCOIS-PONCET : *De Versailles à Potsdam, la France et le problème allemand contemporain, 1919-1945*, Paris, Plon, 1948, 310 p. ; — J.-B. DUROSELLE : *De Wilson à Roosevelt, la politique extérieure des Etats-Unis, 1913-1945*, Paris, A. Colin, 1960, 496 p.

Sur l'évolution de l'Asie au xxe siècle, à tous les points de vue : Ph. RICHER : *L'Asie du Sud-Est. Indépendances et communismes*, Paris, Imprimerie Nationale, coll. « Notre Siècle », 1981, 430 p., index.

LIVRE TROISIEME

DE LA CRISE AU DÉCLENCHEMENT DE LA DEUXIÈME GUERRE MONDIALE

CHAPITRE X

La crise de 1929

La crise économique de 1929 fut la plus profonde que le monde ait jamais connue. Son universalité s'explique par l'existence de liens devenus très étroits entre l'économie et les finances des différents pays capitalistes ; frappant tous les pays — U. R. S. S. exceptée —, tous les secteurs économiques, toutes les classes sociales, sa violence même obligea le régime capitaliste, pour survivre, à se transformer profondément. Cependant la secousse qu'elle infligea au monde ne fut pas sans comporter des conséquences durables et dramatiques.

I LE KRACH DE WALL STREET

Le Krach boursier de New York, survenu fin octobre 1929, mit brutalement fin à un extraordinaire *boom* spéculatif. S'étant portée dès les années 1925-1926 sur les lotissements et la construction immobilière en Floride, la spéculation s'était orientée rapidement vers Wall Street, attirée par l'appât de substantiels gains en capital. De 1925 à la fin de l'été 1929, le prix des titres avait quadruplé ; un nombre de plus en plus important de particuliers, dans l'espoir de plus-values rapides et sans risques apparents, s'était mis à jouer en Bourse. La chose était aisée : l'on pouvait acheter des titres à crédit, en versant 20 à 25 pour cent de leur valeur ; des prêts à vue étaient en outre largement consentis à leurs clients par les agents de change : leur taux était très élevé (aux alentours

Les origines : la spéculation financière

de 9 % en moyenne ; au cours de l'été 1929, certains atteignaient 12-15 %) et attirait les capitaux flottants de la place de Londres, qui offrait une rémunération inférieure, tandis que, sur place, il rendait à peu près impossible l'émission d'emprunts à des fins d'investissements productifs ; le plus petit actionnaire, le moindre boursicoteur, n'éprouvait aucune appréhension à contracter ce genre de prêts à court terme, car il était persuadé qu'avant leur échéance les gains en capital qu'il aurait réalisés en Bourse lui assureraient, et au-delà, leur remboursement.

Une machine qui tourne à vide

La hausse appelant la hausse, le crédit soutenant la montée des cours, qui elle-même appelait l'extension naturelle du crédit, la Bourse se détacha rapidement des réalités économiques et se mit à tourner à vide ; on peut dater du début de l'année 1928 ce décrochement du cours des actions par rapport à celui du profit. Malgré quelques signes avant-coureurs : défaillances de Wall Street en juin 1928 et début 1929, krach Hatry à Londres en septembre 1929, on laissa la machine s'emballer. Des sociétés d'investissement se constituaient, dans le seul but de placer dans le public des titres et valeurs, de plus en plus nombreux, d'autres sociétés ; spéculant elles-mêmes sur les titres émis, elles favorisaient directement la hausse des cours. De leur côté, les entreprises industrielles et commerciales engageaient au-delà de toute prudence leurs réserves et leurs fonds de roulement dans des prêts aux *brokers* (courtiers en Bourse). Ces prêts, d'un total de 2 230 millions de dollars au 31 décembre 1924, s'étaient démesurément gonflés jusqu'à atteindre le montant de 8 525 millions de dollars au 4 octobre 1929. Sur cette somme, moins de 1 900 millions provenaient des banques, le reste émanait des sociétés industrielles ou commerciales, ou des particuliers.

Le « jeudi noir »

Dans ces conditions, la catastrophe était inévitable. En septembre 1929, la Bourse, jusqu'alors orientée à la hausse, semble hésiter ; et dans la dernière semaine d'octobre, c'est l'explosion et la panique : le 24 octobre (le « jeudi noir »), près de 13 millions d'actions sont offertes à la vente, la demande restant à un niveau insignifiant. Devant l'intervention des principaux banquiers et industriels de la place de New York, la chute est un moment stoppée, mais le lundi 28 et surtout le mardi 29 octobre, l'effondrement des cours s'avère irrémédiable : 33 millions de titres sont mis en vente. Phénomène incompréhensible pour les contemporains, la baisse se poursuivra pendant plusieurs années et atteindra des creux inimaginables : la moyenne « Dow Jones » avait atteint 125,43 dollars en 1929 ; elle s'effondre à 95,64 en 1930 ; 55,47 en 1931 ; 26,82 en 1932.

Explication « monétariste » et causes structurelles du krach de Wall Street

La première cause du krach de 1929 à New York serait donc la politique de crédit beaucoup trop facile et la « reflation » délibérée des dirigeants de la *Federal Reserve*, qui ne seraient intervenus que trop tard et trop timidement, malgré la conscience qu'ils pouvaient avoir des dangers de la situation. Si cette explication « monétariste » comporte une part de vérité — encore qu'un économiste aussi distingué que J.K. Galbraith la considère avec un scepticisme teinté d'ironie —, elle n'en demeure pas moins insuffisante : la politique monétaire a facilité, peut-être même amorcé, la spéculation ; mais pour rendre compte du krach de 1929, il faut avant tout évoquer les facteurs structurels, et d'abord ceux qui concernent les banques.

En effet la structure bancaire est alors très morcelée aux Etats-Unis, où il existe environ 24 000 petites banques, rayonnant sur un territoire restreint — la loi leur interdit de drainer leur clientèle privée sur plus d'un Etat — et dont l'essor ou la faiblesse dépendent étroitement de la conjoncture, surtout des fluctuations des prix agricoles, car les dépôts bancaires proviennent pour une large part des fermiers et du monde paysan. Le morcellement, l'absence de hiérarchisation, le défaut de spécialisation dans les différentes opérations financières, entraînent cette multitude de banques, insuffisamment guidées par les banques fédérales de réserve, à des réactions de précaution exagérées. Dans l'incertitude où elles se trouvent de la situation économique et financière du pays, privées de toute vue d'ensemble, elles ne peuvent, comme c'est le cas en cet automne 1929 — où, en outre, la lourdeur de certains marchés agricoles introduit pour elles un élément supplémentaire de gêne — que réduire leurs crédits aux particuliers, aux industriels, aux commerçants, aux agriculteurs, et retirer les dépôts qu'elles ont elles-mêmes effectués dans d'autres banques. Même si ce mouvement s'opère avec discrétion, pour ne pas effrayer le public ni déclencher une panique générale, il est irréversible ; il pousse résolument à la vente les détenteurs de valeurs boursières (même si ces derniers étaient en réalité beaucoup moins nombreux qu'on a pu l'affirmer par la suite : un million et demi environ, dont 600 000 opérant à crédit).

Ainsi saisit-on un rouage du mécanisme qui transforme la crise boursière en crise économique. Il faut aussi faire appel à la théorie de la mauvaise distribution des revenus, que soutient notamment Galbraith : une contradiction de plus en plus vive est survenue entre une production de plus en plus abondante et un marché relativement restreint. Malgré la politique de hauts salaires pratiquée par certains industriels aussi lucides que généreux (notamment dans l'automobile), seule une modeste fraction de la société possède les disponibilités nécessaires pour entretenir la consommation à un haut niveau (surtout celle des produits de luxe), et procéder à des investissements réguliers. Une crise financière survenant, la consommation de luxe se restreint, engorgeant le marché, tandis que se produit un arrêt des investissements qui compromet l'avenir.

De la crise financière à la crise économique

Allant au-delà de cette explication très classique (« mais qui a fait l'objet de beaucoup plus d'affirmations que d'essais de démonstration rigoureuse », J. Néré) peut-on dire que la crise de 1929 soit une crise de

Une crise de surproduction ?

surproduction ? Les statistiques montrent que la production mondiale a connu, de 1913 à 1925, une augmentation moyenne annuelle de 1,5 pour cent, puis de 3 pour cent de 1925 à 1929 ; le taux de progression est certes en hausse, mais il peut sembler modeste aux yeux d'un observateur d'aujourd'hui. En outre, le rythme d'accroissement provient bien moins des produits traditionnels (charbon, fer, acier, coton, etc.) que des productions nouvelles (pétrole, cuivre de fonderie, aluminium, soie artificielle, caoutchouc...). Rien dans tout cela qui ressortisse à une surproduction. Et il serait erroné de s'appuyer sur l'impressionnante baisse des prix agricoles (qui, en quelques années, tombent couramment de 50 pour cent et plus) pour conclure à une hypothétique surproduction : le volume de la production agricole demeure à peu près constant au cours de ces années. Si donc il n'est pas impossible, comme l'ont soutenu certains auteurs, que le marché de certains produits très particuliers ait été engorgé dès avant la crise par une sorte de surproduction virtuelle, « rien n'autorise à dire qu'une surproduction générale et massive (. . .) puisse rendre compte du cataclysme économique de 1929 » (J. Néré).

II LA CRISE ÉCONOMIQUE AMÉRICAINE

La chute de la production américaine

Comme il était logique, la brutale contraction du crédit entraîna un recul général de la production : d'abord du fait de la faillite des entreprises industrielles et commerciales les plus vulnérables (près de 23 000 en 1929, plus de 30 000 en 1932), mais surtout en raison d'une baisse moyenne des prix qui atteint 30 pour cent entre 1929 et 1932. Cette baisse s'explique aisément : une importante fraction de consommateurs, atteints par le contrecoup de la crise financière, sursoit à ses achats ; les stocks s'accumulent ; pour vendre, les industriels doivent baisser leur prix, et ce mouvement de baisse constitue à son tour, pour l'ensemble des consommateurs cette fois, une incitation à remettre à plus tard leurs achats possibles. D'autre part, les producteurs ne pouvant faire face à leurs frais réduisent une partie de leur personnel au chômage, total au partiel (mais les salaires nominaux baissent relativement peu aux États-Unis au cours de la période 1929-1932), ce qui diminue d'autant l'ampleur de la consommation potentielle. Enfin, les États-Unis ne peuvent trouver aucun remède dans le développement de leurs exportations : ils disposent déjà d'une balance commerciale très positive, et l'écoulement à l'étranger des surplus de leur production ne pourrait se concevoir qu'avec un renouvellement et une amplification des crédits qu'ils ont dû au contraire déjà considérablement raréfier.

Que les industriels restreignent leur production est dans ces conditions d'autant plus compréhensible qu'ils espèrent, en diminuant l'offre, freiner la baisse des prix. Aussi la production industrielle s'effondra-t-elle de plus de 50 pour cent entre août 1929 et août 1932, surtout dans le secteur des biens d'équipement (75 pour cent de chute). Les investissements tombèrent à un taux insignifiant : de 15,4 pour cent du produit national brut en 1929 à 1,5 pour cent en 1932. A cet égard, les faillites bancaires, au nombre de plus de 5 000, provoquées généralement par l'effondrement des prix agricoles et les difficultés financières des paysans, freinèrent tout mouvement qui aurait pu contrecarrer la chute des investissements.

Sur le plan social, les conséquences de la crise économique s'avérèrent dramatiques : la violente contraction des prix agricoles (57 pour cent de baisse moyenne entre juin 1929 et décembre 1932), jointe à la nécessité pour eux de vivre aux moindres frais, incita les agriculteurs à opérer un retour à l'économie de subsistance. Congédiant leurs salariés, remettant à plus tard réparations et entretien de leur matériel, proscrivant tout achat de produits manufacturés, les paysans durent souvent contracter de nouveaux emprunts afin d'acquitter les intérêts de leurs dettes. Les grandes banques créancières firent bientôt saisir les terres de leurs débiteurs défaillants : ceux-ci devinrent métayers sur les terres qui leur avaient appartenu, mais beaucoup furent bientôt chassés quand les banques regroupèrent leurs propriétés dans un souci de rentabilisation : c'est l'histoire des petits fermiers de l'Oklahoma que décrit Steinbeck dans *Les Raisins de la Colère*. La situation des ouvriers, guettés par le chômage, n'était pas plus enviable : le nombre de chômeurs bondit de 1 500 000 en 1929 à 12 600 000 en 1933 ; à cette date, les chômeurs représentaient plus du quart (25,2 pour cent) de la main-d'œuvre civile totale (en l'absence de recensement officiel et complet des chômeurs à cette époque aux Etats-Unis, on considérera les chiffres indiqués comme des ordres de grandeur).

Le gouvernement américain intervint-il pour tenter de juguler la crise ? Aux Etats-Unis, comme dans tout le monde capitaliste, l'ortho-doxie libérale, qui règne alors malgré Keynes, explique que si le régime économique connaît des crises, c'est parce que l'intervention de l'Etat l'empêche de fonctionner, et qu'en essayant de mettre fin à la dépression par des mesures d'autorité, on la prolonge au contraire, parce qu'on introduit des rigidités dans la souplesse du fonctionnement de l'économie. « Faute de pensée scientifique — ou de pensée tout court — on se réfugie derrière des positions dogmatiques » (M. Niveau). Le président des Etats-Unis, Herbert Hoover, ne partageait pas ces vues, qui s'insinuaient jusque dans son entourage ; il lança un programme de grands travaux, mais trop tard, se bornant pour le reste à vouloir coordonner les initiatives que pouvaient prendre les Etats ou les collectivités locales. Il ne fut pas l'homme politique d'un optimisme lénifiant en lequel l'historiographie l'a souvent transformé (« la prospérité nous attend au coin de la rue »), mais les efforts entrepris se révélèrent insuffisants pour renverser une tendance à la dépression beaucoup trop affirmée.

Les conséquences sociales de la crise économique américaine

– *les paysans*

– *les ouvriers*

Les efforts trop modestes du gouvernement américain

III LA GÉNÉRALISATION DE LA CRISE

**Le retrait des
capitaux américains**

Comment la crise américaine s'étendit-elle au monde ? Son « exportation » s'explique par le poids des Etats-Unis dans l'économie mondiale ; dès avant le krach d'octobre, la spéculation avait accaparé la plupart des capitaux disponibles, et les investissements et prêts à l'étranger s'étaient considérablement raréfiés. L'Allemagne ne devait recevoir que 40 millions de dollars en 1929, contre 250 l'année précédente ; mais comme il est naturel, dès le début de la crise, toutes les exportations de capitaux cessèrent peu à peu — en direction de l'Allemagne, mais aussi de tous les pays d'Amérique centrale et du Sud —, privant de nombreux pays de leurs habituels moyens de paiement et leur interdisant d'acheter des produits américains et européens ; bien plus, banques et particuliers s'efforcèrent de rapatrier leurs capitaux. Privés de la manne qui s'était déversée sur eux depuis près d'une dizaine d'années, les pays débiteurs des Etats-Unis durent massivement réduire leurs importations, et plus généralement leur consommation. De par le monde, tous les producteurs durent aussi, sous peine de perdre leur clientèle, aligner leurs prix sur les prix américains qui connurent, on l'a vu, une baisse moyenne de 30 pour cent entre 1929 et 1932 : puissante incitation à une réduction de la production !

**La chute du
commerce international**

La contraction brutale de l'économie américaine se communiqua peut-être plus rapidement encore au monde par le truchement des échanges internationaux. En 1929, les importations américaines représentaient 12,5 pour cent des importations mondiales ; un coup de frein brutal et appuyé des achats des Etats-Unis suffit à orienter les cours à la baisse, surtout sur les marchés des matières premières. Producteurs de celles-ci, les pays neufs, déjà touchés par l'arrêt des investissements étrangers, connurent donc une chute brutale de leurs exportations et de leurs revenus ; l'effondrement des cours des denrées fut spectaculaire : le prix du quintal de blé au Canada tomba de 124 cents en 1929 à 60 en 1931 (le revenu net des agriculteurs canadiens, qui se montait à 1 500 millions de dollars en 1928, n'était plus que de 500 millions en 1931), le cours du café brésilien à New York perdit les deux tiers de sa valeur, et il en fut de même pour la laine, la viande bovine et ovine, dont Australie et Nouvelle-Zélande étaient grosses productrices. Tous ces pays neufs restreignirent donc considérablement leurs commandes de produits manufacturés, et par-là même répercutèrent en Europe la crise américaine.

**L'effondrement du système
monétaire international**

Enfin, les phénomènes monétaires internationaux ont largement contribué à accentuer la dépression. Tout d'abord le mouvement des capitaux flottants, en quête de placements sûrs, compromettait dangereusement, par son ampleur considérable, la couverture des banques et l'encaisse des instituts d'émission, rendant ainsi aléatoires les échanges commerciaux. Surtout l'effondrement du système monétaire international, conséquence directe du krach d'octobre 1929, paralysa le commerce mondial, et donc, dans de nombreux pays, les industries orientées vers l'exportation. On sait que, devant la pénurie d'or au lendemain de la première guerre mondiale, et au lieu de préconiser une revalorisation de l'or qui n'eût été autre chose qu'une dévaluation généralisée, la conférence de Gênes (avril-mai 1922) avait admis que les diverses banques centrales pussent considérer comme encaisse, au même titre que l'or, certaines monnaies étrangères, elles-mêmes convertibles en or : essentiellement la livre, accessoirement le dollar ; c'est ce système qu'on avait appelé « étalon de change-or », ou *Gold Exchange Standard*. Or précisément, venant après l'effondrement des monnaies d'Europe centrale, l'abandon de l'étalon-or par le Royaume-Uni (septembre 1931), qui revenait à faire flotter la livre, privait les échanges de l'instrument invariable et sûr dont ils s'étaient servis pendant des décennies. Après cette rupture du marché international allaient se constituer des blocs monétaires, se conclure des accords commerciaux bilatéraux, s'instituer parfois un contrôle des changes, régner toujours un morcellement économique tout à fait préjudiciable au commerce et à l'industrie mondiale : l'adoption par les divers Etats de tarifs prohibitifs constitue « un processus cumulatif de dépression ».

La chute de la production industrielle mondiale est spectaculaire ; c'est en juillet 1932 qu'elle atteint son point le plus bas : 38 pour cent en dessous du niveau de juin 1929. Dans le même temps les échanges mondiaux diminuent de 25 pour cent en volume, mais de 60 pour cent en valeur, à cause de l'effondrement des prix. Le tableau suivant fera mesurer l'ampleur de la dépression :

La chute de la production industrielle mondiale

Indice de la production industrielle en 1932 (1929 = 100)

Etats-Unis	53	Hongrie	82
Allemagne	53	Roumanie	82
Canada	58	Royaume-Uni	84
Pologne	63	Hollande	84
Tchécoslovaquie	64	Suède	89
Italie	67	Norvège	93
Belgique	69	Japon	98
France	72	U. R. S. S.	183

(d'après W. A. LEWIS, *Economic Survey, 1919-1939*, cité par M. Niveau, *op. cit.*, p. 222).

La crise a donc été beaucoup plus brutale dans les pays fortement industrialisés. La place relativement favorable dont jouit le Royaume-Uni dans ce tableau vient de la relance qu'a représentée pour l'industrie et les exportations britanniques la dévaluation de septembre 1931 ; quant à la France, sa position moyenne s'explique par le caractère assez peu spécialisé de son industrie. En tout cas, jamais un tel effondrement ne s'était produit, même pendant la guerre de 1914-1918. Le secteur le plus atteint fut celui des biens d'équipement, dont les prix résistèrent d'ailleurs assez bien à la baisse, en raison même de cette chute brutale de la production et par le fait de l'organisation très structurée de ce type d'industrie. Les biens de consommation connurent une chute de production moins sévère, de 20 pour cent environ, mais, émanant d'une industrie moins cartellisée, donc plus sujette à la concurrence, leurs prix baissèrent très sérieusement.

La misère et le chômage

Peu à peu, la crise étendit sur le monde son empreinte de dévastation et de souffrance : « Partout mêmes paysages d'un monde paralysé — usines abandonnées, ports et gares sans trafic, terrains vagues délaissés par la spéculation immobilière, longues files de travailleurs aux points d'embauche. La crise est aussi un paysage moral : la faim ou la peur de la faim resurgissent dans des sociétés qui parlaient déjà d'abondance » (M. Roncayolo). Les « marches de la faim » se succèdent en France, au Royaume-Uni. Combien sont-ils à travers le monde, ces chômeurs qui sollicitent les secours publics, quand du moins leur pays en a institué (ce qui n'est pas le cas des Etat-Unis qui laissent le soin de les secourir, aimable euphémisme, à l'initiative privée), et qui s'égrènent en longues files d'attente à la porte des soupes populaires ? Ils étaient déjà 10 millions en 1929 ; en 1932, leur nombre avoisine les 30 millions — peut-être s'élève-t-il à 40 millions si l'on tient compte des chômeurs partiels et du chômage invisible. Ils sont 12 à 13 millions aux Etats-Unis, 5,2 millions en Allemagne, 2,4 millions au Royaume-Uni. D'autres pays sont moins atteints : le Japon compte moins de 10 pour cent de chômeurs sur l'ensemble de sa population active, la France n'en dénombre pas 350 000. Mais, par la suite, certaines nations souffriront plus rudement de la crise. La France précisément, et avec elle les pays du « bloc-or », c'est-à-dire ceux qui refuseront un temps de dévaluer leur monnaie à la suite de la livre (septembre 1931) puis du dollar (mars 1933) : Belgique, Luxembourg, Pays-Bas ; c'est en 1934 que ces pays compteront le plus fort pourcentage de chômeurs.

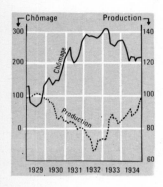

Production industrielle mondiale et chômage Internationale (Base 100 en 1929), d'après M Crouzet, *L'Epoque contemporaine*, P U F, p. 117.

IV LA LUTTE CONTRE LA CRISE

L'intervention de l'État : le renforcement du protectionnisme

Devant la gravité et la durée inattendues de la crise, l'intervention de l'Etat fut requise par ceux-là mêmes qui se réclamaient auparavant du libéralisme économique ; dans tous les pays, on assista à une intervention de l'Etat dont l'ampleur dépassa tout ce qui s'était vu jusqu'à présent. A aucun moment d'ailleurs la propriété privée ni la structure de la société ne sont mises en question ; le dirigisme tend à consolider le capitalisme, bien plutôt qu'à le réduire.

L'action des gouvernements consista d'abord, par un réflexe naturel, à protéger leurs frontières par une solide ceinture de droits protecteurs. Dès juin 1930, les Etats-Unis, pays de tradition très protectionniste, renforcèrent leur protection avec le tarif Hawley-Smoot ; ils furent rapidement suivis sur cette voie par tous les pays du monde, même par

La crise

le Royaume-Uni, patrie du libre-échange, qui par l'*Import Duties Act* de février 1932 frappait toutes les importations d'une taxe de 10 pour cent, à l'exception des matières premières et des denrées alimentaires. Dans la pratique, les droits britanniques montèrent souvent à 20 pour cent et plus. C'était là un taux tout à fait habituel au cours de ces années : en France, les tarifs passèrent en moyenne de 17,8 pour cent à 29,4 pour cent entre 1932 et 1935 ; ceux de l'Allemagne bondirent de 8,1 pour cent en 1929 jusqu'à 29,2 pour cent en 1937 ; les droits en Italie s'élevèrent de 11,9 pour cent à 19,4 pour cent. Mais la baisse régulière des prix ainsi que la concurrence de plus en plus vive rendaient insuffisants la plupart de ces tarifs ; les Etats eurent donc de plus en plus recours au système des contingentements (qui n'admet l'importation de certains produits que dans des limites déterminées), voire aux pures et simples prohibitions.

La voie de l'autarcie

Certains pays riches, comme les Etats-Unis, le Royaume-Uni ou la France (qui en 1937 à eux trois détenaient 80 pour cent du stock d'or mondial), ont pu à cet égard se contenter de mesures modérées ; d'autres, comme le Japon, l'Allemagne et l'Italie (5 pour cent du stock d'or mondial en 1937) ont dû s'orienter vers la voie qui menait à l'autarcie. Devant l'impossibilité de payer en or les marchandises importées, ils développèrent au maximum leur production nationale ; ainsi l'Allemagne mit-elle l'accent sur le seigle (à défaut du blé), le chanvre et le lin (seules matières premières textiles nationales), l'élevage ; elle remit en exploitation quantité de mines qui avaient été fermées en raison de leur faible rentabilité, et multiplia les efforts pour trouver des produits de remplacement, dérivés de la houille, textiles et caoutchouc synthétiques. Tout comme l'Italie et le Japon, l'Allemagne réglementa étroitement son commerce extérieur, passant des accords de compensation avec de petits pays qui allaient bientôt constituer pour elle de véritables zones d'influence, sinon de purs et simples satellites économiques : Bulgarie, Grèce, Yougoslavie, Turquie, Hongrie étaient ainsi les premiers fournisseurs et les premiers clients de l'Allemagne. Le contrôle total de son commerce extérieur assurait au gouvernement allemand une position extrêmement forte pour négocier avec ces nations, puisqu'il était susceptible d'acheter la totalité de certaines de leurs productions. De même en Amérique latine, le commerce allemand jouissait d'une situation privilégiée : l'Allemagne était le premier fournisseur du Brésil et du Chili, le deuxième du Pérou, de la Bolivie, du Vénézuéla, etc.

– l'exemple allemand

La plupart des pays industrialisés avaient cependant conscience des dangers de l'autarcie ; et ils s'apercevaient que la politique du chacun pour soi, en l'occurrence l'élévation unilatérale de leurs tarifs douaniers, devenait inopérante dès lors que tout le monde la pratiquait. On assista donc à la conclusion d'accords régionaux préférentiels : la Convention d'Oslo (1930) rapprocha ainsi les pays scandinaves, la Belgique, la Hollande, le Luxembourg, la Finlande. En octobre 1932, les accords

Divers types d'accords internationaux

— les accords d'Ottawa (1932)

d'Ottawa, signés entre le Royaume-Uni et les pays du Commonwealth, instituèrent le système de la « préférence impériale » et relancèrent les échanges entre les pays membres. Convaincues des méfaits d'un nationalisme économique généralisé et d'un cloisonnement commercial sans cesse renforcé, les principales nations du monde déléguèrent leurs représentants à la conférence économique mondiale de Londres (juin-juillet

— la conférence de Londres (1933)

1933). D'accord sur la conclusion d'une « trêve douanière » pour la durée de la conférence, et dans la perspective d'une réduction générale des tarifs, elles achoppèrent néanmoins sur le problème de la « trêve monétaire » : le gouvernement des Etats-Unis venait en effet de détacher le dollar de l'étalon-or (5 juin 1933) et inclinait de plus en plus vers une dévaluation effective. Le message de Roosevelt à la conférence, le 3 juillet, torpilla pratiquement cette dernière.

Déflation ou dévaluation ?

Les Etats intervinrent aussi dans leur vie économique nationale en soutenant les entreprises industrielles en difficulté. Certains tentèrent de provoquer une baisse des prix de revient en pratiquant une politique classique de déflation. La réduction des moyens de paiement, des salaires, des crédits de toute origine, devait, pensait-on, assainir la situation, provoquer la disparition des entreprises non rentables et la liquidation des stocks. Dans le même temps, l'Etat s'imposait un équilibre budgétaire rigoureux, par la restriction des dépenses et l'augmentation des impôts. En fait, aucun gouvernement ne réussit une telle politique, et, à cet égard, l'exemple de la France des années 1931-1935 est caractéristique. En raison de la part incompressible de leurs frais généraux (et aussi de l'importance croissante du capital fixe), les entreprises ne purent suffisamment abaisser leurs prix de revient. Quant à l'Etat lui-même, la diminution des recettes fiscales imputable à la crise, conjuguée avec l'augmentation des dépenses (secours de chômage, interventions multiples pour aider et stimuler la production), rendait illusoire toute tentative de compression du budget. Aussi bien la dévaluation fut-elle, bon gré mal gré, plus tôt ou plus tard, le remède ultime et nécessaire auquel recoururent les gouvernements.

Principales dévaluations ou suppressions
de la convertibilité des monnaies (1929-1936)

1929 : Argentine, Uruguay, Brésil, Australie

1931 : Royaume-Uni, suivi à bref délai par l'ensemble des pays de la zone sterling

1933 : Etats-Unis d'Amérique

1934 : Tchécoslovaquie, Italie, Autriche

1935 : Belgique, Roumanie

1936 : France, Pologne, Suisse

Certes, à terme — mais à terme seulement — les effets des dévaluations se compensent-ils. La dévaluation constituant par nature un puissant stimulant pour les exportations, on comprend le désavantage subi par les pays qui, comme ceux du « bloc-or », ne s'y résolurent que tardivement.

L'intervention de l'État se manifeste généralement sous des formes plus directes et plus concrètes que par cette politique de manipulation monétaire qui peut sembler aujourd'hui bien banale. Dans tous les pays, l'économie se trouve soumise à une réglementation de plus en plus étroite : contrôle du marché financier (comme aux États-Unis) par l'imposition de règles strictes, par exemple en ce qui concerne la composition du capital ou les opérations bancaires ; fixation de prix minima pour certains produits ; restriction autoritaire de zones de culture ou de surfaces industrielles ; ainsi s'ébauche une planification nationale. De même, sur le plan mondial, des cartels furent institués pour limiter les productions : de 1929 à 1933, 53 ententes internationales virent le jour.

Réglementation économique et grands travaux

Pour résorber, au moins partiellement, les masses de main-d'œuvre inoccupée, on eut recours au remède traditionnel des travaux publics. En 1933-1934, 60 pour cent du budget fédéral des États-Unis étaient affectés à la construction de routes, autostrades, ports et grands barrages. Au Royaume-Uni, l'État fit un effort particulier pour la construction de maisons d'habitation. En Italie, mais surtout en Allemagne, l'industrie des armements relança l'activité économique à partir des années 1935-1936.

Dans la plupart des pays fut instaurée une politique de crédits et de subventions pour aider les entreprises ou les groupes sociaux les plus touchés par la crise. Aux États-Unis fut fondée, en 1932, la *Reconstruction Finance Corporation* pour prêter aux banques et aux caisses de crédit. En France, l'État renfloua la Compagnie Générale Transatlantique, l'Aéropostale, donna sa garantie aux déposants de diverses banques en difficulté. En Italie, où, comme en Allemagne, cette politique était nettement plus accentuée, fut créé l'I. R. I. (*Istituto per la Ricostruzione Industriale*). Quant aux subventions à des groupes sociaux, outre l'*Agricultural Adjustment Act* bien connu, on peut prendre pour exemple l'aide versée aux éleveurs du Royaume-Uni ou les subsides accordés en France aux producteurs d'alcool de vin en surproduction et aux agriculteurs qui stockeraient leur blé.

De la politique de subvention à l'intervention directe de l'État

En raison des défaillances de l'initiative privée, le secteur public et nationalisé se développa largement, tandis que l'État prenait des participations dans de nombreuses sociétés d'économie mixte. Aux États-Unis, l'État fédéral créa des instituts de crédit public pour aider l'agriculture, la construction de logements, le commerce extérieur. Au Royaume-Uni, d'importantes sociétés d'économie mixte virent le jour, telles la *B. B. C.*, la *London Passengers Transport Board*. En France, l'État en créa également de bien connues : la *Compagnie Générale du Rhône* (1933), la *S. N. C. F.* (1937), tandis qu'il multipliait les avances à un grand nombre de banques privées (crédit agricole, crédit hôtelier, etc.).

– développement du secteur nationalisé

Dans un souci de rentabilisation et d'efficacité, l'action des gouvernements incita enfin les entreprises industrielles à un mouvement de concentration et de cartellisation, que favorisait par ailleurs l'évolution

Concentration et cartellisation

économique. Le phénomène n'est pas surprenant dans les pays totalitaires : au Japon, par exemple, les firmes *Mitsui* (pétrole, fer, plomb, produits chimiques) et *Mitsubishi* (chantiers navals, verrerie, étain, alcool) détiennent une prépondérance écrasante. Mais au Royaume-Uni ou aux États-Unis, la concentration financière et industrielle est spectaculaire : la nouvelle *British Iron and Steel Federation* contrôle 2 000 entreprises et les deux tiers de l'acier britannique ; les *Imperial Chemical Industries* ou *Unilever* témoignent aussi de la vigueur de ce mouvement. Outre-Atlantique, toutes les branches de l'industrie, acier, cuivre, textiles, déjà fortement regroupées, font l'objet d'une concentration encore plus accentuée. Les trois grands constructeurs d'automobiles (*Ford, General Motors, Chrysler*) assuraient, en 1938, 90 pour cent de la production nationale, contre 71 pour cent en 1920 et 83 pour cent en 1930. La France, pays de petites entreprises, a connu un mouvement de concentration beaucoup moins poussé, sauf peut-être dans l'industrie métallurgique et chimique ; en 1935-1936, l'État dut imposer la conclusion de certaines ententes professionnelles.

Telles furent les principales conséquences de cette crise de 1929 dont les effets n'étaient pas totalement résorbés à la veille de la deuxième guerre mondiale. Si, dans l'ensemble, l'indice de la production manufacturière montre qu'à l'exception de la France, les principales puissances industrielles avaient alors recouvré, voire dépassé leur niveau de 1929, il n'en était pas de même pour tous les produits de base. Les États-Unis extrayaient 400 millions de tonnes de houille en 1939, contre 550 millions en 1929 ; le Royaume-Uni, 235 millions, contre 260 ; la France, 49 contre 55. Pour l'acier, les productions respectives s'établissaient à 47,8 millions de tonnes, contre 57,3 ; 13,4 contre 9,7 et 7,9 contre 9,7. L'Allemagne, il est vrai, accroissait sa production de houille et de lignite, tandis que ses usines produisaient 23,7 millions de tonnes d'acier en 1939, contre 16,2 dix ans auparavant. Face à l'ébranlement du libéralisme économique et du vieux régime de la démocratie occidentale, les pays totalitaires prouvaient l'efficacité de leur dirigisme ; mais le système politique adopté, la nouvelle hiérarchie des valeurs, le terrorisme de tous les instants, la volonté de puissance et un impérialisme forcené n'allaient pas sans compromettre singulièrement la paix mondiale.

V POUR APPROFONDIR CE CHAPITRE

La crise de 1929 et ses conséquences économiques, sociales et politiques, au plan mondial comme dans les principaux pays, ont été au centre d'innombrables publications d'inégale qualité. Aux ouvrages cités au chapitre IV, il convient d'ajouter le manuel fondamental de J. NÉRÉ, *La Crise de 1929*, Paris, A. Colin, 1973, 222 p. coll. «U-prisme». Le lecteur y trouvera le point des connaissances actuelles, ainsi qu'une bibliographie spécialisée.

CHAPITRE XI

La chute de la république de Weimar et les débuts du IIIe Reich
1929-1939

I LA CRISE ÉCONOMIQUE

Aucun pays ne ressentit plus que l'Allemagne le choc de la grande crise économique mondiale, qui bouleversa ses structures sociales et entraîna à bref délai l'instauration du régime nazi. L'Allemagne avait vécu depuis 1923 grâce à l'irrigation constante de capitaux américains prêtés à des taux très onéreux, tandis que l'État, les collectivités locales, les entreprises de tout genre investissaient et dépensaient sans la moindre retenue. Or, dès avant le krach de Wall Street, un sérieux ralentissement s'était produit dans ce mouvement et les spéculateurs avaient commencé à rapatrier des capitaux. L'Allemagne ne devait recevoir en 1929 que 40 millions de dollars, contre 250 l'année précédente. Après le krach d'octobre 1929, les banques américaines s'efforcèrent — sans aller jusqu'à provoquer délibérément un réflexe de panique — d'accroître leurs liquidités : non seulement la manne de dollars tarit brutalement en Allemagne, mais les fonds qui y étaient investis prirent peu à peu le chemin du retour.

Ce mouvement de retrait revêtit une ampleur d'autant plus grande que les capitaux placés en Allemagne l'étaient, pour une appréciable part, à court terme, trois mois en général (il s'agissait de 10 des 25 milliards de marks-or de capitaux étrangers). Les banques allemandes pouvaient d'autant moins honorer leurs engagements qu'elles avaient cédé à l'attrait du surinvestissement, ne gardant comme couverture pour les remboursements urgents qu'une très faible part de leur capital (5 pour cent environ). Devant se substituer aux banques et aux entreprises défaillantes, la *Reichsbank* vit fondre son encaisse (or et devises) : de 2 694 millions de *Reichsmark* en janvier 1930, celle-ci s'effondra à 923 millions en janvier 1933.

LA CRISE
FINANCIÈRE

Le retrait des
capitaux américains

La structure bancaire allemande, semblable en cela à celle des États-Unis, n'opère pas la nette distinction que fait la France entre banques de dépôts et banques d'affaires.

Les retraits de fonds, d'abord modérés, s'accélérèrent au cours du premier semestre 1931 ; la conjoncture politique nettement défavorable (montée des partis extrémistes aux élections de septembre 1930, tension avec la France à propos du projet allemand d'union douanière avec l'Autriche) incitait maintenant à la fuite même des capitaux allemands. En mars 1931, le contrecoup de la faillite du *Kredit Anstalt* de Vienne retentit dans toute l'Europe centrale, et en juillet, la *Danatbank*, une des plus puissantes banques allemandes, cessait ses paiements. La panique fut générale, les déposants se ruèrent aux guichets des banques, et les faillites se multiplièrent.

LA CRISE ÉCONOMIQUE

Indice de la production industrielle allemande (1928 = 100)

février 1929	91
août 1929	104
février 1930	93
août 1930	80
février 1931	69
août 1931	68
février 1932	63
août 1932	59

Nombre de chômeurs totaux (en milliers)

mars 1929	2 484
mars 1930	3 041
mars 1931	4 744
mars 1932	6 034
mars 1933	5 599

(d'après J. Néré : *La Crise de 1929*)

L'action du gouvernement contre la crise

— la déflation

Que la crise financière entraînât une dépression économique était dans la logique des choses : même les fonds de roulement des entreprises étaient largement alimentés par les prêts extérieurs. L'industrie allemande, puissamment concentrée et rationalisée, et déjà dans l'impossibilité d'écouler ses produits sur un marché intérieur de structure étriquée, voyait se fermer peu à peu ses débouchés extérieurs traditionnels : la crise mondiale entraînait la saturation des marchés et chaque nation tentait de protéger son économie par l'élévation de ses tarifs douaniers. De plus, la dévaluation de la livre (septembre 1931), allait bientôt stimuler les exportations britanniques, rendant comparativement plus chers les prix allemands. L'effondrement de l'industrie allemande fut spectaculaire, analogue à celui de l'industrie américaine : la production d'acier brut tombe de 16,2 millions de tonnes en 1929 à 5,7 millions en 1932 ; celle de houille, de 163,4 millions de tonnes à moins de 105. Au total, la production industrielle s'effondra de 41 pour cent, tandis que le chômage, total ou partiel, touchait plus de la moitié de la population active.

Le gouvernement, animé par le chancelier Brüning depuis mars 1930, était résolu à ne pas dévaluer le mark : le souvenir était trop proche des douloureuses années d'après-guerre. Aussi orienta-t-il son action dans le sens d'une déflation sévère : compressions budgétaires ; baisse des traitements des fonctionnaires, des salaires, des pensions et même des allocations de chômage ; parallèlement, augmentation des impôts indirects. Pour rétablir l'équilibre de la balance commerciale, Brüning releva les droits de douane jusqu'à des taux prohibitifs et décida des contingentements. Il fit enfin profiter les entreprises, surtout les plus grandes, de puissantes subventions et de très sensibles réductions d'impôts ; les grands domaines de l'Est, très éprouvés par l'effondrement des prix agricoles, bénéficièrent d'avantages analogues dans le cadre de l'*Osthilfe*, ainsi que d'un solide renforcement du tarif agricole.

Cette politique, éminemment favorable aux grands industriels et aux classes possédantes, ne réussit pas à les rallier à un régime républicain, même conservateur. Elle lui aliéna au contraire les classes moyennes, tandis qu'elle poussait le monde ouvrier vers le K. P. D. (communistes). Même après l'été 1932, lorsqu'une reprise industrielle et financière se dessina et que le gouvernement se lança dans une politique de grands travaux, les conséquences de la déflation continuèrent à se faire sentir de façon aussi dramatique : les classes moyennes, voire une partie de la classe ouvrière, basculèrent du côté de Hitler.

II HITLER ET LE NAZISME JUSQU'EN 1929

C'est en effet la crise économique et sociale qui donna toutes ses chances aux mouvements extrémistes qui, dans le contexte de la *Prosperität* des années 1924-1929, étaient restés sans cesse minoritaires. Le problème est ici de savoir pourquoi et dans quelles conditions un obscur agitateur d'origine autrichienne a pu construire un parti fort et discipliné, susceptible de tirer profit, le moment venu, de la conjoncture extrêmement favorable qui devait se présenter.

Né à Braunau, sur l'Inn, en Autriche (Braunau est une ville-frontière entre l'Autriche et la Bavière) le 20 avril 1889, Adolf Hitler était issu d'une famille modeste : son père était fonctionnaire des douanes autrichiennes. D'un caractère instable, Hiter quitta, après de médiocres études secondaires, l'école de Linz, et se rendit à Vienne en 1908, où il croyait pouvoir mettre en valeur des dons artistiques ; mais l'académie des Beaux-Arts lui ferma ses portes. Jusqu'en 1913, il vécut une vie de misère, fréquentant les asiles de nuit et les soupes populaires, subsistant de temps à autre grâce à la vente de quelques tableaux. Séparé de sa famille, en proie à la détresse et à la solitude, il est le type du déraciné. Autodidacte, lisant beaucoup, il acquiert alors des idées tout empreintes de schématisme, qui proviennent des milieux nationalistes et pangermanistes de la capitale autrichienne : supériorité de la race allemande, que les Habsbourg sont coupables d'avoir mêlée au XIXe siècle à des races inférieures, et qui doit conquérir son espace vital ; dans ce but, nécessité de la fusion de l'Autriche dans le Reich ; antisémitisme viscéral, qui rejette sur les juifs les échecs successifs des Allemands. Passionné de politique, détestant la social-démocratie parce qu'elle tend à niveler la société en empêchant le succès des individus les mieux doués, Hitler s'absorbe dans les idéologies et se complaît aux slogans qui les schématisent.

Hilter, qui vit à Munich depuis 1913, s'engage dans l'armée allemande dès le début de la guerre ; il y gagne les galons de caporal, et est grièvement blessé par gaz en 1918 ; la défaite allemande le plonge dans la honte et le désespoir, mais il les surmonte dans une pensée de vengeance.

Sa véritable carrière commence à Munich en 1919, lorsqu'il accepte avec enthousiasme les fonctions d'informateur politique que lui propose l'armée. C'est ainsi qu'il entre, avec la carte numéro 55, dans un groupuscule, l'Association des Travailleurs Allemands (*Deutsche Arbeiter Partei*), qu'avait fondé le serrurier Drexler. Chargé bientôt par ce dernier de la propagande du parti, Hitler se consacre tout entier à sa

Les origines de Hitler

Hitler était, semble-t-il, travaillé, comme son père et son grand-père, par d'« inquiètes ambitions », sa famille recélait « une certaine disposition à la maladie, à l'esprit d'aventure et surtout à la mégalomanie » (E Vermeil)
Jacques Brosse (*Hitler avant Hitler*, Fayard, 1972) vient de tenter une « enquête psychanalytique sur l'enfance d'un chef », devant les résultats de laquelle les historiens montrent cependant quelque scepticisme

« L'empereur Guillaume était le premier empereur d'Allemagne qui avait tendu la main pour la réconciliation aux chefs du marxisme, sans se douter que les fourbes n'avaient point d'honneur Tandis qu'ils tenaient encore la main de l'empereur dans la leur, l'autre cherchait le poignard Avec le juif, il n'y a point à pactiser, mais seulement à décider Tout ou rien! Quant à moi, je décidai de faire de la politique » (Hitler, *Mein Kampf*, Nouvelles éditions latines, Sorlot, 1934, p 203-205)

L'organisateur du N.S.D.A.P.

nouvelle fonction : en ces années où l'Allemagne, traumatisée par la défaite, se trouve en proie aux mouvements les plus fébriles, il exploite le sentiment national par des réunions, des manifestations de plus en plus massives, et (à partir de 1922) des marches et des défilés de propagande ; il dote le parti d'un nom nouveau : N. S. D. A. P., *National Sozialistische Deutsche Arbeiter Partei* (Parti national-socialiste des travailleurs allemands), acquiert une feuille locale, le *Völkischer Beobachter*, organise en août 1921 les Sections d'assaut (*Sturm Abteilungen*, dites S. A.) dotées de la chemise brune et du brassard à croix gammée, et spécialisées dans la violence systématique à l'encontre des adversaires politiques.

Le génie politique de Hitler en ces années présente deux faces complémentaires : il fait d'une part triompher dans le N. S. D. A. P. le *Führerprinzip*, éliminant les éléments indociles. C'est ainsi que certains compagnons de Drexler, comme Harrer, se retirent devant les allures dictatoriales de Hitler, tandis qu'adhèrent au parti des intellectuels ratés ou déclassés comme Dietrich Eckart, Rudolf Hess, Alfred Rosenberg, ou des militaires traumatisés par la défaite : Hermann Goering, Ernst Roehm. D'autre part, soucieux de ne pas disperser ses efforts, Hitler limite à la Bavière la propagande du N. S. D. A. P. et préserve jalousement ce dernier de tout contact avec d'autres groupes politiques de même tendance, qui pourraient receler pour lui d'éventuels rivaux.

Les vingt-cinq points de 1920

Hitler dote enfin le parti, en février 1920, d'un programme très habilement construit, qui se présente sous la forme de vingt-cinq propositions généralement courtes, aux formules souvent percutantes. Ce programme est destiné essentiellement aux classes moyennes, petits commerçants, agriculteurs, retraités, mais aussi aux ouvriers. C'est un programme social, anticapitaliste et dirigiste : il réclame, outre la confiscation de tous les bénéfices de guerre, « la suppression de l'esclavage de l'intérêt » (art. 11), et l'intervention de l'État dans l'économie par la « nationalisation de toutes les entreprises appartenant aujourd'hui à des trusts » (art. 13). Les structures politiques nouvelles, par opposition à la pratique parlementaire « génératrice de corruption » (art. 6), se caractériseront par la création d'un pouvoir central puissant. L'État sera placé au-dessus de tout, la presse mise au pas, les religions assurées de la liberté à condition qu'elles « n'offensent pas le sentiment moral de la race germanique » (art. 24). Les non-Allemands, y compris évidemment les juifs, ne pourront être citoyens ni bénéficier des avantages dévolus à ceux-ci ; une grande Allemagne sera constituée, « réunissant tous les Allemands sur la base du droit des peuples à disposer d'eux-mêmes » (on notera ici l'habile utilisation des principes wilsoniens) ; on réclame l'abrogation des traités de Versailles et de Saint-Germain, et « de la terre et des colonies pour nourrir notre peuple et résorber notre population » (art. 3) : c'est le *Lebensraum*, l'espace vital.

Donc, au total, un programme de réaction politique et raciale très poussée, et un ensemble de thèmes qui, au plan social, sont bien dans la

« Nous demandons une participation aux bénéfices des grandes entreprises » (art. 14)

La chute de la

ligne du « socialisme national » mis en place par Guillaume II. Par prudence, le texte se garde d'ailleurs d'employer le terme de socialisme ; peu à peu, Hitler gommera certains traits économiques qui pourraient effrayer les possédants et, en 1928, il fera ajouter explicitement (à l'article 17) que le parti admet la propriété privée.

Au cours des années 1919-1923, avouera plus tard Hitler, « je n'ai guère eu en tête que la préparation d'un coup d'Etat ». L'occasion tant attendue semble arrivée, à Munich, en novembre 1923 ; mais c'est l'échec : malgré la lâcheté dont il fait preuve lors des événements (à la manifestation du 9 novembre au matin), Hitler est acclamé par les nationalistes et accède à la notoriété. Condamné à cinq ans de forteresse (il sera libéré au bout de quinze mois), il écrit *Mein Kampf* qui, reléguant à l'arrière-plan les problèmes économiques et sociaux, se présente comme une banale synthèse des idées racistes et pangermanistes : exaltation de la race aryenne et de son rameau réputé le plus pur, le germanique, qui devra conquérir par la force son « espace vital » et dominer les races « inférieures » ; culte de l'Etat, auquel l'individu sera entièrement subordonné et que célébrera pleinement la dictature du chef. Libéré, Hitler retient la leçon de 1923 et prépare désormais l'investissement des pouvoirs publics par les voies légales.

La période 1924-1929 est pour Hitler celle des années difficiles : la conjoncture économique est bonne, et si la République de Weimar n'attire ni les masses ni les classes possédantes, elle ne les rejette pas cependant du côté des extrêmes. En 1928, malgré des progrès certains, le N. S. D. A. P. semble loin du pouvoir : 72 000 adhérents, 900 000 électeurs, une audience essentiellement bavaroise constituent à cet égard un potentiel nettement insuffisant. Le parti est surtout perpétuellement traversé de querelles intestines ; en 1924, Hitler les laisse se développer afin de rester le maître ; en 1925, c'est Roehm qui, devant le refus de Hitler d'accorder l'autonomie à ses trente mille S. A., préfère démissionner du parti et s'exiler ; la même année éclate le conflit avec les éléments les plus socialisants du N. S. D. A. P., groupés autour des frères Strasser : Hitler, qui se rapproche des conservateurs, doit faire appel à des trésors de ruse pour triompher de leur opposition et asseoir, définitivement cette fois, son autorité absolue. Il en profite pour réorganiser le parti, dont la structure locale est répartie en 34 *Gaue* (avec, à la tête de chacun d'eux, un *Gauleiter*), et qui se trouve renforcé par la création d'un certain nombre d'organisations annexes, correspondant aux classes d'âge (la *Hitlerjugend* par exemple) ou aux divers groupes professionnels.

Lorsque la crise économique fera bondir les effectifs du N. S. D. A. P. (en avril 1932, il dépasse le million d'adhérents) et accroîtra la puissance électorale des nazis (13,8 millions de suffrages en juillet 1932), les structures du parti seront toutes prêtes à accueillir cet énorme potentiel et à l'utiliser directement pour la conquête du pouvoir.

Du putschisme au légalisme

Les années difficiles

III LA CRISE POLITIQUE ET LA FIN
DE LA RÉPUBLIQUE DE WEIMAR (1930-1933)

**Partis bourgeois divisés,
forces de gauche désunies**

En une période où la gravité de la crise économique bouleverse les structures de la société allemande, la chance du nazisme fut de ne trouver devant lui aucun front cohérent, aucune coalition de ses adversaires susceptible de lui barrer la route. Les partis bourgeois, divisés, de plus en plus impopulaires à mesure que la crise développe ses conséquences, rejettent le S. P. D. (sociaux-démocrates) dans l'opposition et forment sous la direction de Brüning, chef de la fraction parlementaire du Zentrum, un gouvernement minoritaire qui s'appuie sur la droite ; mais ils sont débordés par l'agitation violente du nazisme, qui conquiert à leurs dépens des secteurs de plus en plus larges des classes moyennes. Les forces de gauche surtout demeurent désunies, voire violemment antagonistes ; le S. P. D., fidèle à sa tradition réformiste et légaliste, pratique, par souci de barrer la route au fascisme, une « politique de tolérance », c'est-à-dire que tout en se désolidarisant d'un gouvernement qui s'efforce de résoudre la crise au moyen de rigoureuses mesures d'austérité, très défavorables à la classe ouvrière, il accepte de ne pas mêler ses voix, au plan parlementaire, avec celles des autres oppositions, et s'abstient dans les scrutins importants. Quant au K. P. D., la violence de son antisocialisme fait directement le jeu de la droite ; à plusieurs reprises, il mêle ses suffrages à ceux de l'extrême droite : ainsi lors de la campagne menée en Prusse en 1931 pour obtenir la dissolution du Landtag (depuis 1923, le socialiste Braun gouvernait le Land en s'appuyant sur une majorité du type « coalition de Weimar »). Ce faisant, le K. P. D. suit fidèlement la stratégie de l'internationale communiste qui, en Allemagne comme en France ou ailleurs, dénonce dans la social-démocratie le principal soutien social de la bourgeoisie et lui réserve ses coups les plus violents ; l'Internationale considère alors, et ce jusqu'en 1934, que le fascisme est la phase ultime et nécessaire de la décomposition des régimes bourgeois.

« Le plébiscite de Hugenberg, Hitler et Thaelmann » (ce dernier, chef du K.P.D.), ainsi dénoncé par les socialistes, n'obtint que 37 pour cent des voix (9 août 1931)

**Le nazisme et les
classes dirigeantes**

Dans ces conditions, le nazisme fut assez habile pour rallier à lui la majorité des classes dirigeantes : Junkers de l'Est, qui craignent de perdre la manne de l'*Osthilfe* ; industriels surtout, qui veulent en même temps qu'un gouvernement fort, capable de faire barrage au « danger bolcheviste », une politique de relance de l'économie, fût-ce par le moyen du réarmement. Mais s'il est vrai que certains magnats de l'industrie, tels Thyssen, Stinnes ou Borsig, avaient subventionné le parti nazi avant 1929, la majorité était restée jusqu'alors dans l'expectative, ne condamnant pas sans appel au début le gouvernement Brüning, préférant souvent encore à Hitler le soutien au D. N. V. P. (nationaux-allemands). Mais lorsque les événements se précipitèrent et que les nazis surclassèrent les nationaux-allemands sur le plan électoral et parlementaire, les ralliements se multiplièrent. C'est précisément au début de décembre 1932, alors que le N. S. D. A. P. (nazis) venait de subir un net

« L'on a beaucoup écrit sur le rôle de l'industrie lourde, et la liaison fascisme-grand capital est devenue un lieu commun de l'explication historique. A l'examiner de près, on s'aperçoit qu'il faut éviter tout schématisme : faire de Hitler l'homme des *Konzerne* est une image d'Épinal très simplifiée » (G. Castellan : *Op. cit.*, p 396)

La chute de la

reflux aux élections de novembre, et qu'il se trouvait en proie à de graves difficultés financières, que les milieux de l'industrie se résolurent définitivement à jouer la carte hitlérienne — non sans avoir reçu l'assurance formelle de Hitler que l'industrie allemande resterait autonome vis-à-vis de l'Etat. D'une façon générale, les conservateurs voyaient en Hitler l'instrument dont ils se serviraient pour recouvrer un pouvoir dont le changement de régime de 1918-1919 les avait frustrés. Calcul bien illusoire.

L'histoire de la crise finale de la République de Weimar déroule ses principales étapes en l'espace de trois années.

Le cabinet Brüning, formé après l'éclatement du ministère de grande coalition du socialiste Müller, en mars 1930, se trouvait dans l'impossibilité de dégager une majorité en faveur de sa politique d'austérité ; il fit donc dissoudre le Reichstag par Hindenburg (juillet 1930) et, en attendant, gouverna à coups de décrets, avec l'accord du président. Mais la crise économique renforce la position électorale des extrêmes : le K. P. D. (communistes) gagne 1 300 000 voix et 23 sièges ; les nazis surtout remportent une victoire dont l'ampleur même surprend : par rapport à 1928, ils passent de 800 000 à 6 400 000 suffrages (18,3 pour cent des votants) et de 12 à 107 sièges. Devant l'opposition absolue des populistes du D. V. P. — alors davantage porte-parole des grands industriels que le N. S. D. A. P. (nazis) — de ressusciter la formule de la grande coalition avec le S. P. D. (sociaux-démocrates), le gouvernement Brüning, très minoritaire, ne subsiste que grâce à la « politique de tolérance » des socialistes : pendant un an (octobre 1930-octobre 1931), il gouverne par décrets-lois.

En octobre 1931, le cabinet se trouve en butte aux attaques de toute la droite ; les ministres populistes le quittent, mais Hindenburg le reconduit dans ses fonctions. Contre cette attitude qui lui apparaît comme un défi, le chef du D. N. V. P., Hugenberg, réunit à Bad-Harzburg, en octobre 1931, toutes les forces de droite, des nazis à certains populistes ; le « front de Harzburg » réclame la démission de Brüning et la dissolution du Reichstag.

Hindenburg, qui se refuse à ces exigences, va devenir curieusement, lors des élections à la présidence de la République (13 mars et 10 avril 1932), le candidat de tous les partis attachés à la République, socialistes compris. Il l'emporte au second tour, mais la révélation du scrutin est le score de Hitler, qui fait plus que doubler les voix obtenues par le N. S. D. A. P. en 1930.

Elections présidentielles de 1932 (en millions de voix) :

1er tour (13 mars)		2e tour (10 avril)	
Hindenburg	18,6	Hindenburg	19,3
Hitler	11,3	Hitler	13,4
Thaelmann (K. P. D.)	4,9	Thaelmann	3,7
Düsterberg	2,5		
(candidat du *Stahlhelm*)			

LA FIN DE LA RÉPUBLIQUE DE WEIMAR
Le régime en difficulté

Voir carte 7

Les nazis avaient drainé les voix de deux millions d'abstentionnistes de 1928 et pris un million de suffrages aux populistes du D.V.P., deux millions au D.N.V.P., un demi-million aux formations du centre. L'opposition de droite représentait désormais 148 sièges, celle de gauche 220 (dont 149 au S.P.D.). Les partis gouvernementaux ne pouvaient plus s'appuyer que sur 155 députés

La lutte contre le « front de Harzburg » et l'élection présidentielle

Voir carte 8

« On peut estimer à 7 ou 800 000 les voix communistes qui se portèrent sur Hitler. Signe supplémentaire de la confusion politique » (G. Castellan, *op. cit.*, p. 388).

Les gouvernements
von Papen et
von Schleicher

Le nazisme a donc posé sa candidature à la succession de la République. L'idée avait été lancée, depuis un certain temps, de saper la popularité des nazis en les faisant participer au gouvernement, et en leur faisant donc partager la responsabilité de la politique d'austérité. Von Schleicher, général politicien et ambitieux, lié aux dirigeants de la Reichswehr et conseiller d'Hindenburg, entreprend en ce sens de mettre sur pied une coalition des droites, qui fait aisément tomber Brüning (mai 1932). Von Papen, qui constitue en juin un ministère de notabilités dit « cabinet des barons », doit à cet égard préparer l'avenir ; il donne des gages à l'extrême droite : levée de l'interdiction des S. A. (qui avait été prononcée par Brüning le 13 avril), dissolution du Reichstag. Mais l'ampleur du succès nazi aux élections législatives de juillet 1932 (37,4 pour cent des voix, 230 sièges) rend vaine la solution projetée : Hitler se refuse à jouer les forces d'appoint et réclame pour lui la chancellerie. Dans un pays que les violences des S. A. mettent au bord de la guerre civile, von Papen, pour sortir de l'impasse parlementaire, tente en octobre une nouvelle dissolution du Reichstag. Les nazis perdent deux millions de voix et 34 sièges, au profit notamment du K. P. D. qui obtient 100 députés, mais ils sont rien moins que brisés. Devant les intrigues de von Schleicher et sur le refus de Hindenburg de procéder à un coup de force, von Papen démissionne.

Von Schleicher, nommé alors chancelier par le président de la République (décembre 1932), va achopper sur deux problèmes décisifs. Affectant des allures de « général social », il prend effectivement un certain nombre de mesures en faveur des classes défavorisées, mais ce faisant, se brouille avec la droite sans pour autant se concilier la gauche. D'autre part, sa tentative pour diviser le parti nazi en attirant à lui son aile gauche fait long feu : si Gregor Strasser en démissionne avec éclat, il reste finalement isolé. En butte aux intrigues et aux attaques de von Papen, qui ne lui pardonne pas de l'avoir supplanté et prépare avec succès la coalition de toutes les forces de droite, von Schleicher demande à Hindenburg de procéder à un coup d'État. Mais le vieux maréchal préfère la solution de la légalité et, malgré ses réticences à l'égard du « caporal autrichien », appelle Hitler à la chancellerie, le 30 janvier 1933.

IV LA DICTATURE NAZIE

L'établissement
de la dictature

Très habilement, Hitler forma un gouvernement qui ne comportait que deux nazis (Frick à l'Intérieur, Goering à l'Air), à côté de nombreux représentants de la droite traditionnelle, ainsi confirmée dans l'illusion que le chancelier était son instrument. En fait, tandis qu'il exaltait en ce sens le « redressement national » et se posait en défenseur des thèmes et institutions chers à la droite (la famille, le christianisme, l'honneur national), Hitler préparait méthodiquement l'établisssement de sa dictature. Il lui fallait tout d'abord la majorité absolue au Reichstag ; il fit donc dissoudre ce dernier par Hindenburg, sous le prétexte que le Zentrum refusait son appui au gouvernement. La campagne électorale fut marquée par les violences des nazis, aidés par la complicité d'une police et d'une magistrature épurées ; l'incendie du Reichstag (27 février), en fait provoqué par les nazis, mais imputé aux communistes, permit au nouveau régime non seulement de dissoudre le K. P. D., en exploitant au maximum l'argument du « danger bolchevique », mais aussi d'interdire les journaux et les réunions de l'opposition ; et le décret « Pour la protection du peuple et de l'Etat » (28 février 1933) suspendit les libertés individuelles inscrites dans la Constitution. L'argent coula à flots, prodigué par les grands industriels, et les pressions de tout type atteignirent un niveau jusqu'alors inconnu.

Aux élections du 5 mars 1933, le N. S. D. A. P. n'obtint cependant que 44 pour cent des voix, l'appoint de ses alliés nationaux-allemands (8 pour cent) restant indispensable sur le plan parlementaire. Aussi Hitler dut-il multiplier les promesses à la droite et au Zentrum, quant au respect de la Constitution, pour obtenir au Reichstag la majorité des deux tiers qui lui était constitutionnellement nécessaire pour se faire attribuer les pleins pouvoirs : l'Acte d'habilitation (23 mars) donnait au gouvernement l'autorisation de légiférer pendant quatre ans ; en l'absence des communistes qui ne pouvaient siéger, seuls les sociaux-démocrates s'opposèrent à cet Acte qui achevait de faire de Hitler un dictateur légal.

La destruction de toutes les forces politiques et syndicales s'ensuivit rapidement, par un enchaînement naturel : malgré des concessions importantes au régime, le S. P. D. fut dissous ; le parti national-allemand se saborda de mauvaise grâce, suivi des partis du centre (fin juin-début juillet) : pour le Zentrum, ce fut sans doute à l'instigation du Vatican, avec lequel Hitler négociait un concordat qui devait lui apporter la respectabilité. Le N. S. D. A. P., seul groupe politique non démantelé, fut alors élevé au rang de parti unique par deux lois de juillet et décembre 1933. Les syndicats connurent le même sort, malgré une vaine tentative de collaboration ; tous furent englobés dans le « Front du travail », simple émanation du parti nazi, dirigé par le Dr Ley. De même pour les organisations paramilitaires, les unes furent simplement dissoutes, les autres, comme le *Stahlelm*, intégrées aux S. A. La destruction de ce qui pouvait subsister d'autonomie et de liberté en Allemagne fut parachevée par l'instauration d'une totale centralisation. En cela les nazis, fidèles à leurs « vingt-cinq points » de 1920, rayaient d'un coup la longue tradition qu'avait préservée Bismarck. Les Landtage furent supprimés, de même que le Reichsrat ; et les pouvoirs des

La destruction des forces politiques et syndicales

Dans son livre *Hitler m'a dit*, publié en France en 1939 (réédité en 1979, coll. « Pluriel », 384 p.), Hermann Rauschning, président du Sénat nazi de Dantzig, qui, en 1934, se réfugia en Suisse, puis aux États-Unis, fit connaître au monde la nature de la tyrannie national-socialiste. Ses analyses perspicaces dévoilaient le processus de pulvérisation des valeurs, de la culture et de toute la société allemande.

Länder, devenus de simples circonscriptions administratives, transférés à des gouverneurs nommés par le pouvoir central (mars 1933-février 1934).

Deux séries de difficultés, liées l'une à l'autre, s'opposaient encore à la toute-puissance de Hitler : l'attitude de la Reichswehr et le problème des S. A. La collaboration totale de la première lui était indispensable pour vaincre les dernières résistances des milieux conservateurs et pour cumuler, au jour apparemment plus très lointain où le vieil Hindenburg viendrait à disparaître, les fonctions de chancelier et le président du Reich. Or l'armée s'accommodait mal des ambitions des S. A., qui entendaient constituer le noyau de la future armée allemande et dont la mentalité de déclassés sociaux avides de revanche, se trouvait aux antipodes du traditionnel esprit militaire germanique. Précisément les S. A., dont le nombre s'était grossi d'une masse de chômeurs jusqu'à atteindre les trois millions, prêchaient, sous les vocables de « deuxième révolution » et de « socialisme », une totale redistribution des places et des fortunes.

Après avoir composé avec eux pendant un an (il fit même entrer leur chef, Roehm, au gouvernement, tout en condamnant l'idée d'une « deuxième révolution »), Hitler s'émut du mécontentement provoqué chez tous les conservateurs, Hindenburg en tête, par les menaces et les abus des S. A. Au cours de la « nuit des longs couteaux » (30 juin 1934), il fit abattre par les S. S. les chefs des S. A., dont Roehm, réunis à Bad-Wiessee ; il profita de ce sanglant règlement de comptes pour faire assassiner nombre de personnalités gênantes ou qui s'étaient opposées à lui : Gregor Strasser, le général von Schleicher, von Kahr, deux collaborateurs de von Papen, etc. ; au total, deux cents victimes peut-être. Devant ce « meurtre politique élevé au rang d'institution d'État », les conservateurs et l'armée ferment les yeux, ne voulant voir que la disparition du danger S. A. ; Hindenburg exprime même sa satisfaction à Hitler. Lorsque le vieux président s'éteindra, le 2 août 1934, et que ses fonctions seront cumulées avec celles du chancelier (disposition approuvée par 92 pour cent des électeurs au plébiscite du 19 août), Hitler aura achevé la mise en place de sa dictature.

La liquidation des S.A. (30 juin 1934)

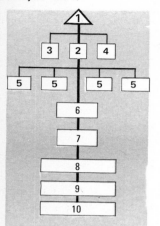

1 — Le « Führer »
2 — Le représentant du Führer
3 — Chancellerie du Führer
4 — Chancellerie du Reich
5 — Chef du Reich (Reichsleiter)
6 — Chef de région. Son représentant
7 — Chef de cercle (Kreisleiter)
8 — Chef de groupe local
9 — Chef de cellule
10 — Chef de bloc

Organisation du parti N.S.D.A.P., selon le « Führerprinzip », d'après E. Vermeil, *op. cit.* p 359

L'ÉTAT TOTALITAIRE

Hitler détient donc désormais la totalité du pouvoir ; il est le « Führer » (le guide) infaillible, investi de la confiance populaire, auquel tout Allemand doit une obéissance absolue. Il est assisté dans sa tâche par le parti, dont le chef suprême est Rudolf Hess. Il est à noter que le parti nazi, dont la trame très hiérarchisée contrôle l'administration locale, est toujours resté un parti de minorité et qu'il n'était pas absolument indispensable d'en être membre pour exercer des fonctions importantes. Mais à côté du parti, d'innombrables groupements et mouvements annexes, auxquels l'appartenance était pratiquement nécessaire pour pouvoir vivre tranquille, encadraient solidement toute la société allemande : jeunesses hitlériennes, associations des étudiants

La direction du parti est assurée, sous les ordres directs du représentant du Fuhrer, par 18 *Reichsleiter*, de qui dépendent, au niveau régional, 32 *Gauleiter* ; la hiérarchie se subdivise ensuite en *Kreisleiter* (cercles) *Ortsgruppenleiter* (villes), *Zellenleiter* (cellules), et *Blockleiter* (immeubles).

nationaux-socialistes, des femmes, des médecins, des enseignants, des fonctionnaires, des juristes, etc. L'idéologie nazie, avec l'exaltation de la force et de la race aryenne, avec le culte du Führer, est inculquée à tous les niveaux de l'enseignement, et se diffuse puissamment dans l'opinion par l'action de la Chambre culturelle du Reich (*Reichskulturkammer*) qui, sous la direction de Goebbels, contrôle étroitement presse, radio, cinéma. Tandis que les bibliothèques sont expurgées et les livres jugés malsains brûlés dans de gigantesques autodafés, tandis que des savants (tel Einstein) et des écrivains célèbres (comme Thomas Mann) préfèrent s'exiler, le peuple allemand se voit fanatiser par les grandes parades de Nuremberg et de Berlin, par l'utilisation de tout un rituel de signes, de couleurs, de sons (l'uniforme, les insignes, le bras levé ; les drapeaux et la croix gammée dans un cercle blanc sur fond rouge ; les chants, les cris et les slogans) qui font naître le « mythe national ».

L'appareil policier se charge de mettre à la raison ceux que la propagande officielle n'aurait pas convaincus. Partout, s'insinue « cette redoutable angoisse que Hitler dénomme « la terreur de l'esprit » ; la « détresse et la peur dépouillent l'individu de toute pensée spontanée » (E. Vermeil). A côté des S. A., dont le rôle s'estompe largement après la purge du 30 juin 1934, ne cesse de se développer le corps des S. S. : ces derniers, à l'origine groupes de protection (*Schutzstaffeln*) de Hitler en 1929, dépassent 200 000 hommes en 1936, répartis en troupes d'élite (*Waffen S. S.*) et en « unités à tête de mort » chargées de missions intérieures (garde des camps de concentration) ; ils dominent également tout le système policier, placé sous la direction de Himmler, de qui dépend notamment la Gestapo. Les camps de concentration (une centaine en 1939) regroupent plusieurs milliers de militants de gauche et d'opposants divers, d'« asociaux » et de condamnés de droit commun.

— un régime policier et de répression raciale

La politique raciale du régime se manifesta par une législation de plus en plus sévère à l'égard des juifs : les lois de Nuremberg en 1935 leur retirent la citoyenneté allemande ; peu à peu, toute une série de professions leur sont interdites ; à partir de novembre 1938 commence la persécution systématique, et au moment où éclate la seconde guerre mondiale, les S. S. réclament pour les quelque 250 000 Israélites qui sont restés en Allemagne (sur 500 000 environ) la « solution finale ».

Dans ces conditions d'oppression inouïe, les mouvements d'opposition furent aussi faibles que disparates. Quelques cellules communistes, l'activité clandestine de responsables socialistes réfugiés à Prague, les mouvements suscités par plusieurs épurations dans l'armée (cf. en 1938 les affaires von Blomberg et von Fritsch) furent loin de mettre le régime en danger. Non plus que la courageuse opposition de groupes catholiques et protestants aux tentatives d'embrigadement de leurs Églises.

— les mouvements d'opposition

Hitler avait signé avec le Vatican, en juillet 1933, un concordat qui enlevait à l'église catholique allemande toute influence politique, mais lui garantissait l'exercice total des libertés religieuses ; le régime ne tint pas ses engagements. En 1937, par l'encyclique *Mit brennender Sorge*, le pape condamna définitivement le nazisme. La plupart des catholiques allemands se tinrent désormais dans une attitude de passivité résignée. Du côté des protestants, les nazis avaient, dès 1933, tenté de favoriser un groupe de « chrétiens allemands », qui leur étaient dévoués plus qu'au christianisme, et d'installer le pasteur Müller comme évêque du Reich ; dès 1935, l'échec était patent : les « chrétiens allemands » se firent mépriser par la grande majorité des protestants, dont un nombre croissant s'engagea dans une périlleuse opposition.

V L'ÉCONOMIE ALLEMANDE SOUS LE NAZISME

Autarcie, dirigisme et inflation déguisée

A l'arrivée du nazisme au pouvoir, la crise économique se trouvait en voie de résorption ; on dénombrait cependant en Allemagne plus de six millions de chômeurs. Pour relancer l'économie, le régime adopta un dirigisme strict, affectant tous les secteurs de la vie nationale et s'inspirant du corporatisme italien. Il mit en œuvre une politique d'autarcie qui présentait un intérêt militaire (le pays pourrait se suffire à lui-même en temps de guerre), mais qui reflétait surtout les impératifs économiques du moment. Dépourvue de réserves monétaires, débitrice vis-à-vis de l'étranger de sommes considérables, l'Allemagne ne pouvait pas stimuler ses exportations au moyen d'une dévaluation qui eût revalorisé ses dettes, et déclenché dans un pays marqué par la douloureuse expérience des années 1922-1923, une panique généralisée ; de là l'impérieuse nécessité de faire redémarrer l'économie en circuit fermé.

A cette tâche, le Dr Schacht, président de la Reichsbank (mars 1933) puis ministre de l'Économie (juillet 1934), s'employa en mettant en œuvre une politique de grands travaux (routes, autostrades, canaux, assèchements, défrichements, etc.) et de massives commandes d'armements, qui relança rapidement la production et réduisit le nombre de chômeurs. Sa politique de financement consista d'abord à isoler totalement l'Allemagne de l'extérieur (contrôle des changes absolument hermétique, gel des créances étrangères, commerce extérieur animé exclusivement par des accords de clearing ou de troc), puis à effectuer des ponctions massives sur l'épargne par des emprunts imposés aux banques (la dette intérieure bondit de 10 à 25 milliards de *Reichsmark* entre 1933 et 1939), enfin à recourir à une inflation déguisée par l'instauration d'un ingénieux système de traites spéciales.

Ces traites, dites Mefo, étaient émises par les entrepreneurs titulaires de commandes de l'État, le Reich donnant sa garantie. Ce système, plus discret que l'émission de bons du Trésor (et qui constituait un bon exemple d'inflation de crédit), devait être provisoire aux yeux du

Les débuts

Dr Schacht. En fait, la facilité du procédé, jointe aux moyens de contrainte qu'offrait la dictature politique, le firent pratiquer sur une grande échelle : le montant total des fonds obtenus par les traites Mefo pour les années 1933-1939 tourne autour de 16 milliards de *Reichsmark*, aux dires du Dr Schacht.

Dans l'ensemble, les deux plans quadriennaux successifs, celui du Dr Schacht (1933-1936), puis celui de Goering (à partir de 1937), aboutirent à des résultats contrastés. Le bilan était spectaculaire dans le domaine industriel, malgré des faiblesses certaines (insuffisance de matières premières : minerai de fer, pétrole, textiles) ; le chômage avait été à peu près complètement résorbé (mais il faut tenir compte des emplois non productifs qui avaient été créés : fonctionnaires du parti, jeunes incorporés dans le service du travail, recrues militaires, et prisonniers). Cependant, l'extrême étroitesse du marché intérieur et l'importance des dépenses non productives empêchaient l'économie allemande de se réintégrer pacifiquement dans l'économie mondiale ; la guerre était l'aboutissement logique du système.

Les succès relatifs de l'économie n'ont été obtenus que par l'effet d'une politique sociale systématiquement favorable aux grands industriels (incitation à la concentration, régime fiscal avantageux, « reprivatisation » du système bancaire) et défavorable au monde ouvrier (stagnation des salaires, interdiction des grèves, soumission au patron par l'effet du *Führerprinzip*). Quant aux mesures prises en faveur de la paysannerie, l'*Erbhöfe* — qui entendait protéger la moyenne paysannerie par l'institution de fermes héréditaires et inaliénables — n'avait été accepté en 1939 que par moins du quart des propriétaires, lesquels refusaient d'aliéner leur liberté. Au total, le système économique nazi est bien celui d'une nation exploitée par l'Etat.

Bilan économique et social

Production d'acier brut
(en millions de tonnes) :

1932	5,7
1933	7,6
1935	16,4
1939	23,7

Nombre de chômeurs
(en millions)

janvier 1933	6
décembre 1933	3,5
1936	1,1
1938	0,2
1939	0,038

VI POUR APPROFONDIR CE CHAPITRE

Aux ouvrages mentionnés au chapitre V, on ajoutera : A. BULLOCK, *Hitler ou les Mécanismes de la Tyrannie*, Verviers, Bibliothèque Marabout-Université, 1962 et 1963, 2 vol. (traduction) ; — J. FEST, *Hitler*, 2 vol., Gallimard, 1973, 526 et 541 p. ; — M. STEINER, *Hitler et l'Allemagne nazie*, Ed. Richelieu, 1972, 398 p. ; — C. DAVID, *L'Allemagne de Hitler*, Paris, P. U. F., 1961, 124 p., Coll. « Que sais-je ? » ; — A. GROSSER, *Hitler, la Presse et la Naissance d'une Dictature*, Paris, A. Colin, 1959, 262 p., Coll. « Kiosque » ; — C. BETTELHEIM, *L'Economie allemande sous le Nazisme*, Paris, Rivière, 1946 ; — E. KOGON, *L'Etat S. S.*, Paris, Ed. du Seuil, 1970, 384 p. (trad.) et l'excellente mise au point de P. AYÇOBERRY, *La question nazie*, Ed. du Seuil, coll. « Points-Histoire », 1979, 314 p.

CHAPITRE XII

L'U.R.S.S.
de 1921 à 1941

La dramatique situation de la Russie en 1921

En 1921, les bolcheviques étaient victorieux sur le plan militaire. Mais l'état de délabrement de l'économie et le mécontentement général ne risquaient-ils pas de remettre cette victoire en question ? La production industrielle n'atteignait pas le septième de celle d'avant-guerre ; les mines de houille étaient inondées ou hors d'usage, les chemins de fer paralysés, les usines désertées. L'agriculture fournissait environ les deux tiers de sa production de 1914, mais les réquisitions et les prélèvements en nature avaient provoqué un tel mécontentement dans les campagnes que les paysans dissimulaient le plus possible leurs stocks. Des provinces entières, dans la Russie centrale, de la Volga moyenne à l'Oural, en Sibérie occidentale, se trouvaient en état d'insoumission ; cet état de choses était bien plus grave encore que le spectaculaire soulèvement des marins de Cronstadt. Survient alors, après un été très sec qui grille toute la végétation dans les régions méridionales, la terrible famine de l'hiver 1921-1922, qui fait plus dè trois millions de victimes et « lamine » complètement la paysannerie russe. Il faudra quatre ans pour réparer le désastre. Comprenant la gravité de la situation, Lénine va préconiser un changement radical des méthodes de gouvernement et des principes d'action économique.

Les marins de Cronstadt se révoltent aux cris de « Mort aux bolchèviques ! Vivent les soviets ! » (28 février 1921) et s'emparent de la forteresse. Une sanglante répression est opérée par l'Armée rouge, mais Lénine tiendra le plus grand compte de ce grave avertissement.

I LA PÉRIODE DE LA N. E. P. (1921-1927)

Les principes de la N.E.P.

Au Xe congrès du parti communiste russe, qui débute au même moment que la révolte des marins de Cronstadt, Lénine parvient, non sans mal et contre l'opinion de la fraction de gauche du parti qu'anime Trotski, à faire prévaloir l'idée que, la guerre étant terminée, les méthodes du « communisme de guerre » doivent être profondément modifiées. Un repli stratégique doit être opéré, car le socialisme ne saurait s'édifier sur des ruines ; la Russie bolchevique ne peut encore réaliser le passage direct de la petite production individuelle au socialisme : il convient donc de rétablir, pour un temps et dans certains secteurs seulement, une économie de type capitaliste. Dans le même temps, l'Etat favorisera systématiquement le secteur socialiste, qui pourra ainsi concurrencer valablement le secteur privé ; de cette réalité, estime Lénine, naîtra un progrès économique qui permettra d'aborder ultérieurement sur des bases solides le problème de la socialisation de toute l'économie.

Les premières mesures introduites par cette nouvelle politique économique (N. E. P.) débloquèrent rapidement une économie exsangue. Dès mars 1921, un impôt en nature, dont le montant devra être rapidement rendu public, remplace dans les campagnes les prélèvements et réquisitions ; ainsi le paysan, qui saura exactement à quoi s'en tenir, fera-t-il le maximum d'efforts pour augmenter la part de production qui lui reviendra en propre. Tenant compte de la résistance des faits, le gouvernement bolchevique renonce à une collectivisation prématurée : le code agraire (publié fin 1922) encourage les tendances individualistes des paysans, qui quittent pour la plupart les collectivités agraires qui s'étaient péniblement constituées ; les redistributions de terres sont arrêtées et l'on permet aux petits paysans de louer leur travail chez les gros propriétaires. En mars 1921, la liberté du commerce intérieur est également rétablie : mesure complémentaire indispensable, si l'on veut que soit mise sur le marché la part excédentaire de grains dont disposerait la paysannerie.

Les principales mesures :

— dans l'agriculture

Des mesures analogues rendent vie à l'artisanat et à la petite industrie : en mai, les petits artisans reçoivent l'autorisation de commercialiser leur production ; en juillet, on assiste à la dénationalisation des entreprises industrielles employant moins de vingt ouvriers ; des « concessions » sont accordées à des sociétés étrangères, et des sociétés mixtes pourront se créer avec un capital fourni à parts égales par l'Etat et par des sociétés étrangères.

— dans l'artisanat

Une vingtaine de concessions sont au total accordées à des sociétés françaises, anglaises, allemandes et américaines. Une société américaine exploite l'amiante de l'Oural. Ford installe à Gorki une usine d'automobiles et à, Tsaritsin (future Stalingrad) une usine de tracteurs.

Mais l'Etat continue à exercer le monopole des transports, des banques, de la grande industrie (et de la moyenne industrie, dans la plupart des cas), ainsi que du commerce extérieur. Pour améliorer la production du secteur socialiste, il n'hésite pas à utiliser les méthodes du capitalisme : réincorporation des cadres industriels du régime tsariste, appel à des techniciens étrangers (les *spets*), recrutés à prix d'or ; importation de matières premières et de machines, payées très cher ; accumulation de capitaux dans la branche nationalisée (24 pour cent des impôts en 1926 sont investis dans l'économie, contre 8,7 pour cent deux ans auparavant), qui permet notamment un gros effort d'électrification et de modernisation. Les usines nationalisées, enfin, sont groupées en « trusts », qui procèdent eux-mêmes à l'achat de leurs matières premières et à la vente de leurs produits, et dont les bénéfices, une fois satisfaites les nécessités de l'autofinancement, doivent revenir à l'Etat.

— dans le secteur socialiste

Le bilan de la N. E. P. ne comporte pas que des aspects favorables pour le jeune régime soviétique. Une classe de paysans aisés a reconstitué, non les grands domaines de l'époque tsariste, mais la moyenne propriété ; ces nouveaux *koulaks* prêtent aux moins riches (encore que la chose soit illégale), louent leur bétail contre des prestations en nature, concluent avec leurs débiteurs des contrats de métayage qui sont en fait les actes de vente qu'interdit la loi. Ces « coqs de village » fixent les haines locales et suscitent chez les bolcheviques une sorte de rage impuissante, car ils sont la négation des efforts entrepris après la révolution d'Octobre. Dans les campagnes des années 1921-1927, un autre groupe social fait son apparition : ce sont les *nepmen*, ou commerçants ambulants, qui profitant de l'initiative que leur laisse la N. E. P., fondent leur fortune sur le troc et le petit commerce qu'ils pratiquent dans un milieu rural qui manque de tout. Composée d'éléments audacieux, originaires de l'ancienne bourgeoisie, mais aussi bien de la paysannerie ou du prolétariat urbain, cette nouvelle bourgeoisie est néanmoins consciente de la précarité de sa situation.

Les aspects positifs l'emportent cependant dans le bilan de la N. E. P. La production agricole s'est rapidement développée : 260 millions de quintaux de blé en 1926, contre moitié moins deux ans auparavant. C'est précisément au début de cette phase de reprise, en 1923, qu'avait sévi la fameuse « crise des ciseaux » : les produits ruraux, plus abondants, voyaient leurs prix subir une baisse régulière, tandis que les prix des rares produits industriels connaissaient une hausse continuelle. Ce cercle vicieux fut brisé avec l'essor industriel : la production de charbon triple entre 1922 et 1927 (10,3 à 32 millions de tonnes), celle de pétrole progresse de 5 à 10 millions de tonnes entre 1923 et 1927 ; quant à l'acier, dont la production était à peu près arrêtée (182 000 tonnes en 1921, 317 000 en 1922), il remonte à 3 600 000 tonnes en 1927. Dans l'ensemble, la production industrielle et agricole de 1927 dépasse celle de 1913 ; même si à partir de 1926 le taux de croissance insuffisant provoque une nouvelle vague de chômage, et si la mauvaise récolte de 1927 entraîne un sévère rationnement au cours de l'hiver suivant, on peut dire que la situation matérielle des ouvriers s'est, au cours de cette période, assez nettement améliorée.

La succession de Lénine

L'instauration de la N. E. P. n'avait pas été sans susciter de vives oppositions au sein du parti bolchevique, notamment de la part de Trotski et des éléments de gauche, qui voyaient en elle une capitulation devant le régime capitaliste. Il avait fallu toute l'autorité de Lénine pour la faire adopter. Or précisément, après plusieurs attaques d'hémiplégie au cours des années 1922 et 1923, le chef historique de la révolution s'éteignait, le 21 janvier 1924. Le problème de sa succession, déterminant sur le plan politique et du point de vue économique, allait absorber trois ans durant la vie du Parti. Lénine avait rédigé une sorte de « testament », simple note dans laquelle il exprimait son opinion sur ceux qui pouvaient devenir ses successeurs ; malgré son exubérance, et bien qu'il fût « excessivement porté à l'assurance », il penchait pour Trotski. Mais Staline détenait depuis avril 1922 le secrétariat général du Parti, poste-clé s'il en fut, même s'il n'était pas apparu tel à l'époque.

L'opposition entre les deux hommes n'était pas seulement une question de caractère — l'exubérance et l'indépendance de Trotski contrastaient avec la rigueur froide de Staline et avec son attachement à la discipline. La conception du Parti était aussi en jeu : alors que le premier se déclarait partisan de la reconstitution de tendances au sein du Parti, le second, en vieux bolcheviste, entendait maintenir le monolithisme de ce dernier. De graves divergences enfin séparaient les deux leaders quant à l'avenir de la révolution : à l'automne 1924, Trotski publia sa brochure *Les Leçons d'Octobre*, qui affirmait l'impossibilité de construire le socialisme dans un seul pays et l'absolue nécessité d'étendre la révolution hors des frontières russes ; Staline, au contraire, estimait que, dans une première étape, il convenait de conforter la révolution en Russie même, plutôt que de risquer de la compromettre en tentant de l'« exporter » dans n'importe quelles conditions.

La rupture entre Staline et Trotski survient rapidement. En mai 1924, Zinoviev, président du Komintern, et Kamenev, président du soviet de Moscou, apportent leur soutien à Staline, qui conserve le Secrétariat général, malgré le testament de Lénine, que le Comité central décide de garder secret. Les trois hommes constituent une sorte de triumvirat, ou de « troïka ». Mais dès 1925, des divergences interviennent, puis la mésentente, et en 1926-1927 Zinoviev et Kamenev concluent une alliance avec Trotski : c'est le groupe de « l'opposition unifiée ». Mais Staline, qui depuis cinq ans a introduit au Comité central des hommes à lui (Molotov, Kalinine, Kirov, Vorochilov), fait, sans difficulté, exclure du Parti Zinoviev et Trotski (novembre 1927) ; ce dernier est exilé en Asie centrale, à Alma-Ata, où il séjourne un an, avant d'être expulsé d'Union soviétique (18 janvier 1929). De son côté, Zinoviev se soumet.

Malgré ces âpres querelles de succession, le régime semblait stabilisé. Au plan politique, la nouvelle constitution, adoptée par le IIe Congrès des soviets de janvier 1924, consacrait la consolidation du pouvoir bolchevique par la victoire militaire, puis par les premiers succès de la N. E. P. Les principes d'organisation restaient ceux qu'avait fixés la constitution de 1918, de même que les mesures qui restreignaient le droit de vote et qui favorisaient une large représentation des villes au détriment des campagnes. La nouveauté résidait dans l'établissement d'un certain fédéralisme ; l'Union des Républiques Socialistes Soviétiques s'était en effet créée en 1922, et la nouvelle constitution délimitait les larges compétences de son gouvernement central. Les organes suprêmes de l'Union étaient les suivants : à la base, le Congrès des soviets de l'Union, qu'élisaient les soviets urbains et ruraux ; il désignait le Comité central exécutif de l'Union (*Tsik*), qui comprenait le Conseil

— *Trotski et Staline*

Joseph Djougachvili, dit **STALINE** (1879-1953), originaire de Géorgie, renvoyé d'un séminaire en 1898 pour propagande marxiste fut un actif bolchévique dès 1903 ; en 1913, il dirigeait la *Pravda*. En avril 1917, il s'aligna sur les thèses de Lénine. Commissaire aux nationalités de 1917 à 1923, secrétaire général du Comité central à partir de 1922, il sut jouer des rivalités au sein de ce dernier pour y affermir peu à peu son pouvoir.

— *le dénouement*

Leon Bronstein, dit **TROTSKI** (1879-1940), connaît d'abord la vie errante des révolutionnaires émigrés ; se range un temps aux côtés des mencheviks, mais s'en éloigne (avant 1905), sans pour autant se rapprocher de Lénine. Président du soviet de Petrograd en 1905, puis en 1917 ; il dirige l'insurrection d'octobre 1917. Commissaire à la guerre de 1918 à 1925, il est le principal organisateur de l'Armée rouge. Après son expulsion d'U.R.S.S. (1929), il réside successivement dans plusieurs pays, avant de se fixer au Mexique, où il est assassiné par un agent de Staline.

La constitution de 1924

L'U.R.S.S. comprenait quatre républiques en janvier 1924 ; elle en regroupera six à l'automne 1924, sept en 1929, onze en 1936 et seize en 1945

de l'Union (composé des représentants des républiques fédérées, en proportion de leur population) et le Conseil des nationalités. Le pouvoir exécutif était exercé par le Praesidium du Comité central et par le Conseil des commissaires du peuple.

La réalité du pouvoir appartenait en fait au parti communiste et à ses diverses instances : cellules, rayons, régions, parti de chaque république, Congrès, Comité central, bureau politique du « Parti communiste (bolchevique) » de l'U. R. S. S. Le parti communiste, après avoir recruté sans discernement durant les années de la guerre civile (il comptait 700 000 membres en 1921), avait procédé à une sérieuse épuration à partir de 1922 ; mais les adhésions très nombreuses dans la classe ouvrière entre 1924 et 1928 portèrent à 1 300 000 le nombre de ses membres. Les quelque 25 000 responsables du Parti, les *apparatchiki*, qui jouissaient de sérieux avantages politiques et matériels, constituaient en quelque sorte l'élite de l'élite.

II STALINE ET L'ÈRE DE LA SOCIALISATION (1929-1941)

Pendant une dizaine d'années, l'U. R. S. S. avait fait subir à la doctrine marxiste les accommodements qu'imposaient le réalisme et la nécessité de survivre ; au gré des circonstances et sous la pression des événements, elle avait pris, puis rapporté, des mesures essentielles quant à la planification de l'économie ou à la collectivisation rurale. En 1928, l'U. R. S. S. entre désormais dans une ère nouvelle, celle de la construction volontaire de la société socialiste.

LE « GRAND TOURNANT »

Ce n'est pas l'effet du hasard si la nouvelle politique de contrainte économique, tant à l'égard des paysans que dans le domaine de l'industrie, coïncide avec l'élimination de la fraction trotskiste du parti bolchevique. En 1926-1927, la pression conjuguée des nouveaux bourgeois, *nepmen, koulaks*, bureaucrates, avait atteint une telle force qu'elle risquait de remettre en cause les fondements mêmes de la société soviétique ; mais Staline, qui animait la fraction centriste du parti bolchevique, avait alors besoin, pour éliminer Trotski et l'aile gauche du parti, du soutien de l'aile droite qui, autour de Boukharine, estimait que l'on pouvait opérer une transformation graduelle de l'économie à partir de la N. E. P. Une fois Trotski défait et exclu (fin 1927), Staline peut détourner le feu de la gauche vers la droite : au plan économique, c'est le début des plans quinquennaux, et bientôt la collectivisation rurale ; au plan politique, c'est l'élimination de Boukharine et de l'aile droite du Parti.

L'ère de la planification

L'idée de la planification ne date pas de 1928 ; elle avait été progressivement mise en pratique à partir de 1920. En 1921, avait été créé, pour élaborer des directives destinées à l'ensemble de la production, un organisme public, le *Gosplan*. Il s'agissait à vrai dire d'un bureau d'information destiné à inventorier les richesses de l'Union, puis à orienter progressivement l'économie dans la voie d'une planification souple purement indicative. A partir de 1926, au contraire, la notion de plan pénètre dans la vie quotidienne ; presse, littérature, cinéma s'en emparent et en font une sorte de mythe collectif. « Le plan apparaît comme une promesse, comme un moyen de prise sur l'avenir. » Ainsi la mystique du plan précède la planification proprement dite.

Le premier plan quinquennal (1928-1932) se marque essentiellement, du point de vue agraire, par la collectivisation des campagnes. Cette dernière, qui avait été dès le début de la révolution l'objectif lointain des bolcheviques, fut provoquée par toute une série de causes : la mauvaise récolte de 1927, de 9 pour cent inférieure à celle de 1913 ; bien davantage, la diminution de la part des céréales commercialisées, les paysans ayant de plus en plus tendance à constituer des stocks et à ne vendre que la proportion de grains indispensable à l'achat de produits manufacturés. Or l'industrialisation que l'on s'efforce de développer vigoureusement avec le premier plan quinquennal exige un nombreux prolétariat urbain bénéficiant de rations alimentaires suffisantes. En 1928-1929, les dirigeants soviétiques, la police, la bureaucratie se sentent en outre très forts et ont conscience de ne courir aucun risque : la société rurale, en pleine ascension démographique, constitue une masse amorphe incapable de sursaut collectif.

La collectivisation, après une phase de tâtonnements et d'essais, connut, à partir de l'automne 1929, un rythme extrêmement rapide. Elle s'accompagna d'un brutal mouvement de « dékoulakisation », qui fit environ trois millions de victimes parmi les nouveaux *koulaks*, qui furent exécutés ou déportés. La rapidité de la collectivisation, fin 1929, est due à plusieurs facteurs : le désir des paysans de s'intégrer à une communauté, élément de sécurité au milieu des difficultés présentes ; la peur aussi, car 25 000 volontaires, souvent trop zélés, ont été lancés sur les campagnes en « brigades de chocs » ; les antagonismes sociaux enfin, les bolcheviques ont utilisé la haine contre le *koulak*, le désir de beaucoup de paysans de voir éteindre leurs dettes à son égard et leur envie de se partager ses terres, fût-ce au sein d'une nouvelle collectivité.

La brutalité de la collectivisation explique néanmoins l'attitude de nombreux ruraux qui, pleins de rancœur, préfèrent abattre leur bétail plutôt que le livrer aux fermes collectives. Staline se rend compte qu'on a été trop vite et trop loin ; son célèbre article *Le vertige du succès* (2 mars 1930) est le signal d'un sérieux coup de frein : autorisation est donnée aux paysans de revenir au régime individuel ; aussitôt les groupements constitués de force ou sans nécessité se défont. Mais pour les dirigeants soviétiques, l'essentiel est acquis : les *koulaks* ont été éliminés, et dans les régions de grande production (Ukraine, steppes du Don et de la Volga, Nord du Caucase), les fermes collectives sont définitivement majoritaires.

La collectivisation des campagnes

Taux de collectivisation des terres :

1928	1,7 pour cent
1929	3,9 pour cent
1930	23,6 pour cent
1931	52,7 pour cent
1932	61,5 pour cent

En quelques mois sont ainsi abattus : 4 millions de chevaux, 15 de bovins, 6 de porcs, 25 de moutons.

— les kolkhozes

Le kolkhoze n'a pas été un facteur de nivel-
lement social : il existe des kolkhozes riches,
des kolkhozes pauvres, des kolkhoziens pros-
pères, des kolkhoziens miséreux.

— les sovkhozes

Les résultats

Voir cartes 5 et 6

La production industrielle
— *le premier plan quinquennal
(1928-1932)*

Production industrielle
(en millions de tonnes)

	1928	1932
houille	34	64
acier	4,2	5,9
pétrole	12	21,3
électricité		
(en milliards de kWh)	5	13,5

Ces fermes collectives, les kolkhozes, sont constituées par des groupes de familles paysannes qui ont abandonné leurs terres à la collectivité, ne conservant en propre que leurs demeures. En général, le kolkhoze est un ancien village qui a décidé de collectiviser ses terres ; cependant, dans les steppes du Sud et en Sibérie, plusieurs villages se groupent pour n'en former qu'un. Les gros travaux (labours, semailles, moissons) sont d'ordinaire confiés aux Stations de Machines et de Tracteurs (M. T. S.) qui reçoivent une rétribution proportionnelle aux résultats obtenus. Mais les kolkhozes souffrent de l'absence de techniciens agricoles, et d'un parasitisme administratif général : en 1938, deux millions de bureaucrates inutiles vivent dans les campagnes à leurs crochets. Les kolkhoziens préfèrent d'ailleurs s'attacher à la culture du lot individuel dont le *statut de l'artel* en 1935 leur reconnaît la jouissance.

Quant aux sovkhozes, grandes fermes d'Etat de plusieurs milliers d'hectares de superficie, où la terre comme le matériel sont la propriété de l'Etat et où le cultivateur reçoit un salaire fixe pour un nombre d'heures de travail déterminé, on pensait à l'origine que ce type d'exploitation deviendrait la règle générale. Il n'en fut rien, et les sovkhozes, qui attiraient moins les paysans, demeurèrent des stations expérimentales installées surtout en zone pionnière.

Dans l'ensemble, après la période difficile du premier quinquennat, les résultats de l'agriculture soviétique deviennent honorables. Depuis 1933, les récoltes de blé sont belles (38 millions de tonnes en 1937, contre 18,8 en 1929), la production de céréales croît de 68,2 à 95,9 millions de tonnes au cours du deuxième plan quinquennal (1933-1937) ; la production de coton a triplé entre 1928 et 1937, et la récolte de betteraves à sucre de 1937 représente quatre fois celle de 1913 et deux fois celle de 1928.

Entré en vigueur le 1er octobre 1928, mais avec effet rétroactif au 1er janvier, le premier plan quinquennal (1928-1932) fit disparaître à peu près complètement le secteur privé de l'industrie soviétique (il n'en représentait plus que 1 pour cent en 1933). Des investissements massifs furent réalisés grâce à un vigoureux prélèvement fiscal : ressources dégagées par la vente des produits agricoles, impôts sur le chiffre d'affaires et sur les bénéfices, emprunts forcés sous forme de retenues sur les salaires, etc. De nombreux techniciens étrangers, en majorité allemands et américains, continuèrent à encadrer l'industrie, mais un gros effort fut fait pour la formation de spécialistes et d'ingénieurs, qu'attiraient en outre de très hauts salaires. Le premier quinquennat, essentiellement orienté vers le développement de l'industrie lourde, nécessitait une masse de main-d'œuvre très importante : le nombre d'ouvriers doubla presque, dépassant les vingt millions en 1932. Cependant, « l'exaltation de l'héroïsme du travail » par la publicité faite autour des meilleurs ouvriers, les *oudarniki*, par la création de « brigades de choc » ou par l'octroi de primes aux meilleurs travailleurs, ne suffit pas à fixer les masses ouvrières à leur emploi ; il fallut mettre en place tout un système de mesures coercitives : livret de travail obligatoire, licenciement sans préavis pour toute absence injustifiée, retrait des cartes de rationnement et expulsion éventuelle du logement accordé par l'entreprise.

Le premier plan quinquennal obtint des résultats inégaux, par rapport aux objectifs fixés. On déplorait surtout la pénurie des biens de consommation. C'est pourquoi le deuxième plan (1933-1937) privilégia l'industrie légère et les biens de consommation (vêtements, chaussures, etc.) dont la production doubla. Ses résultats furent plus brillants que ceux du premier plan, malgré les nécessités du réarmement à partir de 1934. Les ouvriers bénéficièrent d'un sensible relèvement de leur salaire réel ; et dans leur travail, le poids de la contrainte diminua quelque peu devant l'esprit d'émulation et d'enthousiasme, tel que l'illustre le mouvement stakhanoviste, du nom du mineur du Donetz Stakhanov qui, en août 1935, avait abattu quatorze fois plus de charbon que la norme fixée.

Le troisième plan (1938-1942) fut brutalement interrompu par la guerre ; il visait à développer l'industrie lourde, les centrales hydroélectriques et les industries chimiques. L'U. R. S. S. était alors arrivée, au prix d'un effort gigantesque, au troisième rang des puissances industrielles, derrière les Etats-Unis et l'Allemagne. Ses dirigeants envisageaient l'avenir avec sérénité, estimant venu le moment du passage graduel du socialisme au communisme.

De ce sentiment de sécurité, témoigne la constitution de 1936 qui, tout en maintenant les mêmes rouages que celle de 1924, accordait aux citoyens soviétiques un certain nombre de garanties quant à leurs droits politiques, civiques et religieux ; le suffrage était désormais universel, et l'égalité totale entre la représentation des campagnes et celle des villes ; le scrutin serait secret, mais il n'y aurait toujours qu'une liste proposée aux suffrages des électeurs, celle du parti communiste et des « sans-parti ». Symbole de la stabilité du régime, la constitution restait sur bien des points purement formelle, comme le montrait la série des purges sanglantes qui s'était abattue sur le pays surtout depuis décembre 1934 (assassinat de Kirov à Leningrad), et qui culmina d'août 1936 à mars 1938, avec les successifs « procès de Moscou ». Des dizaines de milliers de bolcheviques furent exécutés ou déportés en Sibérie ; presque tous les anciens compagnons de Lénine disparurent, accusés d'espionnage au profit de l'Allemagne ou du Japon. L'Armée rouge fut décapitée, ce qui devait avoir des conséquences dramatiques en 1941 ; le Parti lui-même s'épura massivement des vieux bolcheviques ou des anciens fonctionnaires. Au cours de la période 1936-1938, c'est sans doute deux millions de personnes qui ont été condamnées à mort, à la prison ou aux travaux forcés dans les camps de travail ; en tenant compte du bilan des crises de 1929-1935, c'est à un total d'environ dix

— le deuxième plan quinquennal (1933-1937)

Production industrielle
(en millions de tonnes)

	1933	1937
houille	76,2	127,3
acier	6,5	17,5
pétrole	21,5	27,8
électricité (en milliards de kWh)	18	35

— le troisième plan quinquennal (1938-1942)

LA CONSTITUTION DE 1936 ET LES PURGES

Pour 132 millions d'habitants en 1922, l'U R S S en comptait 167 millions en 1939, dont 70 de personnes actives et 75 de jeunes de moins de dix-huit ans. La jeunesse de sa population constituait un facteur d'expansion économique capital et allait revêtir une importance considérable au cours de la seconde guerre mondiale.

Dans son *Staline, aperçu historique du bolchevisme,* paru chez Plon en 1935 (réédité en 1977 par Champ libre, 640 p.), Boris Souvarine qui avait été, jusqu'en 1924, un des principaux dirigeants du P.C.F., montrait que Staline était le pur produit de la machine du parti bolchevique et de la bureaucratisation de la société soviétique. Il décrivait une U.R.S.S. aussi éloignée du socialisme que du capitalisme, enlisée dans une bureaucratie despotique et de privilèges. Accueilli avec scepticisme par la gauche française d'alors, ce livre apparaît aujourd'hui d'une singulière lucidité et d'une modernité étonnante — malgré peut-être sur ce point la tendresse (non exempte d'esprit critique) qu'éprouve l'auteur pour son maître ès-révolution Lénine.

millions de victimes (un Soviétique sur dix-sept !) que l'on arrive. Toute la société en a été marquée, mais c'est une minorité qui a été surtout frappée, celle des riches des années 1930 et la classe des responsables politiques. C'est la raison pour laquelle la population soviétique, par ailleurs en plein essor démographique, a pu supporter cette hémorragie et accepter de poursuivre le vigoureux effort de l'industrialisation.

III POUR APPROFONDIR CE CHAPITRE

Aux ouvrages mentionnés au chapitre VI, on pourra ajouter : J. BRUHAT : *Histoire de l'U.R.S.S.*, Paris, P.U.F., 1954, 136 p., Coll. «Que sais-je ?» — J. ELLEINSTEIN : *Histoire de l'U.R.S.S.*, tome 2 : *Le socialisme dans un seul pays (1922 - 1939)*, Paris, Ed. sociales, 1973; tome 3 : *L'U.R.S.S. en guerre* (1939-1946), 1974, 238 p. — P. BROUÉ : *Les Procès de Moscou*, Paris, Julliard, 1964, 304 p., Coll. Archives.

Les biographies de Staline et de Trotski par I. DEUTSCHER restent classiques : *Staline*, Paris, Gallimard, 1964, 704 p., *Trotski*, tome 1 : *Le Prophète armé (1879 - 1921)*, Paris, Julliard, 1962, 694 p. ; tome 2 : *Le Prophète désarmé (1921 - 1929)*, Paris, Julliard, 1964, 640 p. ; tome 3 : *Le Prophète hors-la-loi (l'exil)*, Paris, Julliard, 1965, 704 p.

Récemment ont paru deux biographies de Staline, par A.B. ULAM, *Staline, l'homme et son temps*, 2 vol., Calman-Lévy-Gallimard, 1973, 536 et 412 p., et par H. CARRERE d'ENCAUSSE, *Staline*, coll. Champs, Flammarion, 294 p.

CHAPITRE XIII

La France de 1931 à 1939

La France fut le dernier grand pays industriel à être touché par la crise économique mondiale ; elle ne commença à en ressentir les effets qu'à partir de 1931. Ce décalage s'explique par plusieurs facteurs : des structures économiques moins modernes, donc moins sensibles aux à-coups de la conjoncture ; un commerce extérieur relativement faible, permettant au pays de vivre davantage replié sur lui-même ; une monnaie solide enfin, garantie par l'or et attirant des capitaux du monde entier. Quand la crise s'étendit sur la France, ce fut cependant de façon totale et durable.

Comme pour le chapitre VII nous supposons connus ici les principaux événements politiques et sociaux (tels qu'ils apparaissent par exemple dans un manuel de l'enseignement secondaire) afin de pouvoir mettre davantage l'accent sur le résultat des travaux récents et éclairer certains points controversés.

I LA CRISE ÉCONOMIQUE ET SES CONSÉQUENCES SOCIALES ET POLITIQUES

Le coup le plus sévère lui fut d'abord porté par la dévaluation de la livre, en septembre 1931, par laquelle le Royaume-Uni réexportait littéralement la crise vers les autres pays. Les grands marchés se trouvant à Londres, les cours des matières premières et des principaux produits ne subirent pas de variation notable : tout se passa donc comme si la France et les pays fidèles à l'étalon-or avaient revalorisé d'un quart ou d'un tiers leurs monnaies respectives. L'ignorance des mécanismes économiques et financiers était telle en France qu'on ne saisissait pas que les prix des produits français se trouvaient brusquement majorés dans la même proportion et qu'un coup terrible était ainsi porté aux exportations. Alfred Sauvy a montré que le rapport des prix français aux prix anglais, qui tournait autour de 0,90 depuis le début de l'année 1931, connut une brutale progression en septembre et s'établit

Le refus de la dévaluation

Indice de la production industrielle :

1929	100
1930	99
1931	86
1932	73
1933	81
1934	75
1935	73

Voir cartes 13 à 18

à 1,18 en décembre ; ce n'est qu'à partir de la première dévaluation du franc (1er octobre 1936) que le rapport devait s'inverser à nouveau. Pour les mêmes raisons, la dévaluation du dollar, en avril 1933, constitua un nouvel handicap pour les exportations des pays du bloc-or ; en 1933, alors que le volume des importations françaises de produits fabriqués ne fléchit que de 13 pour cent par rapport à 1929, celui des exportations s'effondra de 42 pour cent.

Le refus de la dévaluation enfonce donc la France dans la crise. De l'extrême gauche à l'extrême droite, l'opinion et les milieux parlementaires s'élèvent contre toute amputation du pouvoir d'achat de la monnaie ; seul Paul Reynaud ose l'évoquer. Le déficit de la balance commerciale (35 pour cent en 1933, 26 en 1935), la cessation du paiement des réparations par l'Allemagne, la chute du tourisme (qui rapporte, en 1935, onze fois moins de devises qu'en 1929) entraînent donc un constant déséquilibre de la balance des paiements, qu'il faut régler en or : la France se vide de ses réserves. L'État lui-même, malgré des efforts louables, n'arrive pas à équilibrer son budget : la crise diminue les rentrées fiscales (moins 17 pour cent entre 1931 et 1935) tandis qu'elle exige des subventions et des secours accrus ; le déficit budgétaire, de 5 milliards en 1931, bondit à 12 en 1933, avant de se tasser à 10 en 1935.

L'inefficacité des mesures mises en œuvre
– le commerce extérieur

Les mesures que les gouvernements successifs mettent en œuvre pour résorber la crise s'avèrent malheureusement tout à fait inefficaces, parfois nuisibles, souvent dérisoires. On tente d'abord de limiter les importations en majorant les taxes sur les produits des pays qui ont dévalué (il s'agit là de ce qu'on appelle une surtaxe de change), mais devant les vives protestations de ces pays, on y renonce fin 1933. Un système de contingentement généralisé est mis sur pied en 1932, mais sa rigidité prive la production nationale d'une quantité importante de matières premières. Les remèdes à la crise agricole ne sont pas plus efficaces : la crise est pourtant une bonne occasion d'opérer des réformes de structures dans une agriculture marquée par une grande diversité et une polyculture archaïque. En fait, les milieux politiques ne posent le problème paysan que sous son angle politique : de la droite aux communistes, on songe davantage à se concilier les voix des ruraux qu'à introduire la modernisation et le souci de productivité dans les campagnes. Les mesures adoptées sont typiquement malthusiennes : limitation de la production de blé et de vin, prix minima fixés pour le blé, blocage des importations ; l'État doit supporter de lourdes charges (subventions, primes diverses), pour un résultat à peu près nul.

– l'agriculture

– l'industrie

Les solutions apportées à la crise industrielle s'inspirent du même esprit : comme aux États-Unis, on se préoccupe essentiellement du maintien des cours. Trois moyens sont utilisés : une protection douanière renforcée, l'intervention de l'État, la concentration et l'organisation des professions. En fait, l'intervention de l'État reste timide :

au nom du libéralisme économique, l'Etat se refuse à taxer les prix ; par contre, il fait adopter des mesures interdisant par exemple la création de nouvelles usines de chaussures ou de nouveaux moulins ; s'il lance deux plans successifs d'outillage et de grands travaux (le « plan » Laval et le plan Marquet), sa seule réalisation, outre l'achèvement du barrage de Kembs, est la création de la Compagnie générale du Rhône, en 1933, mais cette société d'économie mixte était prévue depuis douze ans... Comme aux Etats-Unis enfin, l'Etat favorisa une certaine concentration, incitant les industriels à s'unir et à conclure des ententes qui étaient en réalité de simples accords défensifs ; les chefs d'entreprise adhérèrent en masse à la Confédération générale de la production française (C. G. P. F.), créée en 1919 ; et dans plusieurs secteurs, comme les houillères, la sidérurgie et l'industrie chimique, des ententes furent conclues pour répartir les ventes par régions, fixer les prix, organiser l'exportation. Au total, rien qui pût faire sortir le pays de l'ornière.

Le « plan » Laval, en décembre 1931, consistait en fait en une rallonge de crédits (3,5 milliards de francs) à répartir entre divers ministères. Le plan Marquet, en mai 1934, prévoyait un programme de grands travaux à réaliser en cinq ans, essentiellement dans la région parisienne, pour une somme de 10,5 milliards de francs.

Quels furent les groupes sociaux les plus atteints par la crise ? D'abord incontestablement les chômeurs, partiels et surtout complets ; puis les exploitants agricoles, ainsi que les commerçants et les chefs d'entreprise du secteur exposé et non « cartellisé » ; tardivement enfin, les fonctionnaires. En ce qui concerne les chômeurs totaux — un peu plus de 800 000 au plus fort de la crise, en 1935-1936 —, on a remarqué que la France en comptait moins qu'un petit pays comme la Tchéco-slovaquie. Mais le chômage partiel sévissait gravement : dans les entre-prises de plus de cent ouvriers, le nombre d'heures de travail a baissé de 30 pour cent entre 1930 et 1935. Il reste que les ouvriers qui avaient la possibilité de travailler à temps complet bénéficiaient d'une certaine hausse du salaire nominal (un peu moins de 10 pour cent à Paris de 1929 à 1935), et en raison de la baisse des prix, d'une sensible revalori-sation de leur pouvoir d'achat. Les exploitants agricoles quant à eux, atteints par la forte baisse des prix de leurs produits, ont ressenti plus durement que la classe ouvrière les effets de la crise économique ; de même que les petites et moyennes entreprises industrielles (par exemple dans le textile ou les cuirs et peaux) livrées à une concurrence sauvage dans les secteurs où n'existaient ni monopole ni entente. Les fonc-tionnaires enfin ont connu une période de difficulté après les décrets-lois Doumergue (avril 1934) et Laval (juillet 1935) qui au total amputaient leurs salaires nominaux de 13 à 17 pour cent. « Il semble donc que les classes moyennes aient été plus durement et plus largement touchées que la classe ouvrière » (Georges Dupeux).

les groupes sociaux atteints par la crise

Nombre de chômeurs secourus
(en milliers) :

1929	0,9
1930	2,4
1931	54,6
1932	273,8
1933	276,3
1934	341,6
1935	425,8
1936	433,7
1937	351,3
1938	374,1

Alfred Sauvy a montré que, pour obtenir le chiffre du chômage réel, il fallait multiplier le nombre des chômeurs secourus par 1,9.

Les secteurs de monopoles étaient très abrités : les prix de l'industrie des ciments, concentrée et cartellisée, ont relativement peu baissé (81 en 1935, pour un indice 100 en 1929), ceux des spécialités phar-maceutiques ont même monté. Les prix des secteurs exposés, où les petites entreprises devaient lutter contre une concurrence sauvage, connaissaient au contraire un effondrement complet.

UN FASCISME FRANÇAIS ?

Comme en Allemagne et dans tous les pays de l'Europe centrale, la crise avec son cortège de chômage et de misère allait-elle favoriser l'éclosion d'un fascisme français ? Pour en juger, il convient d'abord de définir sommairement le phénomène fasciste ; avec René Rémond, on

Les ligues

Dans le Parti populaire français en particulier, tout rappelle les mouvements fasciste et nazi : le culte du chef (Doriot), l'organisation du parti avec ses groupements parallèles, les insignes et les drapeaux, le salut (bras levé, à demi-cassé), les slogans percutants (« P.P.F. vaincra ! »), les hymnes nationalistes (« France, libère-toi ! »), l'usage systématique de la violence contre les adversaires politiques, la doctrine corporatiste, un nationalisme et une passion de l'« ordre » exacerbés.

Le 6 février 1934

peut distinguer ses trois composantes essentielles : un fond de patriotisme irrité ou meurtri, auquel se mêle un état d'esprit « ancien combattant » ; un antiparlementarisme doctrinal et pratique, qui se traduit par la dévotion à l'État et la passion de l'ordre ; le goût de la force et de la violence enfin, avec « le culte du chef, la dictature du parti et le corporatisme officiel ». Le fascisme se distingue donc nettement de la droite traditionnelle, il est « un mouvement de déclassés, de parvenus, d'aventuriers, qui n'ont rien de commun avec les notables ». Ces traits se retrouvent, avec plus ou moins de vigueur, dans beaucoup des ligues écloses en France au cours de l'entre-deux-guerres :
— les Jeunesses Patriotes, de Taittinger, mouvement né en 1924, dont les membres arboraient avec l'insigne de leur ligue le béret basque et l'imperméable bleu ;
— le Faisceau, de Georges Valois, constitué en 1925 à la suite d'une scission survenue au sein de l'Action française ;
— les Croix de feu, du colonel de La Rocque ; ce groupement, fondé en 1927, mais parvenu véritablement à l'existence en 1929-1931 grâce à l'appui de Tardieu, regroupait, à la fin de 1932, 36 000 « briscards » (anciens combattants ayant passé au moins six mois au front) et plusieurs dizaines de milliers d'adhérents dans ses organisations annexes : Fils des Croix de feu (créés en 1932), Regroupement national et Volontaires nationaux (fondés en 1934 et ouverts à tous) ;
— le Francisme, de Marcel Bucard, et la Solidarité française, de Jean Renaud ; ces deux groupes, nés tous deux autour de 1934, furent de plates imitations du fascisme et n'eurent pas plus de 10 000 adhérents chacun ;
— le Parti populaire français, de Doriot, enfin, constitué en 1936 et qui regroupa rapidement 100 à 200 000 membres.

Toutes ces ligues se situent, bien entendu, dans la tradition antiparlementariste française et s'apparentent au bonapartisme, au boulangisme et au nationalisme de l'avant-guerre. Mais elles s'insèrent également dans le contexte international de l'entre-deux-guerres, celui de la crise surtout qui gonfle le flot des chômeurs et des insatisfaits, et les rejette vers les mouvements extrémistes. Selon que l'on privilégie le premier ou le second de ces traits, on tend à atténuer ou à renforcer le caractère « fasciste » des ligues françaises. S'il est exact que certaines d'entre ces dernières « n'ont emprunté que le décor du fascisme, revêtant ses oripeaux, mais dépouillant son esprit » (R. Rémond), si un La Rocque rejetait explicitement pour son mouvement l'étiquette de « fasciste », des ligues comme la Solidarité française et le Francisme, comme le P. P. F. surtout, s'apparentent assez étroitement au fascisme italien et au nazisme. D'une façon générale, si les fascismes français n'ont pas revêtu une expression plus affirmée, c'est bien en raison de la grande stabilité de la société française devant les effets de la crise mondiale.

Cette stabilité explique aussi pourquoi les « fascistes » français n'ont pu (ou voulu) tenter un coup de force analogue aux putschs allemands de 1920 ou 1923 et à la marche sur Rome d'octobre 1922 ; les conditions économiques et sociales, politiques même, s'y prêtaient insuffisamment. Le 6 février 1934 en effet n'est pas une tentative de putsch, bien des indices l'établissent : une mobilisation des ligues rien moins que massive (30 000 hommes au maximum aux dires des ligueurs eux-mêmes), un manque évident de coordination entre les différents mouvements qui semblent agir « chacun pour soi », l'attentisme prudent des Croix de feu que La Rocque maintient sur la rive gauche à bonne distance du Palais-Bourbon. Enfin, l'absence de plan concerté : aucun coup de main n'est tenté sur les ministères, les centraux téléphoniques, l'immeuble de la radio, ni même sur l'Elysée, pourtant dégarni de troupes. La manifestation, si elle n'avait été vigoureusement stoppée au pont de la Concorde, eût peut-être tourné au renversement du régime, mais René Rémond souligne avec raison qu'elle s'apparente davantage à l'agitation boulangiste qu'à la marche sur Rome.

Face au danger d'extrême droite, la gauche va se regrouper, mais moins rapidement qu'on aurait pu l'imaginer. La grève générale du 12 février ne ressemble en rien à une manifestation unitaire, même si les cris d'« Unité ! Unité ! » fusent des deux cortèges distincts qu'ont formés socialistes et communistes à la manifestation de la place de la Nation et du cours de Vincennes. Lorsque, quelques semaines plus tard, le professeur Paul Rivet (socialiste), le philosophe Alain (radicalisant) et le physicien Paul Langevin (proche du parti communiste) créent leur « Comité d'action antifasciste et de vigilance », il s'agit d'une initiative marginale ; ce Comité de vigilance des intellectuels antifascistes sert de lieu de rencontre officieux entre responsables politiques et contribue, par des conférences et des réunions publiques, à réveiller une opinion provinciale encore assoupie, mais toutes les tentatives d'entente entre partis de gauche sont étouffées.

C'est que le parti communiste reste fidèle à la tactique « classe contre classe » qu'il a adoptée en 1928 sur les directives de l'Internationale et qui a eu sa réplique en Chine comme en Angleterre et surtout en Allemagne. L'analyse du Komintern est que le fascisme constitue, dans les pays industriels, l'étape ultime de la décomposition du capitalisme avant la révolution sociale, et que la social-démocratie représente l'ennemi le plus dangereux du mouvement communiste international. Le « front unique » préconisé alors par les responsables du P. C. F. n'est en réalité qu'une nouvelle tentative pour détacher les militants socialistes de leurs dirigeants et reprend, aux termes près, le mot d'ordre de Treint (secrétaire général du Parti en 1923-1924) : « plumer la volaille socialiste ». Après les événements des 6-12 février 1934, les publications officielles du Parti, *L'Humanité* et les *Cahiers du Bolchevisme* notamment, attestent que cette tactique ne change pas. C'est seulement fin mai-début juin que la direction du parti communiste, revenant sur son mot d'ordre de front unique à la base seulement, lance à la Commission administrative permanente de la S. F. I. O. un appel que la

VERS LE REGROUPEMENT DE LA GAUCHE

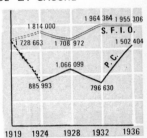

Évolution des suffrages aux élections législatives, d'après J. P. Brunet, *L'enfance du Parti communiste*, p. 82

La politique du parti communiste

Thorez écrit par exemple dans *L'Humanité* du 13 avril 1934 « Tous les bavardages sur le mariage entre communistes et socialistes sont foncièrement étrangers à l'esprit du bolchevisme. Nous ne voulons pas nous unir avec la social-démocratie. On ne marie pas l'eau avec le feu. Ce que nous voulons, c'est faciliter aux ouvriers socialistes leur orientation, vers le communisme, vers Moscou »

conférence d'Ivry (23-26 juin) renouvelle solennellement par la voix de Thorez : « A tout prix, nous voulons l'action. A tout prix, nous voulons l'unité d'action. » La clé du revirement du parti communiste, ainsi que l'ont établi de récents travaux, est à rechercher dans la prise de conscience de la gravité du danger nazi par Staline et les dirigeants de l'Internationale.

II AUTOUR DU FRONT POPULAIRE

LE GENÈSE DU FRONT POPULAIRE
Le rapprochement socialistes-communistes

Tirant les leçons de l'échec de la politique suivie par sa section allemande, l'Internationale communiste met désormais l'accent sur l'importance des classes moyennes. Thorez déclare : « Entre les fascistes et nous, prolétaires révolutionnaires, la course de vitesse a commencé pour la conquête des classes moyennes »

A partir de ce moment, le P. C. F. renonce à son exigence de comités d'action élus par la base, dont les socialistes craignaient la prise en main par les communistes, et accepte la constitution de simples comités de coordination. Des négociations promptement menées aboutirent à la signature d'un pacte d'unité d'action entre communistes et socialistes (27 juillet 1934) : une alliance défensive était conclue entre les deux partis (contre le fascisme, contre les décrets-lois et la politique de déflation) ; des meetings et manifestations communs seraient organisés ; et chaque partenaire s'engageait à ne pas critiquer l'autre pendant l'action commune. Dans l'extension aux radicaux de l'entente ainsi conclue, le P. C. F. prit également la part la plus grande ; c'est Thorez qui, le 13 novembre à la Chambre, lance le mot d'ordre de « Front populaire du travail, de la liberté et de la paix » ; ce sont les dirigeants communistes qui, dès octobre 1934, proposent à une S. F. I. O. réticente d'élargir le pacte en adressant un appel à la petite bourgeoisie, aux groupements professionnels et corporatifs d'artisans, de petits commerçants, de paysans ; ce sont eux qui, en mai 1935, devant le faible écho reçu par cet appel, comprennent que pour gagner les classes moyennes il faut nécessairement passer par les organisations politiques dont elles subissent l'influence, autrement dit essentiellement le parti radical.

L'attitude des radicaux

L'évolution des radicaux fut relativement rapide. La configuration de l'échiquier parlementaire rendait indispensable leur participation à toute coalition gouvernementale. Théoriquement, trois solutions leur étaient possibles : l'alliance avec la droite sous le vocable d'« Union nationale » ; l'entente avec la gauche, parti communiste inclus ; une formule centriste plus précaire enfin, celle de la constitution d'un tiers parti entre la droite affirmée et le bloc socialiste-communiste. Or le congrès radical de Nantes (octobre 1934) condamne la première solution, et les ministres radicaux démissionnent du gouvernement Doumergue, qui tombe le 8 novembre. La formule du tiers parti, tentée par le ministère Flandin, échoue quelques mois plus tard devant la persistance des problèmes économiques et financiers, et l'hostilité conjuguée de la droite et de la gauche. La chute de Flandin est un événement capital dans la formation du Front populaire ; les radicaux, désorientés, refluent vers l'aile gauche qu'animent avec Pierre Cot et

Le cabinet Flandin (8 novembre 1934 - 31 mai 1935) comprenait des membres du parti radical (Herriot), de l'Alliance démocratique (Flandin lui-même) et de la droite modérée (Tardieu).

Jean Zay, les « Jeunes Turcs » du parti. Bientôt, Daladier, éternel rival d'Herriot (on se rappelle la « lutte des deux Édouard ») et chef du dernier gouvernement cartelliste, participe à titre personnel à la préparation de la manifestation du 14 juillet 1935, puis, au nom du parti tout entier, au déroulement de cette dernière, qui scelle la constitution du Front populaire.

Six mois après, le comité d'organisation du Rassemblement populaire rendait public un programme commun « volontairement limité aux mesures immédiatement applicables », ainsi qu'il était indiqué. Ce programme comportait plusieurs séries de revendications, souvent fort imprécises au demeurant, groupées sous les titres suivants : « défense de la liberté », « défense de la paix », « restauration de la capacité d'achat supprimée ou réduite par la crise », « contre le pillage de l'épargne, pour une meilleure organisation du crédit ». Invoquant la nécessité tactique d'attirer les classes moyennes au Front populaire et de rassurer le corps électoral, le parti communiste avait refusé à la S. F. I. O. l'insertion de toute nationalisation ou réforme de structure ; l'originalité du programme électoral propre à la S. F. I. O. fut précisément l'évocation des unes et des autres.

Voir cartes 10, 11 et 12

Le Front populaire et son programme

A peine les élections (26 avril et 3 mai) avaient-elles donné la victoire au Rassemblement populaire, et avant même la prise du pouvoir par Blum (le 4 juin), un mouvement de grève s'amorçait, s'enflait, puis submergeait le pays. On peut le subdiviser en trois phases : du 4 mai au 1er juin, les grèves ont des buts précis (des cahiers de revendications sont toujours déposés avant l'occupation des usines), elles touchent les grosses entreprises, essentiellement dans le secteur des industries mécaniques, aéronautiques et automobiles ; du 2 au 11 juin, les grèves se généralisent, gagnant toutes les branches de la production, affectant même les petites affaires familiales, et leur but est alors beaucoup moins précis ; le discours de Thorez le 11 juin au soir (« Il faut savoir terminer une grève ») marque le début de la troisième phase, celle du reflux.

Plusieurs questions de première importance se posent à propos de ces grèves, et tout d'abord le problème de savoir si leur déclenchement ne répondait pas à un mot d'ordre. Du côté du parti communiste, aucun indice ne peut être relevé en ce sens ; quant aux éléments qui ont cherché à le déborder sur sa gauche, ils ont peut-être pu canaliser le mouvement, point le provoquer. La preuve en est que les grèves ont éclaté dans les secteurs où les organisations politiques et syndicales disposaient de l'implantation la plus faible : métallurgie, textile, industries alimentaires, où le taux de syndicalisation se situait entre 3 et 5 pour cent ; alors que les branches où ce taux était le plus élevé continuaient le travail : cheminots (taux de 22 pour cent), postiers (44 pour cent), services publics (36 pour cent), enseignement (35 pour cent). Beaucoup de controverses ont eu lieu par ailleurs sur le point de

LES GRÈVES DE JUIN 1936

Pourquoi ces grèves?

savoir si ces grèves étaient d'essence révolutionnaire, et si la situation qui en est résultée était elle-même révolutionnaire. Si l'on considère avec Trotski que « le trait le plus incontestable de la Révolution, c'est l'intervention directe des masses dans les événements révolutionnaires », alors, effectivement, la situation était révolutionnaire. Mais maints caractères de ces grèves inclinent le jugement dans le sens opposé : l'occupation des usines n'est pas spécifiquement révolutionnaire (c'est un réflexe contre les « briseurs de grève ») ; la conscience politique de la majeure partie des grévistes reste d'un niveau très élémentaire ; enfin les revendications sont étroitement liées à l'entreprise : nulle part on ne décèle une aspiration révolutionnaire qui viserait à une transformation d'ensemble de la société ; bien plus, les ouvriers ne jettent même pas un coup d'œil sur la comptabilité de leurs usines. L'on peut conclure avec Antoine Prost que si « la révolution est *effort* pour réaliser dans le concret un idéal conscient, les grèves de 1936 sont *l'expression*, sur un plan quasi magique, celui de la fête collective, de cet idéal lui-même ». Certains auteurs, estimant que la situation de juin 1936 était révolutionnaire, disent que Léon Blum a *trahi* la classe ouvrière ; il a bien plutôt, « très exactement et très efficacement, *traduit* ses aspirations ».

Tout a été dit sur l'aspect de fête collective qu'ont revêtu les grèves : le soudain silence de lieux d'ordinaire remplis du vacarme des machines, l'abolition du temps, l'organisation de bals, de concerts, etc. La joie des grévistes que décrit Simone Weil est indissociablement morale et matérielle

La politique économique et sociale du gouvernement Blum
— la dévaluation du franc

En fait, le franc Auriol (dit « franc élastique ») se définissait par deux limites de poids d'or : 43 milligrammes au minimum, 49 au maximum, contre 65,5 auparavant (franc Poincaré). La dévaluation se situait donc entre 25 % et 35 %.

Devant un Royaume-Uni qui avait tendance à se replier sur son Commonwealth, face aux États-Unis où le commerce extérieur ne représentait que 3 à 4 pour cent du produit national, la France risquait, en cas de représailles douanières, de voir amputer sérieusement le bénéfice de l'opération de dévaluation

— la loi des 40 heures

Nous aborderons maintenant quelques points controversés de la gestion économique et sociale du premier gouvernement Blum, sur lesquels des débats récents ont apporté des lumières nouvelles. La dévaluation, s'accordent à penser les historiens et les économistes, fut trop tardive et insuffisante. Trop tardive (1er octobre 1936), parce qu'elle figurait dans l'héritage recueilli par le Front populaire : pour que nul n'en doutât, il eût été préférable de l'opérer immédiatement. Insuffisante (29 pour cent), parce qu'inférieure à celles qui avaient été réalisées au Royaume-Uni et aux États-Unis, alors qu'une dévaluation supérieure à ces dernières eût donné un avantage supplémentaire aux exportations françaises. En fait, il semble que Blum ait pris sa décision, non pas sous la pression des événements comme on l'affirme d'ordinaire, mais dans les quinze jours de son arrivée au pouvoir. S'il a retardé son application, c'est qu'il lui semblait nécessaire d'inclure dans une opération de stabilisation non seulement le solde du passé, mais les charges supplémentaires que l'économie était sur le point d'assumer : d'où la volonté de prendre un certain recul. Les négociations avec les trésoreries étrangères ont également retardé la dévaluation : l'accord du Royaume-Uni et des États-Unis sur le taux de 29 pour cent donnait finalement à la France la garantie que ces pays n'adopteraient pas, après la dévaluation, des mesures de rétorsion sous la forme de taxes douanières accrues.

Aucune réforme de juin 1936 n'a suscité plus de controverses que la loi des quarante heures. Il est incontestable que cette loi, en amputant de 10 pour cent la durée du travail, a provoqué dans l'économie l'apparition de goulots d'étranglement qui ont entraîné la stagnation, voire la baisse de la production : les entreprises disposant de fortes commandes ne purent, pour y faire face, accroître leur production, ni même la maintenir ; l'activité de leurs fournisseurs en amont, de leurs clients en aval, s'en trouva directement freinée. Par la loi des quarante heures, on avait pensé répartir au profit des chômeurs une importante masse de travail ; mais au cours de la période 1930-1935, une fraction de plus en plus notable de la main-d'œuvre effectivement au travail était restée sous-employée. A partir de juin 1936, comme toujours en période de redémarrage de l'économie, se réalise à l'intérieur des entreprises « une meilleure utilisation des facteurs de production, aussi bien des travailleurs que des machines », qui entraîne une amélioration de la productivité et retarde l'embauche d'un nouveau personnel. Peu de chômeurs sont donc réemployés, tandis que l'application trop rapide et trop absolue de la loi des quarante heures introduit dans l'économie des rigidités incompatibles avec la forte augmentation de la demande suscitée dans le même temps par la hausse des salaires et le déficit des finances publiques. Le gouvernement de Front populaire pouvait-il cependant retarder une réforme inévitable, dont la portée était considérable dans la psychologie ouvrière ? Il eût fallut introduire une certaine souplesse dans sa mise en vigueur, et tenir compte des facteurs particuliers de chaque branche d'industrie.

Que la loi des 40 heures freinât dans l'immédiat tout début de redressement économique, « cela apparut clairement de décembre [1936] à mars 1937. Si la reprise incontestable de la production industrielle qui survint alors ne fut pas plus forte en France, cependant qu'elle l'était de 30 pour cent aux Pays-Bas et en Suisse (qui avaient dévalué dans le même temps), c'est non seulement parce que la dévaluation avait été insuffisante, mais aussi parce que l'appareil productif ne put répondre d'emblée et complètement à l'accroissement de la demande » (J.-M. Jeanneney)

Un bilan

Léon Blum fut également victime d'idées erronées, mais quasi unanimement partagées à l'époque. Sa doctrine économique, on le sait, n'était pas socialiste dans son essence, elle tendait à faire mieux fonctionner une économie où l'initiative privée conservait une importance primordiale. Pour que la production s'accrût, il était donc nécessaire notamment que les perspectives de profit offertes aux chefs d'entreprise fussent suffisantes ; tel ne fut pas le cas. Le schéma de Blum était que l'accroissement de la consommation intérieure, provoquée par la hausse des salaires nominaux, entraînerait une réduction des coûts unitaires par augmentation de la production, et qu'ainsi s'ouvriraient des perspectives de profits accrus pour un patronat qui réaliserait donc de nouveaux investissements. Mais comme le souligne J.-M. Jeanneney, « les circonstances politiques et les idées économiques du patronat s'opposaient à ce qu'un tel acte de foi intervînt. Eût-il été accompli que, dans le cas de la France, il aurait vraisemblablement conduit à de promptes désillusions, car on aurait vu le déséquilibre de la balance commerciale s'aggraver pendant la période de redémarrage. Le déficit de la balance des paiements aurait provoqué une disette de capitaux, qui aurait rendu les investissements impossibles. Même en l'absence de la loi de quarante heures, l'échec de l'expérience était donc probable ». Si la dure pression des circonstances et un certain nombre d'erreurs ont entraîné des mécomptes sur le plan économique, il n'en demeure pas moins que le bilan du gouvernement du Front populaire présente par ailleurs, surtout au point de vue social, des aspects largement positifs.

III POUR APPROFONDIR CE CHAPITRE

Aux ouvrages mentionnés au chapitre VII, on ajoutera :

Pour l'histoire générale : H. DUBIEF, *Le déclin de la Troisième République, 1929-1938*, et J.P. AZÉMA, *De Munich à la Libération (1938-1944)*, respectivement tomes 13 et 14 de la *Nouvelle Histoire de la France contemporaine*, Ed. du Seuil, 1976 et 1979, 253 et 416 p. J. CHASTENET, *Histoire de la Troisième République*, tome VI *(Déclin de la Troisième, 1931-1938)*, Paris, Hachette, 1962, 302 p. et tome VII *(Le drame final)*, *ibid.* 1963, 348 p.

Pour les partis et mouvements de droite : R. RÉMOND, *La Droite en France. De la première Restauration à la Ve République*, Paris, Aubier-Montaigne, 1968 (3e éd.), vol. 1, *1815-1940*, 240 p. ; — J. PLUMYÈNE et R. LASIERRA, *Les Fascismes français, 1923-1963*, Paris, Éd. du Seuil, 1963, 318 p. ; — E. WEBER, *L'Action française*, Paris, Stock, 1964, 650 p. (trad.).

Pour le Front populaire : G. LEFRANC, *Histoire du Front populaire*, Paris, Payot, 1965, 502 p. ; — G. LEFRANC, *Juin 1936*, Paris, Julliard, 1966, 352 p., Coll. Archives ; — *Léon BLUM, Chef de gouvernement, 1936-1937* (Actes du colloque), Cahiers de la fondation nationale des sciences politiques, n°155, Paris, A. Colin, 1967, 440 p.

Pour la fin de la période : *Edouard Daladier chef de gouvernement, avril 1938 — septembre 1939*, Actes du colloque, Presses de la F.N.S.P., 1977, 320 p. ; *La France et les Français en 1938 — 1939*, sous la direction de R. RÉMOND et J. BOURDIN, Presses de la F.N.S.P., 1978, 365 p.

Sur le P.C., voir : Ph. ROBRIEUX, *Thorez, vie secrète et vie publique*, Fayard, 1975, 660 p. et *Histoire intérieure du parti communiste*, tome 1, *1920-1945*, Fayard.

CHAPITRE XIV

Le monde anglo-saxon
de 1929 à 1939

Aux manifestations de la crise économique mondiale, Royaume-Uni et Etats-Unis réagirent de façon très différente. Alors que le premier avait vécu depuis 1921 au milieu de difficultés incessantes, les seconds s'étaient habitués depuis près d'une décennie à une prospérité inouïe, du haut de laquelle la chute semblait rude. La structure économique des deux pays les prédisposait surtout à des réactions dissemblables. Le Royaume-Uni importait des denrées alimentaires et des matières premières, exportant au contraire essentiellement des produits manufacturés : or la baisse des prix mondiaux affecta beaucoup moins ces derniers. Les Etats-Unis de leur côté dépendaient bien moins que le Royaume-Uni des aléas du commerce extérieur ; d'où la nécessité pour ses dirigeants de chercher d'abord les remèdes à la crise dans un redressement des insuffisances et des vices de leur économie. Mais en fonction de leur tempérament propre, les deux grandes démocraties anglo-saxonnes surent transformer leurs habitudes économiques et sociales dans le sens d'une vigoureuse intervention de l'Etat, redonnant ainsi une nouvelle vie à un capitalisme moribond.

I LE ROYAUME-UNI DE 1929 A 1939

Les élections législatives de mai 1929, survenues en une période où, malgré quelques accès d'inquiétude de la Bourse de Londres, l'économie britannique était relativement prospère, donnèrent paradoxalement la victoire aux travaillistes. Le gouvernement Baldwin s'était en effet laissé entraîner depuis deux ans par les extrémistes du parti conservateur : la rupture des relations diplomatiques avec l'U. R. S. S. sous un motif futile, et surtout le vote du *Trade Disputes Bill* sur le droit de grève (mai 1927) avaient vivement choqué l'opinion des libéraux et des nombreux ouvriers qui votaient jusqu'alors conservateur.

La victoire travailliste de 1929

Le « Trade Disputes Bill ».

« Exemple conscient et par-là unique de législation de classe », cette loi rendait illégale toute grève tendant à exercer sur le gouvernement une pression économique ; refusant aux fonctionnaires le droit de se syndiquer, elle interdisait également aux syndicats de percevoir des cotisations destinées à des fins politiques : en raison des liens étroits qui unissaient les Trade Unions au parti travailliste, c'était une pure et simple tentative d'asphyxie financière de ce dernier

Les forces des partis politiques apparaissaient ainsi : les travaillistes obtenaient 8 300 000 voix et 287 sièges ; les conservateurs 8 600 000 et 261 sièges ; les libéraux 5 300 000 et 59 sièges. Comme en 1924, les libéraux apportèrent leur soutien aux travaillistes, à condition toutefois qu'aucune mesure de nationalisation ne fût entreprise, et Ramsay MacDonald forma son second cabinet. Malgré quelques audaces (pour la première fois une femme, Margaret Bondfield, accédait à des responsabilités ministérielles), c'était un ministère de modérés, où l'orthodoxe Snowden devenait chancelier de l'Echiquier et où Henderson assumait les Affaires étrangères.

La crise économique et financière

Mais les travaillistes furent victimes des circonstances. La grande crise économique, déclenchée par le krach d'octobre 1929 à Wall Street, atteignit le Royaume-Uni en 1930 : la production industrielle baissa de 8 pour cent, les secteurs les plus touchés étant ceux des produits semi-ouvrés et des industries textiles. Avec la chute des échanges internationaux (20 pour cent de moins en 1930 qu'en 1929), les revenus du fret, des services, des capitaux tombèrent également, tandis qu'en un moment où les exportations devenaient très difficiles (moins 21 pour cent en 1930 par rapport à 1929), la surévaluation de la livre donnait une prime aux importations. La crise financière cumula bientôt ses effets avec ceux de la dépression économique : la faillite de la *Kredit Anstalt* de Vienne, en mai 1931, les graves difficultés des banques allemandes, le gel des crédits consentis par le Royaume-Uni aux pays d'Europe centrale, coïncidant avec un mouvement accéléré de retraits de fonds à Londres, mirent la trésorerie britannique dans une situation dramatique. Elle n'obtint le soutien de la *Federal Reserve Bank* de New York et de la Banque de France, que contre l'assurance du rétablissement de l'équilibre budgétaire, qui impliquait l'adoption de mesures drastiques forcément impopulaires.

La crise politique : le cabinet d'Union nationale de MacDonald
– les divisions des partis

Sur ce point, un profond désaccord divisait les partis politiques. Les conservateurs étaient partisans d'une sévère politique de déflation, avec augmentation des impôts et diminution des salaires et de l'allocation-chômage, dont les effets toucheraient davantage les classes moyennes et les couches populaires. L'aile droite des libéraux les appuyait, tandis que leur aile gauche estimait avec le grand économiste J.M. Keynes que la réduction du pouvoir d'achat ne pourrait qu'aggraver la crise économique. Les travaillistes étaient également divisés : la masse des Trade Unions et la moitié des membres du ministère se prononçaient énergiquement en faveur de l'instauration d'un impôt sur les riches ; les autres ministres, autour de MacDonald et de Snowden, se ralliaient à la position des conservateurs. Le parti travailliste ne devait pas résister à la secousse. Le 24 août 1931, le cabinet démissionnait et MacDonald constituait sur-le-champ un ministère d'« Union nationale », qui comprenait quatre conservateurs, deux libéraux et quatre travaillistes de la tendance MacDonald. Le nouveau gouvernement prit de sévères mesures d'économie, et détacha la livre de l'étalon-or (21 septembre), afin de stimuler les exportations. Mais pour pouvoir définir une politique à long terme, fondée sur le rétablissement du protectionnisme qu'ils tenaient pour le meilleur remède à la crise, les conservateurs exigèrent de nouvelles élections. MacDonald ayant accepté, celles-ci se déroulèrent le 27 octobre.

Seuls les conservateurs demeurèrent unis ; ils obtinrent un triomphe : douze millions de voix et 470 sièges ; les libéraux, divisés en trois tendances, furent écrasés : libéraux-nationaux, autour de John Simon, alliés des conservateurs (68 sièges) ; libéraux « indépendants », autour de Lloyd George ; libéraux « orthodoxes » (13 sièges). Quant aux travaillistes, la scission provoquée par MacDonald leur fut fatale : alors que ce dernier et ses « travaillistes nationaux » n'obtenaient que 13 députés, le Labour Party, avec six millions et demi de voix, ne comptait plus que 51 sièges. MacDonald, par ambition personnelle et pour rester premier ministre, avait fait le jeu des conservateurs et entraîné un profond déclin du parti travailliste. Alors donc que la crise économique provoquait une poussée à gauche en France (élections de mai 1932), et en Allemagne un renforcement des partis extrêmes, surtout des nazis (élections de 1930 et 1932), le Royaume-Uni connaissait un raz-de-marée conservateur. Celui-ci peut s'expliquer notamment par la profonde division des partis travailliste et libéral, par le trouble semé par l'attitude de MacDonald, ainsi que par le thème majeur de l'élection : le problème de l'abandon du libre échange.

Malgré la forte majorité des conservateurs, Baldwin, fidèle à ses engagements, continue à s'effacer devant MacDonald, qui dirige le gouvernement jusqu'en juin 1935. Durant ces quatre années, les problèmes de politique intérieure passent au second plan, derrière les questions économiques et financières.

Dès avant les élections générales, le gouvernement MacDonald avait pris à cet égard des décisions de première importance ; tout d'abord un ensemble de mesures d'austérité, qu'avait permises l'*Economy Bill*, voté le 10 septembre 1931 : réduction des salaires de 5 à 20 pour cent, diminution de 10 pour cent environ de l'allocation-chômage, augmentation générale des impôts indirects et de l'*income-tax* (25 pour cent en moyenne). Ces mesures engendrèrent un profond mécontentement chez tous les fonctionnaires ; des manifestations se produisirent, qui tournèrent parfois à l'émeute ; les équipages de la flotte, dont la solde avait été réduite de 27 pour cent pour les marins contre 12 pour cent pour les officiers, multiplièrent les protestations, puis se mutinèrent : le 15 septembre, 12 000 hommes, rassemblés à Invergorden pour des manœuvres, refusèrent d'appareiller. Devant la gravité de l'événement, le gouvernement jeta immédiatement du lest : les diminutions de traitement des fonctionnaires et des militaires furent réduites de moitié.

— les élections d'octobre 1931

A la différence des pays de l'Europe continentale, le mouvement fasciste anglais resta toujours très faible. Créée par Oswald Mosley, ancien ministre travailliste du deuxième cabinet MacDonald, devenu grand admirateur de Hitler, la *British Union of Fascists* ne regroupa jamais beaucoup plus de 20 000 adhérents

Mesures d'austérité et dévaluation de la livre (septembre 1931)

— l'agitation sociale

Comme il n'y avait pas eu d'effusion de sang, aucun mutin ne passa en cour martiale ; il n'y eut de sanctions que disciplinaires.

L'agitation sociale contribua sensiblement à accroître la méfiance envers la livre ; à la mi-septembre, les capitaux s'expatriaient à une rapidité insoutenable. Rompant avec une longue tradition, à laquelle les gouvernements de l'après-guerre avaient, malgré les difficultés, été fidèles, le cabinet MacDonald décida donc d'abandonner l'étalon-or, c'est-à-dire de laisser flotter la livre (21 septembre) : officiellement, la monnaie anglaise n'est pas dévaluée ; en fait, les lois du marché libre traduisent, en octobre 1931, une perte de 20 pour cent de la livre ; en décembre 1933, elle atteindra plus de 32 pour cent. Pour lutter contre la spéculation à la hausse ou à la baisse, un organisme public, le Fonds d'égalisation des changes, sera créé en 1934.

– le maintien du « bloc sterling »

L'abandon de l'étalon-or fut accueilli dans le Royaume-Uni avec un sang-froid général, voire avec une satisfaction visible. De même, malgré la dévalorisation relative de leur portefeuille de devises, les pays du « bloc sterling » continuèrent à maintenir leurs réserves en livres, marquant ainsi leur confiance dans la monnaie britannique ; au lieu de la rattacher à l'or, ils lièrent désormais leur monnaie nationale à cette dernière. Entre le Royaume-Uni et les pays de ce « bloc sterling » ainsi constitué dans les faits, les rapports économiques et monétaires ne changeaient pas. Il n'en était pas de même pour les pays qui restaient fidèles à l'étalon-or : leurs exportations se trouvèrent brutalement freinées, puisqu'elles entraient en concurrence avec des produits anglais d'environ 30 pour cent moins chers qu'auparavant ; pour des raisons analogues, leurs importations étaient stimulées, tandis que les capitaux, dans la crainte d'une dévaluation en chaîne, cherchaient à nouveau refuge sur la place de Londres. « En abandonnant l'étalon-or, le Royaume-Uni réexportait littéralement la crise économique vers les pays jusque-là les moins touchés » (J. Néré).

Le bloc sterling, ainsi constitué *de facto*, comprend notamment tout le Commonwealth (sauf le Canada), les pays scandinaves et les États baltes, le Portugal, la Grèce et l'Égypte, l'Irak et l'Iran.

L'abandon du libre échange

La crise et la baisse des exportations britanniques avaient, dès 1930, renforcé les arguments des partisans d'un retour au protectionnisme et d'un resserrement des liens avec le Commonwealth ; cependant l'hostilité des travaillistes et des Trade Unions, et la réticence de certains milieux d'affaires qui appréhendaient les mesures de rétorsion des autres pays, avaient fait échouer un projet présenté en ce sens à la Conférence impériale d'octobre 1930. Mais, on l'a vu, les élections législatives d'octobre 1931, axées essentiellement sur cette question, avaient nettement traduit les vœux de la majorité de la population. Bientôt les banquiers de la City, des Chambres de commerce traditionnellement favorables au libre-échange comme celle de Manchester, adoptaient une position analogue. Après plusieurs mesures provisoires, l'*Import Duties Act*, de février 1932, mit donc fin à plus de quatre-vingts ans de libre-échange : à l'exception de matières premières essentielles et de certaines denrées alimentaires (soumises cependant, comme tous les autres produits, à un système de contingentements), les importations se trouvèrent taxées de droits *ad valorem* de 10 pour cent, puis de 20 pour cent à partir d'avril.

– l'Import Duties Act (1932)

Dans le but de relancer ses exportations, le Royaume-Uni établit bientôt un système de préférence impériale : à partir du moment où existait un tarif douanier général, il était aisé de consentir des dégrèvements différentiels en faveur des dominions ou des colonies. C'est ce que consacrèrent les accords d'Ottawa, signés le 20 août 1932, pour une durée de cinq ans (ils étaient renouvelables par tacite reconduction) entre la métropole d'une part, l'Australie, la Nouvelle-Zélande, le Canada, Terre-Neuve, l'Union Sud-Africaine, l'Inde et la Rhodésie d'autre part. Avec trois décennies de retard se trouvait ainsi réalisé le grand projet qu'avait caressé, en 1905-1906, Joseph Chamberlain, au moment même où son fils Neville remplaçait Snowden au gouvernement comme chancelier de l'Echiquier. En fait, le système profita davantage aux dominions, qui consentirent au Royaume-Uni des abattements douaniers nettement inférieurs. Dans le commerce britannique même, les accords d'Ottawa n'entraînèrent pas toute l'amélioration qui en était attendue, ni un sensible renforcement des liens impériaux. Entre 1928 et 1938, la part du Commonwealth dans les importations britanniques a augmenté de 13 pour cent seulement, sa part dans les exportations, de 8 pour cent ; et le commerce anglais, qui a décru dans les mêmes proportions que celui du reste du monde, représente, en 1938, 13 pour cent du commerce mondial, pourcentage identique à celui de 1929.

— le système de préférence impériale

A la conférence d'Ottawa (21 juillet-20 août 1932), dominions et colonies, désireux de protéger leurs industries naissantes, refusèrent le libre échange total à l'intérieur du Commonwealth, que leur proposait Baldwin, chef de la délégation britannique

Les chances du Royaume-Uni et du Commonwealth résidaient bien plutôt dans certaines implications de la crise mondiale. Celle-ci se traduisit, on le sait, par une baisse générale des prix ; parallèlement, le pouvoir d'achat de l'or se trouvait revalorisé d'autant. Les principaux dominions (Canada, Australie et surtout Afrique du Sud), figuraient précisément au nombre des grands pays producteurs d'or ; stimulant l'extraction du métal précieux, ils purent gagner également sur le plan quantitatif. Mais surtout le Royaume-Uni bénéficia largement de la baisse des prix mondiaux des matières premières et des denrées alimentaires, dont il était gros importateur ; tandis que les prix des produits industriels, qui figuraient au premier rang de ses exportations, subissaient une baisse beaucoup moins sévère.

L'essor industriel

La reprise économique fut également favorisée par l'action de l'Etat qui poussa à la concentration des entreprises et à la rationalisation de la production. Le secteur le plus menacé était celui du charbon, dont l'extraction connut une chute de près de 20 pour cent entre 1929 et 1932 ; le *Coal Mines Act* (1930) réduisit légèrement la journée de travail dans les mines, et institua une commission très puissante qui, en fonction des besoins et des possibilités d'exportation, fixait les contingents d'extraction de chaque compagnie. La production houillère ne remonta pas au niveau de 1929 (235 millions de tonnes en 1939, contre 262 en 1929), mais l'amélioration de la productivité fut sensible : abandon de puits non rentables, extension de l'abattage méca-

— l'action de l'État :

— dans l'industrie...

La production d'acier, qui s'était effondrée de 9,7 à 5,3 millions de tonnes entre 1929 et 1931, remonta à 13,4 en 1939; cette progression est en partie redevable au réarmement entrepris depuis 1935 par Baldwin et Chamberlain

nique, diminution du nombre des mineurs. Le mouvement de concentration et de rationalisation toucha également de nombreuses branches : sidérurgie, textile, chimie, automobile. Au total, les industries nouvelles se montrèrent les plus actives : industries chimiques, électriques, automobiles, alors que les productions traditionnelles (charbon, textile, constructions navales) se relevaient plus difficilement. Le phénomène contribuait à un déplacement du centre de gravité de l'industrie britannique, au profit de la région de Londres et du Sud-Est anglais.

... et dans l'agriculture

L'intervention de l'État fut encore plus nette dans le domaine de l'agriculture ; après avoir pendant des décennies sacrifié cette dernière au profit de son essor industriel, le Royaume-Uni allait tenter, en cette période de difficultés économiques et commerciales, de restreindre le plus possible ses achats de denrées alimentaires à l'extérieur. La production de blé et de betterave à sucre, l'élevage, furent encouragés par une politique de subventions et de prix garantis. Les *Agricultural Marketing Acts* de 1931 et 1933 réorganisèrent en même temps le marché intérieur, en instituant des offices de vente qui bénéficiaient des monopoles d'achat et de vente et régularisaient la production.

– le bilan

Au total, la situation économique du Royaume-Uni était relativement satisfaisante ; pour une base 100 en 1929 (base, il est vrai, plutôt médiocre, car les années 1920 n'avaient pas été, pour lui, des années de prospérité), l'indice de la production industrielle était remonté à 124 en 1937. Le moteur de la reprise avait été l'élévation du revenu réel des salariés, car tandis que le taux nominal des salaires baissait à peine, le coût de la vie avait connu une sensible diminution (80 à 84 au cours des années 1930, pour un indice 100 en 1924). Alors donc que les industries d'exportation restaient dans le marasme, ce fut le marché intérieur qui absorba la production croissante du pays dans les branches nouvelles (automobile, appareillage électrique, rayonne, etc.) ainsi que dans le secteur du bâtiment. Un point noir demeurait cependant avec la persistance d'un chômage « structurel », qui affectait les zones d'industries traditionnelles d'exportation : atteignant presque trois millions en 1933, les chômeurs complets n'étaient guère moins de deux millions en 1939.

Politique intérieure et problèmes du Commonwealth

Chambre de 1935 :

	Nombre de sièges
Travaillistes	154
Libéraux	17
Nationaux-libéraux et nationaux travaillistes	41
Conservateurs	387

Au cours de la période 1931-1939, la vie politique intérieure s'estompa devant les questions économiques, puis devant les problèmes de politique extérieure. Les élections de novembre 1935, malgré une remontée des travaillistes, maintinrent les conservateurs au pouvoir. En mai de la même année, MacDonald, malade, avait dû démissionner (il devait mourir en novembre) et céder la place à Baldwin. La crise dynastique qui s'ouvrit en 1936 secoua davantage peut-être le Royaume-Uni : après la mort de George V en janvier 1936, son fils aîné lui succéda sur le trône sous le nom d'Edouard VIII. Mais ce dernier, qui avait décidé d'épouser une Américaine divorcée, fut contraint d'abdiquer

– la crise dynastique (1936)

(11 décembre 1936) devant l'opposition unanime de l'*Establishment*, Église anglicane et gouvernement en tête, ainsi que devant l'hostilité du parti travailliste ; son frère cadet lui succéda sous le nom de George VI. Contrecoup de la crise, Baldwin donna en mai 1937 sa démission du poste de Premier ministre, où il fut remplacé par Neville Chamberlain.

Les motifs avancés étaient d'ordre religieux (le détenteur de la couronne, chef de l'Église anglicane, ne peut épouser une divorcée), mais surtout on redoutait que Édouard VIII ne prît appui sur les éléments populaires dont il avait la sympathie pour mener une politique personnelle

Les problèmes du Commonwealth revêtaient en réalité une importance plus profonde. Le *statut de Westminster*, voté en novembre 1931 par le Parlement britannique, puis ratifié par les parlements des dominions, reconnaissait officiellement la souveraineté de ces derniers et leur totale liberté sur les plans diplomatique, militaire et douanier ; le terme d'Empire était remplacé par l'expression de « British Commonwealth of Nations », et les dominions ne se reconnaissaient qu'« une commune allégeance à la couronne britannique ». En cela, le statut de Westminster constituait le préalable indispensable aux accords d'Ottawa. Mais ceux-ci n'allaient pas apporter les améliorations attendues sur le plan du commerce extérieur, non plus qu'un renforcement des liens entre les pays du Commonwealth. En 1939, les dominions, ainsi que l'Irlande, avaient acquis une indépendance à peu près totale ; de même l'Égypte, que la menace italienne avait cependant rapprochée du Royaume-Uni en 1936 ; quant à l'Inde, à laquelle les Britanniques avaient refusé le statut de dominion (l'*India Act* de 1935, plus libéral que celui de 1919, n'était qu'une étape dans cette direction), elle se trouvait travaillée par de puissants courants nationalistes, et en 1939 l'indépendance ainsi que la partition semblaient inévitables. La Seconde Guerre mondiale allait bientôt porter au Commonwealth les coups les plus sévères.

– le Commonwealth

Voir page 197

En 1936, l'abdication d'Édouard VIII donna l'occasion au parlement irlandais de faire un nouveau pas vers l'indépendance : l'Irlande ne reconnut pas la souveraineté du nouveau roi. En principe, elle demeurait cependant membre du Commonwealth.

II LES ÉTATS-UNIS DE 1933 A 1939 : LE NEW DEAL

Très différents furent les moyens utilisés aux Etats-Unis pour remédier aux effets de la grande crise. L'administration républicaine, au pouvoir avec Hoover jusqu'aux élections de 1932, avait d'abord cru que la prospérité reviendrait comme par enchantement ; elle avait ensuite lancé, au début de 1932, un programme de grands travaux, mais insuffisant et trop tardif pour résorber une notable proportion des quelque treize millions de chômeurs complets, qu'à côté des quatorze millions de chômeurs partiels comptait alors le pays. Aucune ressource fédérale n'était consacrée à soulager les misères provoquées par le chômage, le gouvernement laissant cette tâche à l'initiative privée et aux bonnes dispositions des Etats. Aussi l'impopularité croissante du président sortant suscita-t-elle un véritable raz-de-marée électoral démocrate : Franklin Delano Roosevelt, populaire gouverneur de l'Etat de New York, obtint 22 820 000 voix (57 pour cent des suffrages), contre 15 760 000 à Hoover.

LA NOUVELLE ÉQUIPE

Le programme de Roosevelt

En acceptant d'être désigné par son parti, à Chicago, comme candidat, Roosevelt s'était engagé à se consacrer à l'instauration d'un *New Deal* (une « nouvelle donne ») pour le peuple américain ; et il avait axé sa campagne sur le thème de « l'homme oublié au bas de la pyramide économique ». La crise, selon lui, était due à une mauvaise répartition des revenus ; il fallait donc procéder à une nouvelle distribution des chances au moyen d'une véritable croisade contre la pauvreté. La résorption du chômage, l'augmentation du pouvoir d'achat de la masse des travailleurs remettraient en marche, par voie de conséquence, la machine économique. Ce programme, où se décèle l'influence monétariste de Keynes, restait en fait fort vague, de même que les moyens d'action destinés à le traduire dans la réalité : s'il n'était pas question de dirigisme économique, encore moins de socialisme, Roosevelt estimait qu'un contrôle étatique très modéré, mieux une intervention sélective du gouvernement fédéral, pourraient, en le réformant, conserver le système capitaliste.

Le « brain-trust »

A la différence de Hoover, qui prenait ses décisions seul, Roosevelt s'appuya sur un cabinet composé de personnalités issues de tous les milieux politiques, et s'entoura d'une équipe, le *brain-trust*, formée de banquiers, de journalistes, d'universitaires surtout, hommes nouveaux pour la plupart, auxquels l'enthousiasme tenait souvent lieu d'expérience politique. Le brain-trust ne constituait pas une équipe très homogène ; certains de ses membres, autour de Brandeis, restaient attachés, conformément à la tradition du parti démocrate, à la libre concurrence et au soutien des petites entreprises contre la haute finance ; d'autres, avec R. G. Tugwell, penchaient pour un certain dirigisme économique qui rendrait possible une politique résolument sociale ; des personnalités comme Morgenthau, secrétaire fédéral à la Trésorerie, passaient enfin pour les tenants de l'orthodoxie économique et financière. En pragmatiste convaincu, se fiant à sa grande intuition politique, Roosevelt devait, en fonction des circonstances, s'appuyer plus particulièrement sur les uns ou sur les autres.

UNE NOUVELLE POLITIQUE

Lorsque, après l'espèce d'interrègne constitutionnel séparant l'élection du président de son entrée officielle en fonction, Roosevelt accéda au pouvoir le 4 mars 1933, la situation s'était gravement détériorée. L'opinion s'attendait à ce que la nouvelle administration cherchât dans l'inflation et la dépréciation monétaire les remèdes que l'orthodoxie financière de Hoover n'avait pas su trouver. On assista à un mouvement de retrait général des dépôts bancaires, ceux qui possédaient quelque argent préférant le placer rapidement en valeurs sûres (immeubles, titres, biens de toute nature) plutôt que de le voir bientôt amputé d'une partie de son pouvoir d'achat. Au début de mars 1933, les banques américaines se trouvaient pratiquement en état de cessation de paiements.

Dès qu'il fut entré en fonctions, Roosevelt prit en quelques mois (les « cent jours ») toute une série de mesures qui touchaient à tous les aspects de la vie économique et sociale. Sur le plan financier, il fit immédiatement proclamer un moratoire général des paiements et l'*Emergency Banking Act* voté par le Congrès lui permit de faire procéder à une réouverture progressive et sélective des banques, qui durent se soumettre à des mesures de contrôle. En juin, une autre loi allait établir une distinction entre banques d'affaires et banques de dépôts et édicter pour les unes et les autres une étroite réglementation. La vie économique pouvait donc reprendre sur des bases plus solides.

Pour financer son programme de grands travaux ainsi que l'augmentation générale des salaires et des prestations sociales qui devaient remettre en marche l'économie, Roosevelt joua résolument la carte d'une inflation contrôlée. Cette dernière, pensait-on, allait provoquer une hausse générale des prix ; mais elle ne se produisit pas. Aussi Roosevelt s'orienta-t-il, après toute une série de mesures de circonstances, vers le détachement du dollar de l'étalon-or, qui fut réalisé le 19 avril ; l'opération revenait à une dévaluation du dollar, qui devait être stabilisé le 30 janvier 1934 au taux de 35 dollars l'once, soit à près de 41 pour cent au-dessous de sa valeur initiale. La réduction consécutive de leurs dettes devait permettre aux agriculteurs et aux petits entrepreneurs surtout, d'assainir leur situation et de relancer leur activité. Mais on attendait également de la dévaluation un accroissement des exportations américaines ; la structure du commerce extérieur des États-Unis, marquée par l'existence d'une balance commerciale déjà nettement excédentaire, la conjoncture défavorable en Europe, où la plupart des pays connaissaient alors le creux de la dépression, la moindre hausse des prix anglais par rapport aux prix américains, déjouèrent cette espérance.

La dévaluation du dollar (avril 1933)

« Contrairement à celle de l'Angleterre, la dévaluation américaine ne fut aucunement imposée par les nécessités du commerce extérieur et de l'équilibre de la balance des comptes. C'est pourquoi elle fut vivement critiquée à l'étranger » (J. Néré).

Pour résorber le chômage et tenter en même temps de réamorcer la « pompe » de l'économie, Roosevelt mit tout d'abord 500 millions de dollars à la disposition des États de l'Union pour les secours les plus urgents ; le gouvernement mit surtout rapidement au point un programme de grands travaux : reconstruction de quartiers urbains insalubres, édification de grands barrages dans l'Ouest (tels *Grand Coulee* ou *Boulder Dam*), réfection et construction de routes et de voies ferrées, institution de la *Tennessee Valley Authority* (ou T. V. A.) en mai 1933 : cet organisme mixte, au sein duquel collaboraient, sous la direction d'un comité de trois membres nommé par le président, le gouvernement fédéral, les États et les particuliers, devait construire des barrages, fabriquer et distribuer l'énergie électrique, lutter contre le ravinement des sols par un reboisement systématique et la régularisation des cours d'eau, favoriser enfin l'implantation d'établissements industriels.

La lutte contre le chômage : les grands travaux

Le N.I.R.A. et la réorganisation de l'industrie

La campagne publicitaire de l' « Aigle bleu », malgré ses limites, eut de favorables répercussions psychologiques ; les consommateurs étaient invités à acheter les produits des industriels qui avaient le « label » de la N.R.A., symbolisée par un aigle bleu, avec cette légende : *« We do our part »* (Nous en sommes).

Avec le retour des démocrates au pouvoir, la situation sociale s'était brusquement tendue ; les syndicats menaçaient de déclencher une grève générale si un salaire minimum n'était pas garanti aux ouvriers. Aussi le *National Industrial Recovery Act* du 16 juin 1933 (N. I. R. A.), qui répondait également au vœu des planificateurs du « brain-trust », mit-il en place, dans la *National Recovery Administration* (N. R. A.), les moyens de réorganiser la production industrielle : de nouveaux rapports étaient instaurés entre patrons et ouvriers, la liberté syndicale était reconnue (clause VII a) ; dans chaque branche d'industrie, des « Codes de concurrence loyale » devaient être élaborés par l'étroite collaboration du patronat et des salariés, sous l'égide d'une Agence publique représentant l'Etat. Le Président avait pouvoir de rendre obligatoires ces codes dans les secteurs qui les concernaient ; en fait, rien n'était prévu pour contraindre les industriels récalcitrants. Le code provisoire général, que publia le gouvernement pour servir de modèle aux codes sectoriels, réduisait la semaine de travail à 35 heures (on pensait ainsi obtenir une répartition du travail disponible entre un plus grand nombre d'ouvriers) et imposait un minimum de salaire horaire de 35 *cents*. Au total le N. I. R. A. officialisait les ententes entre producteurs que la législation antitrust avait jusqu'alors proscrites ; par rapport aux « codes Hoover » des années 1920, qui tendaient à rationaliser et à accroître la production, son originalité était de viser à une réduction de cette dernière pour obtenir un relèvement des prix : côté malthusien d'une politique destinée à une redistribution du pouvoir d'achat au profit des masses, mais qui, en raison de l'inexpérience de la nouvelle administration, aboutit à un renforcement des grandes affaires et à un moindre accroissement des salaires par rapport aux prix.

L'Agricultural Adjustment Act

Dans le cadre de l'AAA, les agriculteurs bénéficièrent également de conditions de prêts plus favorables. L'État fédéral procéda à des achats de terres et à leur répartition en exploitations familiales groupées en coopératives. Les campagnes bénéficièrent aussi d'un gros effort d'électrification.

Au printemps 1933, l'effondrement des prix agricoles avait profondément atteint le monde rural. L'*Agricultural Adjustment Act* (A. A. A.), du 12 mai 1933, prévit donc une limitation volontaire des cultures : des indemnités seraient accordées aux agriculteurs qui restreindraient leur production ; dans ces conditions, les prix devraient connaître un redressement rapide. En fait, s'il y eut hausse des prix agricoles en 1933-1934, elle fut davantage due, semble-t-il, à la dévaluation et à la grave sécheresse de 1934 qu'à l'action de l'A. A. A. En outre, le système était victime de son succès même : la hausse des prix profitait plus aux agriculteurs qui refusaient de réduire leurs cultures. Aussi le *Bankhead Act* (1934) rendit-il obligatoire les mesures de restriction de la production.

Dans un pays où une partie de la population restait sous-alimentée, l'A. A. A. présentait également un aspect malthusien difficilement acceptable. Les consommateurs faisaient au premier chef les frais de cette loi, et l'augmentation des prix des denrées de première nécessité aggravait les problèmes des citadins. Mais le pouvoir d'achat des agriculteurs — en fait des propriétaires, car l'A. A. A. n'eut que peu d'incidence sur la condition des métayers et des ouvriers agricoles — remonta sensiblement à partir de 1934.

Malgré les insuffisances et les contradictions d'une législation élaborée en hâte, le premier New Deal se soldait par un bilan positif au plan social : la situation des ouvriers et des agriculteurs s'était nettement améliorée, le chômage avait régressé de deux millions, les prix industriels et agricoles s'étaient relevés. Du point de vue économique cependant, les mesures dirigistes avaient sans doute retardé la reprise au lieu de la stimuler : la surcharge des prix de revient décourageait les investissements, desquels dépendait tout essor ultérieur. En tout cas, après une période où le sentiment d'urgence provoque une acceptation à peu près générale du système mis en place, les oppositions au New Deal se renforcent et se multiplient. Les milieux d'affaires, autour des dirigeants républicains, mais aussi de l'aile conservatrice du parti démocrate, reprochent au New Deal son dirigisme économique, le coût élevé de sa politique sociale, ainsi que la restriction des droits des Etats devant le pouvoir fédéral. A l'opposé, un puissant mouvement se développe, à la suite des élections législatives de l'automne 1934, qui consacrent le triomphe des démocrates et font entrer au Congrès des élus politiquement beaucoup plus à gauche que Roosevelt. Se disputant la faveur des foules, des démagogues comme Huey Long, sénateur de Louisiane qui développe le thème d'un communisme à la Babeuf, comme le père Coughlin, prêtre catholique de Detroit qui multiplie à la radio les sermons exaltés contre le capitalisme et le « business », ou comme le médecin californien Townsend, qui réclame des pensions mensuelles de 200 dollars pour tous les citoyens de plus de soixante ans, pratiquent une surenchère dangereuse pour le gouvernement. Les réformes de ce dernier se heurtaient enfin à l'opposition de la Cour suprême, qui déclara successivement inconstitutionnels le N. I. R. A. (mai 1935), puis l'A. A. A. (janvier 1936) : le premier empiétant sur le pouvoir du Congrès, l'un et l'autre usurpant les droits des Etats.

Le brain-trust, au sein duquel l'influence des planificateurs s'était peu à peu amenuisée au profit des partisans d'une restauration de la concurrence, s'efforça d'élaborer rapidement des projets moins ambitieux, mais techniquement et juridiquement plus solides que ceux des « cent jours » ; c'est le « second New Deal ». Après quelques hésitations, Roosevelt prit son parti d'un déséquilibre budgétaire qu'il avait d'abord tenté de combattre, et rechercha la reprise économique au moyen d'injections massives de pouvoir d'achat — quitte à résorber l'excédent plus tard, quand la « machine » aurait été remise en route.

Déjà, pour remédier à l'invalidation du N. I. R. A. par la Cour suprême et prévenir un grave affrontement social, la loi Wagner (5 juillet 1935) avait reconnu les libertés syndicales et le droit des

BILAN DU PREMIER NEW DEAL

La Cour suprême était composée de neuf juges nommés à vie ; ils étaient alors en majorité républicains (ils avaient été désignés par les présidents républicains, au cours des années 1921-1933), quatre d'entre eux étaient particulièrement réactionnaires (« les quatre cavaliers de l'Apocalypse »), trois seulement étaient considérés comme libéraux

LE SECOND NEW DEAL

Des mesures sociales

Roosevelt et
la Cour suprême

BILAN D'ENSEMBLE

syndicats de négocier avec le patronat la conclusion de conventions collectives. Pour lutter contre le chômage, Roosevelt, qui avait annoncé en janvier 1935 la fin de la politique de secours fédéraux, confia à Harry Hopkins la direction de la *Work Progress Administration*, qui finança des travaux de toutes sortes et fournit du travail à plus de trois millions de chômeurs. Le *Social Security Act* (14 août 1935) posait les bases du système américain de sécurité sociale ; il créait l'assurance-chômage, instituait un système de retraite et garantissait aux États l'aide du gouvernement fédéral pour les secours sociaux. D'autres lois enfin avaient pour but de parvenir à une plus grande justice fiscale : le *Wealth Tax Act* accroissait par exemple le taux d'imposition des revenus les plus élevés.

Les conséquences politiques de ces réformes s'avérèrent considérables. L'opposition démagogique fut privée d'une partie de ses arguments, tandis que la droite conservatrice vouait à Roosevelt une haine farouche. Mais l'adhésion des agriculteurs et des ouvriers, des intellectuels et même d'une partie des milieux d'affaires, le soutien du « Solid South », de l'Ouest rural et du Nord-Est urbain, assurèrent au président une triomphale réélection en novembre 1936. Fort de l'appui populaire, Roosevelt entama le combat contre la Cour suprême, unique obstacle à la poursuite des réformes. Il s'y prit d'une façon détournée, mais sur laquelle personne ne se trompa : il demanda au Congrès le vote d'une loi l'autorisant à nommer un juge supplémentaire dans les cours de justice, lorsqu'un de leurs membres aurait atteint l'âge de soixante-dix ans. Le projet souleva des critiques acerbes, même dans le camp des démocrates, on reprochait au président de bafouer le pouvoir judiciaire ; le Congrès finalement enterra le projet. Mais la Cour suprême, sentant le danger, estimant sans doute aussi qu'il ne lui était pas possible de s'opposer davantage aux vœux de la majorité du peuple américain, renversa brusquement sa position (29 mars 1937), et laissa passer désormais des réformes analogues à celles qu'elle avait précédemment déclarées inconstitutionnelles. Plusieurs juges devaient par la suite présenter leur démission, donnant ainsi à Roosevelt la possibilité de nommer des personnalités libérales.

Obtenant des résultats sensiblement inférieurs à ceux de tous les autres pays industriels, à l'exception de la France, l'économie américaine n'avait pas encore retrouvé, en 1939, son niveau d'activité de 1929. Elle restait agitée de soubresauts inquiétants ; en 1938, une récession provoquée par une pause dans la politique de déficit budgétaire et une brutale réduction des crédits des travaux publics, entraîna une chute de 24 pour cent de la production industrielle et une nette aggravation du chômage : on dénombra 9 900 000 chômeurs (contre 7 300 000 l'année précédente), soit 18,7 pour cent de la main-d'œuvre civile totale (contre 13,8 pour cent en 1937). Le niveau économique de 1936 ne devait être atteint à nouveau qu'en 1940.

Comment expliquer cette persistance de la crise ? Roosevelt, avec nombre de ses contemporains, en rend responsables les trusts et les chefs d'entreprise, qui se seraient refusés aux investissements nécessaires. Certains économistes de l'époque, dont un historien comme Louis Franck a repris les conclusions, ont incriminé l'intervention de l'Etat qui aurait « grippé » l'économie au lieu de la stimuler, mettant en regard la reprise plus rapide dont a bénéficié le Canada en économie libérale. En fait on voit mal, compte tenu de l'énormité et de la complexité de l'appareil économique américain, étant donné également que la crise a été plus profonde aux Etats-Unis que partout ailleurs, comment l'économie américaine aurait pu surmonter celle-ci sans l'intervention de l'Etat. Les obstacles à la reprise, après le brusque redémarrage de 1933, semblent avoir été d'ordre psychologique ; si la « pompe » n'a pu être réamorcée, et n'a pu que « rendre l'eau qu'on lui a fournie », c'est sans doute parce que « l'esprit d'entreprise avait été trop rudement secoué par la crise de 1929 pour reprendre si vite confiance en l'avenir » (J. Néré).

Le New Deal a-t-il été une « révolution », comme certains l'ont avancé ? Dans la mesure où toutes ses réformes ont été réalisées dans le cadre du système capitaliste et des institutions politiques, l'expression paraît excessive. Il n'en demeure pas moins que le New Deal a profondément modifié, en le sauvant peut-être, le capitalisme américain : au libéralisme économique absolu s'est substituée l'idée d'une intervention de l'Etat dans la vie économique, et à « l'individualisme forcené » a succédé la notion jusqu'alors inconnue d'un « Etat-Providence ». En cela, le New Deal a bien été une rupture avec le passé.

NATIONALISME ET ISOLATIONNISME

Hoover avait cru trouver dans la situation internationale les causes de la crise américaine et s'était donc efforcé, timidement et maladroitement, d'y porter remède par une coopération avec l'Europe. Roosevelt et les « New Dealers » estimèrent au contraire que les origines de la crise étaient à chercher dans les défauts mêmes de l'économie des Etats-Unis ; pour eux, par conséquent, il fallait sauver l'Amérique d'abord, en repliant, au moins dans un premier temps, le pays sur lui-même. Cette politique fut aussi sensible au plan extérieur que dans le domaine économique. Le refus des pays européens d'acquitter leurs dettes de guerre renforça l'isolationnisme des Etats-Unis qui, en mai 1933, refusèrent de prendre le moindre engagement à la Conférence du désarmement, et torpillèrent, au début de juillet 1933, la Conférence économique de Londres en s'opposant à ce qu'y soient évoqués le problème de la stabilisation du dollar et la question des tarifs douaniers. Les « lois de neutralité » votées en 1935, 1936 et 1937 se situent donc dans cette atmosphère. La loi de 1937 réglemente ainsi sévèrement les exportations destinées aux pays en guerre : un embargo total est édicté sur les armes et munitions ; et la clause « cash and carry » impose le paiement comptant et le transport sur des navires non

Le repli américain

L'isolationnisme fut également renforcé par l'enquête sénatoriale entreprise en 1934 sur les bénéfices de guerre de 1917-1918. Ses résultats, quelque peu sommaires, mais qui eurent un immense retentissement dans l'opinion, étaient que l'entrée en guerre des Etats-Unis en 1917 était due à l'action conjuguée des financiers créanciers de l'Entente et des industriels de l'armement.

américains. De cette façon, les Etats-Unis se mettent en garde contre toute forme de pression qui pourrait être exercée, comme en 1917, par des débiteurs en état de belligérance, et entendent éviter toute mésaventure analogue au refus de remboursement des dettes de guerre de 1914-1918.

Roosevelt, absorbé jusqu'alors par les problèmes intérieurs, ne prend vraiment conscience du danger nazi et japonais qu'à partir de 1937, mais sa latitude d'action est très restreinte en raison de l'isolationnisme total de l'opinion américaine. Si le « discours de la quarantaine », prononcé à Chicago le 5 octobre 1937, heurte profondément ses concitoyens, il marque également le début d'une évolution qui les conduira progressivement à accepter l'idée d'une guerre entreprise pour la défense des démocraties.

Dans ce discours, Roosevelt proposait des mesures collectives et concertées pour mettre en quarantaine les pays qui se rendraient coupables d'agression : « La paix, la liberté et la sécurité des quatre-vingt-dix centièmes de la population du monde sont mises en danger par les dix autres qui menacent d'une rupture de tout ce qui est ordre et droit (...). Quand une épidémie physique commence à s'étendre, la communauté approuve la mise en quarantaine des malades. »

III POUR APPROFONDIR CE CHAPITRE

Aux ouvrages cités au chapitre VIII , il convient d'ajouter : A. SIEGFRIED , *La Crise britannique au XXe siècle* , Paris , 1931, 216 p. ; — A.J.P. TAYLOR, *English History (1914-1945)*, Oxford 1965 (Oxford History of England) ; — D. ARTAUD et KASPI, *Histoire des Etats-Unis*, Paris, A. Colin, 1969, 412 p., Coll. U. ; — D. ARTAUD, *Le New Deal*, Paris, A. Colin, 1969, 286 p., Coll. U2 ; — L.-R. FRANCK, *Histoire économique et sociale des Etats-Unis de 1919 à 1949*, Paris, Aubier, 1950, 304 p. ; — H.-U. FAULKNER, *Histoire économique des Etats-Unis d'Amérique*, Paris, P. U. F., 1958, 2 vol. ; — J.-B. DUROSELLE, *De Wilson à Roosevelt, Politique extérieure des États-Unis, 1913-1945*, Paris, A. Colin, 1960. Y.H. NOUAILHAT, *Les Etats-Unis. Avènement d'une puissance mondiale, 1898 - 1933*, Paris, Ed. Richelieu, 412 p.

CHAPITRE XV

L'Europe méridionale et danubienne entre les deux guerres

En dehors de l'Italie, l'Europe méridionale et danubienne comprend des pays tous riverains du Danube : Tchécoslovaquie, Autriche, Hongrie, Roumanie, Yougoslavie, Bulgarie. Seules échappent à ce critère de classement l'Albanie et la Grèce, mais l'influence déterminante de l'Italie, notamment en Albanie, suffit à justifier un tel rapprochement.

I L'ITALIE DE 1919 A 1939

Les Italiens n'étaient pas entrés unanimes dans la guerre : rien de comparable avec la détermination des Français ou des Allemands. Aux hésitations des neutralistes, nombreux dans toutes les couches de la population, notamment parmi les catholiques, s'étaient ajoutés les déboires militaires (Caporetto), compensés in extremis par quelques victoires en octobre 1918. Enfin, l'Italie victorieuse, mal récompensée lors de la Conférence de Paris, faisait figure de vaincue de la paix.

LA CRISE DE L'IMMÉDIAT APRÈS-GUERRE

Face à une explosion de nationalisme, doublée d'une crise économique et sociale, la bourgeoisie libérale au pouvoir fut rapidement submergée par les forces d'extrême droite animées par Mussolini. Orlando, le rassembleur des énergies italiennes à partir de 1917, céda la place à Nitti en juin 1919. Pendant un an, celui-ci essaya de faire entrer de l'argent dans les caisses de l'État en proposant d'imposer plus lourdement les capitalistes ; mais en réalité, seuls les salaires furent touchés, et le mécontentement grandit. D'autre part, la crise économique provoquait une misère dont l'État devait se préoccuper : le prix du pain fut taxé, mais cela devait entraîner des subventions que précisément le gouvernement Nitti ne put assurer. On attendait beaucoup de Giolitti qui le remplaça en juin 1920 : son habileté parlementaire fut cependant impuissante à endiguer le flot des problèmes (le budget était en déficit

Crise politique, économique, sociale

de plus de 11 milliards de lires). Le 23 juin 1921, Giolitti donna sa démission, mais ses successeurs, tel Facta, ne se montrèrent pas plus heureux dans leurs tentatives pour résoudre les conflits. L'indice des prix avait été multiplié par quatre entre 1914 et 1920. Les paysans réclamant des terres occupaient de nombreuses propriétés dans le Sud. La Confédération Générale Italienne du Travail (C. G. I. L.) organisait des grèves avec occupation d'usines : à Turin, puis à Milan et à Rome. Le plus souvent, des violences accompagnaient ces actions, car les anarchistes étaient puissants, et les communistes et les socialistes, divisés depuis le Congrès de Livourne (janvier 1921), ne pouvaient canaliser les revendications des travailleurs. Excessives dans leurs entreprises, mal dirigées, les aspirations des ouvriers furent rapidement éclipsées par un autre mouvement : le fascisme.

L'apparition du fascisme

Ce nom a été donné aux formations d'extrême droite, hypernationalistes, rassemblées à Milan en 1919 par Benito Mussolini. Le terme évoque deux réalités historiques : d'une part les faisceaux des licteurs romains qui précédaient les consuls, symboles de la puissance de la Rome antique ; d'autre part, le faisceau formé par les combattants au repos, symbole de l'unité des citoyens sous les armes. *Fascio* (faisceau) a donné fascisme.

Les fascistes sont groupés en unités de combat ou *squadre*, comprenant une vingtaine de membres ; ceux-ci portent la chemise noire en signe de deuil (le deuil de la Patrie qu'il faut ressusciter) ; et ils attaquent les hommes politiques démocrates et libéraux, les permanences des partis de gauche, les maisons de syndicats. Quand survient une grève, ils la brisent. Certains chefs fascistes, tels Bottaï ou Balbo, s'emparent en 1920 de villes entières dont ils assurent le fonctionnement administratif et les transports pendant une grève générale. Devant les désordres perpétrés autant par les fascistes que par leurs adversaires, on assiste à un développement impressionnant des faisceaux : 190 en octobre 1920, 1 000 en février 1921, 2 200 en novembre 1921. Un parti national fasciste, dirigé par un Conseil national, est officiellement constitué en novembre 1921. Un syndicalisme fasciste se développe qui lutte contre l'affrontement des classes et pour le corporatisme.

Les origines du fascisme

Le fascisme a une double origine : nationalisme et futurisme. Le nationalisme italien, apparu au début du XXe siècle, ne rappelait en rien celui de Pétrarque et de Dante. Il partait d'un fait national déjà réalisé, l'Italie, et il était devenu rapidement impérialiste. Son théoricien, Enrico Corradini, avait, par sa revue *Il Regno*, exercé une certaine influence sur les milieux intellectuels dans les années 1903-1905 : il voulait une Italie forte, présente partout dans le monde, une Italie qui s'affirme et s'impose. Le futurisme est un mouvement littéraire qui prétendait, un peu avant la Grande Guerre (1912), détruire la culture bourgeoise, renoncer au nationalisme desséchant et développer avec passion l'élan vital. Son animateur le plus brillant fut Marinetti qui participa, le 23 mars 1919, à la première réunion fasciste de la place San Sepolcro à Milan et qui fut un des responsables du premier programme fasciste.

Le fascisme est révolutionnaire en ce sens qu'il détruit un ordre établi : l'ordre bourgeois libéral. Il est réactionnaire en ce sens qu'il propose de reconstruire la société et l'Etat sur des bases traditionnelles : hiérarchie, respect de l'ordre pour lui-même, défense de la terre et des morts, idéalisation de la patrie, promotion de la violence personnelle et collective. Comme le nazisme, il est puéril dans sa volonté d'unité : Nation Une, Parti Un, pays sans fausse note. L'individu est annihilé au profit de l'Etat dont on doit sentir la présence jusque dans les actes les plus quotidiens de la vie. L'ordre de l'Etat absolu doit être visible à l'œil nu.

Beaucoup d'autres origines du fascisme peuvent être décelées : Sorel et l'apologie de la violence, Nietzsche également. En résumé, le fascisme est un mouvement profondément antidémocratique, anti-individualiste, autoritaire, hypernationaliste et impérialiste.

Tout mouvement du type fasciste ou nazi est avant tout l'œuvre d'un homme. Ici, cet homme s'appelle Benito Mussolini. C'est lui qui va devenir, en 1922, le personnage le plus puissant d'Italie et le premier dictateur d'extrême droite. Pendant longtemps, il sera le modèle qu'Hitler s'efforcera d'imiter.

Benito **MUSSOLINI** est né le 29 juillet 1883 à Predappio en Romagne, dans une région réputée pour son passé révolutionnaire. Fils d'un forgeron anarchiste et d'une institutrice dévote, il fut socialiste révolutionnaire et pacifiste. Il refusa d'effectuer son service militaire et dut, pour cette raison, s'exiler en Suisse. En 1914, il est encore socialiste et dirige l'*Avanti*, organe du parti. Mais la guerre va lui permettre de s'afficher militariste. Il revient du front avec la ferme volonté de faire triompher en Italie des idées ultra-nationalistes dans le droit fil de Gabriele d'Annunzio, aux exploits duquel il applaudit (occupation de Fiume). Amoureux du sensationnel, comédien et journaliste de vocation, Mussolini n'est pas de tendance névrosée comme Hitler. En réalité, il est un fin politique, volontiers réaliste, moins extrémiste qu'il n'y paraît.

L'INSTALLATION DU RÉGIME FASCISTE

La voie légale

Deux voies ont été concurremment utilisées par les fascistes pour prendre le pouvoir : la voie légale et parlementaire d'une part, la voie illégale des manifestations de rues, d'autre part.

Sur le plan parlementaire, la progression est nette. En novembre 1919, il n'y avait aucun député italien qui se déclarât fasciste. En mai 1921, 35 députés fascistes siègent au Parlement. Les forces politiques contre lesquelles le parti fasciste a lutté sont : les communistes qui ont 16 sièges en 1921 et ne progressent que moyennement par la suite, et les socialistes dont le nombre diminue (156 députés en 1919, 122 en 1921). Les partis de gauche, de toute façon, ne pouvaient céder que très peu de voix aux fascistes. Il n'en va pas de même pour les partis du centre et de la droite. Au centre, la principale formation est le Parti Populaire Italien de don Luigi Sturzo. Ce prêtre sicilien a su mobiliser, en un parti fortement charpenté, une bonne partie de l'important électorat catholique et obtenir l'appui des classes moyennes. Son programme est celui d'un parti démocrate-chrétien. Il est proche des syndicats chrétiens sans qu'aucune ingérence du clergé soit tolérée par les travailleurs.

L'agitation sociale était trop vive pour que le P. P. I. puisse s'assurer la majorité des suffrages. Face au désordre, il fallait un ordre fort, au besoin violemment affirmé : les classes moyennes cédèrent à la tentation fasciste. Le P. P. I. ne put empêcher le fascisme de triompher et

Mussolini, en habile stratège, sut le ménager, allant, dans son premier gouvernement, jusqu'à proposer des portefeuilles à certains de ses membres. En fait, les partis du centre et du centre droit furent rapidement balayés, la droite s'alliant, dès 1923, avec le fascisme. A la cour ce dernier progressait : si le roi, Victor-Emmanuel III, n'était pas favorable à Mussolini, plusieurs membres de la famille royale lui étaient acquis. Dans l'armée, on était sensible à la volonté d'ordre affichée par les fascistes : la double évocation de la grandeur romaine et de la discipline militaire ne pouvait que plaire aux officiers dont beaucoup étaient de cœur avec les chemises noires.

La voie illégale

– la marche sur Rome

Pendant l'été 1922, le Conseil national fasciste exigea la dissolution du Parlement, faute de quoi une insurrection nationaliste éclaterait. Le 20 octobre, un « Comité des Cinq » (Mussolini, Balbo, de Vecchi, del Bono, Bianchi) décida d'organiser une marche sur Rome, qui commença le 27 octobre. Venant de différentes villes de la péninsule, les « chemises noires » se dirigèrent vers la capitale où le roi n'exigea de la garnison aucune riposte. Le 30, Mussolini se rendit auprès du roi et obtint de former un ministère selon sa volonté. Habilement, des hommes de tendances diverses furent choisis en même temps que des fascistes déclarés, ce qui permit au ministère de passer pour un gouvernement de coalition nationale et d'obtenir la confiance parlementaire par 429 voix contre 116. Tous les vieux libéraux avaient voté pour Mussolini qui, doté des pleins pouvoirs, passa à l'action : l'administration fut purgée de ses éléments antifascistes, de nombreux militants d'extrême gauche furent arrêtés, don Sturzo dut s'exiler.

– épuration et assassinat

En 1924, de nouvelles élections apportèrent aux fascistes 4 300 000 voix et 356 sièges. Le reste des partis politiques encore tolérés rassemblait moins de 200 élus, les Populaires tombant à 39 députés. En juin 1924, le député socialiste Matteotti fut assassiné. Mussolini afficha une certaine gêne et réprimanda les militants trop zélés. Mais c'était l'annonce des temps nouveaux.

Le point de non-retour dans le processus d'installation de la dictature fut atteint le 3 janvier 1925. Les membres de l'opposition furent éliminés, la constitution complètement modifiée. Le premier ministre n'était plus responsable devant le Parlement : il détenait l'initiative des lois et les appliquait.

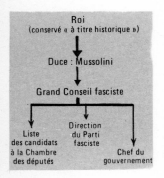

L'ITALIE FASCISTE

En 1928, les élections furent ramenées au scénario suivant : les organisations fascistes dressèrent une liste de 800 noms parmi lesquels le Grand Conseil fasciste, autorité suprême de l'Etat, en retint 400. Les électeurs pouvaient biffer des noms, mais comme il y avait 400 sièges à pourvoir, cela revenait à faire voter par oui ou par non. Le « Duce » était le seul maître du pays.

La prise du pouvoir par les fascistes désorganisa encore un peu plus l'économie italienne. Mais de 1926 à 1929 le pays fut soutenu par la haute conjoncture internationale et le libéralisme maintenu jusqu'en juillet 1925, où la présence d'Alberto de Stefani aux finances rassurait les milieux d'affaires. En 1927, la lire fut stabilisée au tiers de sa valeur d'avant 1915. Par rapport au niveau où elle était tombée entre 1919 et 1927, c'était une véritable politique de déflation et l'économie subit une « crise de la stabilisation ». Le taux d'activité industrielle perdit deux points de 1926 à 1927 (sur la base 100 en 1922, on a successivement 195,8 pour 1926 et 193,8 pour 1927). La dépression fut plus sensible dans l'agriculture, surtout chez les paysans du *Mezzogiorno*, exportateurs de fruits et de légumes.

La politique économique

En 1928, un responsable favorable à l'intervention de l'État, Volpi, prit en main les finances et l'économie, et le fascisme s'engagea plus nettement sur le plan économique. Dès le 3 avril 1926, la loi « Rocco » sur les corporations avait créé une organisation paritaire syndicale-patronale (baptisée corporation) qui discutait tous les problèmes concernant les salaires et les conditions de travail. Les patrons perdirent leur droit de lock-out, cependant que les ouvriers n'eurent plus le droit de grève.

En avril 1927 fut promulguée une « Charte du travail », qui instituait l'État corporatif animateur de l'ensemble de l'activité économique nationale. Une législation sociale qui, jusque-là, avait fait complètement défaut à l'Italie fut élaborée (caisses mutuelles d'assurance avec inscription obligatoire, assurance accidents, assurance vieillesse, assurance maternité, toutes caisses coiffées par un Fonds national des assurances sociales). Une politique démographique nataliste et hostile à l'émigration se développa. Le recensement de 1921 donnait 37 973 977 habitants, celui de 1931, 41 176 671 habitants. Malgré la propagande fasciste en faveur des naissances, le taux de natalité passa de 27,5 pour mille en 1927 à 23,4 pour mille en 1934.

L'État corporatif

L'intervention de l'État dans l'économie permit une sensible augmentation de la production. La théorie de l'auto-suffisance encouragea l'agriculture. La « bataille du blé » (juin 1925) donna de bons résultats. Les rendements s'améliorèrent (15 quintaux à l'hectare en 1932 contre 13,9 en 1913). La bonification des terres et le reboisement permirent d'augmenter la rentabilité du sol (œuvre de l'agronome Enrico Serpieri). Dans le domaine industriel, l'effort porta sur les barrages hydro-électriques et sur la construction d'autoroutes. Le développement de l'industrie automobile fut remarquable. La politique d'urbanisme de Mussolini s'inspira d'une grande munificence, mais elle fut bien faible sur le plan esthétique : « massivité des volumes, rhétorique du décor » (Guichonnet).

Le développement de l'économie

La crise née en Amérique, en 1929, atteignit l'Italie en juin 1930. L'indice de la production industrielle tomba de 100 (1929) à 66,8 (1932). Pour soutenir et encadrer l'industrie, on créa, le 23 janvier 1933, l'Institut pour la Reconstruction Industrielle (I. R. I.) qui existe encore aujourd'hui. Des sociétés nouvelles permirent à l'État de prendre des participations dans l'activité économique. Dès 1933-1934, le grand remède auquel Mussolini eut recours pour sortir de la crise fut le développement de l'industrie de l'armement et les campagnes militaires lointaines (Ethiopie).

L'essentiel de l'activité du régime en politique intérieure, en dehors de la mise en place des institutions fascistes et de la répression, fut la normalisation des rapports avec le Vatican. Depuis que les troupes italiennes avaient fait le coup de feu à la *Porta Pia* avec les zouaves pontificaux en septembre 1870, le pape se considérait comme prisonnier dans son palais du Vatican. Benoît XV (1914-1922) et son secrétaire d'Etat Gasparri avaient vivement souhaité résoudre la question litigieuse du statut du Vatican, mais c'est sous le pontificat de Pie XI (1922-1939) que, dès 1923, des contacts furent pris entre autorités ecclésiastiques et représentants du pouvoir fasciste. Un projet d'accord fut longuement discuté entre le conseiller d'Etat Barone, pour le pouvoir fasciste, et le cardinal Gasparri pour le Vatican, aidé de l'avocat Pacelli, frère du futur pape Pie XII. Le 11 février 1929, un ensemble de documents étaient signés : les *Accords du Latran*, du nom du palais où se déroula la cérémonie de signature.

Le traité reconnaissait la souveraineté territoriale et internationale de la Cité du Vatican, Etat de 0,4 km^2 réputé « neutre et inviolable ». Pour compenser la perte des Etats pontificaux, l'Italie s'engageait à verser 750 millions de lires en liquide, plus 1 milliard en rente d'Etat à 5 %. L'important article 34 reconnaissait au mariage religieux tous les effets civils. Le divorce restait interdit. L'enseignement religieux était obligatoire dans les écoles.

Ce traité ne permit pas pour autant au fascisme et au Vatican d'entretenir de bonnes relations. La querelle sur le contrôle de la jeunesse fut serrée entre organisations religieuses et mouvements fascistes. Les formations de jeunes fascistes étaient importantes : les « fils de la louve » encadraient les garçons jusque vers 10-11 ans ; venaient ensuite les *balillas*, puis les *avangardistes*. Il y avait aussi les groupes universitaires fascistes (G. U. F.). Pour les vieux travailleurs, il existait des organismes dits « d'après le travail ». Enfin, le nouveau calendrier fasciste, institué en 1927, ne pouvait guère plaire au Vatican. La publication de l'Encyclique *Non Abbiamo Bisogno*, détendit, toutefois, les rapports entre l'Etat et l'Eglise, et après janvier 1932, les relations furent même satisfaisantes.

De 1922 à 1926, le fascisme se voulut rassurant sur le plan international : apaisement avec la Yougoslavie (accord de Fiume du 27 janvier 1924), reconnaissance de l'U. R. S. S. (7 février 1924), bonne entente avec l'Allemagne de Weimar et la Tchécoslovaquie, association au plan Herriot de sécurité collective et au pacte de Locarno (16 octobre 1925). Contarini dirigeait alors la diplomatie, mais après 1926, le Duce prit en main la politique extérieure et l'Italie, devenue

« révisionniste », réclama la modification des clauses des traités de paix de 1919-1920. Un rapprochement s'opéra avec l'Albanie, la Hongrie, l'Autriche. Mais les bonnes relations avec l'Autriche furent mises en cause lorsque se posa le problème de l'Anschluss. Après s'être opposé à l'absorption de l'Autriche en 1934 (assassinat de Dollfuss), Mussolini, pour isoler Hitler, se rapprocha de la France et du Royaume-Uni (Front de Stresa, 14 avril 1934), mais la crise d'Éthiopie, puis la crise espagnole ruinèrent ce pacte et rapprochèrent l'Italie de l'Allemagne. En même temps, les relations entre l'Italie et certains pays balkaniques devinrent de plus en plus étroites : liens entre la famille royale italienne et la famille royale de Bulgarie, par exemple. Les Italiens débarquèrent au mois d'avril 1939 en Albanie. Le roi Zog Ier dut s'enfuir.

Depuis que le gendre de Mussolini, Galeazzo Ciano, dirigeait la diplo-matie (juin 1936), les relations avec Hitler étaient devenues confiantes. L'Axe Rome-Berlin sanctionna cette évolution. Mais Mussolini n'était pas prêt pour la guerre : aussi l'Italie reçut-elle du matériel de guerre et des matières premières. Le pacte d'Acier, signé le 22 mai 1939, liait étroitement l'Italie à l'Allemagne. Le régime fasciste fut même obligé de se « germaniser » et, notamment, de durcir son attitude à l'égard des juifs. En 1939, le Duce n'était plus ce dictateur étincelant qu'admirait Hitler et dont Churchill lui-même reconnaissait les qualités d'homme d'État. Il s'apprêtait à s'engager dans un conflit dont il ne voulait pas et qui ne lui réserverait que des déboires.

L'axe Rome-Berlin

II L'EUROPE DANUBIENNE ET BALKANIQUE : LE PROBLÈME DES NATIONALITÉS

Le problème majeur de cette partie de l'Europe qu'on appelle danu-bienne est le problème des nationalités. C'est lui qui avait provoqué la guerre en 1914, ruiné l'empire des Habsbourg, et occupé une bonne partie des travaux de la Conférence de la paix. Au XXe siècle, il n'y a plus de races pures en Europe centrale : il y a des peuples qui ont conscience de former des ensembles plus ou moins homogènes sur le plan de la langue ou de la civilisation.

Il y a d'abord l'*Österreich*, c'est-à-dire la « marche de l'Est ». Elle comprend d'anciens duchés ou comtés dont la population est d'ancienne souche germanique : haute et basse Autriche avec les villes de Linz et de Vienne ; duchés alpins de Styrie (ville principale : Graz), Carinthie et Carniole, Tyrol, Vorarlberg. L'élément germanique est beaucoup moins important dans le Sud-Tyrol revendiqué par les Italiens qui désignent sous le nom de Haut-Adige la région de Trente et Bolzano. En Istrie également, les Italiens sont nombreux autour de Trieste où il existe de fortes minorités slaves du Sud : les Slovènes.

La Dalmatie est également peuplée de Slaves du Sud : Croates dans sa partie Nord et Serbes dans sa partie Sud. Les langues serbe et croate sont très proches alors que le slovène est beaucoup plus original : la Slovénie a une place à part dans l'ensemble yougoslave.

Toutes ces régions ont été jusqu'en 1918 administrées de la même façon à partir de Vienne car elles faisaient partie des terres héréditaires des Habsbourg : les *Erbländer* et les circuits commerciaux entre ces différents pays étaient nombreux et animés.

Après cet ensemble dont les éléments vont se répartir entre l'Autriche, l'Italie et la Yougoslavie, on peut en individualiser un deuxième : les trois provinces qui formaient la *Couronne de saint Wenceslas* (en tchèque : *Vacslav*) : Bohême, Moravie, Silésie autrichienne (dont la ville principale était Tropau, appelée Opava en tchèque).

Dans ces pays, les populations sont en majorité slaves : les Tchèques et les Moraves (ces derniers parlent la langue tchèque). Dans les villes de Bohême et surtout en Moravie, existent également des minorités allemandes qui constituent une bourgeoisie très active. On rencontre aussi des Allemands dans les régions montagneuses du Nord-Est et du Nord-Ouest de la Bohême : ce sont les fameux Sudètes qui occupent une place très importante dans l'histoire de la Tchécoslovaquie entre les deux guerres. Ces pays (Bohême, Moravie, Silésie) n'ont aucune unité religieuse : à côté des catholiques, on trouve des luthériens, des calvinistes, des frères moraves.

La Galicie-Lodomérie, qui fut restituée à la Pologne en 1919, a pour ville principale Lemberg dont les noms multiples sont comme un symbole de la bigarrure ethnique de ces régions.

Troisième ensemble de pays : les pays de la *Couronne de saint Étienne* (en hongrois *Istvan*). Ils forment un « tout » appelé par les Hongrois *Magyarorszag* dans lequel on distinguait cependant, avant 1919, la Hongrie proprement dite, la voïévodie (principauté) de Transylvanie, la partie intérieure de la Croatie (en arrière de la côte dalmate déjà présentée et qui, elle, était rattachée à Vienne).

La Hongrie est peuplée de Magyars qui parlent une langue non indo-européenne, classée dans le groupe hongro-finnois. Ce peuple est le descendant des cavaliers venus des steppes asiatiques aux IXe et Xe siècles et qui ont submergé les Avars. Ils occupent toute la grande plaine : la *Puszta* ou *Alfold*, constituée d'argiles et de limons fertiles. En majorité ce peuple est catholique ; dans la noblesse existe cependant une minorité calviniste et parfois on distingue quelques noyaux turcs (appelés Kourmanes) ou des noyaux de descendants des anciens Sarmates qui, eux, sont des Slaves. Dans les villes, on trouve des Allemands appelés Souabes. Les juifs se regroupent dans des quartiers assez peuplés. Dans le Nord de la Hongrie, la Slovaquie, dont la capitale est Pozsony (prononcer Pojonié) ou Bratislava, se sépare de Budapest en

1919 et constitue avec la Moravie et la Bohême le nouvel Etat de Tchécoslovaquie.

La Transylvanie porte de nombreux noms. Elle comprend plusieurs groupes de populations. Au cœur du pays, dans un décor de petites collines bordées par l'arc des Carpates, vivent des paysans roumains, de religion orthodoxe, parlant une langue latine truffée d'éléments slaves et de racines turques, qui jusqu'en 1860 était écrite en caractères cyrilliques. Ces paysans ont été soumis pendant longtemps à des seigneurs magyars ou allemands (nommés ici Saxons). Les Magyars de Transylvanie se disaient de plus purs magyars que ceux de Hongrie proprement dite, et se donnaient à eux-mêmes un nom particulier : les Szekely. Lorsque la Transylvanie devint roumaine, en 1918-1919, ces Szekely refluèrent près de Budapest où ils développèrent des idées nationalistes et réactionnaires. A côté de ces populations, on rencontre des Tziganes, des juifs, des Turcs, parfois même des descendants de protestants français qui se sont exilés après 1685.

La Croatie est peuplée des mêmes éléments que la côte dalmate déjà étudiée. La ville principale est Zagreb (en allemand Agram).

La Moldavie et la Valachie sont des provinces qui ont constitué la première Roumanie, celle de 1878. Elles sont peuplées exclusivement de Roumains, mais lorsque la Transylvanie s'intégra à elles, des allogènes s'adjoignirent aux Roumains.

La Serbie était également un pays ethniquement assez homogène jusqu'au moment où elle forma la Yougoslavie, avec la Bosnie, l'Herzégovine, la Croatie, la Slovénie et le Monténégro.

La Macédoine est une marqueterie de groupes ethniques. La plus grande partie en fut dévolue à la Yougoslavie ; une partie moins importante échut à la Bulgarie ; tout le Sud resta incorporé à la Grèce.

Enfin la Bulgarie, pays essentiellement slave, comprend des éléments turcs.

Les nationalités avaient exigé la formation d'Etats indépendants, mais la carte politique ne parvint pas à recouvrir la carte ethnique, elle-même non superposable à la carte linguistique, elle-même fort différente de la carte religieuse. Au problème des nationalités se substitua dès lors celui des minorités.

Le mot Transylvanie est d'origine latine, donc roumaine (les Valaques et les Moldaves disaient en effet : « le pays d'au-delà des montagnes ») En magyar, le pays s'appelle Erdely. Les Allemands l'appelaient Siebenbürgen (le pays des sept châteaux) Encore un bel exemple de la superposition des dominations dans ces régions les plus contestées d'Europe

III L'ÉVOLUTION POLITIQUE
ET ÉCONOMIQUE DE 1919 A 1939

Conséquence de la défaite, le pouvoir impérial s'est évanoui et l'Administration autrichienne a disparu avec la monarchie. Le 12 novembre 1918, l'Assemblée nationale provisoire proclame l'« Autriche allemande », république faisant partie intégrante du Reich ; mais les Alliés s'opposent à la fusion. Une coalition social-démocrate et chrétienne-sociale dirigée par Karl Renner assume l'administration du pays. En

L'Autriche

octobre 1920, les chrétiens-sociaux gagnent les élections (gouvernement Mayr jusqu'en juin 1921). De 1922 à 1924, Mgr Seipel, devenu chancelier, rétablit l'équilibre financier et renonce à toute idée d'union avec l'Allemagne. Il reçoit alors des crédits internationaux avec garantie de la S. D. N., mais cette politique soulève la double opposition des socialistes et des groupes para-militaires d'extrême droite (*Heimwehr*). Devant l'agitation extrémiste (incendie du Palais de justice de Vienne par les socialistes en 1927), une réforme de la constitution renforce les pouvoirs du président Miklas (1928-1938).

A la veille de la crise internationale, l'Autriche tente à nouveau de se rapprocher de l'Allemagne par le biais d'une union douanière, mais la France s'y oppose. Pour sortir de la crise financière, le chancelier Dollfuss, s'appuyant sur le bloc national (*Heimatblock*), gouverne en dictateur. Il supprime le régime parlementaire et prétend lutter à la fois contre les socialistes et contre les nazis. Un putsch nazi échoue le 25 juillet 1934, mais Dollfuss est assassiné et son successeur, Schuschnigg, ne parvient pas à consolider le régime et à enrayer la progression du nazisme : le 13 mars 1938, l'Autriche est intégrée au Reich.

La Hongrie

Au moment où la Double monarchie vole en éclats, la république hongroise est proclamée (1918) et le comte Karolyi devient Premier ministre. Il démissionne pour protester contre les décisions des traités de paix qui, selon lui, aboutissent au démantèlement de son pays. Une expérience « bolchevique » est alors tentée par Bela Kun du 21 mars au 1er août 1919, mais devant le désordre général et la pression des forces d'extrême droite, Bela Kun s'enfuit et l'amiral Horthy prend le pouvoir : il restera à la tête du pays de 1920 à 1944 avec le titre de régent. Profitant des progrès des forces de droite, le dernier Habsbourg ayant régné, l'empereur Charles II, tente par deux fois, mais en vain, de ressaisir le pouvoir en 1921. Horthy maintient la grande propriété seigneuriale dans la Puszta cependant que le mouvement des « Croix fléchées » de Szalasi se développe.

La Tchécoslovaquie

En octobre 1918, un gouvernement tchèque se forme à Paris sous la présidence de Masaryk : le 28, à Prague, la République tchécoslovaque est proclamée et Masaryk en devient Président. Le nouvel Etat de type « jacobin » est centralisé : l'organisation des pouvoirs y rappelle celle de la France. Une loi agraire tend à faire disparaître la classe des gros propriétaires fonciers (16 mai 1919). Une Eglise tchèque indépendante est fondée en 1920 : le conflit avec le Vatican durera jusque vers 1927. Autre problème national : le parti allemand des Sudètes de Konrad Henlein revendique son rattachement au Reich nazi. La crise va devenir internationale et provoquer un danger de guerre européenne. En mars 1939, le démembrement de la Tchécoslovaquie est achevé avec la création du protectorat allemand de Bohême-Moravie.

La Roumanie est un ensemble hétérogène : près du quart des citoyens roumains appartiennent à des minorités (hongroise, russe, bulgare). Le grand homme politique de la Roumanie de 1918 à 1927 est Bratianu, chef des libéraux, dont le parti est au pouvoir et sur lequel s'appuie le roi Ferdinand. Peu avant sa mort, le souverain déshérite son fils Carol et confie la succession à son petit-fils Michel, âgé de six ans. En 1928, le chef du parti national paysan, Maniu, devient Premier ministre, mais malgré son programme, ne satisfait pas les cultivateurs et la réforme agraire est un échec. En 1930, Maniu démissionne et Carol confisque le pouvoir, qu'il exerce personnellement jusqu'en 1940. Il lutte à la fois contre les nationalistes de Maniu (droite classique) et contre l'extrême droite antisémite (Codreanu, chef des Gardes de fer est assassiné en 1938). En 1938, le gouvernement est confié au patriarche Christea, chef de l'Eglise orthodoxe autocéphale de Roumanie, qui forme un ministère de « concentration nationale », suspend la Constitution et interdit tous les partis politiques. Un rapprochement s'opère avec l'Allemagne, sanctionné en 1939 par un traité de commerce. Pendant une grande partie de la période de l'entre-deux-guerres, la politique extérieure de la Roumanie est dominée par Titulescu, libéral, favorable à la sécurité collective, mais qui doit se retirer en 1936 sous la pression des nationalistes.

Le royaume des Serbes, Croates et Slovènes, fondé en 1918, avait été, dès sa naissance, le théâtre d'un affrontement entre deux tendances : une tendance « grand-serbe » qui, avec Pasić, visait à faire du pays une simple dilatation de la Serbie et une tendance favorable à une fédération des Slaves du Sud préconisée par Trumbić et qui avait le soutien des Croates. Les antagonistes s'étaient accordés, en 1917, sur un régime bâtard, le pacte de Corfou, qui reportait les problèmes à plus tard. En 1921, la tendance centralisatrice serbe reprend le dessus et un Etat unitaire est créé qui ne laisse guère aux minorités de possibilité de s'exprimer. Jusqu'en 1929, des troubles graves affectent la vie intérieure du royaume où l'affrontement entre Serbes et Croates peut aller jusqu'à l'assassinat : tel celui du chef du parti paysan croate, Stefan Radić, en juin 1928. Les Croates réunissent à Zagreb un parlement séparatiste (août 1928). Le roi Alexandre est assassiné à Marseille, en 1934, par un Croate de la tendance la plus dure (les Oustachis d'Ante Pavelić). En 1939, la Yougoslavie devient un quasi-allié de l'Axe.

Confirmée en 1921 dans ses frontières de 1913, l'Albanie est gouvernée par le président Ahmed Zogou, qui parvient à dominer les querelles entre chefs locaux Il devient roi en 1928 sous le nom de Zog Ier. A partir de 1927 (pacte de Tirana), l'Albanie dépend de plus en plus de l'Italie fasciste, qui lui consent en 1932 des facilités financières. En 1939, le pays est occupé par les troupes italiennes et le roi est obligé de s'enfuir.

En Bulgarie le roi Boris III, qui règne de 1918 à 1943, n'occupe pas de rôle déterminant dans la vie politique avant 1934. Pendant une dizaine d'années, celle-ci est instable. Stambouliski et le parti paysan veulent récupérer une partie de la Macédoine et créer une « grande Slavie du Sud » qui serait le pendant oriental de la Yougoslavie. En 1923, un coup d'Etat militaire aboutit à l'élimination du parti paysan (assassinat de Stambouliski). Ces troubles ne favorisent pas la solution des problèmes intérieurs (réforme agraire avortée). En 1936, Boris III établit un régime autoritaire et se rapproche de plus en plus nettement de l'Axe (mariage de Boris III et de la princesse italienne Giovanna).

La Grèce

La politique du Premier ministre Venizelos, qui avait soutenu les Alliés de l'Entente, triomphe en 1914-1918 et le pays s'agrandit (Thrace orientale et occidentale et acquisition de Smyrne). Mais au traité de Lausanne en 1923, la Grèce ne conserve que la Thrace occidentale (jusqu'à la rivière Maritza). La réforme agraire remporte un certain succès et une relative stabilité permet à Venizelos de se réconcilier avec la Turquie (traité d'Ankara, 1930). Pour assurer son pouvoir, Venizelos tente un coup d'Etat qui aboutit au retour du roi Georges II et au rétablissement de la monarchie (1935). L'année suivante le général Metaxas, devenu Premier ministre, instaure un régime dictatorial. Une « Entente balkanique » à la fois antisoviétique et antinazie regroupe,en 1934, la Grèce, la Turquie, la Roumanie et la Yougoslavie.

IV POUR APPROFONDIR CE CHAPITRE

Sur l'histoire de l'Italie contemporaine, trois ouvrages fourniront une première approche solide : S. BERSTEIN, P. MILZA, *L'Italie contemporaine, des nationalistes aux Européens*, A. Colin, coll. U, 1973, 422 p. ; M. VAUSSARD, *Histoire de l'Italie moderne, de l'unité au libéralisme, 1870-1970*, Hachette, 1950 ; M. GALLO, *L'Italie de Mussolini, vingt ans d'ère fasciste*, 1964, coll. Marabout-Université, 447 p.

Beaucoup d'ouvrages ont été consacrés au fascisme italien. On retiendra surtout P. GUICHONNET : *Mussolini et le Fascisme*, Paris, P. U. F. « Que sais-je ? », 1966, 128 p. ; — R. PARIS : *Histoire du Fascisme en Italie. Des origines à la prise du pouvoir* (tome 1), Paris, Maspéro, 1962, 368 p. ; — L. SALVATORELLI et G. MIRA : *Storia d'Italia nel periodo fascista*, 1 144 p., Einaudi, 5e éd. 1954 ; — D. GUERIN : *Fascisme et Grand Capital*, Paris, Gallimard, 1945, 270 p. ; — M. VAUSSARD : *De Pétrarque à Mussolini. Evolution du sentiment nationaliste italien*, Paris, A. Colin, 1961, 304 p.

Sur les problèmes de l'Europe danubienne, on pourra consulter : R. DUPUIS : *Le Problème hongrois*, Paris, 1931 ; — J. IVANOFF : *Les Bulgares devant le Congrès de la Paix*, Berne 1919 ; — H. PROST : *Destin de la Roumanie*, Paris, 1954 ; — E. BENÈS : *Souvenirs de Guerre et de Révolution 1914-1918*, Paris, 1930 ; — A. MOUSSET : *Le Royaume serbe, croate, slovène : son organisation, sa vie politique et ses institutions*, Paris, 1926.

CHAPITRE XVI

Les relations internationales de 1931 à 1939
une période de crises

Entre 1931 et 1939, chaque année, une crise éclate qui voit le triomphe des dictatures. Le fait que les régimes ultra-nationalistes, de plus en plus nombreux, l'emportent sans cesse leur donne une étonnante assurance, et certains en viennent à penser que ce qu'on appelle parfois le « fascisme » risque de devenir rapidement le régime de l'avenir.

Voir cartes 3 et 9

En dehors de la Mandchourie et de l'Éthiopie, ces crises sont toujours européennes. Elles mettent en cause l'une après l'autre les principales clauses du traité de Versailles : l'esprit de Locarno est bien mort.

I LA FAILLITE DE LA S. D. N.

Première crise d'une longue série qui conduit à la guerre, l'affaire mandchoue révéla la paralysie de la S. D. N. Le Japon avait besoin de débouchés, l'augmentation de sa population et l'exiguïté de son territoire ne lui permettant pas de subvenir à ses besoins par ses seules ressources. Jusqu'à la crise, le commerce international put combler le déficit alimentaire du Japon, mais la subite élévation des barrières douanières provoqua une interruption grave des échanges.

LA CRISE DE MANDCHOURIE (septembre 1931)

Le ministère hypernationaliste qui dirigeait alors le Japon vit dans cette situation l'occasion inespérée de remplacer la sage politique de Shidehara par une politique impérialiste fondée sur l'utilisation de la force armée. Où porter les premiers coups ? De quel territoire s'emparer ? En 1905, les Japonais avaient acquis le droit — à la suite de leur victoire militaire sur les Russes — de contrôler le chemin de fer du Sud-Mandchourien, et leurs troupes pouvaient stationner de part et d'autre de la voie ferrée. Le 19 septembre 1931, un sabotage fut commis sur cette voie : l'affaire était minime puisque, quelques heures après l'incident, un convoi passait sans encombre ; mais en réalité, il

Les faits

Voir carte 24

s'agissait d'un prétexte que comptaient saisir les militaires nippons pour s'emparer de toute la Mandchourie. A peine le sabotage avait-il eu lieu que l'Etat-major de l'armée de terre japonaise donna l'ordre de s'assurer de la totalité du territoire mandchou. Le gouvernement japonais, visiblement pris de court, maintenu en dehors du complot, démissionna bientôt pour être remplacé par des hommes à la dévotion des militaires.

L'appel de la Chine à la S.D.N.

Le coup de force japonais en Mandchourie violait au moins trois documents diplomatiques et non des moindres : le traité de garantie du territoire chinois (1922), le pacte Briand-Kellogg (1928) et surtout le « covenant », c'est-à-dire le pacte de la S. D. N. (1919). La Chine, membre de la S. D. N., dénonça l'entreprise du Japon, également membre de la S. D. N. Les Etats-Unis, qui n'avaient auprès de l'organisation internationale que des observateurs, déclarèrent, pour une fois, qu'ils coopéreraient avec la S. D. N. La réaction de l'Assemblée de Genève risquait, dans ces conditions, d'être importante et efficace.

Il n'en fut rien. Sourd aux injonctions de la S. D. N., le Japon refusa d'évacuer ses troupes. Lorsqu'une commission présidée par Lord Lytton présenta un rapport qui lui était très défavorable, le Japon choisit de quitter purement et simplement la S. D. N. (27 mars 1938). Les « sanctions » décidées à Genève furent minces : interdiction à toute puissance d'accepter en paiement l'argent émis par la Mandchourie sous contrôle nippon, refus de la validité du timbrage postal mis en service par le nouvel Etat mandchou. Quant aux Américains, ils firent savoir par une note diplomatique qui portait le nom du secrétaire d'Etat aux Affaires étrangères (doctrine Stimson) qu'ils n'acceptaient pas l'état de fait créé par l'invasion de la Mandchourie par les armées japonaises. Cependant, rien de concret n'était prévu pour modifier la situation.

Création du « Mandchoukouo »

On le voit, les militaires nippons n'avaient pas grand-chose à redouter du monde extérieur et pouvaient à loisir organiser, selon leur intérêt, l'Etat du « Mandchoukouo ». Ils placèrent à sa tête l'ancien empereur de Chine détrôné en 1912 à l'âge de cinq ans, Pou-Yi, et transformèrent le pays en protectorat. Ainsi une puissance — et non des moindres — pouvait impunément ravir à une autre un morceau de son territoire et l'aménager à sa guise. Parce qu'elle est la première d'une longue série de violations du droit international, l'affaire de Mandchourie est exemplaire et symptomatique ; elle révèle l'égoïsme des grandes puissances et la paralysie qui frappait la S. D. N. dès qu'elle voulait agir et non pas seulement réagir.

L'ÉCHEC DE LA CONFÉRENCE SUR LE DÉSARMEMENT (octobre 1933)

Le désarmement est, comme la Société des Nations, une vieille idée dont certains espèrent qu'elle peut devenir une réalité au lendemain d'une guerre aussi meurtrière que celle de 1914-1918. Le désarmement connut le même échec que la S.D.N.

Pour persuader les nations du monde entier de renoncer à posséder un arsenal complet de moyens de destruction, il n'y a qu'une seule méthode : opérer un désarmement général et concomitant. Les grandes

Les relations internationales

puissances victorieuses qui n'étaient guère pressées de renoncer à leurs forces armées décidèrent dès 1919 de désarmer les vaincus, c'est-à-dire essentiellement l'Allemagne. Il ne faut pas oublier que le désarmement de l'Allemagne tel que le prévoyait le traité de Versailles (armée de 100 000 hommes seulement, interdiction d'avoir une marine et une aviation de guerre, etc.) devait en principe être suivi du désarmement de toutes les autres nations, y compris de celles qui avaient remporté la victoire. La condition de ce désarmement était la sécurité collective assurée. On ne pouvait pas dire qu'on y fût parvenu dans les années 1930. Une conférence avait été pourtant prévue à cet effet. On avait coutume de dire dans les chancelleries qu'un poste d'expert près la Commission préparatoire à cette conférence du désarmement était une sinécure qui assurait au diplomate une fonction jusqu'à sa retraite !

En février 1932, la conférence s'ouvrit cependant à Genève sous les auspices de la S. D. N. Même des pays tels que les Etats-Unis, non-membres de la S. D. N., y participèrent. Divers plans de désarmement furent présentés par les principales délégations. Le plan soviétique exigeait un renoncement intégral à toute sorte d'armement dans les plus brefs délais, mais aucun moyen de contrôle n'était prévu. Le plan américain prévoyait une diminution d'un tiers du niveau des armements existants. L'Allemagne demandait tout d'abord à retrouver le niveau des autres nations avant de subir comme tout le monde l'ablation prévue. Ce plan eût ainsi débuté par le réarmement de l'Allemagne au nom de la *Gleichberechtigung* (égalité des droits). Le plan britannique demandait que l'importance des forces armées fût fixée à un niveau commun pour les principales puissances d'Europe : 200 000 hommes. Mais qu'est-ce qu'une force armée ? La France ne voulait pas y intégrer ses troupes coloniales. L'Allemagne refusait de considérer les S. A. et les S. S. — organisations paramilitaires— comme des éléments de son armée. Le plan français, enfin, distinguait l'armement lourd (tanks, canons) de l'armement léger (mitraillettes, fusils). L'armement lourd serait placé sous le contrôle de la S. D. N. et possédé collectivement par une force internationale, les armées des différents Etats seraient réduites au rang de milices dotées seulement d'armes individuelles.

Aucune de ces propositions n'emporta l'assentiment général. Au reste, Hitler, qui venait d'accéder à la chancellerie du Reich, et qui prônait un puissant réarmement pour son pays, rappela la délégation allemande à Genève au mois d'octobre 1933. Il ne restait plus aux gouvernements qui désiraient sincèrement parvenir à un résultat qu'à engager avec leurs partenaires des négociations bilatérales. La France tenta l'expérience, mais la mauvaise volonté de l'Allemagne l'en dissuada rapidement (avril 1934) : toute possibilité était alors laissée aux Etats de réarmer sans frein. Chaque pays se repliait sur son égoïsme sacré en matière de défense, comme il l'avait fait dès 1930 en matière d'économie à la suite de la grande crise.

Les plans de désarmement

– plans irréalistes

Il s'agit du plan Herriot, le leader radical ayant formé un gouvernement au lendemain des élections de mai 1932.

Les années 1930-1934 apparaissent comme des années de relâchement des relations internationales. Les affrontements entre pays vont désormais se produire localement avant qu'à nouveau, en 1939-1940, le monde soit embrasé par un conflit général. Le nombre restreint des grandes conférences internationales réunissant des délégations venues de tous les continents illustre ce phénomène inquiétant.

L'ASSASSINAT DE DOLLFUSS (juillet 1934) ET LE RÉARMEMENT ALLEMAND (mars 1935)

Face à son opinion publique, Hitler avait un argument solide : le désarmement de l'Allemagne n'ayant pas été suivi du désarmement des grandes puissances, l'Allemagne pouvait reprendre sa liberté et réarmer. En revanche, face à ses voisins, Hitler avait une position beaucoup moins forte, car il lui fallait jauger ses éventuels adversaires. Il devait tout d'abord neutraliser la France (premier pays intéressé par le problème du réarmement allemand) et l'Italie (problème de la fusion de l'Allemagne et de l'Autriche).

Hitler signa, en janvier 1934, un pacte de non-agression avec la Pologne du colonel Beck que son idéologie (ordre public, nationalisme, conservatisme social) et sa cécité politique (comment ne pas voir que l'Allemagne nazie serait la plus acharnée à reprendre le corridor de Danzig ?) jetaient dans les bras du Führer. L'alliance franco-polonaise s'évanouissait.

Le coup de main nazi à Vienne

En juillet 1934, Hitler tenta un véritable coup de main à Vienne : pour s'emparer du pouvoir et intégrer le pays au Reich, il laissa une bande de nazis allemands pénétrer en territoire autrichien. Déguisés en gendarmes, ils n'eurent aucune peine à pénétrer dans la chancellerie où résidait le chef du gouvernement autrichien, Dollfuss, et l'abattirent froidement. Les nazis autrichiens devaient s'emparer aussitôt des commandes du pays. Dollfuss n'était pas un démocrate et la haine que lui vouait Hitler n'avait pas de caractère idéologique précis ; simplement, il lui semblait que ce nationaliste était un obstacle sur la voie de l'Anschluss, mais surtout, il était l'ami de Mussolini et il importait à Hitler de savoir à quoi s'en tenir de ce côté. Il n'attendit pas longtemps pour l'apprendre : le Duce concentra trois divisions au col du Brenner, qui marque la limite entre l'Italie et l'Autriche. Si les nazis allaient plus loin, ils risquaient de se heurter à l'hostilité des Italiens. Mussolini, peu pressé d'avoir Hitler pour voisin, eut gain de cause : l'Allemagne n'insista pas. L'affaire est intéressante, car elle montre qu'une réaction ferme a raison des velléités impérialistes du Führer.

La position diplomatique de l'Allemagne

Hitler pendant l'été 1934 — c'est-à-dire un an et demi après son arrivée à la chancellerie — était incertain de son avenir. La situation de l'Allemagne était d'autant plus critique que le ministre des Affaires étrangères français, Louis Barthou, un homme de la génération de Raymond Poincaré, vieux nationaliste et solide républicain, tentait depuis février 1934 de forcer la main à l'Allemagne, de manière qu'elle consentît enfin à garantir ses frontières orientales. Un pacte de l'Est, dont l'U. R. S. S. serait l'un des éléments majeurs (pâle résurrection de l'ancienne alliance franco-russe), contraindrait Berlin à signer un « Locarno de l'Est ». Dans son souci de raviver les alliances balkaniques de la France, Barthou accueillait à Marseille le roi Alexandre de Yougoslavie, lorsqu'il fut assassiné, le 9 octobre 1934, en même temps que le roi, par un *oustachi* croate, adversaire des Serbes. Pierre Laval acheva l'œuvre entreprise : le 2 mai 1935, il signait à Moscou un pacte d'alliance, tandis que l'U. R. S. S. s'alliait avec la Tchécoslovaquie le 16 mai. Un réseau défensif serré s'organisait autour de l'Allemagne nazie.

Les oustachis sont des terroristes anti-serbes dirigés par Ante Pavelitch, qui deviendront en 1941 les alliés des nazis

— le front de Stresa

Encouragé par le plébiscite de janvier 1935 qui rendait la Sarre à l'Allemagne, Hitler prit la décision de rétablir le service militaire obligatoire (16 mars). Aussitôt, le 11 avril 1935, une conférence franco-anglo-italienne se réunissait à Stresa, sur les bords du lac Majeur, où une entente antiallemande fut conclue. Le front de Stresa garantissait l'intégrité du territoire autrichien. Venant s'ajouter au rapprochement franco-soviétique et à l'alliance russo-tchécoslovaque, il bloquait Hitler dans son œuvre de destruction du traité de Versailles.

— la première brèche dans le front de Stresa

Le but d'Hitler fut dès lors de mettre à bas le front de Stresa. Deux événements devaient y conduire : la guerre d'Éthiopie et la crise espagnole. Notons cependant qu'un des trois partenaires de l'entente de Stresa, le Royaume-Uni, contribuait dès le 18 juin 1935 à entamer sérieusement le front antihitlérien. En effet, Londres, craignant qu'un réarmement naval de l'Allemagne ne mette en péril sa suprématie en mer du Nord, signait un protocole à l'insu de Rome et de Paris aux termes duquel Berlin était autorisé à construire une flotte de guerre (ce qu'interdisait formellement le traité de Versailles), à condition que celle-ci ne dépassât pas 35 pour cent du tonnage de la flotte britannique.

La lutte diplomatique contre Hitler exigeait une défense convaincue du traité de Versailles. Dans le front de Stresa, seule la France croyait au bien-fondé du traité de 1919. Ni Londres ni a fortiori Rome n'en étaient persuadées. Ainsi Stresa se défaisait à peine réalisé.

Pour sortir de ce qu'il considérait comme une impasse, Hitler décida de tenter un nouveau coup de force en mars 1936.

II LES TROIS GRANDES CRISES DES « ANNÉES 1936 »

En vertu du traité de Versailles, la rive gauche du Rhin ainsi qu'une bande de 50 km sur la rive droite étaient démilitarisées. L'armée allemande ne pouvait y stationner, et lorsque des troupes avaient voulu y pénétrer en 1920 pour réprimer l'agitation ouvrière, la France avait réagi avec vigueur (cf. chapitre IX). Hitler, considérant cette zone démilitarisée comme dangereuse pour la sécurité du Reich, résolut de l'occuper militairement. La partie était risquée et rappelait la provocation que le Führer avait tentée face à l'Italie (assassinat de Dollfuss) ;

LA REMILITARISATION DE LA RHÉNANIE (mars 1936)

aussi, comme d'habitude, donna-t-il pour instructions aux chefs militaires de faire machine en arrière si d'aventure la réaction française était ferme. Tirant argument du récent pacte franco-soviétique dans lequel il voyait un manquement à l'esprit de Locarno, Hitler fit franchir le Rhin aux troupes allemandes le 7 mars 1936.

Le gouvernement français présidé par Albert Sarraut était un gouvernement de transition avant les élections législatives fixées à la fin du mois d'avril. La conjoncture était mauvaise : décréter une mobilisation même partielle à la veille d'une consultation électorale équivalait à un suicide politique. Et comment réagir autrement ? Malgré tout, Sarraut eut, dans un premier temps, la volonté de s'opposer à l'action de Hitler et son discours sur les ondes de Radio-Paris fut énergique : « Nous ne tolérerons pas que Strasbourg se trouve à portée des canons allemands », déclara-t-il. L'État-major français et le ministre de la Guerre, le général Maurin, voulaient un décret de mobilisation générale, mais le ministère hésita.

Londres n'étant pas pressée de soutenir Paris avec énergie, la France s'inclina devant le fait accompli : Hitler venait de réussir un magistral coup de poker et son audace impunie était un encouragement à la récidive. Elle démontrait à l'envi l'impuissance des démocraties occidentales. Déjà, depuis octobre 1935, se déroulaient en Éthiopie des opérations militaires où les Italiens se trouvaient diplomatiquement opposés aux Français et aux Anglais. Le front de Stresa était bel et bien disloqué ; mais surtout la campagne d'Éthiopie allait permettre, non seulement de détacher Mussolini des deux démocraties — France et Royaume-Uni —, mais d'amorcer son rapprochement avec Hitler. Elle est le premier conflit d'une certaine ampleur qui éclate depuis la Grande Guerre. C'est dire l'importance qu'elle revêt dans l'histoire des relations internationales.

LA GUERRE D'ÉTHIOPIE
(octobre 1935 - mai 1936)
Les origines

L'Éthiopie était alors, avec le Liberia, le seul pays africain peuplé d'indigènes qui ait pu préserver son indépendance. L'Italie n'en était pas à sa première tentative d'asservissement de l'Éthiopie. Déjà, en 1896, lorsque Crispi tenta de doter son pays d'un empire colonial, l'Éthiopie, d'abord envahie par les troupes italiennes, fut sauvée par l'empereur Menelik qui, à Adoua, repoussa les Italiens : échec amèrement ressenti en Italie, et que le régime fasciste de Mussolini avait d'autant plus à cœur de venger qu'un problème démographique aigu le poussait à agir.

Depuis la décision prise par Mussolini de freiner l'exode de la main-d'œuvre italienne vers la France ou l'Amérique, l'Italie devait faire face à un chômage important, car l'essor économique n'absorbait pas tout le surplus de main-d'œuvre et les *disoccupati* étaient légion. Trouver des terres de peuplement c'était satisfaire l'hypernationalisme fasciste en même temps que résoudre une question sociale épineuse. Or l'Éthiopie, avec ses hauts plateaux, présentait des conditions naturelles assez voisines de celles de la péninsule italienne.

Il ne restait plus qu'à saisir un prétexte pour envahir le pays. L'incident pouvait venir de l'Erythrée ou de la Somalie, possessions italiennes situées au Nord et au Sud de l'Éthiopie (qui se trouvait ainsi coincée entre deux bases d'invasion). Le 5 décembre 1934, des soldats indigènes incorporés dans l'armée italienne furent victimes d'une fusillade avec une patrouille éthiopienne aux limites de l'Erythrée. Refusant tout arbitrage, Mussolini entreprit aussitôt de concentrer des troupes en Erythrée ; mais près d'un an s'écoula entre l'incident (5 décembre 1934) et le déclenchement des hostilités entre l'Italie et l'Éthiopie (3 octobre 1935).

– l'incident de Ual-Ual

Deux pays intervinrent dont la politique orienta Mussolini vers la guerre : la France et le Royaume-Uni. Pour les deux cosignataires avec l'Italie du pacte de Stresa, il s'agissait de préserver l'entente des trois partenaires sans permettre une agression caractérisée contre un pays africain membre de la S. D. N. C'était un peu la quadrature du cercle.

Les réactions française et anglaise

Le ministre des Affaires étrangères français, Pierre Laval, eut une entrevue avec Mussolini en janvier 1935 au cours de laquelle on procéda à un marchandage, tout à fait dans le style de Laval : en échange d'avantages territoriaux près de la frontière libyenne et au voisinage de Djibouti, les Français acquéraient la possibilité de mettre fin au statut privilégié des Italiens en Tunisie. Apparemment, on avait parlé de tout, sauf de l'Éthiopie, ce qui ne manqua pas d'étonner les commentateurs. Il est vraisemblable que des encouragements ayant été donnés par Laval, Mussolini n'avait plus à redouter une opposition sérieuses de la part de la France. L'Angleterre, qui craignait pour l'Égypte et le Soudan, tenta d'arrêter Mussolini sur la voie des hostilités ; mais une spectaculaire concentration de bateaux de guerre en Méditerranée orientale n'eut aucune influence sur la décision du Duce.

Les hostilités s'engagèrent en octobre 1935 et se terminèrent le 5 mai 1936 par la prise d'Addis-Abeba. L'empereur d'Éthiopie, Haïlé Sélassié, exilé en Angleterre, le roi d'Italie, Victor-Emmanuel, devenait soudain empereur. En réalité, la campagne avait été dure : les Éthiopiens avaient vaillamment résisté face aux moyens modernes mis en œuvre par les Italiens, et il avait fallu toute la valeur du maréchal Badoglio pour conduire à la victoire l'armée italienne.

Comme on pouvait s'y attendre, la réaction des grandes puissances fut timide. Pourtant la S. D. N. désigna nommément le responsable de l'agression : l'Italie (octobre 1935). Du coup, des sanctions furent décidées contre ce pays : interdiction de commercer avec lui, interdiction de lui vendre certains produits réputés stratégiques, etc. La liste de ces derniers concernait plus les produits charbonniers que ceux dérivés du pétrole ; or les techniques industrielles s'étaient considérablement transformées. Les sanctions — au reste limitées — ne pouvaient gêner réellement l'Italie.

La réaction des autres grandes puissances

Devant l'éventualité d'une victoire italienne totale en Ethiopie, le Royaume-Uni et la France, c'est-à-dire Samuel Hoare et Pierre Laval, tentèrent de limiter le démembrement du pays. Les deux tiers de l'Ethiopie seraient annexés par l'Italie qui consentirait des avantages territoriaux (accès à la mer) à l'Etat éthiopien mutilé. Cette prime à l'agression alléchait le Duce, mais des indiscrétions de la presse éventèrent l'affaire, que seul le secret aurait pu faire aboutir. Dès lors que l'opinion — surtout anglaise — pouvait mesurer l'unique marchandage réalisé sur le dos de l'Ethiopie, c'en était fait du plan Hoare. Le but de l'opération était de ressusciter le front de Stresa, à tout prix, mais la tentative était bien tardive. Mussolini se trouvait désormais dans une situation voisine de celle de Hitler : il ne restait plus qu'à opérer un rapprochement diplomatique entre le Duce et le Führer. C'est l'année 1936 qui va marquer la formation de l'Axe Rome-Berlin. Dans cette affaire, la guerre d'Espagne a joué un rôle important.

LA GUERRE CIVILE ESPAGNOLE
(juillet 1936 - mai 1939)

L'année 1936 marque un tournant dans l'histoire des relations internationales comme dans l'évolution intérieure d'un bon nombre de pays. Deux surtout avaient connu un changement de majorité parlementaire : l'Espagne en février, la France en mai. Des expériences socialistes étaient tentées dans l'un et l'autre pays. Toutefois, les événements évoluèrent de manière bien différente des deux côtés des Pyrénées. Si en France aucun affrontement grave n'opposa les partisans et les adversaires du gouvernement de Léon Blum, en revanche l'Espagne connut l'une des guerres civiles les plus meurtrières qu'on puisse imaginer.

Le «Frente popular»

La nature du « Frente popular » était différente de celle du « Front populaire ». Les extrémistes anarchistes et communistes y jouaient un rôle plus important. Les forces adverses étaient aussi plus dures, plus difficiles à réduire, mieux organisées. Les grands propriétaires, l'armée de terre, l'Eglise catholique (sauf au Pays Basque) se regroupèrent en un bloc historique réactionnaire, décidé à utiliser la force armée pour venir à bout d'un gouvernement contraire à leurs intérêts de classe. En juillet 1936, les généraux Franco et Sanjurjo passèrent à l'action dans le but de soulever *en même temps* toutes les garnisons du pays, de manière à balayer sans trop de heurts l'équipe gouvernementale au pouvoir et le régime républicain en place depuis le retrait d'Alphonse XIII en 1931. En réalité, toutes les garnisons ne se soulevèrent pas, et de l'échec des généraux rebelles sortit la guerre civile.

La guerre civile

L'affrontement opposait, d'une part, les « franquistes » ou « nationaux », c'est-à-dire l'armée de terre, la hiérarchie catholique, l'aristocratie, une bonne partie de la bourgeoisie et, d'autre part, les « républicains » ou « gouvernementaux » qui rassemblaient la marine, la classe ouvrière, une partie des paysans, les nationalistes basques (y compris l'Eglise catholique) et les Catalans.

Dès le mois d'août 1936, les franquistes coupaient les relations des républicains avec le Portugal en remportant la bataille de Badajoz. Les opérations se portèrent alors vers le Nord où les franquistes furent arrêtés devant Madrid par un remarquable élan populaire et militaire.

Les relations internationales

Dès 1937, la guerre de position remplaça la guerre de mouvement. En 1938, les franquistes, supérieurs en matériel et soutenus par l'Allemagne et l'Italie, coupèrent les républicains madrilènes de la Catalogne qui était un de leurs derniers bastions : en janvier 1939, Barcelone tomba et Madrid capitula le 28 mars. L'Espagne démocratique avait cessé d'exister.

Devant le caractère idéologique de cette guerre — la première où des forces démocratiques se heurtaient à des forces « fascistes » —, beaucoup de gouvernements décidèrent de s'engager. Des armes et des hommes entrèrent en Espagne dans l'un et l'autre camp. C'était le moyen, pour Hitler, de tester le nouveau matériel de l'armée allemande et, pour Mussolini, de rehausser le prestige du fascisme. En revanche, pour les démocrates et les partisans des forces populaires, il était urgent de barrer la route au fascisme triomphant. Des « brigades internationales » furent organisées à travers toute l'Europe et même le monde (Etats-Unis), où s'illustrèrent, par exemple, André Malraux, Tillon et bien d'autres. La guerre d'Espagne prenait dès lors les dimensions d'un affrontement mondial et devenait dangereuse pour la paix internationale.

Dès août 1936, à l'initiative du ministre des Affaires étrangères du gouvernement Léon Blum, Yvon Delbos, les principales puissances intéressées avaient conclu un pacte de *non-intervention* en Espagne. La convention fut respectée par la France et le Royaume-Uni, mais non par l'Allemagne et l'Italie.

Le gouvernement républicain espagnol de Negrin y perdit beaucoup. A vouloir respecter les principes qui sous-tendent son propre régime, on s'expose à faciliter la victoire de qui ne les respecte pas. Une telle attitude était fréquente à l'époque, tant il est vrai qu'apparaissait le mal dont souffraient les démocraties et qui avait pour nom la démocratie elle-même. La démocratie est exigeante. Elle n'est attractive que par la vertu ou bien par la force, mais alors elle perd son caractère de démocratie. En réalité, la démocratie avait été ébranlée par la Grande Guerre — cette constante responsable des événements que nous décrivons. Depuis, elle n'avait pu réellement reprendre sa vraie place dans le concert des nations. Le développement des dictatures nationalistes précipitait sa crise. La guerre d'Espagne l'illustrait tragiquement.

Sur la fresque de *Guernica*, où Picasso s'est appliqué à souligner l'horreur des guerres fratricides, éclate la grande illusion d'une permanence de la réalité démocratique. Pourquoi la démocratie serait-elle éternelle ? Beaucoup d'esprits en viennent à se demander si de nouvelles formes d'institutions politiques ne sont pas nécessaires pour ce siècle de fer qu'est le XXe siècle. Déjà, en 1919, dans *Le déclin de l'Occident*, Oswald Spengler annonçait la venue des Césars et la disparition de la démocratie parlementaire à mesure de la montée des masses populaires. En 1934, Keyserling publie *La Révolution mondiale et la*

Francisco **FRANCO**. Né en 1892. Sorti de l'école d'infanterie de Tolède, il sert au Maroc de 1912 à 1927 dans la Légion étrangère espagnole. Il dirige l'École militaire de Sarragosse de 1927 à 1931. En 1933, le régime républicain l'envoie aux Baléares. La droite, triomphante aux élections de la même année, le rappelle pour lui confier le poste de chef d'État-major de l'armée. Il réprime la grève des mineurs des Asturies (1934). Le « Frente popular » l'exile aux Canaries (1936). Il prépare alors le coup d'État de juillet, dont il prendra la direction après la mort accidentelle de Sanjurjo. Il est, depuis 1939, chef de l'État espagnol.

La crise des démocraties

Guernica, petite ville du Pays basque espagnol dont elle est la cité sainte, fut détruite en 1937 par l'aviation allemande. La composition de Pablo Picasso mesure 8 m de long sur 3,50 m de haut. Elle a été présentée au pavillon espagnol de l'Exposition internationale de 1937 à Paris. Elle se trouve aujourd'hui au musée d'Art moderne de New York. Il existe un film d'Alain Resnais sur l'œuvre de Picasso. Le commentaire est dû à Paul Eluard.

Responsabilité de l'Esprit, livre préfacé par Paul Valéry, dans lequel l'auteur soutient la nécessité d'une intervention de l'irrationnel dans les institutions, déclarant que la démocratie a fait son temps et que le XXe siècle est l'époque des « dompteurs » (de foules). 1936-1939 sont les années de l'échec des fronts populaires et du triomphe des dictatures. En 1940, lorsqu'il écrivit *Décombres*, Lucien Rebatet se souvint de cet itinéraire de la démocratie vers l'abîme et conclut, faussement, à sa mort définitive.

La formation de l'« Axe »

Galeazzo **CIANO**, comte de Cortellazzo (1903-1944). Rédacteur de journaux fascistes, il entre en 1925 dans la diplomatie. En 1933, il est chef de bureau de presse de Mussolini.
Devenu le gendre du Duce, il est, en juin 1936, ministre des Affaires étrangères et sera partisan de l'annexion de l'Albanie. Le 5 février 1943, Ciano est nommé ambassadeur auprès du Saint-Siège. Il vote contre Mussolini au Grand Conseil fasciste du 25 juillet 1943. Considéré comme traître par le Duce, il sera exécuté à Vérone en 1944. Il a laissé un journal politique tenu de 1936 à 1944 et publié en 1948.

La conséquence la plus importante de ces événements tragiques sur le plan des relations internationales est la formation de l'axe Rome-Berlin. Le rapprochement germano-italien fut l'œuvre du comte Galeazzo Ciano, gendre du Duce, ministre italien des Affaires étrangères depuis juin 1936. En octobre 1936, Ciano signa avec les Allemands une déclaration d'amitié et de communauté de vues sur les principaux problèmes internationaux. Le Duce célébra dans un discours fameux « la verticale Rome-Berlin ». L'expression qui resta en réalité, colportée par la presse, fut « l'axe Rome-Berlin ». Il devenait clair que désormais Hitler avait en Mussolini un ami, un soutien, au besoin un allié. Le front de Stresa était oublié, les démocraties occidentales affaiblies, leurs relations avec l'Europe centrale et orientale ébranlées ou distendues, l'U. R. S. S. isolée.

LA GUERRE SINO-JAPONAISE (juillet 1937)

La guerre espagnole ne fut pas, de 1936 à 1939, la seule guerre qui impliquât des nations importantes. En Asie également, des combats commençaient qui ne devaient cesser qu'en 1945. Le Japon, non content d'asservir les Mandchous, décida en juillet 1937 d'envahir la Chine du Nord. Comme Tokyo avait signé le pacte anti-Komintern en 1936 avec l'Allemagne et en 1937 avec l'Italie, on peut dire que le clan des dictatures poursuit une politique commune en Europe et en Asie.

Depuis leur annexion déguisée de la Mandchourie, les Japonais s'étaient emparés du Jéhol, province située à proximité de Pékin, et de certains territoires de Mongolie intérieure (Ho-Pei et Tchahar). Ils menaçaient toute la Chine du Nord.

Ici encore, les Japonais provoquèrent un incident pour déclencher un conflit avec le gouvernement chinois. Le 7 juillet 1937, des soldats japonais furent pris à partie par la garnison de Pékin. La ville fut aussitôt occupée. A la fin du mois de juillet, les opérations militaires se développaient à travers tout le pays.

Bientôt le Sud de la Chine fut atteint par les troupes japonaises qui commirent des actes odieux lors de l'occupation de Nankin : leur comportement est resté longtemps gravé dans la mémoire des Chinois. Canton fut occupée le 21 octobre 1938. Tchang Kaï-chek fut obligé de se retirer dans le bassin rouge, aux environs de Tchoung King, protégé par les gorges d'I-Tchang. C'est de là que repartit, six ans plus tard, la reconquête du pays.

Le bassin de Tchoung King se trouve sur le haut Yang Tsé Kiang.

Déjà des phénomènes qui deviendront classiques se produisent : un gouvernement de collaboration avec l'envahisseur japonais se met en place à Nankin. La Seconde Guerre mondiale avait déjà commencé en Asie.

III LES SUCCÈS DE HITLER

En Europe, les crises succédaient aux crises et les coups de force de Hitler n'entraînaient plus qu'acceptation résignée : l'Anschluss autrichien et les crises tchécoslovaques en sont l'illustration.

Hitler consacra l'année 1938 à réorganiser son armée et sa diplomatie. Les chefs de la Reichswehr, von Blomberg et von Fritsch, furent évincés du commandement de l'armée de terre qui portait désormais le nom de Wehrmacht. Le pâle Keitel, en tant que chef de l'O. K. W. (*Oberkommando der Wehrmacht*), fut placé directement sous les ordres du Führer. Les Affaires étrangères, jusque-là animées par von Neurath, furent confiées à Joachim von Ribbentrop, l'un des courtisans nazis les plus plats. En réalité, le ministère des Affaires étrangères (la *Wilhelmstrasse*) tombait lui aussi sous la coupe du Führer.

Fort de ces instruments désormais dociles, Hitler décida de mettre à exécution son vieux projet de fusion (*Anschluss*) entre l'Autriche et le Reich, c'est-à-dire en réalité l'annexion pure et simple du territoire autrichien.

Les conditions étaient favorables : Mussolini, naguère obstacle à l'Anschluss, était désormais un ami, les démocraties occidentales (France, Angleterre) étaient affaiblies par leur attitude devant le problème espagnol et leurs préoccupations intérieures (notamment, en France, l'échec du Front populaire), et un parti nazi se développait en Autriche sous l'impulsion de Seyss-Inquart.

Dans le détail des faits, l'Anschluss est fort complexe et il est inexact de penser que le Führer a facilement manœuvré les protagonistes du drame. En réalité et malgré les succès remportés en 1936 dans le domaine international, le maître de l'Allemagne nazie craignait de violentes réactions de la part de l'étranger et cherchait à justifier son entreprise.

Hitler essaya de convaincre le chancelier Schuschnigg, successeur de Dollfuss, de prendre dans son gouvernement Seyss-Inquart, et de lui confier le portefeuille de l'Intérieur. Dans le « nid d'aigle » de Berchtesgaden, en Bavière, où le Führer avait aménagé une résidence en forme de forteresse, le chancelier d'Autriche fut soumis à des pressions épouvantables. De retour à Vienne, Schuschnigg, pour affirmer quand même l'indépendance de son pays, annonça qu'un plébiscite ratifierait — ou non — la décision exigée par l'Allemagne : la consultation était fixée au 13 mars, mais Hitler qui ne pouvait tolérer un référendum où, à l'évi-

L'ANSCHLUSS (mars 1938)

Les conditions favorables

Arthur **SEYSS-INQUART** (1892-1946). Avocat à Vienne, il milita très tôt dans les rangs du parti nazi. Conseiller d'État en 1937, il devint ministre de l'Intérieur après l'entrevue Hitler-Schuschnigg de Berchtesgaden. Chancelier d'Autriche le 11 mars 1938, puis Statthalter d'Autriche (15 mars 1938-1er mai 1939), il devint l'adjoint de Frank en Pologne (1939) avant d'être commissaire pour les territoires néerlandais (1940). Fut condamné à mort par le tribunal de Nuremberg.

Kurt von **SCHUSCHNIGG**. Né en 1897. Avocat. Député chrétien social. Ministre de l'Instruction publique puis de la Justice en 1933-1934, il succéda à Dollfuss comme chancelier en juillet 1934. Menant une politique hostile aux extrémistes de gauche comme de droite, il s'appuya sur le Front patriotique. Il tenta un accord avec l'Allemagne en appelant au gouvernement des nazis modérés (juillet 1936). Mais Hitler exigea sa démission et il fut interné à Dachau pendant toute la guerre. Il réside aux États-Unis depuis 1948.

Une action brutale

dence, toutes les voix ne seraient pas favorables à l'entrée d'un chef nazi dans le gouvernement autrichien, ordonna à Schuschnigg de renoncer à la consultation (11 mars). Schuschnigg ne pouvait qu'accepter l'ultimatum ; mais il n'eut pas à s'exécuter, car dès l'après-midi du 11 mars, Hitler exigeait cette fois la démission de Schuschnigg et son remplacement par Seyss-Inquart. Le président de la République autrichienne, Miklas, s'inclina dans la soirée. Dans la nuit du 11 au 12, les troupes allemandes pénétraient en Autriche : Seyss-Inquart n'avait pas encore lancé son appel à l'intervention comme le prévoyait le scénario convenu avec Berlin ! Hitler fit une triomphale entrée dans Vienne où il avait connu la faim et la misère au début du siècle. Il adressa alors à Mussolini le télégramme célèbre : « Duce, je n'oublierai jamais cela. » En effet, l'Italie n'avait manifesté aucune mauvaise humeur. L'Anschluss, interdit par le traité de Versailles, enrayé en 1931 par la France, arrêté en 1934 par l'Italie, était désormais réalisé. Un plébiscite organisé à la manière nazie en Autriche et en Allemagne donna une immense majorité en faveur de la fusion. Le monde resta coi. Les protestations des chancelleries n'eurent pas de suites concrètes. Une fois encore, Hitler avait gagné. Pour de nombreux observateurs, l'Anschluss n'était pas tant la manifestation d'un impérialisme inquiétant de la part du Führer que la suppression d'une de ces multiples clauses aberrantes du traité de Versailles, qui avaient voulu séparer en Etats politiquement distincts des ensembles nationaux faits pour cohabiter. Il faudra attendre la seconde crise tchécoslovaque pour que beaucoup d'yeux, anglais notamment, aperçoivent enfin la véritable nature des ambitions nazies.

L'Anschluss cependant ne recueillait pas l'assentiment de tous les Autrichiens. La fusion avec l'Allemagne, qui figurait dès 1918 dans le programme du parti socialiste et dont la majorité de l'opinion avait désiré la réalisation en 1931, était à présent jugée suspecte et indésirable par la gauche du pays. L'Anschluss avec l'Allemagne, c'était l'Anschluss avec le nazisme. Des camps de concentration — dont les Allemands eux-mêmes avaient les premiers connu l'abominable réalité — furent peu après mars 1938 ouverts au voisinage de Vienne : Mauthausen, Lanzendorf, Neustadt.

Depuis déjà quelques mois, une autre crise était en préparation, celle des Sudètes, qui visait l'intégrité du territoire tchécoslovaque et menaçait la paix du monde parce que Prague était tout à la fois l'alliée de Paris et de Moscou.

LA PREMIÈRE CRISE TCHÉCOSLOVAQUE ET MUNICH (septembre 1938)

Pour comprendre la crise de septembre 1938, qui fut la première grande crise de l'entre-deux-guerres où le conflit faillit éclater, il convient de rappeler les problèmes ethniques de la Tchécoslovaquie.

Par son nom seul, ce pays nouveau, fruit de la victoire de l'Entente et du nationalisme tchèque, souligne la juxtaposition de deux nations, l'une tchèque, l'autre slovaque. Assurément, des problèmes se sont toujours posés entre ces deux peuples, mais ils furent le plus souvent d'ordre socio-économique ou culturel et non pas d'ordre ethnique. En revanche, la Tchécoslovaquie englobait, depuis sa constitution, 3 200 000 habitants de race germanique qu'on appelait les Sudètes ou Allemands du Sud, c'est-à-dire des descendants de colons germaniques venus au Moyen Age mettre en valeur le versant Sud de l'Erzgebirge. Fermiers pour la plupart, ils occupaient une place non négligeable dans l'économie tchèque. Soucieux de préserver leur culture — c'est-à-dire d'abord leur langue germanique — ils avaient demandé en 1919 au gouvernement de Prague de bénéficier d'un statut particulier fondé sur une large décentralisation administrative. Les « jacobins » Benès et Masaryk avaient décidé de préserver l'unité du pays naissant et refusé de céder aux revendications des Sudètes. Entre 1919 et les années 1935-1936, le problème sudète ne fut pas sensible. En revanche, dès lors que Hitler décida de rassembler tous les Germains, la question des Sudètes devait rapidement se poser. Un parti proche des idées nazies fut fondé dans la région peuplée par les Sudètes. Son nom était le parti allemand des Sudètes ; son chef un professeur de gymnastique, Conrad Henlein.

L'agitation développée chez les Sudètes par la formation de Henlein inquiéta le gouvernement tchèque et Benès proposa plusieurs solutions pour désamorcer le problème, mais rien n'y fit. En réalité, Henlein recevait ses ordres de Berlin et Hitler attendait le moment favorable pour agir. Il jugea qu'en 1938 le moment était propice : dès avril, Henlein revendiquait, à Carlovy Vary, l'autonomie des Sudètes, exigeant des conversations de peuple à peuple, de gouvernement à gouvernement avec Prague.

Le 12 septembre, dans l'un de ces discours exaltés qui clôturaient les grandes liturgies nazies, Hitler déclara que l'autonomie était une solution dépassée. Seul, à ses yeux, le rattachement pur et simple au Reich apporterait une réponse satisfaisante aux exigences légitimes des Sudètes. Il s'agissait d'une attaque directe contre la Tchécoslovaquie. En cas d'agression, quelle serait l'attitude des grandes puissances ? Trois surtout étaient concernées : la France, l'U. R. S. S., le Royaume-Uni.

La France était l'alliée de la Tchécoslovaquie et garantissait son terri-toire par les armes. Le président du Conseil de l'époque, Edouard Daladier, le répéta à Benès. Mais, depuis mars 1936, la remilitarisation de la rive gauche du Rhin compromettait gravement l'exécution de cette garantie, car les travaux aussitôt entrepris par les Allemands dans la région (ligne Siegfried) risquaient d'entraîner une guerre difficile contre le Reich en cas de conflit germano-tchécoslovaque. Le respon-sable de la diplomatie française, Georges Bonnet, était sensible à cette situation et comme l'insuffisance de la puissance militaire de la France lui semblait interdire toute action d'envergure il se montrait plus préoccupé de sauver la paix que de sauver l'allié tchèque.

Prague et les sudètes

— le discours de Nuremberg

L'attitude des grandes puissances

— la France

La Russie voulait intervenir pour défendre la Tchécoslovaquie.

Litvinov applique depuis 1935 une politique de rapprochement avec les démocraties occidentales dirigée contre les puissances fascistes. D'autre part, depuis l'été 1935, le Komintern est partisan de l'alliance entre communistes et sociaux-démocrates

L'U. R. S. S. était, au contraire, soucieuse de défendre réellement la Tchécoslovaquie. Entrée récemment à la S. D. N., liée à certaines démocraties capitalistes, l'Union Soviétique suivait alors une ligne diplomatique fortement hostile à cet « impérialisme de proie » qu'était le nazisme. La politique de Maxime Litvinov s'appuyait sur la France et l'Angleterre contre l'Allemagne. Toutefois, là encore, les conditions géographiques et techniques d'une éventuelle intervention de l'Armée rouge étaient mauvaises. La Russie n'avait pas de frontière commune avec la Tchécoslovaquie. Pour porter secours à Prague, il fallait faire transiter les troupes soviétiques soit par le territoire polonais, soit par le territoire roumain. Or ces deux pays étaient dirigés par des gouvernements profondément anticommunistes. Il paraissait peu probable que Varsovie ou Bucarest pussent accepter le passage des Russes. Le survol de leurs pays respectifs par l'aviation soviétique n'avait pas plus de chances d'être toléré.

Le Royaume-Uni, qui n'avait conclu aucun accord avec la Tchécoslovaquie, était de ce fait libre à l'égard du problème sudète. Le gouvernement conservateur animé par Neville Chamberlain suivait une politique dite d'*appeasement*, mot que l'on peut traduire par « pacification », dont le principe était : tolérer les actions de Hitler en prenant soin qu'elles ne déclenchent pas de crise irrémédiable, car Hitler n'a pas tort quand il désire rassembler tous les Germains. Que cela aboutisse à violer le traité de Versailles n'est pas tellement scandaleux, puisque le traité n'est pas des meilleurs, et que de nombreuses modifications méritent d'y être apportées. C'est dans ce contexte politique qu'il faut replacer le protocole d'accord signé avec Mussolini en avril 1938, accord qui reconnaissait la conquête de l'Ethiopie par l'Italie. Ce qui était entrepris à l'égard de Rome pouvait fort bien l'être aussi vis-à-vis de Hitler.

Le gouvernement de Londres envoya en Tchécoslovaquie Lord Runciman pour établir un rapport sur le problème sudète : ses conclusions furent plutôt favorables à la thèse allemande. Dans ces conditions, la Tchécoslovaquie ne pouvait guère espérer un soutien efficace des grandes puissances européennes.

Dès qu'il apprit en quels termes Hitler avait parlé de la question des Sudètes dans son discours du 12 septembre 1938, Chamberlain n'hésita pas à monter pour la première fois de sa vie dans un avion afin de rencontrer Hitler à Berchtesgaden. L'entrevue eut lieu le 15 septembre. Hitler renouvela ses exigences et maintint sa volonté d'annexion. Muni de ces informations, Chamberlain rencontra Daladier et tous deux adressèrent un véritable ultimatum à la Tchécoslovaquie pour la

contraindre à accepter les exigences de Hitler. Le 22 septembre, Chamberlain alla de nouveau trouver Hitler à Godesberg. Le Führer se montra plus dur que jamais, estimant que les Tchèques ayant leur résidence dans le pays sudète devraient quitter la région sans réaliser leurs biens, avant le 1er octobre, c'est-à-dire dans un délai de huit jours.

Chamberlain lui-même ne pouvait accepter de telles exigences : la Tchécoslovaquie décréta la mobilisation générale, Hitler se déclara prêt à l'action et des rappels de réservistes eurent lieu en France. On était à la veille d'un conflit général : les esprits étaient tendus et les opinions publiques des différents pays s'attendaient au pire.

– est-ce la guerre ?

C'est alors que, sur le conseil des Anglais, Mussolini suggéra de tenir une conférence pour régler la crise. Le 29 septembre à 13 heures se réunirent à Munich, Hitler, Mussolini, Chamberlain, Daladier. L'U. R. S. S. et la Tchécoslovaquie n'avaient pas été conviées. Le règlement de la crise intervint dans les meilleures conditions pour le Führer. Le rattachement du territoire des Sudètes au Reich fut accepté par les puissances occidentales et Hitler concéda un délai de dix jours aux Tchèques résidant dans le territoire pour réaliser leurs biens avant de partir. Des pactes de non-agression furent signés : séance tenante (le 30 septembre), entre le Royaume-Uni et l'Allemagne, le 6 décembre entre la France et l'Allemagne.

Le «soulagement» de Munich

Hitler satisfait, la sécurité assurée par des engagements bilatéraux, la paix pouvait sembler solide. Chamberlain rentrant à Londres brandit sur l'aéroport le papier où figuraient les signatures des chefs d'Etat, déclarant : « C'est la paix pour notre temps. » La logique de sa politique d'*appeasement* en faisait un homme sûr de lui, certain que les accords de Munich reposaient sur des principes justes.

– Hitler est satisfait

Edouard Daladier ne partageait pas cette magnifique assurance. Peut-être était-il plus perspicace, peut-être était-il surtout à ce point dépourvu de ligne politique que le scepticisme l'avait forcément envahi ? Toujours est-il qu'à son retour en France, il fut surpris de l'enthousiasme d'une foule en délire qui lui criait sa reconnaissance. Le soir même, Daladier remontait les Champs-Elysées et prononçait un discours vibrant, mais peu convaincu. L'immense majorité des opinions publiques — au Royaume-Uni comme en France — exultait. On était « munichois » parce qu'on était pour la paix. Quelques rares voix se firent alors entendre, quelques pamphlets furent alors écrits qui condamnaient Munich et surtout qui fustigeaient la médiocrité de l'opinion publique : le parti communiste dénonça Munich, Paul Reynaud y vit une reculade, voire une démission ; mais rares furent les formations politiques qui, d'un bloc, s'opposèrent à l'accord : mis à part le Parti Communiste les prises de position pour ou contre les résultats de la conférence n'engagèrent que les personnes.

Dans *L'Equinoxe de Septembre*, écrit à la fin de 1938, H. de Montherlant laisse éclater son mépris pour une plèbe abjecte qui ne songe qu'à préserver encore quelques mois de bonheur mesquin : « La France est rendue à la belote et à Tino Rossi. » Formule terrible où l'on voit déjà s'exprimer la haine d'une France populaire qui a osé « faire 36 » et contre laquelle Vichy voudra prendre une revanche éclatante.

– de Munich datent certaines haines

L'une des attitudes les plus répandues parmi les Français est traduite par le soupir de Léon Blum qui parle, à propos de Munich, d'un « lâche soulagement ». A Londres, Winston Churchill tempête contre Chamberlain et assure que Munich prépare mieux la guerre qu'une ferme attitude qui eût arrêté Hitler sur la voie des coups de force de plus en plus audacieux.

Les conséquences

Il faut reconnaître que Munich a eu des conséquences dramatiques. Tout d'abord, un pays a été démantelé : la Tchécoslovaquie — dont aucun représentant n'assistait aux débats de Munich — ne pouvait plus assurer sa défense au Nord, à l'Ouest et au Sud. La Bohême formait désormais une avancée quasiment encerclée de terres allemandes. Le soutien français, garant de son intégrité, avait fait défaut. Que valait à présent la parole de la France ? L'U. R. S. S., ulcérée d'avoir été écartée de la conférence de Munich, allait bientôt réorienter sa politique étrangère. La voie était tracée qui aboutira au pacte germano-soviétique d'août 1939.

La Pologne et la Hongrie réclamèrent à leur tour un morceau de Tchécoslovaquie : la Pologne eut Teschen (1er octobre), la Hongrie, après l'arbitrage de Ciano et de Ribbentrop, s'adjugea, le 2 novembre 1938, quelque 12 000 km^2 au Sud de la Slovaquie. Pourquoi ces vagues de réclamations se seraient-elles arrêtées ? L'expansionnisme est contagieux ! Mussolini revendiqua, dès le 30 novembre, la Corse et la Savoie, Nice et Djibouti, sans oublier la Tunisie. Mais la pire conséquence de l'accord de Munich concerna la Tchécoslovaquie même : après le départ de Benès qui ne put supporter l'affront fait à son pays, l'unité nationale fut remise en question par les Slovaques.

LA DEUXIÈME CRISE TCHÉCOSLOVAQUE (mars 1939)

Le chef des autonomistes slovaques, Mgr Tiso, revendiquait la séparation entre Prague et Bratislava. Hitler intervint, poussé par le prélat dont les penchants pour l'État nazi étaient de plus en plus accentués. Le 14 mars 1939, Hacha, président de la République tchécoslovaque, fut convoqué à Berlin. Tout comme il avait procédé avec Schuschnigg, Hitler le reçut avec un manque total d'égards. Hacha, contraint de faire appel au Reich nazi pour régler le différend entre Tchèques et Slovaques, dut accepter l'entrée des troupes allemandes à Prague.

L'occupation et le démembrement de la Tchécoslovaquie

Le 15 mars, la Bohême était occupée, un « protectorat de Bohême-Moravie » créé, la Ruthénie subcarpatique donnée à la Hongrie, tandis que la Slovaquie constituait un État satellite du Reich. Cette fois, la Tchécoslovaquie avait cessé d'exister. En même temps qu'il faisait voler en éclats ce pays, Hitler annexait Memel (22 mars). Quant à Mussolini — qui ne voulait pas être en reste — il faisait main basse sur l'Albanie d'où le roi Zog Ier était contraint de s'enfuir (7 avril 1939).

Ahmed **ZOGOU** dit Zog Ier devait finir sa vie dans une clinique d'Asnières, près de Paris.

Aucune réaction sérieuse du Royaume-Uni et de la France ne vint contrarier cette série de nouveaux coups de force, or Hitler venait de s'en prendre à des pays non germanisés. La théorie selon laquelle Hitler s'arrêterait dès lors qu'il aurait réuni l'ensemble des peuples de race germanique était mise à rude épreuve : Chamberlain, égal à lui-même, eut cette formule superbe : « Monsieur Hitler n'est pas un gentleman. »

Les relations internationales

La Pologne allait subir très vite le même sort que la Tchécoslovaquie. Les 26 et 27 mars 1939, l'ambassadeur de Pologne à Berlin fut convoqué à la *Wilhelmstrasse*, où von Ribbentrop lui présenta deux exigences : la ré-annexion de Danzig et la construction d'une autoroute et d'une voie ferrée joignant le Reich à la Prusse orientale et frappées d'exterritorialité. C'eût été la création d'un Transpoméranien comme les Japonais parlaient du Transmandchourien.

En réalité, dès le printemps de 1939, Hitler avait dicté à son Etat-major le plan d'invasion de la Pologne. La date en était fixée au 1er septembre. Les exigences de Ribbentrop étaient donc la première étape d'un plan déjà établi. Pour gagner une guerre qu'il espérait courte, Hitler devait éviter de combattre en même temps sur deux fronts : occidental et oriental. Comme il n'était pas possible de s'entendre avec la France, alliée de l'Angleterre, elle-même décidée à protéger la Pologne (déclaration du 31 mars et alliance du 25 août), la diplomatie allemande s'orienta vers un rapprochement avec l'U. R. S. S. Il fallait faire vite car les démocraties occidentales allaient entamer le 11 août 1939 une négociation militaire avec les Russes : leur accord buta sur l'intransigeance polonaise qui ne voulait pas concéder quoi que ce soit aux Russes.

Le pacte germano-soviétique (23 août 1939)

Dès lors, la voie était libre pour les Allemands. Déjà, les Soviétiques avaient signé des accords économiques avec l'Allemagne. Mais il fallait asseoir ces accords sur des « bases politiques » (Molotov, le 20 mai 1939). Tout cela n'engageait pas l'avenir et les Russes menaient parallèlement une négociation avec les Occidentaux. Les Allemands, qui devaient aboutir à un accord avant le 1er septembre, proposèrent aux Russes, le 26 juillet, un pacte de non-agression et un plan de partage de la Pologne. Le 22 août au soir, Ribbentrop arrivait à Moscou. Le 23, le pacte était signé. Il comprenait deux parties : le pacte proprement dit, qui laissait entendre que la Russie acceptait l'invasion de la Pologne par l'Allemagne, et un accord secret de partage de la Pologne de part et d'autre de la Vistule et de son affluent le San. Au cours des négociations, le pays le plus vilipendé fut le Royaume-Uni ; les incompatibilités idéologiques entre nazisme et communisme ne semblent pas avoir provoqué de difficultés.

L'invasion de la Pologne

Hitler, qui avait renforcé son alliance avec l'Italie par le « pacte d'Acier » du 22 mai 1939, donna l'ordre à ses troupes d'envahir la Pologne le 1er septembre 1939 à 4 h 30 du matin. Un prétexte fut saisi de manière à donner un semblant de justification à cette agression : un poste radio allemand frontalier aurait été occupé par des soldats polonais. Cette fois, le gouvernement du Royaume-Uni réagit et adressa, à Hitler, le 3 septembre, un ultimatum exigeant qu'il retire ses troupes. La France fit de même.

L'ultimatum britannique expirait le 3 à 11 heures. L'ultimatum français expirait à 17 heures. Les efforts ultimes de Goering pour enrayer le développement de la crise n'ayant pas abouti et les

Allemands continuant leur progression en Pologne, le 3 au soir la Seconde Guerre mondiale avait commencé.

En réalité, personne ne songe alors — et surtout pas Hitler — qu'une lutte planétaire s'engage. Il s'agit d'une nouvelle crise comme l'Europe en a tant connues depuis 1934. Mais cette fois les principaux protagonistes sont directement aux prises, comme en 1914.

IV POUR APPROFONDIR CE CHAPITRE

Aux manuels fondamentaux mentionnés au chapitre IX, on ajoutera : J.B. DUROSELLE, *La Décadence, 1932-1939*, Paris, Imprimerie Nationale, 1979, 568 p.

Sur la crise de Mandchourie : Pierre RENOUVIN : *La Question d'Extrême-Orient (1840-1940)*, Paris, Hachette, 1955 (444 p.) ; — W. WILLOUGHBY : *The Sino-Japanese controversy and the League of nations*, Baltimore, 1935.

Sur la conférence du désarmement : J.-W. WHEELER-BENNETT : *Disarmament and security since Locarno*, Londres, 1932.

Sur l'assassinat de Dollfuss : Karl von SCHUSCHNIGG : *Requiem. Mémoires (1938-1940)*, Paris, 1947 ; — M. FUCHS : *Un Pacte avec Hitler. Le Drame autrichien*, Paris, 1938.

Sur l'Éthiopie : A. MANDELSTAM : *Le Conflit italo-éthiopien devant la Société des Nations*, Paris, 1937.

Sur la crise espagnole : P. BROUÉ et E. TEMIME : *La Révolution et la Guerre d'Espagne*, Paris, Éditions de Minuit, 1965, 542 p. H. THOMAS, *Histoire de la Guerre d'Espagne*, Laffont, 1961, (trad.) et livre de poche, 1967, 2 vol.

Sur l'Anschluss et les crises tchécoslovaques : W. HADLEY : *Munich : before and after*, Londres, 1944 ; — H. NOGUÈRES : *Munich ou la drôle de paix*, Paris, Laffont, 1963 ; — A. TOYNBEE : *L'Europe en mars 1939*, Paris, Gallimard, 1958 ; — J.-B. DUROSELLE : *La Décadence, 1932-1939*, Paris, Imprimerie nationale, 1979.

LIVRE QUATRIÈME

LA DEUXIÈME GUERRE MONDIALE

CHAPITRE XVII

Le monde en guerre
1939-1945

Entre le 3 septembre 1939 et le 5 septembre 1945, le monde est en guerre. La plupart des historiens s'accordent pour diviser cette période en deux phases : d'une part, les victoires de l'Axe (1939-1941) ; d'autre part, les victoires des Alliés (1941-1945). Nous suivrons cette division au cours de ce chapitre, en ajoutant pour la clarté de l'exposé une partie consacrée à la guerre du Pacifique : les opérations dans cette zone présentent, en effet, des caractères originaux qui invitent à en faire une étude particulière.

Voir cartes 19 et 20

I LES SUCCÈS DE LA « GUERRE ÉCLAIR » ALLEMANDE (BLITZKRIEG)

Les forces allemandes déployées contre la Pologne étaient d'une supériorité écrasante : 70 divisions dont 7 *Panzerdivizionen* (divisions blindées) et 4 divisions d'infanterie motorisée, 2 700 avions de combat. La Pologne ne leur opposait que 40 divisions, 600 avions, une seule brigade blindée. Une triple attaque venue du Nord (Prusse orientale), de l'Ouest et du Sud, permet aux armées allemandes d'encercler rapidement les forces polonaises commandées par Rydz Smygly : le 6 septembre, Cracovie est occupée, le 10 les Allemands sont devant Varsovie ; bientôt, la capitale est encerclée. Les Polonais font retraite vers l'Est où se livre (à Kutno) une importante bataille de chars. Le

LA CAMPAGNE DE POLOGNE

17 septembre, les Soviétiques entrent à leur tour en Pologne et opèrent leur jonction avec les Allemands. Les accords des 22 et 28 septembre fixent les limites du partage de la Pologne : Bialystok est abandonné aux Russes.

— la Pologne occupée

Le 27 septembre, Varsovie capitule. A la fin du mois de septembre, toute résistance organisée cesse sur le territoire polonais. Peu après, la partie du pays occupée par les Allemands est partagée en deux zones : l'une directement rattachée au Reich comprend la région de Danzig, la Poznanie (baptisée Wartheland) et la Silésie polonaise ; l'autre, avec Varsovie et Cracovie, est érigée en Gouvernement général et placée sous administration allemande.

— la Finlande envahie

La Finlande, sommée de livrer des bases militaires aux Russes, refusa : les relations diplomatiques furent rompues et la guerre éclata entre Russes et Finlandais le 30 novembre. La lutte dura trois mois. Sous les ordres du général Mannerheim, la petite armée finlandaise retarda l'invasion de 100 divisions soviétiques. La ligne Mannerheim se révéla efficace ; mais malgré tout, en février 1940, la Finlande dut subir l'occupation de l'Armée rouge. Le traité de Moscou du 12 mars 1940 donnait Viborg et l'isthme de Carélie à l'U. R. S. S.

— l'U.R.S.S. s'adjuge de nombreux territoires

Staline réalisait en même temps d'autres ambitions : il arrachait à la Roumanie la Bessarabie et la Bukovine septentrionale, il imposait aux Etats baltes des gouvernements communistes qui aussitôt s'unirent à l'U. R. S. S., constituant trois nouvelles « républiques soviétiques ». C'était là des méthodes fort peu démocratiques.

— pourquoi la réussite de la « Blitzkrieg » ?

Toutes ces victoires furent obtenues grâce à une forme nouvelle de guerre : la *Blitzkrieg*. Celle-ci repose sur deux principes : la désorganisation économique et psychologique préalable du pays attaqué ; la mise hors de combat des unités adverses par les coups de boutoir des divisions blindées. Les chars conquièrent le terrain occupé ensuite par l'infanterie classique et de violents bombardements sont assurés par l'aviation. Ainsi le binôme « avion-char » apparaît comme le fondement de la guerre-éclair. Les chasseurs bombardiers et les tanks agiront en France de manière aussi efficace qu'en Pologne. Ces moyens supposent une action rapide, une guerre courte ; aucune entreprise de longue haleine de ce type n'est en effet concevable. Dès lors que le conflit entraîne une guerre longue, mettant en œuvre toutes les ressources des Etats, le « raid » n'est plus possible. Ultérieurement Hitler ne parviendra pas à inventer un autre type de stratégie et de tactique.

L'ÉCRASEMENT DE LA FRANCE

Lorsque les deux grandes démocraties occidentales — la France et le Royaume-Uni — se trouvent engagées dans la lutte contre l'Allemagne le 3 septembre 1939, leurs conceptions stratégiques sont les suivantes : protéger le territoire français par une cuirasse hermétique — la ligne Maginot — et le territoire anglais par la *Home Fleet* ; utiliser l'empire colonial pour y puiser les ressources nécessaires à une attente prolongée. La puissance navale et l'économie coloniale doivent permettre d'user les forces ennemies. Tout le problème est de savoir si la *Blitzkrieg*, avec ses violents coups de boutoir, est capable ou non de briser le bouclier protecteur et de surprendre une armée française peu préparée à une lutte offensive. Les instructions des chefs militaires français remontent à 1936 ; elles reposent sur la seule défensive, sans utilisation précise des troupes de couverture. Le mot d'ordre est « l'expectative ». Or, du côté allemand, Hitler a également intérêt à temporiser.

De cette conjonction d'inactions calculées naît la « drôle de guerre », c'est-à-dire la guerre qui n'ose pas dire son nom. Les nations sont sous les armes et le conflit n'en finit pas de s'engager. De part et d'autre, l'épuisement moral gagne les troupes.

Quelles raisons Hitler a-t-il de différer toute action militaire ? Veut-il laisser pourrir la situation pour mieux écraser l'adversaire le moment venu ? Cela supposerait qu'il a accepté une guerre longue contre la France et le Royaume-Uni. Ce n'est pas le cas. Veut-il éviter l'affrontement et attendre que les Anglais et les Français oublient l'écrasement de la Pologne comme ils ont « oublié » la disparition de l'Autriche ou de la Tchécoslovaquie ? Hitler fit, en octobre 1939, des propositions de négociation à l'Angleterre. Pouvait-il croire sérieusement que Londres accepterait de parler avec les représentants du Reich nazi ?

La réponse est donnée par l'attitude de l'Etat-Major. Les chefs militaires allemands sont peu pressés d'affronter l'armée française dont le prestige est grand à l'époque. Le commandant en chef des forces terrestres, Brauchitsch, émet constamment des réserves quand Hitler réclame d'entreprendre une action : onze plans sont tour à tour rejetés. La drôle de guerre est le fait autant de Hitler que des Anglo-Français.

Cette phase de la guerre est une période pénible de désœuvrement quasi complet des troupes, de pourrissement de la situation militaire et politique. Les Allemands ont su l'exploiter pour démoraliser les Français. Parmi les tentatives de cet ordre, il faut mentionner les émissions de Radio-Stuttgart animées par Ferdonnet, ressortissant français marié à une Allemande et placé, sur sa demande, au service du Reich nazi. Les Anglo-Français furent les premiers à vouloir sortir de cette « impasse militaire ».

L'industriel allemand antinazi, Thyssen, qui s'était réfugié en France, avait confirmé que les réserves de Hitler en minerai de fer étaient faibles : les mines allemandes ne suffisant pas à alimenter la sidérurgie de la Ruhr, le minerai suédois de Kiruna et Gëllivare était indispensable. Ce minerai transitait par le port norvégien de Narvik et parvenait en Allemagne par Hambourg. Les gouvernements de Londres et de Paris décidèrent de « couper la route de fer » et le 18 mars les représentants alliés, réunis à Londres, mirent au point une opération de diversion en Scandinavie. En même temps, était signée une déclaration solennelle aux termes de laquelle la France et le Royaume-Uni s'engageaient à ne pas conclure d'armistice ni de paix séparés avec

La «drôle de guerre»

L'expression « drôle de guerre » est née d'une mauvaise interprétation de l'expression anglaise *Phoney war* (guerre-bidon) qui devint *Funny war* (guerre pour rire).

Narvik

l'Allemagne. Certes, une telle déclaration n'avait pas la valeur juridique d'un acte contresigné par le président de la République et avalisé par le Parlement, mais on se trouvait dans des circonstances analogues à celles de septembre 1914 où les accords créant l'Entente avaient été paraphés uniquement par les chefs de gouvernement.

La réussite de l'entreprise destinée à couper la route du fer était liée à un effet de surprise. Les Anglais avaient mouillé leurs mines en mer du Nord le 5 avril 1940 et commençaient à peine l'embarquement de leurs troupes quand les Allemands, renseignés par des fuites en provenance d'Angleterre, prirent les Anglo-Français de vitesse. Trompant la surveillance britannique, l'amiral Lutjens remonta le long du littoral norvégien et débarqua des troupes dans un certain nombre de ports, dont Narvik.

En même temps, l'aviation allemande, utilisant la technique de la guerre-éclair (première phase), pilonnait les aérodromes danois et norvégiens. Les troupes allemandes pénétraient bientôt au Danemark, puis en Norvège (deuxième phase de la guerre-éclair). Cette opération (baptisée *Weserübung*) rendait difficile l'exécution du plan anglo-français. Malgré tout, le débarquement des troupes alliées à Narvik eut lieu. Entre le 15 avril et le 10 mai 1940, les troupes de la Légion étrangère et les chasseurs alpins sous les ordres du général Béthouart, remportèrent de nets succès. Narvik fut occupée le 28 mai. Seule la défaite sur le front français obligera le corps expéditionnaire à se rembarquer le 7 juin.

Les phases de la campagne de France :
1) 13-25 mai : percée des Allemands à Sedan et exploitation jusqu'à Abbeville.
2) 25 mai-5 juin : échec d'une contre-offensive alliée et rembarquement de Dunkerque.
3) 5-12 juin : bataille de la Somme. Weygand donne l'ordre de retraite générale le 12.
L'exode commence dès la fin de mai. On distingue deux vagues : la première, organisée, constituée par les gens du Nord qui ont connu déjà l'invasion de 1914, la deuxième, vers le 15 juin, est une véritable débandade. L'exode ressemble aux grandes peurs du Moyen Age ou de la Révolution.

Cette lutte s'accompagna d'engagements navals en mer du Nord au cours desquels la *Royal Navy* infligea des pertes sévères à la *Kriegsmarine*. Beaucoup d'éléments importants de la flotte allemande manqueront à Hitler au cours de l'été 1940 lorsque se posera le problème du débarquement en Angleterre. On mesure ainsi l'importance des événements en mer du Nord et en Scandinavie d'avril à juin 1940.

Ces victoires incitèrent les députés anglais à placer à la tête du gouvernement un homme énergique, incarnation politique de la volonté de lutte dans le domaine militaire. Le 7 mai, les Communes chassèrent littéralement Chamberlain. Le roi désigna Winston Churchill pour le remplacer.

Nouveaux ministères au Royaume-Uni et en France

Winston **CHURCHILL** (1874-1965). Premier lord de l'Amirauté en 1911. Leader du parti conservateur. Premier ministre de 1940 à 1945 et de 1951 à 1955. Son indomptable énergie devint vite le symbole de la résistance anglaise.

En France, la position de Paul Reynaud, président du Conseil depuis mars 1940 (à une voix de majorité au Parlement) demeurait précaire. On était loin d'un gouvernement d'« Union sacrée ». Un débat eut lieu en mai au sein même du ministère à propos du chef d'Etat-major, le général Gamelin : Reynaud voulait son départ car, selon lui, il incarnait mal une indéfectible volonté de vaincre. Le ministre de la Guerre, Edouard Daladier, soutenu par les radicaux membres du gouvernement, s'y opposa. La lutte était sévère parmi les responsables politiques français. Le ministère pouvait se disloquer d'un moment à l'autre. On en était là lorsque, le 10 mai 1940, les armées allemandes prirent l'ini-

Paul **REYNAUD** (1878-1966). Originaire de Barcelonnette, ce député du centre droit, spécialiste des problèmes financiers, passait pour énergique.

tiative des combats. Après une campagne fulgurante, les armées allemandes occupèrent toute la partie Nord-Ouest du pays. Devant un tel
désastre militaire, certains pensèrent à demander l'armistice.

Bien que n'ayant pas procédé à une consultation véritable des
ministres, Reynaud décida qu'il était en minorité et suggéra au
président de la République de faire appel au maréchal Pétain qui
constitua, le 16 juin à minuit, un ministère décidé à arrêter les combats.
Le 17, le général Charles de Gaulle quittait Bordeaux pour Londres
dans l'avion du général Spears, chargé des relations entre les gouvernements anglais et français. Le lendemain, il devait prononcer sa célèbre
allocution à la B. B. C. contre la demande d'armistice. Déjà, la France
se coupait en deux.

Par l'intermédiaire de Madrid, des contacts furent noués entre le
gouvernement français et les autorités allemandes. Une délégation fut
constituée pour prendre connaissance des exigences de Hitler dans le
wagon qu'avait utilisé Foch à Rethondes le 11 novembre 1918 : l'armistice y fut signé le 22 juin 1940. Ses 24 articles eurent des conséquences
importantes. Parmi celles-ci, il faut citer la division de la France en
plusieurs zones comprenant notamment :
— une zone « occupée » située au Nord d'une « ligne de démarcation »
reliant Nantua au Sud de Tours par Moulins et Bourges puis descendant
jusqu'à la frontière espagnole par Poitiers et Mont-de-Marsan ;
— une zone dite « libre », au Sud de cette ligne.

En zone libre, les parlementaires se résignèrent peu à peu à un véritable changement de régime. Le 10 juillet 1940, au casino de Vichy, le
Parlement vota les pleins pouvoirs constituants au maréchal Pétain. Il y
eut 80 opposants ; les députés communistes étaient hors la loi depuis la
fin de 1939. La Chambre des députés qui venait de se prononcer en
faveur de ce changement de régime avait été élue en avril-mai 1936 :
c'était la Chambre du Front populaire.

La flotte française de l'amiral Darlan, magnifique et invaincue, était
« gelée » dans les ports français. Hitler affirmait ne pas vouloir s'en
servir ; mais les Anglais réagirent vivement, l'essentiel étant pour eux de
préserver leur supériorité sur mer. C'est dans cette atmosphère de
crainte que se placent des événements graves comme l'attaque par une
escadre anglaise de bateaux français ancrés dans le port de Mers-el-Kébir
(proche d'Oran). Il y eut plus de 1 000 morts du côté français.

Seul le Royaume-Uni continuait la lutte. On ne le tenait pas pour
victorieux et Weygand affirmait qu'avant trois semaines les Allemands
seraient à Londres. Les éléments fondamentaux de la guerre-éclair
(l'aviation et le char) ne pouvaient être utilisés aussi facilement contre
l'Angleterre qu'ils l'avaient été sur le continent : pour employer les
Panzers, il fallait organiser un débarquement, l'un des types d'opérations militaires les plus difficiles à réaliser. Le passage d'un élément à

L'armistice semble mettre
la France hors de la
guerre.

Charles de **GAULLE** (1890-1970). Issu d'une
famille de tendance maurrassienne, mais
lui-même constamment attaché à la République, il entra à Saint-Cyr. Grièvement
blessé, il fut fait prisonnier en 1916. A
partir de 1930, il développa des idées
originales en matière d'utilisation de la force
cuirassée. Soutenu par Paul Reynaud, il ne
parvient cependant pas à être entendu.
En juin 1940, il est général de brigade
et sous-secrétaire d'État. Il assure la
liaison avec le gouvernement de Londres
où il effectue de fréquents séjours. Il est
dans la capitale britannique lorsque le
16 juin intervient la démission de Reynaud.
Il revient le soir à Bordeaux d'où il repart
le 17 dans l'avion du général anglais Spears.

Philippe **PETAIN** (1856-1951). Après Saint-
Cyr (1878-1880), il entre à l'École de
guerre (1888), puis y professe des cours
d'infanterie de 1908 à 1910. Général de
brigade le 31 août 1914, se signale surtout
à Verdun en 1916, puis comme commandant des forces françaises sous l'autorité
interalliée de Foch (1918). Participe en 1925
à la pacification du Rif. Il est vice-président
du Conseil supérieur de la guerre, puis
inspecteur de la défense aérienne du territoire (1931-1934), ministre de la
Guerre dans le gouvernement Doumergue en
1934. Ambassadeur de France auprès de
Franco en 1939, vice-président du gouvernement Reynaud en mai 1940. Chef de
l'État français du 11 juillet 1940 au
mois d'août 1944, où il est emmené par les
Allemands à Siegmaringen. Il se constitue
prisonnier en avril 1945. Condamné à mort
le 14 août 1945, sa peine est commuée
en détention perpétuelle à l'Île d'Yeu, qu'il
quitte peu de jours avant sa mort.

La bataille d'Angleterre

l'autre (de la mer à la terre) rend fragile la plus puissante armée. Il convient de prévoir un support logistique d'une exceptionnelle puissance et l'Allemagne n'en disposait pas en juin 1940. La suprématie sur mer aurait supposé l'utilisation de la marine française, encore fallait-il de longs délais pour incorporer cette flotte à la Kriegsmarine et, en outre, il était exclu de l'engager dans un combat contre le Royaume-Uni aux côtés de l'ennemi d'hier. Restait la Luftwaffe. Son chef, Hermann Gœring, persuada Hitler qu'avec cette seule arme il était possible de battre le Royaume-Uni en quelques semaines. Le Führer se laissa convaincre. La bataille d'Angleterre fut une bataille du ciel.

– la Luftwaffe contre l'Angleterre

Le 15 août, un millier d'appareils allemands attaquèrent le Sud de l'Angleterre ; 180 furent abattus. Les moyens de la défense anglaise étaient importants : des faisceaux directionnels (système de signaux lumineux) égaraient les avions allemands (le radar était expérimenté) et des chasseurs remarquablement maniables, les *Spitfire*, prenaient l'air à tout moment et surclassaient les *Messerschmitt.*

Au milieu de septembre, 1 800 avions allemands avaient été abattus contre 800 anglais. Les combats se déroulant presque toujours au-dessus du sol britannique, les Anglais récupéraient une partie de leur matériel. En septembre-octobre, des raids de nuit furent organisés par les Allemands : Coventry (ville industrielle proche de Birmingham) fut écrasée sous les bombes entre le 7 septembre et le 2 novembre. Londres connut 57 nuits consécutives de bombardements : on y dénombra 14 000 tués et 20 000 blessés. Le résultat de ces attaques fut de renforcer la ténacité britannique tout en coûtant de plus en plus cher à l'Allemagne. La bataille d'Angleterre ne prit fin que progressivement : les raids se poursuivirent jusqu'en juin 1941, date à laquelle l'invasion de l'U. R. S. S. obligea l'Allemagne à relâcher son effort aérien. Le Royaume-Uni restait debout : c'était le premier échec de Hitler. Dans le même temps, le Canada mobilisait capitaux, produits bruts et bientôt forces humaines pour aider le Royaume-Uni. L'Afrique du Sud, la Nouvelle-Zélande et l'Australie faisaient de même. Tout le Commonwealth se dressait contre l'Allemagne.

LES INCERTITUDES DE L'HIVER 1940-1941

A l'automne de 1940, l'Allemagne est toujours en guerre. Les victoires remportées depuis septembre 1939 sont éclatantes, mais le conflit n'est pas terminé. Le Royaume-Uni, seul contre l'Axe, est plus que jamais décidé à poursuivre la lutte. Il s'agit pour Hitler de savoir comment en venir à bout. Le problème se pose, évidemment, en termes militaires mais aussi en termes diplomatiques.

Dans la mesure où le Royaume-Uni est à la tête d'un vaste empire colonial, la guerre risque de devenir mondiale car l'Allemagne doit envisager des attaques non seulement contre le territoire des Iles Britanniques, mais aussi contre ses possessions outre-mer. La « mondialisation » de la guerre dépend en grande partie de Hitler : jusqu'ici, il a toujours eu l'initiative, mais pour la première fois, il hésite. L'arrêt quasi général des opérations militaires pendant l'hiver 1940-1941 permet à l'activité diplomatique de s'amplifier.

Hilter multiplie les contacts. Sondages et entretiens ont pour but de préciser les possibilités d'étendre ou de limiter la guerre. C'est à partir de l'analyse qu'il fera des données de la situation internationale que Hitler prendra ses décisions en 1941. Deux grandes préoccupations dominent la situation internationale : la Méditerranée et la politique à l'Est. Hitler décide, en dernier ressort, mais il subit des pressions multiples : celles du parti nazi, de la Wehrmacht, de la Luftwaffe, de la Kriegsmarine, qui proposent des solutions contradictoires.

4 octobre 1940 : Hitler rencontre Mussolini au Brenner.
22 octobre 1940 : Hitler rencontre Laval à Montoire.
23 octobre 1940 : Hitler rencontre Franco à Hendaye.
24 octobre 1940 : Hitler rencontre Pétain à Montoire.
28 octobre 1940 : Hitler rencontre Mussolini à Florence.
Novembre 1940 : Molotov séjourne à Berlin.

LA MÉDITERRANÉE

La Marine souhaite que l'Allemagne porte la guerre en Méditerranée, par des opérations aéronavales et aéroportées destinées à détruire les forces britanniques de Gibraltar à Suez en passant par Malte : il faut frapper son Empire pour atteindre l'Angleterre. Si l'Aviation n'est pas hostile à de telles entreprises, en revanche, l'Armée n'y est guère favorable et le Parti est hésitant. En réalité, le gouvernement allemand n'a qu'une vision européenne du conflit. La technique de la *Blitzkrieg* est l'application militaire de conceptions politiques étroitement continentales, dans la mesure où elle n'est qu'une succession d'expéditions rapides pour prendre l'ennemi de vitesse. Une extension des opérations en Méditerranée modifierait sensiblement la conception allemande de la guerre. On pourrait ici parler d'un véritable tournant : cette stratégie nouvelle proposée par la Marine, et dans une moindre mesure par l'Aviation, semble pendant quelque temps devoir déboucher sur le plan politique.

L'affaire du Grand Mufti

En octobre 1940, le secrétaire du Grand Mufti de Jérusalem séjourne à Berlin et offre à Hitler le concours du nationalisme arabe contre les Anglais. Les bases de l'accord pourraient être une reconnaissance du droit des pays arabes à l'indépendance et à la constitution entre eux d'une fédération et le règlement du problème juif « dans l'intérêt national et racial suivant l'exemple germano-italien » ; en contrepartie, une grande liberté serait accordée aux Eglises chrétiennes. La révolte anti-anglaise devait partir d'Irak, les troupes françaises de Syrie armant les insurgés. De son ambassade d'Ankara, von Papen encourageait cette politique. Il se voyait déjà le chef d'orchestre d'un plan immense embrasant tout le Proche-Orient.

La Chancellerie du Reich était favorable à ces vues, mais il fallait consulter l'allié italien puisque le problème était largement méditerranéen. Or l'Italie, qui possédait des colonies peuplées d'Arabes et où des mouvements insurrectionnels s'étaient déjà manifestés (Senoussis en Libye), voyait avec défaveur un plan de soutien au nationalisme arabe. L'affaire n'eut donc pas de suite.

L'Espagne reste sur sa réserve

Cependant, la Méditerranée occidentale retint plus longtemps l'attention de Hitler. L'entrée en guerre de l'Espagne aurait été un avantage pour le Führer ; son entrevue de Hendaye avec Franco a pour but de mettre au point les avantages réciproques que les deux pays en retireraient. Franco réclamait une bonne partie du Maroc français, notamment l'Oranie. Hitler voulait une des îles Canaries et des bases militaires en Espagne. En outre, il entendait prendre des participations dans les mines de phosphate du Maroc. Franco était peu favorable à un tel arrangement et pourtant, depuis la visite de Serrano Suñer à Berlin, en septembre 1940, les points de vue allemand et espagnol étaient très proches et, lors de l'entrevue du Brenner, le 4 octobre, Mussolini avait considéré cette situation avec faveur.

Mais il fallait compter avec Vichy et éviter que l'armée française, stationnée en Afrique du Nord et placée sous les ordres de Weygand, n'entrât en dissidence : il convenait donc de ne point promettre une cession de l'Oranie à l'Espagne pour que l'empire colonial français ne basculât pas dans le camp gaulliste, comme l'avait déjà fait l'Afrique Equatoriale Française.

Vichy et l'Espagne présentaient, pendant l'automne et l'hiver 1940-1941, des demandes contradictoires dont la diplomatie allemande devait tenir compte ; d'où un certain immobilisme. Bientôt, en proie à une grave disette, l'Espagne se tourna vers les Américains qui lui accor- dèrent du ravitaillement, ce qui entraîna une attitude beaucoup plus réservée de Madrid à l'égard de Berlin. Hitler ne pouvant plus compter sur une aide militaire espagnole, sa politique en Méditerranée occiden- tale se trouva paralysée.

Les opérations engagées à cette époque sont de peu d'envergure : opération « Soleil » (envoi d'éléments blindés en Libye) ; opération « Violette des Alpes » (envoi de divisions de montagne en Albanie).

LA POLITIQUE ALLEMANDE ENVERS L'U.R.S.S.

Enfin la bonne entente germano-russe commence à se détériorer après la défaite française. Deux points de désaccord apparaissent : la Finlande et la Roumanie.

Avant de définir sa politique à l'Est, Hitler invite Molotov à Berlin en novembre 1940. L'Allemagne propose à l'U. R. S. S. un renouvellement de l'accord de 1939. En même temps, un nouveau partage d'influences est offert : le Proche-Orient et le golfe Persique à l'U. R. S. S. ; l'Europe continentale à l'Allemagne. Des négociations difficiles se déroulent les 12 et 13 novembre 1940 pendant que la R. A. F. bombarde Berlin (Churchill veut montrer à Molotov que la guerre continue). Molotov refuse le marché proposé par Hitler, car l'U. R. S. S. ne veut pas se désintéresser des Balkans, même en échange du Proche-Orient. Les négociations commerciales se poursuivent alors que les relations poli- tiques sont déjà en crise. En décembre 1940, Hitler décide de porter la guerre à l'Est. « La décision la plus importante de ma vie », écrira-t-il. C'est vrai.

Le plan de guerre à l'Est

Pour la première fois depuis longtemps, Hitler a perdu l'initiative. Depuis la fin de la campagne de France, la machine de guerre allemande est immobilisée ; l'Angleterre reste inflexible. L'offensive diplomatique n'a rien donné : Franco n'a pas bougé ; Pétain a renvoyé Laval le 13 décembre et s'est entouré d'hommes que l'ambassadeur allemand Otto Abetz considère comme germanophobes. L'U. R. S. S. a refusé un partage du monde. L'armée italienne piétine en Libye et en Albanie. Ce sont six mois perdus pour l'Allemagne. Le 18 décembre, Hitler dicte le plan « Barbarossa » : la Russie d'Europe doit être transformée en une vaste terre à blé au seul profit du Reich germanique. Le plan doit être exécuté au printemps. Mais des événements dans les Balkans viennent le retarder.

Le 29 octobre 1940, Mussolini, envieux des succès de Hitler, annonçait que l'Italie (déjà maîtresse de l'Albanie) entrait en guerre contre la Grèce. En septembre 1940, Ion Antonescu s'étant emparé du pouvoir en Roumanie, le roi Carol avait dû abdiquer, et l'influence allemande était devenue très forte à Bucarest, ce qui irritait Mussolini, car il souhaitait dominer l'Europe centrale. L'attaque contre la Grèce tourna au désastre : les troupes grecques bousculèrent les forces italiennes du général Visconti-Prasca dès novembre 1940. Badoglio, qui avait dénoncé l'absence de préparation de l'armée italienne, démissionna. Devant cet échec les Anglais reprennent courage et installent des bases en Grèce, mettant à la portée de l'aviation britannique les champs pétrolifères roumains convoités par les Allemands. **Les événements balkaniques**

Hitler était convaincu de la nécessité d'une intervention mais la préparation du plan Barbarossa l'absorbait. Il ne serait peut-être pas entré en lice si un soulèvement antiallemand n'avait éclaté à Belgrade, chassant le régent Paul, pro-nazi (27 mars 1941), et installant sur le trône le jeune roi Pierre II ainsi qu'un gouvernement présidé par le général Simovitch, très hostile à l'Axe.

La réplique allemande fut rapide. Elle se conjugua avec l'action envisagée contre la Grèce : 800 avions bombardèrent Belgrade. Les Panzers entrèrent en action et von Kleist submergea le pays avant même que la concentration des troupes yougoslaves ait été réalisée. Par Skopljé, la vallée du Vardar fut atteinte. Bientôt, Salonique était occupée (9 avril 1941). La Yougoslavie fut démembrée : la Slovénie, au Nord, rattachée au Reich, la Dalmatie et les îles attribuées à l'Italie, la Croatie et le Monténégro érigés en Etats indépendants pro-nazis. Seule la Serbie, vaincue et vassale de l'Axe, conservait un semblant d'autonomie. **La guerre éclair dans les Balkans**

La Grèce succomba presque aussi rapidement que la Yougoslavie. Les troupes de Papagos renforcées par les éléments britanniques tentèrent d'arrêter la progression allemande aux Thermopyles. Mais, avec l'appui de l'aviation, les troupes allemandes aéroportées occupèrent Le Pirée et Corinthe. Dans les pires conditions, les Anglais improvisèrent un nouveau Dunkerque. Le 27 avril, Athènes était aux mains des Allemands ainsi que de nombreuses îles de la mer Egée. En mai 1941, la Crète fut occupée par un raid audacieux des parachutistes allemands. C'était le point culminant de la campagne balkanique de Hitler.

L'affaire avait été conduite rapidement. Jamais les Anglais n'avaient été placés en aussi mauvaise posture. Cependant, le plan d'invasion de l'U. R. S. S. s'en était trouvé retardé.

En Afrique, la situation était défavorable aux forces de l'Axe. Contre les Italiens de Libye et d'Éthiopie, le général anglais Wawell, pourvu de quelques renforts, avait monté deux offensives : l'une contre la Cyrénaïque en janvier 1941 (prise de Tobrouk), l'autre contre l'Éthiopie en février, qui devait conduire à la libération du pays en mai 1941. Ainsi les Anglais avaient décidé en définitive d'opérer une contre-offensive en Libye, c'est-à-dire de concentrer leurs forces militaires en Afrique. Churchill, pour sa part, était partisan de privilégier la défense de la Grèce pour se maintenir coûte que coûte dans les Balkans. On sait que cet entêtement avait obligé les Britanniques à procéder à un embarquement précipité de leurs troupes, un peu comme à Dunkerque, devant la foudroyante percée des Allemands. Les succès en Libye étaient une maigre compensation à l'échec dans les Balkans.

Mais les forces de Wawell s'affaiblissaient au moment précis où les premiers éléments de l'*Afrika Korps* parvenaient en Cyrénaïque. Le général Erwin Rommel les commandait. Les attaques de Rommel obligèrent les Anglais à céder du terrain. Tobrouk fut repris par l'Axe. Seules les difficultés de ravitaillement en carburant empêchèrent Rommel d'atteindre le delta du Nil. La situation était d'autant plus alarmante pour les Anglais qu'une insurrection avait éclaté en Irak le 2 mai 1941 sous la direction de Rachid Ali. Mais entre les positions allemandes les plus avancées d'Égypte et d'Irak se trouvait la Syrie favorable à Vichy. C'était un relais nécessaire. Les Allemands exigèrent de Vichy un droit de passage et une série de postes de secours pour leurs avions (Protocoles de Paris). Pour éviter que la Syrie ne fût la tête de pont de l'Axe au Proche-Orient, les troupes anglo-gaullistes reprirent aux Vichystes le contrôle du pays, du 9 juin au 14 juillet 1941. Le Royaume-Uni put ainsi mettre un frein au danger insurrectionnel au Proche-Orient. Londres contrôlait à nouveau la situation.

C'était déjà le signe d'un affaiblissement de l'Axe dans cette partie du monde. En U. R. S. S. aussi, malgré des victoires retentissantes, la situation n'était pas aussi brillante que Hitler l'eût souhaité.

Erwin **ROMMEL** (1891-1944). D'origine modeste, il s'engagea dans l'armée et fit brillamment la guerre de 1914-1918. Après des études à Tubingen, il sympathisa avec le nazisme, fit partie des S.A. et réintégra l'armée en 1933. Commandant le quartier général du Fuhrer en 1939, commandant de l'*Afrika Korps* en 1941. Rappelé en Europe en 1942, il fut nommé commandant des armées dans le Nord-Ouest de la France. En raison de sa sympathie pour les conjurés du 20 juillet 1944, il dut se donner la mort. Ses carnets ont été publiés en 1953.

II LA VICTOIRE DES ALLIÉS

A la fin du mois de juin 1941, le théâtre des opérations s'élargit. Que l'U. R. S. S. soit désormais impliquée dans le conflit en change la nature. Par sa démographie, par son espace, par ses ressources, l'Union

Voir carte 22

Soviétique est un pays très différent des autres Etats européens. Surtout, la guerre-éclair risque d'être inefficace, dès lors qu'elle ne parvient pas en quelques semaines à éliminer l'adversaire. Or l'Armée rouge tient bon jusqu'à l'hiver 1941-1942. Désormais l'Allemagne est contrainte d'utiliser l'ensemble de ses moyens politiques, militaires, démographiques, économiques, pour continuer les combats. Lorsqu'en décembre 1941, les Etats-Unis sont entraînés à leur tour dans le conflit, la guerre devient décidément planétaire. En dehors de l'Amérique, il n'est pas de continent où ne retentissent les événements militaires.

La force militaire ne suffit plus pour triompher, la puissance économique devient indispensable : les Etats-Unis vont alors donner toute leur mesure. La forteresse nazie n'a, bien sûr, pas cédé d'un coup. Elle ne s'écroulera que dans les premiers mois de 1945. Mais dès 1941-42, la Guerre est trop ample pour l'Allemagne.

OFFENSIVE ET ÉCHEC ALLEMANDS EN RUSSIE

Les succès allemands

210 divisions allemandes renforcées par 10 divisions roumaines partirent le 22 juin 1941 à l'assaut d'un pays protégé par 175 divisions dont beaucoup avaient des effectifs inférieurs aux divisions allemandes. Pendant le premier mois, la progression des troupes allemandes fut spectaculaire. La *Blitzkrieg* semblait se jouer de l'espace russe. Au début d'août, le front passait par Narva (Estonie), Vitebsk, le Dniepr. Toutefois, l'Armée rouge n'était pas anéantie : elle avait été bousculée, les prisonniers russes étaient innombrables, mais elle existait encore.

A partir du mois d'août, les Allemands hésitent. Brauchitsch, qui commande les armées de terre, est partisan d'une attaque immédiate et puissante contre Moscou. Hitler estime qu'il ne faut pas se laisser obnubiler par la capitale. Il lui semble bien préférable de pousser aux extrémités du dispositif allemand, vers Léningrad d'une part, et en Ukraine d'autre part. La prise de Léningrad permettrait de tendre la main aux Finlandais (entrés en guerre contre la Russie le 20 juillet). La conquête de l'Ukraine assurerait un approvisionnement abondant et régulier de l'Allemagne en blé et en matières premières. Au moment où les Allemands relâchent légèrement leur emprise en raison de leur hésitation, les Russes durcissent leur résistance. Smolensk et Kiev constituent des points d'ancrage de l'Armée rouge, des verrous qu'il n'est pas facile de faire sauter. Les Allemands continuent à l'emporter, mais avec de plus en plus de peine. C'est en Ukraine et le long de la mer Noire que les progrès allemands sont les plus nets : von Rundstedt, qui commande le secteur, s'empare du bassin industriel du Donetz, von Manstein prend Odessa et progresse jusqu'en Crimée.

Au début d'octobre 1941, Hitler semble se rallier au point de vue de Brauchitsch. Il donne l'ordre à von Bock qui commande les armées du centre de rompre le front russe entre Orel et Briansk. Les Allemands enfoncent les lignes russes et constituent une poche au Nord des sources du Don. Début décembre, les Allemands butent sur le dispositif de défense de Moscou. Les armées de von Bock piétinent. L'hiver est arrivé et l'Etat-major allemand, qui comptait en avoir fini avec l'Armée rouge beaucoup plus vite, n'a rien prévu pour faire face au froid : les tenues des soldats sont légères, le matériel se dégrade, les liaisons avec l'arrière (ravitaillement) sont moins rapides.

La résistance russe

JOUKOV (né en 1896). Maréchal de l'armée soviétique. Vainqueur des Allemands à Stalingrad, il reçut leur capitulation à Berlin le 8 mai 1945. Ministre de la Défense nationale de 1953 à 1957.

Reprise de la guerre de mouvement

Le 6 décembre 1941, pour la première fois, une contre-offensive russe est lancée devant Moscou par Joukov et Timochenko. C'est le réveil de l'Armée rouge : les Allemands ne s'empareront pas de Moscou et subiront le même échec à Leningrad. La *Blitzkrieg* n'a pu vaincre l'espace et le froid.

Pendant l'hiver 1941-1942, les opérations militaires ne cessèrent jamais (siège de Sébastopol, violents combats devant Moscou). Cependant, Hitler prévoyait de reporter au printemps 1942 les batailles décisives. L'objectif de la deuxième campagne de Russie était le pétrole du Caucase. La grande offensive débuta le 25 juin. Cent divisions commandées par von Bock enfoncèrent le front russe dans la boucle du Donetz ; bientôt, un peu plus au Sud, Rostov sur le Don tombait. Les Allemands, au Sud du dispositif, foncèrent vers le Caucase par la steppe du Kouban, et le drapeau nazi fut hissé sur le point culminant du Caucase, le mont Elbrouz (5 641 m). Von Kleist, qui commandait cette partie des forces allemandes étirée jusqu'au Caucase, se plaignit bien vite des difficultés de ravitaillement. On dut faire appel à des caravanes de chameaux pour établir le contact entre lui et le gros des troupes restées sur le Don. Précisément, les Soviétiques concentraient des forces sur la Volga autour de Stalingrad. Au lieu de reporter vers le Nord son activité militaire et de ramener vers l'Ouest les troupes de von Kleist engagées trop loin vers l'Est (Caucase), Hitler voulut réduire le dispositif de Stalingrad. Il détacha du groupe d'armées qui tenait le Don la 6e armée de Paulus et l'envoya à Stalingrad ; le 21 août, elle pénétrait dans les faubourgs au Sud de la ville. Hitler ne se doutait pas qu'il allait engager ses forces dans l'une des plus grandes batailles de l'histoire.

Friedrich **PAULUS** (1890-1957). Il avait participé à la mise au point du plan contre l'U.R.S.S. Après sa capitulation à Stalingrad le 31 janvier 1943, il fut interné. En 1944, il adressa un appel au peuple allemand dans lequel il prenait violemment parti contre Hitler. Il fut transféré en 1945 en Allemagne orientale. Ses souvenirs sur Stalingrad ont été publiés en 1961.

Si l'on reporte sur une carte les mouvements des armées allemandes à la fin de l'été 1942, on constate qu'ils représentent les deux branches d'une gigantesque tenaille qui, par l'Egypte et par le Caucase (von Kleist) semblent vouloir se refermer sur le Proche-Orient. Il n'est pas impossible qu'on ait, à l'époque, envisagé de rejoindre en Iran et en Inde les forces japonaises également engagées dans un conflit contre les Etat-Unis, et qui se trouvaient alors aux portes de la Birmanie.

L'ENTRÉE EN GUERRE DES ÉTATS-UNIS

Depuis 1937, le Japon est engagé dans une guerre ouverte en Chine. Un gouvernement vassal a été formé à Nankin, mais Tchang Kaï-chek poursuit les combats depuis Tchoung King dans le haut Yang Tsé Kiang. Il reçoit des renforts en matériel et en armes depuis la Birmanie (route impériale de Mandalay achevée en 1940).

Les foudroyantes victoires de Hitler en 1939 et 1940 ont bouleversé le rapport des forces en Asie. Les puissances coloniales (France et Royaume-Uni) étaient depuis 1940 en position de grande faiblesse : l'Indochine et l'Insulinde n'étaient plus défendues, l'Inde était découverte, et seule la citadelle de Singapour représentait une place forte importante.

Le Japon ne pouvait rester indifférent devant une telle situation : le pétrole et le caoutchouc de l'Insulinde lui paraissaient indispensables et une possibilité s'offrait d'établir en Asie un vaste empire. Mais « se jeter vers les mers du Sud », c'était provoquer les Etats-Unis. Pendant un an et demi environ, la politique nippone va hésiter entre une attitude de prudence calculée et une volonté de résoudre les difficultés par la force. Le Mikado, Hiro Hito, les diplomates, les hommes d'affaires, certains officiers de marine sont enclins à la prudence, mais en revanche, l'armée est favorable à la guerre. De juillet 1940 à octobre 1941, la direction des affaires est assurée par le prince Konoye qui représente les « mous » : un rapprochement s'opère avec le Reich nazi (pacte tripartite du 27 septembre 1940) ; un accord de neutralité est signé avec les Russes le 13 avril 1941. Du 20 juin au 22 septembre 1940, les Japonais arrachent des concessions aux Français en Indochine (l'amiral Decoux cède des bases au Tonkin). C'était une véritable infiltration japonaise en Asie du Sud-Est en face de laquelle l'Amérique était peu pressée de réagir, son opinion publique ne mesurant pas la gravité du danger représenté par le Japon.

Roosevelt avait tenté en vain d'éclairer ses concitoyens sur la vraie nature des régimes nazi ou fasciste (discours de la Quarantaine en 1937). La campagne électorale de 1940 l'avait empêché de s'affirmer partisan d'une intervention américaine dans un conflit européen. Il avait proclamé que les « boys » ne seraient pas engagés. Brillamment réélu, Roosevelt s'efforça d'arrêter l'expansion japonaise dans le Sud-Est asiatique et de porter secours au Royaume-Uni dans sa lutte contre l'Axe. Le 11 mars 1941, le Congrès vote la loi *Prêt Bail*, véritable trait de génie du *Brain-Trust* de Roosevelt. Il était désormais possible au gouvernement des Etats-Unis de prêter du matériel de guerre à un pays, dont la défense lui paraissait nécessaire à la sécurité américaine. Ce matériel devait être ou restitué ou remboursé à la fin des hostilités, clause tout à fait platonique permettant d'éviter l'irritant problème des dettes de guerres interalliées. Roosevelt établit autour des Etats-Unis une zone de sécurité atlantique : des bases furent louées à Terre-Neuve, aux Bermudes, aux Bahamas, dans les Antilles et en Guyane britannique et en juillet 1941, une base américaine était même installée en Islande pour assurer la protection des convois. On a appelé, à bon droit, cette période la « phase de guerre non déclarée ». En août 1941, Roosevelt et Churchill se rencontrèrent au large de Terre-Neuve à bord du croiseur *Augusta* et jetèrent les bases d'une charte dite de l'Atlantique, qui énonçait les principes au nom desquels les « Nations-Unies »

Les buts du Japon

Fuminaro **KONOYE** (1891-1945). Membre de la délégation nippone à la Conférence de la paix en 1919. Premier ministre de 1937 à 1939, puis de 1940 à 1941. Considéré comme trop timoré par les militaires, il fut remplacé par le général Tojo. Il se donna la mort après la défaite de son pays.

La politique de Roosevelt

Le Royaume-Uni en guerre, « adossé » à la puissance économique américaine, pouvait-il tenir longtemps ? Oui, puisque l'Allemagne n'avait pu l'envahir en 1940 et s'était engagée en U.R.S.S. dans une lutte difficile au mois de juin 1941. Mais, alors, la fin la plus probable du conflit n'était-elle pas une paix de compromis entre les puissances totalitaires et leurs adversaires ? C'est bien ce qu'espérait un Pierre Laval.

entendaient poursuivre la lutte contre les dictatures. Les pays démocratiques formaient un camp économico-militaire où les États-Unis jouaient le rôle d'arsenal. La guerre, là encore, prenait une dimension et une signification nouvelles ; l'été 1941 fut décisif.

— Pearl Harbor (7 décembre 1941)

Les choses auraient pu en rester là s'il n'y avait pas eu la provocation japonaise de Pearl Harbor. Le dimanche 7 décembre 1941 (suivant l'heure américaine) ou le lundi 8 (selon l'heure de Tokyo), la flotte américaine stationnée aux îles Hawaï, dans le port de Pearl Harbor, fut attaquée à l'aube par une nuée d'avions japonais venus de bateaux de guerre placés sous les ordres de l'amiral Yamamoto. L'affaire avait été décidée par le général Tojo qui, le 18 octobre, avait remplacé le prince Konoye au gouvernement. Les Américains perdirent à Pearl Harbor 7 cuirassés, 86 bâtiments de moindre tonnage et 247 avions ; 4 500 marins et soldats furent tués ou blessés. Par miracle, 3 porte-avions s'échappèrent et purent rejoindre la Californie. Les Japonais étaient maîtres du Pacifique.

Contrairement à ce que croyaient les Japonais, l'opinion publique américaine, bien loin d'être abattue par l'événement, se mobilisa spontanément derrière son Président. L'effort militaire sera long à lancer, mais il finira par porter ses fruits et refoulera peu à peu les Japonais vers leur archipel. Pour l'heure, les Nippons l'emportaient partout et réalisaient, un peu à leur manière, une *Blitzkrieg* qui leur assurait un empire militaire et économique plus vaste encore que celui des Allemands.

LE NORD DE L'AFRIQUE PENDANT L'ANNÉE 1942
La Libye

Pendant ce temps, deux domaines étaient le théâtre d'événements militaires considérables : l'Afrique du Nord française (Maroc — Algérie — Tunisie) et la Libye (Tripolitaine et Cyrénaïque).

Pendant 18 mois (d'avril 1941 à octobre 1942), on assista à un ballet où alternèrent des succès germano-italiens et des succès anglais : d'avril à décembre 1941, Rommel fut en mauvaise posture, car son adversaire, le général Auchinleck, avait reçu des renforts du Caire. Tobrouk fut évacuée par les forces de l'Axe, mais Rommel reprit l'offensive le 19 janvier 1942 et rapidement, arriva aux portes de l'Égypte après avoir repris Tobrouk le 21 juin. Une colonne de Français libres sous les ordres de Kœnig avait retardé l'avance de Rommel, à Bir-Hakeim, et Montgomery put rassembler ses forces à El-Alamein. Rommel était cependant loin de ses bases de ravitaillement et, en outre, une partie importante des convois qui étaient destinés à l'*Afrika Korps* (33 pour cent) fut coulée par les Alliés. Malte, dont Rommel réclamait en vain qu'elle fût réduite, a joué un rôle de premier plan dans ces événements.

— la tactique anglaise à El-Alamein

Grâce à une supériorité enfin réalisée en chars, en camions et en armes, grâce aussi au moral qu'avait su leur forger le général Montgomery, les Anglais tinrent tête à l'*Afrika Korps* et au lieu de se laisser manœuvrer par les Allemands, les chars anglais se regroupèrent après la première attaque de Rommel et prirent les chars allemands sous leur feu. Les Anglais n'attendirent pas que Rommel se ressaisisse : le

3 novembre 1942, le front allemand était enfoncé. Les Allemands voulurent décrocher, mais un ordre exprès du Führer les en empêcha. Cependant, plutôt que de se faire écraser sur place, Rommel replia plusieurs de ses unités. Progressivement, ce fut l'ensemble du système de défense allemand qui dut se rabattre sur la ligne Mareth et le Sud tunisien (janvier 1943). Cependant, des forces alliées regroupées ou formées en Afrique du Nord française menaçaient de prendre à revers les forces de Rommel. Ce dernier ne pouvait l'ignorer puisqu'il avait appris à Solloum, le 8 novembre 1942, que des forces de débarquement américaines avaient pris pied au Maroc et en Algérie.

Dans la nuit du 7 au 8 novembre 1942 avait surgi en effet, en face des ports français du Maghreb, une puissante flotte constituée de 800 bâtiments, dont 350 de guerre. La *Western Task Force* se dirigea vers Casablanca, l'*Eastern Task Force* vers l'Oranie. Comment ces événements étaient-ils devenus possibles ?

Très tôt, les Alliés avaient pensé utiliser l'Afrique du Nord comme base de départ pour un assaut contre la forteresse Europe. S'y trouvaient 120 000 hommes placés de septembre 1940 au 17 novembre 1941 sous les ordres du général Weygand. On pouvait songer à utiliser cette force contre l'Axe, mais sollicité de « brandir l'étendard de la révolte », Weygand refusa. Les Américains s'étaient également préoccupés d'organiser une action contre l'Axe à partir de l'Afrique du Nord. Grâce à leurs agents consulaires animés par le colonel Murphy, des contacts furent pris avec des résistants français — non gaullistes —, le groupe des « Cinq », dirigé par l'industriel Lemaigre-Dubreuil qui avait des antennes jusqu'au commandement de la division d'Alger (général Mast) et qui était soutenu par le général Giraud, évadé d'Allemagne.

Le général Eisenhower, qui commandait la *Task Force*, hésita à passer à l'action, transformant en fiasco les actions convenues entre Murphy et les « Cinq ». Mais l'insurrection antivichyste intervint trop tôt. Le groupe des « Cinq » ne joua donc pas le rôle qu'on pouvait attendre de lui. En outre, le général Giraud ne put rejoindre Alger à temps alors que l'amiral Darlan, qui se trouvait précisément à Alger depuis le 5 novembre, joua très vite un rôle politique important. Il fallait que les Américains trouvent du côté français un interlocuteur susceptible d'arrêter les combats : on se battait en effet à Sidi Ferruch (près d'Alger) et, surtout, à Casablanca, où le général Noguès avait donné aux troupes françaises l'ordre de résister. Le 10 novembre, un cessez-le-feu intervenait.

Rendu furieux par ces événements, Hitler envahit la zone « libre », s'empara de Toulon où la flotte française se saborda pour ne pas tomber aux mains des Allemands. Des escadrilles de la Luftwaffe s'emparèrent des aéroports tunisiens et des blindés de la Wehrmacht furent débarqués. Malgré les ordres de non-résistance aux Allemands de l'amiral Esteva, qui commandait à Bizerte, des contingents français

MONTGOMERY (Bernard Law, vicomte Montgomery of El Alamein) né en 1887, vainqueur de Rommel, il commanda un groupe d'armées en Europe occidentale (1944-1945). Adjoint au commandant des forces atlantiques en Europe de 1951 à 1958.

L'Afrique du Nord française

Robert **MURPHY** (né en 1894). Nommé conseiller à l'ambassade américaine, à Paris (1939). Chargé d'affaires auprès du gouvernement de Vichy, il fut envoyé en mission à Alger. Après la guerre, il fut responsable de l'administration civile en Allemagne (1944-1949), puis occupa le poste d'ambassadeur à Tokyo (1952). En 1958, il dirigea la mission dite « des bons offices » entre la France et la Tunisie. Il a pris sa retraite en 1959.

Dwight D. **EISENHOWER** (1890-1969). Commandant en chef des forces alliées en Afrique du Nord française et en Europe occidentale. Commandant en chef des forces du pacte Atlantique en 1950. Président des États-Unis de 1952 à 1960 (républicain).

Henri **GIRAUD** (1879-1949). Se distingua au Maroc entre les deux guerres. Général d'armée en 1940, il fut fait prisonnier. Il s'évada en 1942, puis rejoignit l'Afrique du Nord française, où l'on voulut lui faire jouer un rôle politique ; il s'effaça en 1943 devant le général de Gaulle.

François **DARLAN** signa l'armistice avec les Américains après leur débarquement en Afrique du Nord. Son jeu politique est encore aujourd'hui difficile à saisir.

firent, pour l'honneur, le coup de feu contre les troupes allemandes. La situation était confuse à Alger. Elle s'éclaircit pourtant vers la fin de l'année 1942. Le 24 décembre 1942, Darlan disparaissait, assassiné par Bonnier de la Chapelle, extrémiste nationaliste mais sans doute manipulé par les milieux gaullistes.

L'autorité politique du côté français fut confiée par les Américains, au général Giraud, nationaliste, plus ou moins hostile à Vichy, mais peu enclin à suivre la « France Libre » de de Gaulle. Ce dernier arriva alors à Alger pour y constituer un Comité français de Libération nationale. Les Alliés tentèrent une réconciliation entre Giraud et de Gaulle (Conférence de Casablanca, 27 janvier 1943). La supériorité politique de Charles de Gaulle s'affirma rapidement ; Giraud fut éliminé des responsabilités politiques et finalement de Gaulle prit la tête d'un Gouvernement provisoire de la République française siégeant à Alger et admis par les Alliés. Les Américains n'étaient franchement pas enthousiastes : ils n'avaient jamais eu beaucoup de sympathie pour le général de Gaulle mais, réalistes, ils acceptaient le verdict des événements.

Il n'était plus possible pour l'Axe de résister en Afrique du Nord. Ayant regroupé leurs forces, aidés de l'armée française d'Afrique commandée par le général Juin, les Américains de Bradley (19e Corps) et les Anglais d'Anderson pénétrèrent à Tunis le 5 mai 1943. Les troupes italiennes et allemandes privées de Rommel, rappelé en Europe, firent retraite vers le cap Bon. C'est là que, le 13, elles se rendirent aux Alliés : 250 000 hommes furent faits prisonniers, soit deux fois plus qu'à Stalingrad où, quelques mois plus tôt, le Reich avait subi une grave défaite.

Le C.F.L.N. (Comité français de libération nationale) a été formé au printemps 1943 Le G.P.R.F. (Gouvernement provisoire de la République française) date du printemps 1944

STALINGRAD

Stalingrad, l'ancienne Tsaritsyne, aujourd'hui Volgograd, s'étend en bordure de la Volga, sur la rive droite du fleuve. Avec ses faubourgs elle formait un front de 30 kilomètres. C'était alors un centre industriel de 600 000 habitants. Le général Erémenko, chargé de la défense de la ville, n'avait pu réaliser que le quart du programme de protection prévu lorsque les Allemands investirent l'agglomération le 4 septembre 1942. Après un feu de mortiers, les Allemands engagèrent des combats de rues pour rejeter les Russes vers la Volga. 50 divisions allemandes étaient en lice, car le Reich considérait cette bataille comme décisive. La ville semblait pratiquement aux mains des Allemands, lorsque le 20 novembre, une contre-offensive soviétique aboutit à l'encerclement de 20 divisions allemandes, soit 200 000 hommes.

Rien n'était encore perdu pour Paulus, commandant les troupes encerclées. Il pouvait se dégager et combiner avec des renforts venus du Sud une contre-attaque décisive. Mais le Führer lui refusa l'autorisation de se dégager, c'est-à-dire de reculer. Il avait déjà annoncé la victoire allemande à Stalingrad, il fallait que cette victoire s'inscrivît dans la réalité des faits. En outre, Goering assura le Führer que la Lufwaffe parviendrait aisément à dégager Paulus et à le ravitailler. Pendant

Le monde en guerre

50 jours, la 6e armée allemande tint bon. Ce fut un vrai calvaire. Aucune des actions tentées par les autres généraux allemands ne réussit. En fin de compte, Paulus dut se rendre le 2 février 1943 : 24 généraux, 2 500 officiers, 100 000 soldats, 5 000 canons et 2 000 chars étaient capturés par les Soviétiques. Au dernier moment, Hitler accepta alors que von Kleist quitte la région du Don. Après que les Russes eurent pris Rostov, les soldats connurent un court répit. Désormais, les Allemands étaient sur la défensive.

Pendant toute cette période, on le voit, des événements militaires importants se sont déroulés dont la liste, à elle seule, suffit à montrer qu'il s'agit d'un tournant, d'un renversement de tendance, et non pas d'une phase malheureuse pour les armées de l'Axe. Dans certains pays, on envisage avec pessimisme l'avenir du Reich et de ses alliés. Au printemps de 1943, la lassitude de l'Italie est évidente : une tension existe entre les deux alliés et à la conférence de Salzbourg (7-10 avril 1943), où il rencontre Hitler, Mussolini tente de le persuader d'en finir avec la guerre à l'Est, un nouveau Brest-Litovsk lui paraissant indispensable. Dans l'entourage du Duce, certains songent à quitter le camp de l'Axe et à réorienter la politique de l'Italie : Grandi et Ciano sont de ceux-là, c'est pourquoi ils sont écartés du pouvoir. Le Duce doit également compter avec le roi Victor-Emmanuel III. Le pape Pie XII enfin déploie ses efforts pour arrêter la guerre.

Victor-Emmanuel voulait, depuis déjà quelque temps, se débarrasser de Mussolini ; mais pour trouver des hommes capables de mettre à exécution cette entreprise, il fallait un événement favorable. La conquête de la Sicile par les Alliés va être cette occasion. Dans la nuit du 9 au 10 juillet, les Anglo-Américains débarquèrent sur la côte de la Sicile. Dès le 12, les unités côtières italiennes capitulèrent. Malgré des renforts allemands, la situation tourna rapidement à l'avantage des Alliés.

Le 24 juillet, à Rome, Mussolini dut réunir l'instance suprême de l'Etat, le Grand Conseil fasciste. Pendant dix heures, une discussion dramatique opposa les « durs » et les « mous ». Finalement, le Duce, mis en minorité, fut arrêté et jeté en prison. Le maréchal Badoglio devint chef du gouvernement. Il se déclara prêt à poursuivre la guerre aux côtés de l'Allemagne. Mais le 8 septembre, un armistice fut signé en Sicile.

Poursuivant leur attaque en Italie où les troupes allemandes avaient pris position, les Américains débarquèrent à Reggio de Calabre, à Tarente et en Campanie ; mais ils manquèrent d'être rejetés à la mer et seule l'intervention de la marine permit aux unités de prendre pied sur le littoral de Sorrente et de Salerne. Après ces difficiles opérations, les Alliés rencontrèrent la ligne fortifiée *Gustav*, à 180 km au Sud de Rome, solidement appuyée sur le mont Cassin (2 200 m). Les troupes anglo-américaines de Clark et de Montgomery, renforcées par des éléments de l'armée française sous le commandement de Juin, eurent du

L'ÉLIMINATION DE L'ITALIE FASCISTE

Le renversement de la tendance :
4 juin 1942 : Victoire américaine à Midway dans le Pacifique.
août 1942 : Premiers raids américains sur l'Europe
octobre 1942 : Les constructions navales alliées surpassent les pertes.
4 novembre 1942 : Défaite de Rommel à El-Alamein.
8 novembre 1942 : Débarquement américain en Afrique du Nord.
2 février 1942 : Reddition de Paulus à Stalingrad.
12 mai 1943 : Capitulation des troupes italiennes et allemandes près de Tunis (cap Bon)

mal à franchir l'obstacle. Les parachutistes allemands, écrasés sous les bombes, résistaient pied à pied. Un débarquement opéré à Anzio sur les arrières de l'ennemi échoua complètement. Finalement, du 11 au 22 mai, le corps expéditionnaire français ouvrit une brèche et Rome fut libérée le 4 juin 1944.

Mais de Pise à Rimini, la péninsule se trouvait encore verrouillée par la *ligne Gothique.* Kesselring y avait ramené l'essentiel de ses forces. Cependant, au Nord de la péninsule, Mussolini, libéré par un raid audacieux des parachutistes allemands de Skorzeny, avait pris la tête de la République sociale de Salo (Milan-Turin). Mais partout sur les arrières des troupes allemandes et dans le territoire contrôlé par les fascistes, des partisans, dominés par les communistes, pertubaient les communications en multipliant les actes terroristes.

De longs préparatifs avaient retardé l'attaque frontale de la citadelle Europe. Finalement, l'opération de débarquement en France, baptisée *Overlord,* (6 juin) marque le triomphe de la stratégie américaine de concentration sur la stratégie anglaise de périphérie. L'opération est réussie et, en un temps record, la partie Nord de la France est libérée en 1944.

D'autre part, le 15 août, est intervenu, sur les côtes de Provence, un second débarquement, c'est l'opération *Anvil-Dragoon,* à laquelle participe la première armée française commandée par de Lattre de Tassigny. Les forces alliées sont placées sous les ordres du général américain Patch. Le 22 août, Toulon est libérée, le 23 c'est le tour de Marseille et le 3 septembre, Lyon est atteint. La jonction se fait, en septembre, avec les forces de Leclerc et de Patton. La France est presque entièrement libérée.

La « Résistance » a joué un rôle important dans la libération de presque tous les pays d'Europe. En France, l'action d'abord dispersée de mouvements tels que Libération, Combat, Franc-Tireur (zone Sud) ou Libération Nord (zone occupée) fut coordonnée, à partir de mai 1943, par le Conseil national de la Résistance constitué grâce à la tenacité de Jean Moulin. Trahi et arrêté par les Allemands, Moulin succomba peu après aux atrocités de la torture nazie.

Des portions entières de territoire furent libérées par les maquis (Périgord, Alpes) et s'il restait quelques poches à nettoyer (Lorient, Royan) et l'Alsace à récupérer, l'essentiel se trouvait accompli. Le gouvernement de Vichy s'était désintégré et le 20 août, Pétain et Laval furent transférés à Sigmaringen, en Allemagne.

Le Reich est, lui aussi, sérieusement atteint : le 20 juillet 1944, Hitler échappe de justesse à un attentat. Le comte von Stauffenberg, qui dirigeait l'action, et ses amis sont atrocement suppliciés. Tout un mouvement de résistance allemande antinazi se manifeste : la chute du Riech n'est plus qu'une question de temps ; la résistance peut se prolonger, mais à l'Est l'avance russe est telle qu'il n'est plus possible pour Hitler de reprendre l'initiative.

LA LIBÉRATION DE LA FRANCE

Voir carte 21

JEAN MOULIN (1899-1943). Préfet d'Eure-et-Loir en 1940. Sitôt la défaite consommée, il prend contact avec les premiers résistants (H. Frenay), puis gagne Londres. Le général de Gaulle lui confie la charge de coordonner les mouvements de Résistance. Sous le nom de Max il parvient à s'imposer comme le chef des réseaux clandestins.

Si Stalingrad a fortement ébranlé le moral des troupes allemandes, l'année 1943 n'est pas celle de l'échec de Hitler sur le front russe et l'encadrement des forces du Reich reste de qualité. Ces dernières doivent cependant tenir un front de 1 200 km ; aussi ne parviennent-elles pas à le garnir totalement et sont-elles réduites à un système de défense élastique avec le risque de se trouver en certains points en nombre inférieur à celui des Russes. Les effectifs de l'Armée rouge sont passés de 2 300 000 hommes en 1942 à 5 500 000 hommes en 1943, soit 327 divisions d'infanterie et 51 divisions blindées. Les Allemands leur opposent 200 divisions auxquelles s'ajoutent 10 divisions roumaines et 6 hongroises, soit au total 4 183 000 hommes.

La puissance de l'armement penche de plus en plus en faveur des soviétiques qui fabriquent 1 200 canons et 1 700 chars chaque mois. Les usines allemandes réparent mal le matériel faute de moyens à tel point que les chefs d'armées renoncent à expédier leurs chars en Allemagne pour réparation, comme l'exige le règlement militaire, et préfèrent les conserver sur place pour les « bricoler » à la hâte.

Au printemps 1943, les Russes forment dans la région de Koursk un saillant que les Allemands tentent en vain de résorber. En décembre, ils lancent une nouvelle offensive dans la région de Jitomir. Nouvel échec. Après cette dernière tentative, toutes les actions militaires de quelque envergure sont le fait de l'Armée rouge. Les Allemands désormais subissent la guerre. Hitler a des initiatives malheureuses : la 17e armée allemande est sacrifiée pour la défense absurde de la Crimée, Sébastopol est perdue en mai 1944, et l'intransigeance du Führer provoque des changements fréquents dans le commandement en Russie.

Il serait fastidieux de reprendre une à une les batailles qui se déroulent sur le front russe. Deux phases peuvent être distinguées dans les années 1943 et 1944. Jusqu'au printemps 1944, les Russes reprennent l'Ukraine, la Crimée, les pays baltes, la Biélorussie ; et Leningrad, après un siège de cent jours et des bombardements incessants, est enfin dégagée : l'héroïsme de ses résistants restera légendaire. Du printemps à l'automne 1944, l'Armée rouge qui pénètre dans les Balkans marque le pas en Pologne et l'offensive générale contre l'Allemagne ne reprendra qu'en 1945.

C'est au cours de la seconde phase que se produit le drame de la Pologne. Les causes de l'arrêt des troupes soviétiques devant Varsovie, alors que l'insurrection antiallemande avait éclaté dans la capitale, sont controversées. Certains historiens pensent que les Russes ont volontairement laissé le général Bor-Komorowski, commandant la résistance non communiste, déclencher l'insurrection à Varsovie, le 4 août 1944. Cela aurait, paraît-il, permis d'éliminer une force gênante pour la construction d'une Pologne socialiste après la guerre. Le 2 octobre, les résistants capitulent, après que les Allemands leur eurent reconnu le statut de combattants. 25 000 soldats et 200 000 civils ont été tués. L'Armée rouge ne reprendra sa marche que trois mois plus tard.

Un exemple du désordre nazi : le pays est le siège de multiples « féodalités » (armée, aviation, parti, Gestapo, services secrets, propagande, etc.) et la production industrielle relève de trois ou quatre centres de décisions souvent opposés. En outre, après 1942, le Führer veut s'occuper de tout, jusque dans les moindres détails

— l'affaire de la Pologne

Les Russes invoquent des raisons militaires (le maréchal Rokossovski fait état de la fatigue du matériel et de l'épuisement des troupes), ajoutant qu'il a prévenu Bor-Komorovski de son intention de faire se reposer ses troupes, affirmation niée par Bor-Komorowski. Staline, qui semble être à l'origine de l'arrêt de l'Armée rouge, recevait au même moment le chef du gouvernement polonais en exil à Londres, Mikolajczyk. Quant aux Anglo-Américains, ils n'ont guère déployé d'activité, alors qu'ils auraient pu utiliser des forteresses volantes pour ravitailler les insurgés. Il demeure certain que Staline voulait installer à Varsovie Bierut, qui lui était docile, et le Comité polonais de Libération nationale qui venait de se créer à Lublin.

– la libération des pays balkaniques·

Les pays balkaniques sont libérés l'un après l'autre dans des conditions fort diverses. La Roumanie avait beaucoup aidé les Allemands contre les Russes et près de 400 000 Roumains étaient prisonniers. Depuis longtemps, des hommes politiques de droite et du centre, antiallemands et anticommunistes, comme Maniu et Bratianu, appelaient les Anglo-Américains à l'aide pour occuper le pays avant l'Armée rouge. Le 23 août 1944, le roi Michel Ier fait arrêter le maréchal Antonescu (pro-nazi) et forme un ministère d'union nationale dont les communistes font partie. Le gouvernement donne l'ordre de déposer les armes et les Russes entrent à Bucarest le 28 août 1944. Les Allemands tenaient encore la Valachie et les gisements pétrolifères de Ploesti. Après quelques hésitations, les Russes finissent par accepter l'armistice (12 septembre). La Bessarabie et la Bukovine septentrionale sont réunies à la Russie.

Les principales résistances organisées des Balkans sont la yougoslave et la grecque. En Yougoslavie, Josip Broz (*alias* TITO) a su rassembler près de 300 000 combattants, immobilisant plusieurs dizaines de divisions allemandes.
En Grèce, le front populaire de libération avait mis sur pied une armée populaire (E.L.A.S.) qui contribua à rejeter les forces de l'Axe hors du pays. Les communistes, comme en Yougoslavie, y jouaient un rôle prépondérant.

Le 12 septembre 1944, l'Armée rouge pénètre dans Sofia, où elle est acclamée en libératrice, la Bulgarie n'étant pas en guerre contre l'U. R. S. S. Un gouvernement populaire est formé qui participe à la libération de la Yougoslavie. Le 6 septembre avait été réalisée la jonction entre l'Armée rouge et les « Partisans » de Tito. Ce dernier est alors un allié fidèle de Staline.

La Hongrie constitue, elle, un réel obstacle pour les Russes. Les *Croix fléchées* — membres de l'organisation pro-nazie dirigée par Szalasi — résistent dans Budapest pendant plusieurs semaines. Le 25 décembre 1944, Malinovski encercle la ville : il faudra 50 jours de combats de rues pour qu'elle tombe. Les Allemands qui aidaient les Hongrois nazis sacrifient 50 000 hommes à la défense de Budapest. A partir du moment où la plaine hongroise est libérée, l'Armée rouge peut pénétrer en Slovaquie.

A l'Ouest, les Anglo-Américains ont été retardés par la contre-offensive allemande des Ardennes. Préparée par von Rundstedt et déclenchée le 16 décembre 1944, dans le secteur de Bastogne, l'offensive échoue, dès que l'aviation peut bénéficier d'un ciel dégagé pour intervenir. Elle a duré dix jours. De leur côté, les Français (2e D. B. et 1re armée) ont libéré l'Alsace. Strasbourg est libérée par les Alliés, le 23 novembre.

En 1945, l'Allemagne proprement dite est envahie. Le 7 mars, les Américains de Hodges trouvent un pont intact sur le Rhin, à Remagen : le fleuve est franchi, le Palatinat et la Sarre sont occupés en mars. Du 7 mars au 1er avril 1945, les 1re et 9e armées américaines et la 2e armée britannique encerclent la Ruhr où se trouvent des forces allemandes considérables, qui capitulent le 18 avril. En avril, Eisenhower lance ses forces vers le centre de l'Allemagne. Il atteint Lübeck et Kiel au Nord, Salzbourg et Innsbruck au Sud, où l'on craint la constitution d'un réduit de défense nazie en Bavière. Sa jonction avec les troupes d'Alexander, venues de la plaine du Pô, se réalise en avril 1945. La rencontre des armées anglo-américaines et de l'Armée rouge a lieu à Torgau, sur l'Elbe. A l'Est, Koniev et Joukov ont enfoncé les dernières lignes de résistance allemandes. Au Sud, où Prague s'est révoltée le 5 mai et a été libérée le 9 par les Russes, l'Autriche est occupée, Vienne est prise.

– l'invasion de l'Allemagne

La chronologie serrée des événements montre à elle seule la pression alliée sur l'Allemagne et le caractère inéluctable de la victoire des Nations-Unies.

Reste le réduit de Berlin. Hitler ordonne à Jodl et à Keitel de dégager la capitale. Le Führer s'enferme dans son *Bunker* près de la chancellerie avec Bormann et Goebbels. Mais Ribbentrop, Himmler, Goering tentent de négocier avec les Alliés. Le 30 avril 1945, Berlin est écrasée, littéralement ensevelie sous les bombes : Hitler a fait constituer dans les rues des barrages où s'entassent les « volontaires » du *Volksturm* (des vieillards) et de la jeunesse hitlérienne. C'en est fini du Reich. La dernière émission de la radio nazie s'achève par la diffusion du *Crépuscule des Dieux* de Richard Wagner. L'hitlérisme voulait que sa chute fût apocalyptique. Hitler se suicide avec Eva Braun qu'il vient d'épouser. Goebbels en fait autant avec son épouse et leurs sept enfants.

– à Berlin

C'est alors que l'amiral Doenitz, « président du Reich » d'après un acte signé de Hitler, voulut négocier la reddition. Les Alliés imposèrent une capitulation sans condition le 7 mai à Reims (Jodl devant Eisenhower) et le 8 mai à Berlin (Keitel et Doenitz au quartier général de Joukov). La guerre en Europe avait pris fin.

– la capitulation de l'Allemagne

La paix allait poser encore plus de problèmes qu'au lendemain de la Grande Guerre de 1914-1918. De nombreuses conférences avaient eu lieu durant le conflit pour tenter de jeter les bases d'un monde nouveau. Par exemple, à Téhéran (fin 1943), on avait envisagé une nouvelle S. D. N., dont les grandes orientations furent fixées à la conférence de Dumbarton Oaks aux Etats-Unis (du 21 août au 7 octobre 1944). Restait aussi le délicat problème du statut politique des Etats européens (surtout en Europe centrale).

– les conférences interalliées

Retenu aux Etats-Unis par la campagne électorale qui devait lui permettre d'entamer un quatrième mandat, Roosevelt accepta que Churchill se rendît à Moscou auprès de Staline pour discuter de ce problème. Une conversation d'un rare cynisme s'engagea entre les deux hommes d'Etat. Prenant une carte qui se trouvait sur le bureau de Staline, Churchill griffonna des pourcentages d'influence pour un certain nombre de pays européens (18 octobre 1944) : 90 pour cent d'influence russe en Roumanie, 90 pour cent d'influence britannique en Grèce, 50 pour cent pour chaque influence en Yougoslavie. Mais il restait le problème polonais, et d'autre part, la Grèce n'était pas désireuse de subir l'influence occidentale alors que l'essentiel de sa Résistance avait été contrôlée par le parti communiste grec.

Pour régler ces questions et apaiser la tension entre Alliés à un moment où le conflit n'était pas terminé, Roosevelt proposa la réunion d'une Conférence des Trois Grands : Staline, Churchill, Roosevelt. La conférence se tint à Yalta du 4 au 11 février 1945. La frontière orientale de la Pologne fut reportée à la ligne Curzon, sans que cette concession territoriale permît à la Pologne d'échapper à l'emprise communiste ; la Grèce était maintenue dans l'orbite occidentale. Malgré tout, sur un grand nombre de points Staline l'emportait. Churchill voulait jouer le rôle de défenseur de l'Occident libéral contre le communisme soviétique, mais Roosevelt, qui désirait apparaître comme un arbitre, refusa de défendre « l'impérialisme britannique » plutôt que le « communisme international ». L'ensemble des questions soulevées à Yalta constituait déjà des problèmes de l'après-guerre. Leur étude échappe à l'histoire du conflit proprement dit.

La conférence de Yalta n'a pas été un véritable partage du monde, comme on a cherché à en accréditer l'idée après la guerre.

III LA GUERRE DANS LE PACIFIQUE

AVANT LA BATAILLE DE MIDWAY (juin 1942)
L'Empire japonais

De décembre 1941 à avril 1942, le Japon a conquis un empire immense. Il comprend la Mandchourie, l'Est de la Chine, Formose, la Malaisie, une grande partie de la Birmanie, l'Insulinde, la plupart des archipels d'Océanie, des Aléoutiennes à la Nouvelle-Guinée. La protection de cet ensemble repose sur la marine de guerre et sur la marine marchande. Les routes maritimes sont longues, difficiles à surveiller. L'empire n'est pas à la mesure de la puissance japonaise.

— similitude entre la situation du Japon et celle de l'Allemagne

Comme Hitler au lendemain de la campagne de France, le général Tojo hésite entre une stratégie « passive » (attendre l'ennemi de pied ferme et exploiter au mieux l'empire conquis) et une stratégie « active » (offensive pour écraser le reste des forces américaines).

Un événement d'une portée psychologique considérable vint rappeler aux Japonais que l'aviation américaine demeurait puissante : le 18 avril 1942, les B 17 (forteresses volantes) allèrent bombarder Tokyo. Comme aucune base américaine ne se trouvait à proximité, pour les Japonais ce raid fut mystérieux. En réalité, les B 17 avaient décollé d'un porte-avions qui s'était avancé jusqu'à 800 milles (1 400 km) des côtes. Les aviateurs ne pouvant regagner le porte-avions durent atterrir en Chine ou à Formose, ou bien furent capturés au Japon même.

Voir carte 23

Un nouveau bond en avant apparaissait nécessaire aux Japonais. Deux axes de progression étaient possibles :
— Vers l'Inde, l'océan Indien, Madagascar. Les Anglais s'attendaient à une attaque japonaise dans cette direction, mais les Japonais n'eurent pas les moyens d'exploiter l'effervescence antibritannique en Inde.

— Vers l'Australie, par la Nouvelle-Guinée où, les Japonais tenant déjà Fort Moresby, le gouvernement australien n'aurait rien pu faire.

Il fallait compter cependant avec la puissance navale des Américains qui, du 5 au 8 mai 1942, engagèrent dans la mer de Corail deux porte-avions qui résistèrent à trois unités japonaises. A la faveur d'une formation nuageuse et d'une dépression observée par la météo de la Marine, les Américains surprirent les Japonais. Pour la première fois, les conditions atmosphériques étaient utilisées comme arme de guerre. Le général MacArthur, replié en Australie, parvenait à préserver les lignes maritimes entre Sydney et les États-Unis. Il fallait donc que les Japonais détruisent la force navale américaine. Les amiraux japonais choisirent l'île Midway pour anéantir la flotte ennemie. L'amiral Yamamoto ayant imaginé d'y attirer les forces navales américaines pour en finir avec elles, les Japonais croyaient que la bataille se déroulerait entre cuirassés ; mais la tactique avait évolué et ce furent les porte-avions qui jouèrent le rôle décisif. Yamamoto détacha vers les îles Aléoutiennes une patrouille destinée à faire diversion. L'amiral américain Nimitz, qui commandait en chef dans le Pacifique, connaissait le plan de Yamamoto, car les services de renseignements américains possédaient le code japonais. Il attaqua le premier et détruisit quatre porte-avions japonais. La tactique de Yamamoto ne pouvait plus avoir d'effet puisque les 300 avions qui auraient dû pilonner Midway n'existaient plus : complètement à découvert, l'amiral japonais se replia.

La bataille de Midway (5 et 6 juin 1942) marque le grand tournant de la guerre. Désormais les Japonais ne sont plus assurés de l'emporter sur mer. C'est aussi la fin de l'ère des cuirassés. Ceux-ci sont détrônés par les porte-avions.

Jusqu'en 1943, les Américains firent encore « une guerre de fauchés » selon l'expression de MacArthur. Malgré cela, une campagne menée en Nouvelle-Guinée permit en six mois de libérer la Papouasie. Les méthodes américaines commençaient à porter leurs fruits tant sur le plan de l'hygiène (D. D. T., nylon) que sur le plan logistique (acheminement, sur le terrain des opérations, des renforts et du ravitaillement). Au même moment, dans l'archipel des Salomon, la garnison de Guadalcanal résistait victorieusement aux assauts japonais. Le 7 février 1943, Tokyo reconnaissait l'évacuation de l'archipel. Les convois japonais — indispensables à la vie de l'immense empire — étaient harcelés par les sous-marins américains. Les Nippons perdirent, à partir de décembre 1942, un million de tonneaux par mois, chiffre deux fois supérieur à la capacité de leurs chantiers navals.

Les Américains, eux, produisaient un porte-avions par mois (contre un porte-avions par trimestre pour les Nippons) et quatre fois plus d'avions que leurs adversaires.

Les Japonais n'avaient pas encore su tirer parti, en 1943, des mouvements nationalistes indigènes violemment hostiles aux puissances

LA BATAILLE DE MIDWAY
Voir carte 25

Douglas **MacARTHUR** (1880-1964). De caractère violent, il fut un chef d'une étonnante énergie. En 1945, il accepta d'être le réorganisateur du Japon. En 1950, au cours de la guerre de Corée, il proposa à Truman l'emploi de l'arme atomique contre la Chine populaire. Il bénéficia toujours d'une très grande popularité aux États-Unis.

Midway, tournant stratégique et technique

Le Nylon, découvert en 1938, tire son nom de l'expression : « Now you loose old Nippons », ce qui signifie : « Maintenant vous perdez, vieux Nippons » (allusion à la guerre des textiles entre le Japon et les États-Unis).

— *déséquilibre dans la production entre le Japon et les États-Unis*

La résistance aux Nippons

occidentales (Royaume-Uni et France). Ils avaient beau parler de « sphère de co-prospérité » à l'intérieur de laquelle les peuples indigènes seraient émancipés, en réalité de nombreux mouvements de résistance se dressèrent contre les autorités japonaises. Ainsi aux Philippines, les *Huks*, groupes de résistance animés par les communistes, organisaient des opérations de sabotage ou des attentats individuels. En Indochine française, le Front de l'Indépendance vietnamienne (ou Viet-Minh) s'organisait. De son côté, Tchang Kaï-chek, ravitaillé depuis l'Annam par le *Hump* ou « pont aérien », était autant préoccupé de surveiller les guérilleros de Mao Tse-toung et de Chou En-lai réfugiés au Nord de la Chine, dans le Chen Si, que de combattre les Japonais. En février 1942, Roosevelt avait cependant envoyé auprès de Tchang le général Stilwell qui avait réorganisé l'armée chinoise. Lorsque, en juillet 1943, Lord Mountbatten fut nommé commandant en chef du théâtre d'opérations de l'Asie du Sud-Est, Tchang ne put constituer, à son grand regret, la pièce maîtresse du dispositif d'attaque contre l'empire japonais.

Voir carte 24

LA RECONQUÊTE DE 1944
Le plan américain

Deux axes d'offensives :
– *la Birmanie*
– *les Mariannes*

Deux stratégies :
– *celle de la Marine*
– *celle de l'Armée*

William **NIMITZ** (1885-1966). Commandant en chef des forces navales du Pacifique jusqu'en 1945.

L'offensive générale dans le Pacifique fut décidée au Caire entre Roosevelt et Churchill le 25 novembre 1943. Plutôt que d'attaquer en Indonésie, comme le réclamaient les Anglais, les Américains portèrent leur effort d'une part en Birmanie, où la campagne de l'été 1944 devait permettre de reprendre la région de l'Irraouaddi, et d'autre part dans le Pacifique, où l'archipel des Mariannes et celui des Philippines allaient être libérés.

Deux stratégies étaient possibles entre lesquelles Roosevelt devait choisir. Celle du général MacArthur consistait à forcer le verrou de Nouvelle-Guinée pour remonter ensuite, d'île en île, jusqu'à l'Indonésie et au Japon ; l'essentiel de l'activité militaire reviendrait, dans ce cas, à l'armée de terre, la marine ne servant que de couverture. Au contraire, la tactique de l'amiral Nimitz consistait à utiliser surtout les forces aéro-navales : le premier objectif était les Marshall, puis venaient les Mariannes, ce plan devant assurer aux Etats-Unis la maîtrise des mers et permettre, en attaquant Hondo, de porter un coup décisif au cœur même du Japon. Roosevelt finit par se rallier à la thèse de l'amiral Nimitz.

Les conquêtes

Les forces aéro-navales parties de l'archipel des Gilbert en novembre 1943 franchirent plus de 3 000 km dans les six premiers mois de 1944 en direction du Nord-Nord-Ouest. Après avoir détruit la base centrale japonaise de Truk, les Américains s'emparèrent de Guam, au cœur des Mariannes, puis de Saïpan, où de furieux combats s'engagèrent sur moins de 200 km^2 entre la garnison japonaise forte de 20 000 hommes et les 300 000 soldats et *marines* américains. 16 porte-avions et 2 000 avions avaient été mobilisés pour cette circonstance. Les nouveaux chasseurs américains — les *Hell Cats*, « chats de l'enfer » — s'étaient révélés d'une grande efficacité à Saïpan. A partir des

Les *Marines* sont un corps d'élite de l'armée américaine.

Le monde en guerre

Mariannes conquises, des raids sur Hondo pouvaient s'effectuer fréquemment.

De son côté, MacArthur avait la possibilité de reprendre les Philippines aux Japonais. A partir de la Nouvelle-Guinée, ses troupes avaient effectué des « sauts » d'île en île, appliquant la tactique dite du « saut de mouton ». Les îles étaient abordées avec un matériel impressionnant. Un débarquement permettait de nettoyer le rivage et d'installer un aérodrome et un port. Mais des nids de résistance japonaise subsistaient à l'intérieur. Dans ce cas, lorsque l'île était suffisamment aménagée par les *construction battalions* (en abrégé C. B., ce qui donne le jeu de mots anglais : *sea-bees*, abeilles de mer), les combattants passaient à une autre île et ainsi de suite.

Voir cartes 26 et 27

Deux axes se rejoignaient aux Philippines : celui emprunté par Nimitz et celui que traçait l'avance de MacArthur. Du 20 au 27 octobre 1944, devant l'îlot de Leyte dans les Philippines, les meilleurs éléments de la flotte japonaise furent mis hors de combat. Malgré cela, il fallut une bataille navale de quatre jours entre Mindanao et Luçon pour que les Américains l'emportent. Bientôt, les forces de MacArthur s'emparèrent de l'Indonésie. Les relations avec la Chine furent rétablies.

LA FIN DES HOSTILITÉS

Le 1er novembre 1944, Tokyo subissait un raid aérien très dur, le premier d'une longue série qui devait se poursuivre jusqu'à la fin de l'été 1945. Malgré cela, les Japonais s'accrochaient désespérément au moindre îlot. Pour reprendre Iwoshima, un îlot de 21 km^2, il fallut 20 000 *marines.* Pour s'emparer d'Okinawa (archipel des Riou-Kiou), 82 jours et 82 nuits de combats furent nécessaires. On dénombra 7 000 morts et 30 000 blessés du côté américain. Les Japonais perdirent 100 000 hommes. La forteresse nippone était défendue par 3 millions de soldats. Des réduits de résistance subsistaient un peu partout. Le gouvernement américain obtint finalement l'entrée en guerre de l'U. R. S. S. contre le Japon le 9 août 1945, mais c'était insuffisant pour remporter la victoire totale.

C'est pourquoi Truman, successeur de Roosevelt, décédé le 12 avril 1945, décida d'utiliser une arme nouvelle récemment expérimentée dans l'Ouest des Etats-Unis, à Los Alamos, et mise au point au Centre de recherches de Berkeley, la bombe atomique. Le 6 août 1945, une bombe de ce type était lancée sur la ville japonaise d'Hiroshima, faisant 80 000 victimes environ (chiffre qu'il faut multiplier par deux pour tenir compte des morts ultérieures provoquées par les radiations). Le 9 août, une seconde bombe détruisait Nagasaki. Devant l'horreur de ces destructions, le Mikado prit sur lui de demander l'armistice (14 août). De nombreux chefs militaires se suicidèrent pour échapper à l'humiliation de la défaite, mais le peuple nippon, dans son ensemble, était soulagé. Le 2 septembre 1945, à bord du cuirassé américain *Missouri*, ancré dans la baie de Tokyo, l'armistice était signé entre les Alliés et le Japon.

IV BILAN DE LA GUERRE

LES PERTES

Pour l'ensemble du conflit 1939-1945 tant en Europe qu'en Asie, la liste des pertes en hommes est impressionnante : 55 millions de victimes, 35 millions de blessés, 3 millions de disparus. Parmi les victimes : 1,5 million de personnes ont été tuées par bombardement aérien, 5 millions de juifs ont été mis à mort dans les camps de concentration ; 30 millions de civils ont été tués (souvent des résistants) : 7 millions de Russes ; — 5,4 millions de Chinois ; — 4,2 millions de Polonais ; — 3,8 millions d'Allemands.

Sur le plan strictement militaire, les pertes ont été lourdes également : 13,6 millions de soldats dans les rangs de l'Armée rouge ; plus de 3 millions de soldats allemands — 6,4 millions de soldats chinois ; — 1,5 million de soldats japonais ; — 300 000 soldats américains ; — 326 000 soldats britanniques.

Des sommes colossales ont été par ailleurs englouties dans la guerre ; on a calculé qu'elle avait coûté 1 500 milliards de dollars américains.

Les dépenses de guerre pour chaque État
(en pourcentage du total) :

États-Unis	21
Royaume-Uni	20
Allemagne	18
Russie	13
Japon	4

Au-delà de cette liste des morts et de l'argent dépensé, deux faits dominent les événements de 1939 à 1945 : l'horreur du nazisme et de ses moyens de destruction ; la puissance économique et l'effort de guerre des États-Unis.

L'univers concentrationnaire

Voir carte 28

L'univers concentrationnaire a sévi à travers toute l'Europe. Depuis Maïdanek près de Lublin à l'Est jusqu'au Struthof en Alsace, de Neuengamme près de Hambourg à Dachau près de Munich, il y eut des centaines de camps d'extermination : le plus grand nombre était situé en Saxe et dans le Mecklembourg ; mais le plus sinistrement célèbre se trouvait à Auschwitz, en Pologne.

Jusqu'en 1942, les camps ne contiennent pas plus de 50 000 détenus, mais à partir de la décision prise par les chefs nazis d'exterminer totalement les juifs (« solution finale »), les camps deviennent des villes pénitentiaires de 100 000 habitants. Des usines sont associées à ces camps et beaucoup d'entreprises allemandes sont intéressées par l'utilisation de cette main-d'œuvre servile. D'autre part, à partir de 1942-1943, la main-d'œuvre dont l'Allemagne avait un pressant besoin, fut prélevée dans les pays occupés. Ainsi les Français furent requis par le S. T. O. (service de travail obligatoire) à partir de février 1943. Son organisateur, Sauckel, avait promis le retour d'un prisonnier pour trois travailleurs « volontaires ».

L'organisation de l'Europe nazie accordait des statuts distincts aux différents pays :
Les pays alliés : Italie, Hongrie, Roumanie, Bulgarie.
Les pays soumis non occupés : la France du Sud jusqu'en novembre 1942.
Les pays gouvernés par des séides du Reich : Norvège (Quisling), Croatie (Pavelić), Slovaquie (Tiso)..
Les pays occupés : France du Nord, puis toute la France après novembre 1942, Belgique, Pays-Bas, Danemark, Pologne, Ostland (Russie d'Europe), protectorat de Bohême-Moravie, Yougoslavie, Grèce.

Dans les camps, des méthodes « scientifiques » sont utilisées pour tuer : le fameux *Zyklon B* (gaz mortel), préparé par la firme *I. G. Farben*, tue chaque jour à Auschwitz 12 000 condamnés. Ces camps relèvent, depuis 1936 (car leur première utilisation s'est faite contre les Allemands eux-mêmes), du Reichsführer S. S. Himmler. Ses adjoints sont Heydrich et Pohl et ce sont des S. S. qui encadrent les détenus. On doit se tenir à une distance de sept pas pour s'adresser à eux. Le matin, dans chaque camp, l'appel dure parfois plusieurs heures. La moindre incartade est sanctionnée par des châtiments corporels. Lorsqu'un détenu est condamné à la pendaison publique, un cortège est formé avec orchestre pour accompagner le supplicié à la potence. Tout dénote une volonté d'humiliation des personnes et de destruction non seulement physique mais morale des individus : chaque détenu fait partie d'un bloc dirigé par un *Kapo* qui est un ancien prisonnier de droit commun auquel est concédé un régime privilégié pour qu'il soit plus servile à l'égard des autorités et odieux avec les détenus. Pour se jouer de ces « mannequins nus » — selon l'expression d'Edmond Michelet —, les S. S. ont imaginé d'innombrables moyens dont beaucoup étaient d'une perversité extrême.

En dépit de ces conditions, des structures sociales clandestines s'organisent avec tracts et journaux, réunions politiques, services de secours aux plus déshérités, chaîne de renseignements, dispensaires où les soins prodigués retardaient le transfert vers la chambre à gaz ou les « laboratoires » d'expériences médicales.

Le rôle des États-Unis

Les Etats-Unis furent les grands dispensateurs des forces économiques et militaires des Nations Unies.

Une série de décisions militaires, politiques et économiques a permis que leur aide soit efficace. Pour coordonner les opérations militaires, un *Combined Chiefs of Staff* fut créé à Washington. Des objectifs de production furent fixés pour remédier à l'absence de plan cohérent de réarmement, et l'organisation de la production fut confiée au « Conseil des ressources de guerre ».

Dès 1940, Roosevelt avait cherché à intéresser le secteur privé à l'effort de guerre qui, tôt ou tard, serait nécessaire. L. Knudsen, le président de la General Motors et un responsable syndicaliste, Sydney Hillman, furent convoqués à la Maison-Blanche. Pour bien montrer que l'État s'occupait de cette affaire, Roosevelt répondit à la question de Knudsen *Who's the boss ?* — *I am !* (« Qui est le patron ? » — « C'est moi ! »).

Le point capital était le choix des priorités. Qui recevrait l'acier, l'équipement électrique ? Quelles usines seraient les premières construites ? L'administration créa des « agences spéciales » : O. P. M. (*Office of Production Management*), O. P. A. (*Office of Price Administration*). James F. Byrnes devint secrétaire du Président pour tous les problèmes de production de guerre.

La construction de matériel de guerre fit des progrès spectaculaires : les *Landing crafts* (flottilles de débarquement), les cargos étaient produits en quantité industrielle. Le transporteur de troupes *Liberty Ship tanker* (L. S. T.) se prêtait remarquablement à la production de masse : le constructeur Henry Kayser en produisait un en 14 jours. Le gaspillage fut limité par un comité du Sénat qui fit son métier avec beaucoup de soin. Harry Truman, vice-président des Etats-Unis, qui présidait ce comité, y acquit une réputation d'homme intègre.

Les prix furent contenus, les profits limités, la production maximum assurée. L'ensemble des décisions prises porta le titre de *Victory Programm* et il est exact qu'il permit la victoire.

V POUR APPROFONDIR CE CHAPITRE

Les ouvrages de H. MICHEL constituent sur la guerre une somme de grande qualité et font autorité : *La Seconde Guerre mondiale*, coll. «Peuples et Civilisations», P.U.F., 2 vol., 1968 et 1969, 506 et 540 p. (C'est le meilleur manuel pour suivre l'ensemble des évènements); *Histoire de la Résistance française*, P.U.F., coll. «Que sais-je?», 5e éd., 1970, 128 p. ; *Les mouvements clandestins en Europe*, P.U.F., coll. «Que sais-je?», 5e éd., 1965, 128 p. ; *Histoire de la France libre*, P.U.F., coll. «Que sais-je?», 2e éd., 1967, 128 p. ; *La drôle de guerre*, Hachette, 1971, 320 p.; *Vichy, année 40,* R. Laffont, 1966, 463 p. et, à Bruxelles, édition Complexe, coll. « Mémoire du Siècle », n° 2, 1980 : *1939, La Deuxième guerre mondiale commence* et n° 6, 1980 : *1944. La Libération de Paris.* Dans la même collection, voir aussi le n° 4, 1980, de F. KUPFERMAN : *1944-1945. Le procès de Vichy : Pucheu, Pétain, Laval.*

D'autres ouvrages sont également fondamentaux : R.O. PAXTON, *La France de Vichy*, Ed. du Seuil, 1973, 375 p. ; la collection des monographies régionales *Libération de la France*, publiée chez Hachette ; A. LATREILLE : *La Seconde Guerre mondiale*, Hachette, 1966 : intéressant parce qu'il consacre de longs paragraphes à l'explication des faits, 364 p. ; — G. WRIGHT *: L'Europe en guerre*, A. Colin, collection «U», 1971 ; traduction du célèbre ouvrage américain publié en 1968, *260 p.; bibliographie sélective et raisonnée d'un grand intérêt.*

Il convient de se reporter le plus souvent possible aux documents : *Les Archives secrètes de la Wilhelmstrasse*, Plon, 11 volumes parus depuis 1950 ; — *La Vie de la France sous l'occupation*, Stanford, 1957, 3 volumes (archives de la famille de Pierre Laval).

Voir également : E. JAECKEL : *La France dans l'Europe de Hitler*, Fayard, 1966, 554 p. et un auteur original qui prend le contrepied des thèses habituelles sur le déclenchement de la guerre : A.J.P. TAYLOR : *Origins of the second world war*, Londres, 1961, 296 p.

Pour toute question intéressant la guerre du Pacifique : R. de BELOT : *La Guerre aéronavale dans le Pacifique*, Payot, 1947.

Ne pas négliger les publications périodiques, nombreuses depuis quelques années, éditées par Tallandier parues sous le titre : *La dernière guerre : Histoire controversée de la Seconde Guerre mondiale.*

L'auteur d'une récente thèse sur le *Système concentrationnaire nazi*, Mme O. WORMSER-MIGOT, a estimé que « le terme *chambre à gaz* commence à être l'un des leit-motive de la chanson de geste de la déportation pour les Juifs — avec raison —, pour les non-Juifs au nom d'un processus fort complexe au sein duquel le psychologue et le psychanalyste devraient étayer les conclusions de l'historien ». Elle affirme même : « Il n'y avait pas de chambre à gaz dans les camps de l'Ouest ». De multiples articles et livres, suscités ou non par ce travail et émanant d'anciens déportés, s'inscrivent en faux contre cette position et semblent emporter l'adhésion. Cf. G. TILLION, *Ravensbrück*, Paris, Ed. du Seuil, 1973, 284 p.

INDEX

INDEX DES NOMS DE PERSONNES

Les chiffres en italique renvoient à une biographie plus détaillée.

INDEX THÉMATIQUE

Nous avons regroupé ci-dessous en quatre grandes rubriques les mots et idées-forces qui apparaissent dans le texte. Le lecteur pourra ainsi opérer d'un coup d'œil les rapprochements nécessaires.

ÉCONOMIE

TABLE DES MATIÈRES

Imprimé en France — IMPRIMERIE HÉRISSEY, ÉVREUX (Eure) - N° 29311
Dépôt légal : N° 4375-1-1982 — Collection N° 20 - Édition N° 03

1 L'Europe en guerre (1914–1918)

Triple-Alliance
et ses alliés
États neutres

Triple-Entente
et ses alliés
États neutres au début du conflit

Italie membre de la Triple-Alliance en 1912, neutre au début du conflit, puis alliée de la Triple-Entente en 1915

1914 Date d'entrée en guerre
Front oriental austro-allemand en avril 1915
Fronts des Empires centraux à l'été 1917
Front occidental et front italien en juillet 1918
Front allemand occidental le 11-11-1918
Avance extrême des Russes en 1914-1915
Offensives décisives de l'Entente en 1918
1/25 000 000

0   250   500   750 km

2 Le monde dominé par l'Europe (1914)

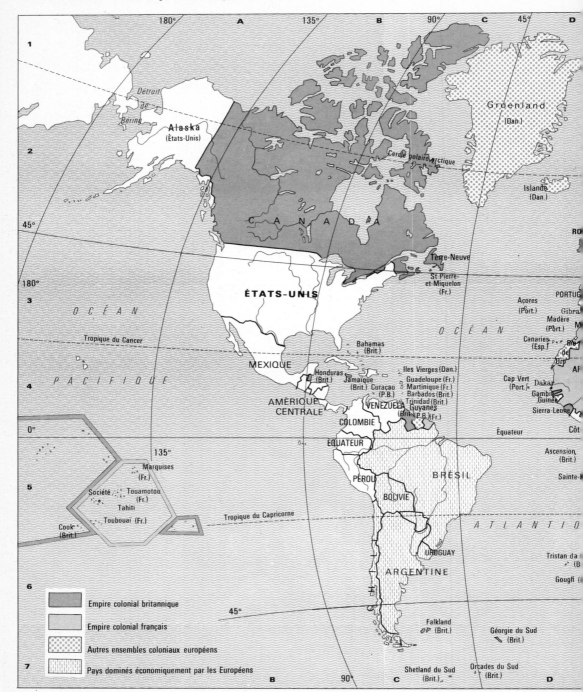

A · 180°   A · 135°   B · 90°   C · 45°   D

1

Détroit de Bering

Alaska
(États-Unis)

Cercle polaire arctique

Groenland
(Dan.)

2

Islande
(Dan.)

C A N A D A

45°

RO

Terre-Neuve

St-Pierre-
et-Miquelon
(Fr.)

180°

3

O C É A N

ÉTATS-UNIS

Açores
(Port.)

PORTUG

Gibra
Madère
(Port.)

Tropique du Cancer

O C É A N

Canaries
(Esp.)

Rio
de
Uri

MEXIQUE

Bahamas
(Brit.)

AF

4

P A C I F I Q U E

Iles Vierges (Dan.)

Honduras
(Brit.)

Jamaïque   Guadeloupe (Fr.)
(Brit.) Curaçao   Martinique (Fr.)
         (P.B.)   Barbados (Brit.)

Cap Vert
(Port.)

Dakar

Gambie
Guinée

AMÉRIQUE
CENTRALE

VENEZUELA Trinidad (Brit.)
           Guyanes
           (Brit.)(P.B.)(Fr.)

Sierra-Leone

COLOMBIE

Équateur

Côt

0°

ÉQUATEUR

Ascension
(Brit.)

135°

Marquises
(Fr.)

5

Société   Touamotou
          (Fr.)

Tahiti

Touboual (Fr.)

PÉROU

BOLIVIE

B R É S I L

Sainte-

Cook
(Brit.)

Tropique du Capricorne

A T L A N T I Q

URUGUAY

Tristan da
(B

Gough (

6

ARGENTINE

45°

Falkland
(Brit.)

Géorgie du Sud
(Brit.)

	Empire colonial britannique
	Empire colonial français
	Autres ensembles coloniaux européens

7 Pays dominés économiquement par les Européens

Shetland du Sud
(Brit.)

Orcades du Sud
(Brit.)

B · 90°   C   D

E   45°   F   90°   G   135°   H   180°

1

Cercle polaire arctique

2

S i b é r i e

NORVÈGE
SUÈDE

EMPIRE RUSSE

45°

Kazakhstan

MONGOLIE
(autonome depuis 1911)

Mandchourie

OCÉAN

AUTRICHE-
HONGRIE
ITALIE

Turkestan

EMPIRE CHINOIS

JAPON

3

EMPIRE OTTOMAN

PERSE   AFGHANISTAN

Cachemire

Tibet

Wei Hai Wei (Brit.)
Tsing Tao
(All.)

Tunisie   Malte
Chypre

Koweit

Macao (Port.)

Tropique du Cancer

PACIFIQUE

Libye

Suez

Bahrein

EMPIRE
DES INDES

Chandernagor
(Fr.)

Birmanie

Hong Kong (Brit.)
KouangTchéou Wouang
(Fr.)

Égypte

ARABIE

Oman

Die
(Port.)

Daman
(Port.)

Yanaon (Fr.)

SIAM

Mariannes
(All.)

CCIDENTALE
RANÇAISE

Hadramaout

(Port.) Goa

(Fr.)

Adaman

Marshall
(All.)

AFRIQUE ÉQUATORIALE FRANÇAISE

Soudan

Socotora
(Brit.)

Somalie

Mahé
(Fr.)

Pondichéry
Karikal

INDOCHINE

Nicobar
(Brit.)

Nigeria

Laquedives
(Brit.)

(Fr.)

Palau
(All.)

Carolines
(All.)

Cameroun

ABYSSINIE

Maldives
(Brit.)

Équateur

Bornéo
du Nord

Singapour

Sumatra

Bornéo

Archipel
Bismarck

0°

Uganda

AFRIQUE
ORIENTALE
BRITANNIQUE

Seychelles (Brit.)

Célèbes

Nouvelle

Congo
Belge

Afrique
Orientale
Allemande

Zanzibar

Amirantes (Brit.)

Chagos
(Brit.)

INDES NÉERLANDAISES

Guinée

Salomon
(Brit.)

Angola
(Port.)

Rhodésie

Comores
(Fr.)

OCÉAN

Cocos
(Brit.)

Java

Nouvelles-
Hébrides

5

Sud-Ouest
Africain
Allemand

Bechua
naland

Mozambique

Madagascar

Maurice
(Brit.)

Nouvelle-
Calédonie
(Fr.)

Union
Sud-Africaine

Réunion
(Fr.)

Tropique du Capricorne

INDIEN

AUSTRALIE

Le Cap

Nouvelle-Amsterdam
(Fr.)

NOUVELLE-
ZÉLANDE

6

45°

Kerguélen
(Fr.)

St-Paul
(Fr.)

Auckland

7

1/125 000 000

0   E   4 000 km   F   90°   G   135°   H   180°

1

60°

A   0°   B   15°   C   30°

NORVÈGE

SUÈDE

FINLANDE

Helsinki

Tallinn (Revel)

Stockholm

1934
ESTONIE

2

MER

Riga **1934**
LETTONIE

BALTIQUE

Memel **LITUANIE**
1936

OCÉAN

DANEMARK

Schleswig

Ville libre de
Danzig

Kovno

Niemen

ÉTAT LIBRE
D'IRLANDE

ROYAUME-

MER DU NORD

Dublin

UNI

PAYS-BAS

Oder

Posnanie

Brest-Litovsk

ATLANTIQUE

Londres

La Haye

Berlin

Varsovie

POLOGNE
1926

Hythe

Boulogne

BELGIQUE

Bruxelles

ALLEMAGNE

1933

Haute-
Silésie

Galicie

Dniester

LUX.

Wiesbaden

Prague

Teschen

45°

Compiègne

St-Germain Neuilly

Versailles Paris

Sèvres

Alsace-
Lorraine

Danube

Munich

TCHÉCOSLOVAQUIE

FRANCE

Berne

SUISSE

Locarno Trentin

Vienne

AUTRICHE

1933

Budapest

HONGRIE

Transylvan

R O U

Genève

Stresa

Trente

Trieste

Drave

Fiume

Banat

Dan

3

Gênes

Rapallo

San Remo

Cannes

PORTUGAL
1926

ESPAGNE
1923

Corse

ITALIE
1922

Rome

Zara
(It.)

MER

ADRIATIQUE

Serajevo

Y
O
U
G
O
S
L
A
V
I
E

Belgrade

1929

BULGA
1934

ALBANIE

Sardaigne

Baléares

Sicile

Corfou

GRÈCE
1936

MAROC

0°

ALGÉRIE

TUNISIE

15°

M É D I T E R

4 Guerres civile et étrangère en Russie (1918–1919)

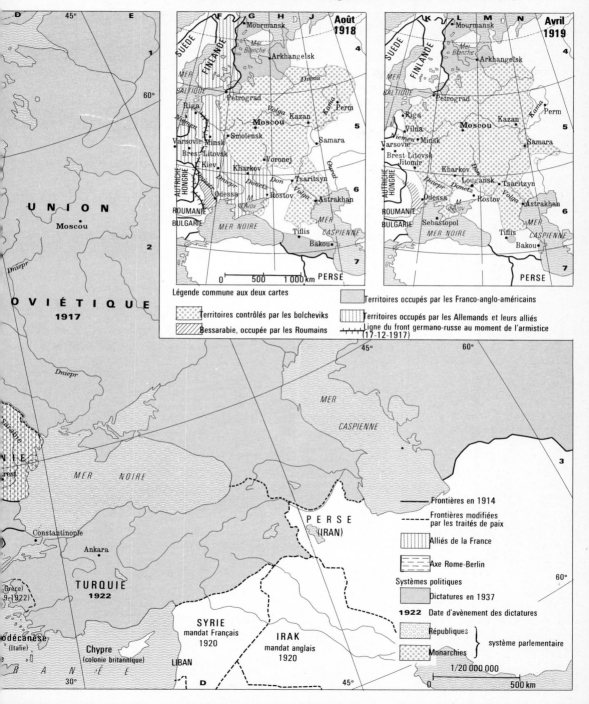

Août 1918

SUÈDE · FINLANDE · Mourmansk · Mer Blanche · Arkhangelsk · MER BALTIQUE · Dvina · Pétrograd · Riga · Volga · Kazan · Kama · Perm · Niemen · Moscou · Smolensk · Samara · Varsovie · Minsk · Bres-Litovsk · Kiev · Kharkov · Voronej · Tsaritsyn · AUTRICHE HONGRIE · Odessa · Don · Volga · Astrakhan · Rostov · ROUMANIE · BULGARIE · MER NOIRE · MER CASPIENNE · Tiflis · Bakou · PERSE

0   500   1 000 km

Avril 1919

SUÈDE · FINLANDE · Mourmansk · Mer Blanche · Arkhangelsk · MER BALTIQUE · Pétrograd · Riga · Vilna · Moscou · Kazan · Kama · Perm · Niemen · Minsk · Samara · Varsovie · Brest-Litovsk · Jitomir · Kharkov · Don · Lougansk · Tsaritsyn · AUTRICHE HONGRIE · Odessa · Donets · Dniepr · Rostov · Volga · Astrakhan · ROUMANIE · BULGARIE · Sébastopol · MER NOIRE · Tiflis · MER CASPIENNE · Bakou · PERSE

Légende commune aux deux cartes

Territoires contrôlés par les bolcheviks

Bessarabie, occupée par les Roumains

Territoires occupés par les Franco-anglo-américains

Territoires occupés par les Allemands et leurs alliés

Ligne du front germano-russe au moment de l'armistice (17-12-1917)

U N I O N · Moscou · S O V I É T I Q U E **1917** · Dniepr

MER CASPIENNE · Dniepr · MER NOIRE · Constantinople · Ankara · PERSE (IRAN) · TURQUIE **1922** · Grèce (1919-1922) · ...décanèse (Italie) · Chypre (colonie britannique) · LIBAN · SYRIE mandat Français 1920 · IRAK mandat anglais 1920 · ...B L A N C H E

Frontières en 1914

Frontières modifiées par les traités de paix

Alliés de la France

Axe Rome-Berlin

Systèmes politiques

Dictatures en 1937

1922 Date d'avènement des dictatures

Républiques

Monarchies

système parlementaire

1/20 000 000

0   500 km

5 L'industrialisation de l'U.R.S.S.

6 Le développement urbain avant 1939

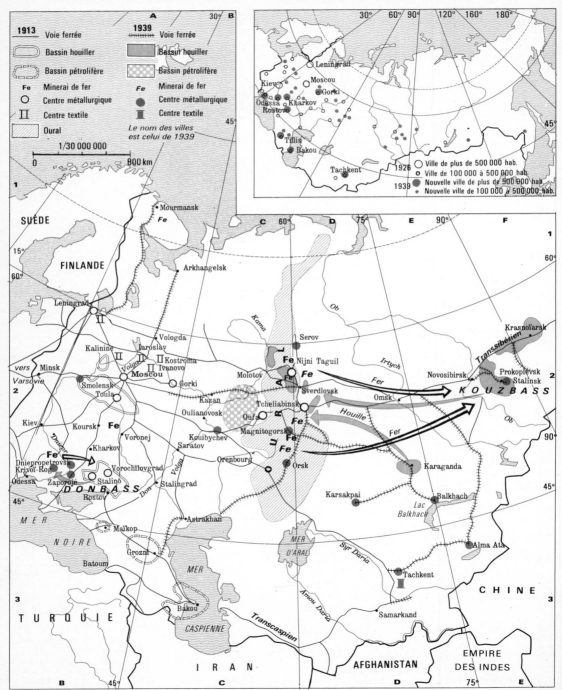

Légende carte 5 :

1913
- Voie ferrée
- Bassin houiller
- Bassin pétrolifère
- Fe Minerai de fer
- ○ Centre métallurgique
- Ⅱ Centre textile
- Oural

1939
- Voie ferrée
- Bassin houiller
- Bassin pétrolifère
- Fe Minerai de fer
- ● Centre métallurgique
- Centre textile

Le nom des villes est celui de 1939

1/30 000 000
0 _____ 800 km

Légende carte 6 :

- 1926 ○ Ville de plus de 500 000 hab.
  ○ Ville de 100 000 à 500 000 hab.
- 1939 ● Nouvelle ville de plus de 500 000 hab.
  • Nouvelle ville de 100 000 à 500 000 hab.

SUÈDE — FINLANDE — Mourmansk — Arkhangelsk — Leningrad — Vologda — Iaroslav — Kostroma — Ivanovo — Moscou — Gorki — Kalinine — Smolensk — Toula — Kazan — Serov — Nijni Taguil — Molotov — Sverdlovsk — Tcheliabinsk — Oufa — Oulianovsk — Kouibychev — Saratov — Magnitogorsk — Orenbourg — Orsk — vers Minsk — vers Varsovie — Kiev — Koursk — Voronej — Kharkov — Dniepropetrovsk — Krivoï-Rog — Odessa — Zaporojé — Stalino — DONBASS — Rostov — Stalingrad — MER NOIRE — Maïkop — Astrakhan — Grozni — Batoum — MER CASPIENNE — Bakou — TURQUIE — IRAN — Novosibirsk — Krasnoïarsk — Prokopievsk — Stalinsk — KOUZBASS — Transsibérien — Omsk — Irtych — Ob — Kama — OURAL — Houille — Fer — Karaganda — Karsakpaï — Balkhach — Lac Balkhach — Alma Ata — Tachkent — Samarkand — MER D'ARAL — Syr Daria — Amou Daria — Transcaspien — AFGHANISTAN — EMPIRE DES INDES — CHINE

Carte 6 : Leningrad — Kiev — Moscou — Gorki — Odessa — Kharkov — Rostov — Tiflis — Bakou — Tachkent

7/8 Les élections en Allemagne

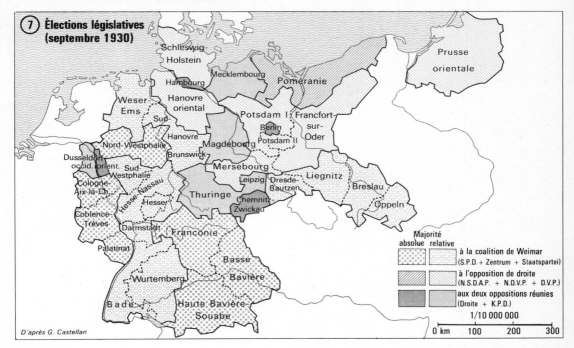

⑦ **Élections législatives (septembre 1930)**

Schleswig-Holstein
Hambourg
Mecklembourg
Poméranie
Prusse orientale
Weser-Ems
Hanovre oriental
Sud
Potsdam I
Francfort-sur-Oder
Berlin
Potsdam II
Nord-Westphalie
Hanovre
Magdebourg
Dusseldorf occid. orient.
Brunswick
Sud-Westphalie
Mersebourg
Cologne-Aix-la-Ch.
Hesse-Nassau
Leipzig
Dresde-Bautzen
Liegnitz
Breslau
Hesse
Thuringe
Chemnitz-Zwickau
Oppeln
Coblence-Trèves
Darmstadt
Palatinat
Franconie
Wurtemberg
Basse Bavière
Bade
Haute Bavière-Souabe

Majorité
absolue | relative

à la coalition de Weimar
(S.P.D. + Zentrum + Staatspartei)

à l'opposition de droite
(N.S.D.A.P. + N.D.V.P. + D.V.P.)

aux deux oppositions réunies
(Droite + K.P.D.)

1/10 000 000
0 km   100   200   300

D'après G. Castellan

⑧ **Élections présidentielles (avril 1932)**

Schleswig-Holstein
Hambourg
Mecklembourg
Poméranie
Prusse orientale
Weser-Ems
Hanovre oriental
Sud
Potsdam I
Francfort-sur-Oder
Berlin
Nord-Westphalie
Hanovre
Magdebourg
Dusseldorf occid. orient.
Brunswick
Sud-Westphalie
Mersebourg
Cologne-Aix-la-Ch.
Hesse-Nassau
Leipzig
Dresde-Bautzen
Liegnitz
Breslau
Hesse
Thuringe
Chemnitz-Zwickau
Oppeln
Coblence-Trèves
Darmstadt
Franconie
Palatinat
Basse Bavière
Wurtemberg
Bade
Haute Bavière-Souabe

Voies obtenues par Hindenburg
au second tour
des élections présidentielles

60 à 70 %

50 à 60 %

40 à 50 %

30 à 40 %

1/10 000 000
0 km   100   200   300

D'après G. Castellan

9 Les formes de gouvernement dans le monde en 1939

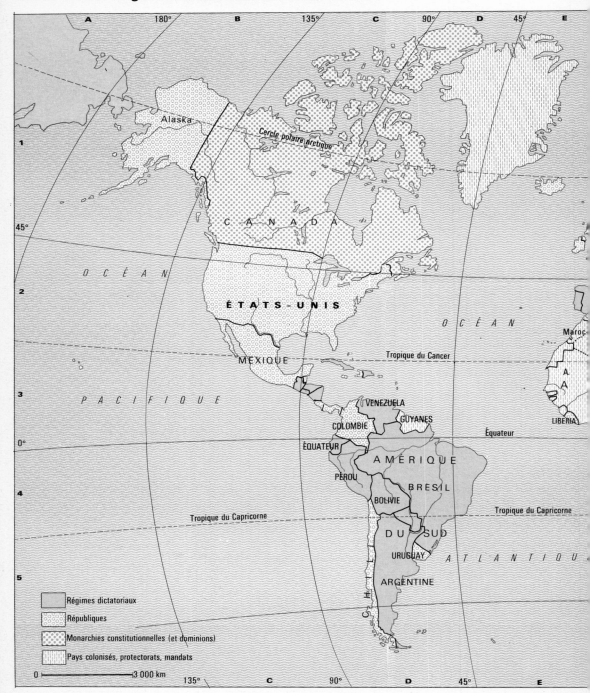

Régimes dictatoriaux

Républiques

Monarchies constitutionnelles (et dominions)

Pays colonisés, protectorats, mandats

0 ⊢━━━━━━━ 3 000 km

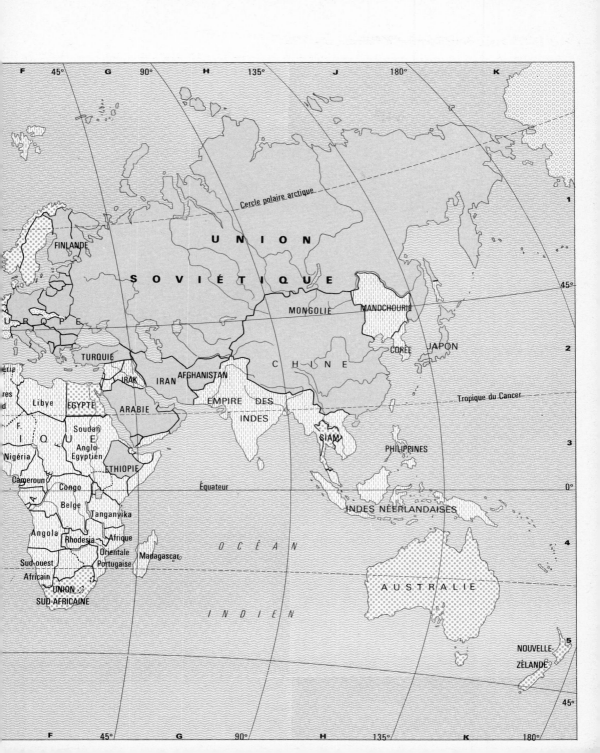

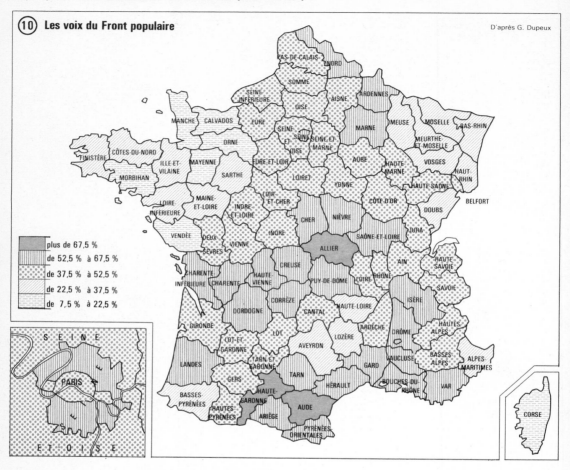

⑩ **Les voix du Front populaire**

D'après G. Dupeux

Légende :
- plus de 67,5 %
- de 52,5 % à 67,5 %
- de 37,5 % à 52,5 %
- de 22,5 % à 37,5 %
- de 7,5 % à 22,5 %

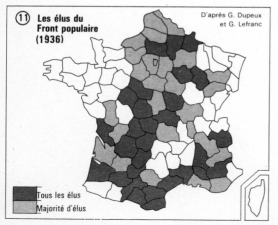

⑪ **Les élus du Front populaire (1936)**

D'après G. Dupeux et G. Lefranc

- Tous les élus
- Majorité d'élus

⑫ **Les élus de l'opposition (1936)**

D'après G. Dupeux et G. Lefranc

- Tous les élus
- Majorité d'élus

13 à 18 Activités et fortune en France entre les deux guerres

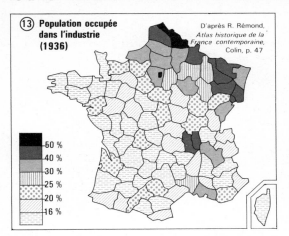

⑬ **Population occupée dans l'industrie (1936)**

D'après R. Rémond, *Atlas historique de la France contemporaine*, Colin, p. 47

- 50 %
- 40 %
- 30 %
- 25 %
- 20 %
- 16 %

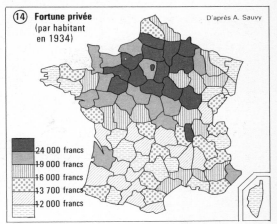

⑭ **Fortune privée (par habitant en 1934)**

D'après A. Sauvy

- 24 000 francs
- 19 000 francs
- 16 000 francs
- 13 700 francs
- 12 000 francs

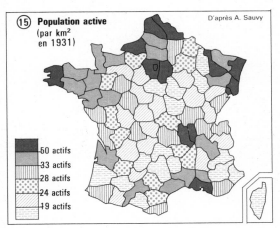

⑮ **Population active (par km² en 1931)**

D'après A. Sauvy

- 50 actifs
- 33 actifs
- 28 actifs
- 24 actifs
- 19 actifs

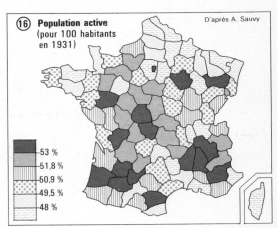

⑯ **Population active (pour 100 habitants en 1931)**

D'après A. Sauvy

- 53 %
- 51,8 %
- 50,9 %
- 49,5 %
- 48 %

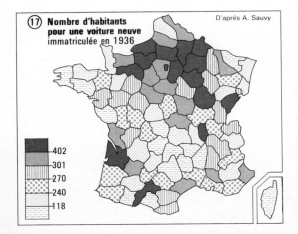

⑰ **Nombre d'habitants pour une voiture neuve immatriculée en 1936**

D'après A. Sauvy

- 402
- 301
- 270
- 240
- 118

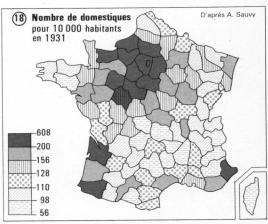

⑱ **Nombre de domestiques pour 10 000 habitants en 1931**

D'après A. Sauvy

- 608
- 200
- 156
- 128
- 110
- 98
- 56

19 à 22   La guerre en Europe de 1939 à 1945

(19) L'Europe jusqu'en 1942

Frontières le 1er mars 1939
Pays de l'Axe le 1er mars 1939
Annexions de l'Axe jusqu'en 1942
Territoires sous administration allemande
Territoires occupés par les troupes de l'Axe en octobre 1942
États satellites de l'Axe

Direction principale des offensives
de l'Axe   des Alliés
Front russo-allemand en juin 1941
Front russo-allemand en août 1941
Front en décembre 1941
Avance extrême des troupes allemandes en novembre 1942

1/20 000 000

0   200   400   600   800 km

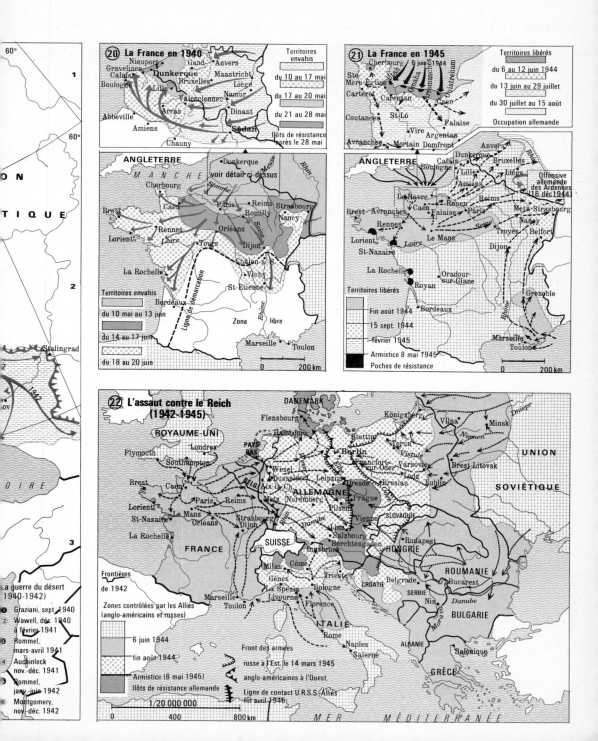

20 La France en 1940

Territoires envahis
- du 10 au 17 mai
- du 17 au 20 mai
- du 21 au 28 mai
- Îlots de résistance après le 28 mai

Nieuport · Gand · Anvers · Gravelines · Dunkerque · Bruxelles · Maastricht · Calais · Lille · Liège · Boulogne · Valenciennes · Namur · Arras · Dinant · Abbeville · Amiens · Sédan · Chauny

ANGLETERRE
MANCHE
Dunkerque voir détail ci-dessus
Cherbourg · Somme · Rhin
Brest · Caen · Paris · Reims · Strasbourg · Meuse · Romilly · Nancy · Rennes · Orléans · Seine · Lorient · Loire · Tours · Dijon · Châlon-s.-S. · Vichy · St-Étienne · La Rochelle · Ligne de démarcation

Territoires envahis
- du 10 mai au 13 juin
- du 14 au 17 juin
- du 18 au 20 juin

Bordeaux · Rhône · Zone libre · Marseille · Toulon

0   200 km

21 La France en 1945

Territoires libérés
- du 6 au 12 juin 1944
- du 13 juin au 29 juillet
- du 30 juillet au 15 août
- Occupation allemande

Cherbourg · 6 juin 1944 · Utah · Omaha · Gold · Juno · Sword · Ste-Mère-Église · Carteret · Carentan · Caen · Coutances · St-Lô · Falaise · Avranches · Vire · Argentan · Mortain · Domfront

ANGLETERRE
Anvers · Dunkerque · Calais · Bruxelles · Boulogne · Lille · Liège · Amiens · Offensive allemande des Ardennes (16 déc.1944) · Le Havre · Rouen · Reims · Metz · Strasbourg · Brest · Avranches · Caen · Falaise · Paris · Nancy · Belfort · Rennes · Seine · Troyes · Le Mans · Lorient · Loire · Dijon · St-Nazaire · La Rochelle · Oradour-sur-Glane · Royan · Grenoble · Bordeaux · Rhône · Marseille · Toulon

Territoires libérés
- Fin août 1944
- 15 sept. 1944
- février 1945
- Armistice 8 mai 1945
- Poches de résistance

0   200 km

22 L'assaut contre le Reich (1942-1945)

DANEMARK · Flensbourg · Königsberg · Vilna · Minsk · ROYAUME-UNI · Hambourg · Stettin · Torun · Niémen · Plymouth · Londres · PAYS-BAS · Berlin · Vistule · Brest-Litovsk · Southampton · Wesel · Francfort-sur-Oder · Varsovie · Lodz · UNION · Brest · Caen · Düsseldorf · Leipzig · Dresde · Breslau · Lublin · SOVIÉTIQUE · BELG · Aix-la-Ch. · ALLEMAGNE · Paris · Reims · Metz · Nuremberg · Prague · Lorient · Le Mans · Strasbourg · Pilsen · Vienne · SLOVAQUIE · St-Nazaire · Orléans · Dijon · Danube · Linz · La Rochelle · FRANCE · Salzbourg · Budapest · SUISSE · Innsbruck · Berchtesgaden · HONGRIE · Milan · Côme · Trieste · ROUMANIE · Frontières de 1942 · Gênes · CROATIE · Belgrade · Bucarest · La Spezia · Bologne · SERBIE · Zones contrôlées par les Alliés (anglo-américains et russes) · Marseille · Livourne · Florence · Niš · Danube · Toulon · BULGARIE · ITALIE · Rome · ALBANIE

- 6 juin 1944
- fin août 1944
- Armistice (8 mai 1945)
- Îlots de résistance allemande

Front des armées
russe à l'Est, le 14 mars 1945
anglo-américaines à l'Ouest
Ligne de contact U.R.S.S. Alliés fin avril 1945

Naples · Salerne · GRÈCE · Salonique · MER MÉDITERRANÉE

1/20 000 000
0   400   800 km

La guerre du désert (1940-1942)
1. Graziani, sept. 1940
2. Wawell, déc. 1940 à février 1941
3. Rommel, mars-avril 1941
4. Auchinleck nov.-déc. 1941
5. Rommel, janv.-juin 1942
6. Montgomery, nov.-déc. 1942

Stalingrad

60°

1

60°

2

3

ON · TIQUE · OIRE

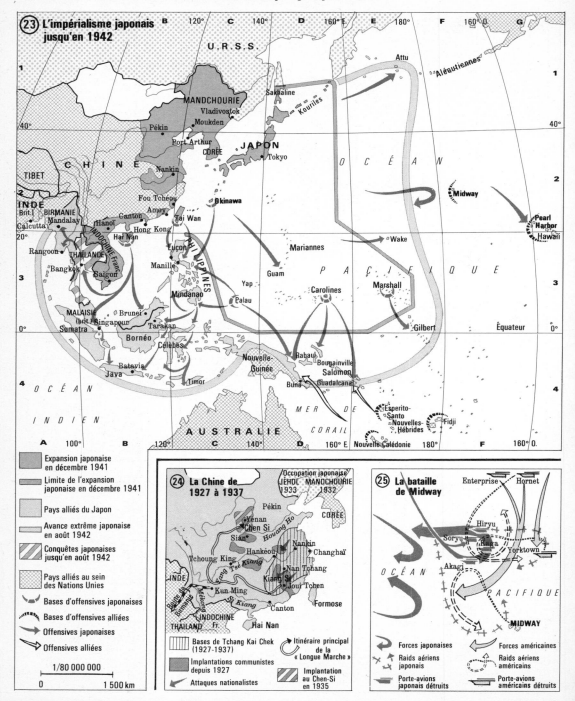

(23) L'impérialisme japonais jusqu'en 1942

U.R.S.S.

MANDCHOURIE
Vladivostok
Pékin · Moukden
Port Arthur · CORÉE
JAPON
Tokyo
Attu
Aléoutiennes
Sakhaline
Kouriles
CHINE
TIBET
Nankin
Fou Tchéou
Amoy
Okinawa
Taï Wan
INDE
Brit.
BIRMANIE
Mandalay
Calcutta
Hanoï
Canton
Hong Kong
Haï Nan
Lucon
OCÉAN
Midway
Pearl Harbor
Hawaii
Wake
Marianves
Rangoon
THAÏLANDE
Bangkok
Saigon
INDOCHINE Franç.
Manille
PHILIPPINES
Guam
PACIFIQUE
Yap
Palau
Carolines
Marshall
Mindanao
MALAISIE
(brit.)
Singapour
Brunei
Tarakan
Sumatra
Bornéo
Célèbes
Gilbert
Équateur
Batavia
Java
Timor
Nouvelle-Guinée
Rabaul
Bougainville
Salomon
Buna
Guadalcanal
MER DE CORAIL
Esperito-Santo
Nouvelles-Hébrides
Fidji
OCÉAN
INDIEN
AUSTRALIE
Nouvelle-Calédonie

Expansion japonaise en décembre 1941

Limite de l'expansion japonaise en décembre 1941

Pays alliés du Japon

Avance extrême japonaise en août 1942

Conquêtes japonaises jusqu'en août 1942

Pays alliés au sein des Nations Unies

Bases d'offensives japonaises

Bases d'offensives alliées

Offensives japonaises

Offensives alliées

1/80 000 000

0 ——— 1 500 km

(24) La Chine de 1927 à 1937

Occupation japonaise
JÉHOL 1933 MANDCHOURIE 1932
Pékin
CORÉE
Yenan
Chen Si
Sian
Hovang Ho
Hankéou
Nankin
Changhaï
Tchoung King
Long Tsé Kiang
Nan Tchang
INDE
Kiang Si
Joui Tchen
Kun-Ming
Mékong
Si Kiang
Canton
Formose
Route de Birmanie
INDOCHINE Fr.
THAÏLAND
Haï Nan

Bases de Tchang Kai Chek (1927-1937)

Implantations communistes depuis 1927

Attaques nationalistes

Itinéraire principal de la « Longue Marche »

Implantation au Chen-Si en 1935

(25) La bataille de Midway

Enterprise Hornet
Hiryu
Soryu
Kaga
Yorktown
Akagi
OCÉAN
PACIFIQUE
MIDWAY

Forces japonaises

Raids aériens japonais

Porte-avions japonais détruits

Forces américaines

Raids aériens américains

Porte-avions américains détruits

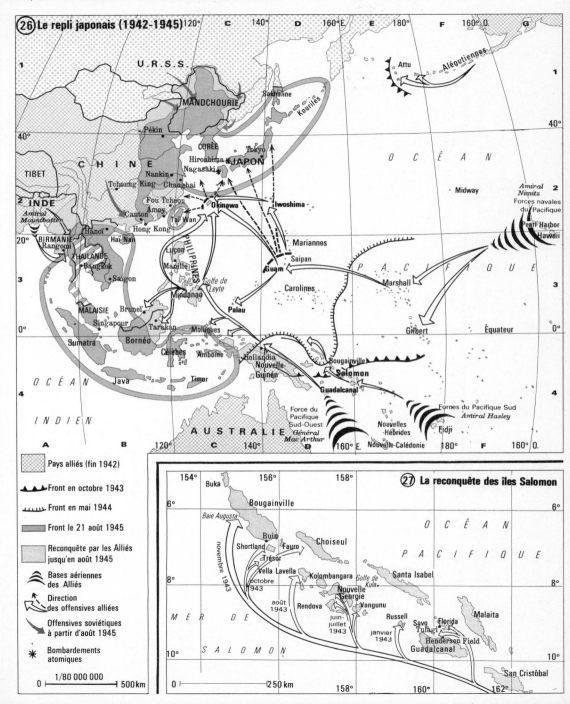

㉖ Le repli japonais (1942-1945)

U.R.S.S.

MANDCHOURIE

Sakhaline

Kouriles

Pékin

CORÉE

Tokyo

CHINE

Hiroshima JAPON
Nagasaki

Nankin Changhai

TIBET

Tchoung King

INDE

Amiral
Mountbatten

Fou Tcheou
Amoy

Okinawa Iwoshima

Canton

BIRMANIE
Rangoon

Hanoï

Haï Nan

Taï Wan

Hong Kong

PHILIPPINES

THAILANDE
Bangkok

Luçon

Manille

Marianne

Saïpan

Saïgon

Golfe de
Leyte

Guam

Carolines

OCÉAN

Midway

Amiral
Nimitz
Forces navales
du Pacifique

Pearl Harbor
Hawaii

PACIFIQUE

MALAISIE

Brunéï

Mindanao

Palau

Marshall

Singapour

Tarakan

Sumatra

Bornéo

Moluques

Célèbes

Amboine

Gilbert

Équateur

OCÉAN

Java

Timor

Hollandia
Nouvelle-
Guinée

Bougainville

Salomon

Guadalcanal

INDIEN

AUSTRALIE

Force du
Pacifique
Sud-Ouest
Général
Mac Arthur

Nouvelles-
Hébrides

Nouvelle-Calédonie

Forces du Pacifique Sud
Amiral Hasley

Fidji

Pays alliés (fin 1942)

Front en octobre 1943

Front en mai 1944

Front le 21 août 1945

Reconquête par les Alliés
jusqu'en août 1945

Bases aériennes
des Alliés

Direction
des offensives alliées

Offensives soviétiques
à partir d'août 1945

Bombardements
atomiques

1/80 000 000
0 ————— 500 km

㉗ La reconquête des îles Salomon

Buka

Bougainville

Baie Augusta

Buin

Choiseul

OCÉAN

Shortland

Fauro

PACIFIQUE

Trésor

Vella Lavella

Kolombangara

Golfe de
Kula

Santa Isabel

novembre 1943

octobre
1943

Nouvelle-
Géorgie

août
1943

Rendova

Vangunu

Russell

Malaita

MER DE

Savo
Tulagi

Florida

Henderson Field
Guadalcanal

juin-
juillet
1943

janvier
1943

SALOMON

San Cristóbal

0 —————— 250 km

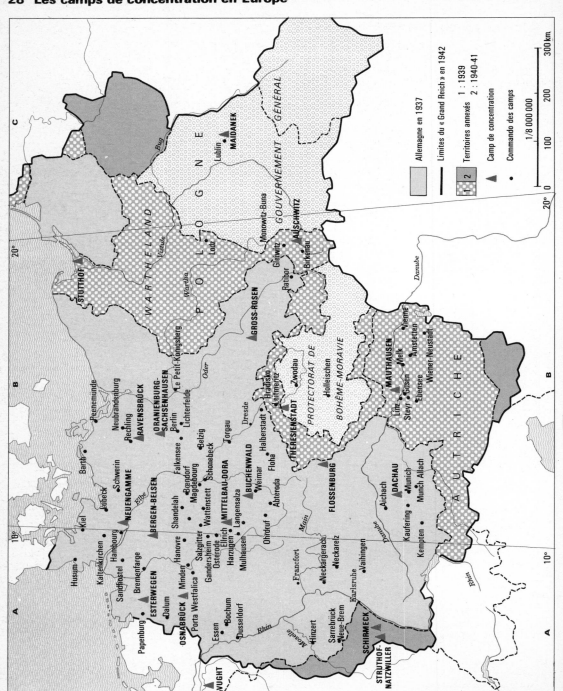

Allemagne en 1937

Limites du « Grand Reich » en 1942

Territoires annexés   1 : 1939
2 : 1940-41

▲ Camp de concentration

• Commando des camps

1/8 000 000

0   100   200   300 km